刘福春　著

中国当代新诗编年史

1966—1976

河南大学出版社

图书在版编目(CIP)数据

中国当代新诗编年史:1966—1976/刘福春著. —开封:河南大学出版社,2005.12
(文艺风云书系)
ISBN 7-81091-435-9

Ⅰ.中… Ⅱ.刘… Ⅲ.新诗—诗歌史—中国—1966—1976 Ⅳ.I207.209

中国版本图书馆 CIP 数据核字(2005)第 139728 号

出 版 人	王刘纯
责任编辑	袁喜生
责任校对	和彩霞
责任印制	王 慧
装帧设计	张 胜

出 版	河南大学出版社
	地址:河南省开封市明伦街 85 号　邮编:475001
	电话:0378—2864669(行管部)　0378—2825001(营销部)
	网址:www.hupress.com　E-mail:bangong@hupress.com
经 销	河南省新华书店
排 版	河南大学出版社印务公司
印 刷	河南第二新华印刷厂
版 次	2005 年 12 月第 1 版　　印 次　2005 年 12 月第 1 次印刷
开 本	650mm×960mm　1/16　　印 张　32.5
字 数	475 千字
印 数	1—3000 册

ISBN 7-81091-435-9/I · 254　　　　定 价 58.00 元

(本书如有印装质量问题,请与河南大学出版社营销部联系调换)

目　录

例　言 …………………………………………………（ 1 ）

1966 年 …………………………………………………（ 1 ）
1967 年 …………………………………………………（ 34 ）
1968 年 …………………………………………………（ 70 ）
1969 年 …………………………………………………（ 97 ）
1970 年 …………………………………………………（108）
1971 年 …………………………………………………（119）
1972 年 …………………………………………………（129）
1973 年 …………………………………………………（166）
1974 年 …………………………………………………（212）
1975 年 …………………………………………………（272）
1976 年 …………………………………………………（368）

人名索引 ………………………………………………（461）

后记 ……………………………………………………（512）

例　言

一、本书主要记述 1966 年 1 月至 1976 年 12 月在中国大陆发生的有关新诗创作、评论、出版、活动等史事。

二、本书按有关史事发生的时间编次，日不详编入当月，月不详编入当年；有些时间使用为春夏秋冬者，则分别列于 3、6、9、12 月之后。

三、本书尽量采用第一手文献资料以保证记述的可靠性。所用资料多为笔者查阅原始报刊、书籍所得，但也有小部分原始资料因一时无法见到，于是参考利用了一些已出版的有关成果。

四、本书以记述作品的发表和出版为主，资料取舍的原则是既要忠实于历史又要有新的发现，尽可能地展现当时的历史状况，还原其原本的丰富与复杂。

五、本书力求客观记述，不做主观评价。记述均依照当时的用字用语和作者的署名，除一些作者使用不同的用名在后面用括号注出该作者的常用名和明显的错漏用方括号注出外，不做任何改动。作品发表和出版的时间，均以所刊载的报刊标明的出刊时间和所著书的版权页的记录为准。所用引文均于文后注明出处。

六、除新诗史事，本书也记述了一些有关政治、文化背景材料及人物简介。此类文字一律编入行文。人物简介用仿宋字体印出。

七、本书书后附有人名索引。所收人物，以本书所述时限内有新诗或诗评发表，以及参与有关活动者为限。人名按首字汉语拼音音序排列,检索数码为人名出现的时间,如:660101 即 1966 年 1 月 1 日,6601 即 1966 年 1 月,66 即 1966 年。

八、严格地讲,本书仍为一部未完成品,其中最感遗憾的是还有很多报纸资料没能收入。笔者希望以后能有机会弥补这一遗憾,也欢迎各位同行给予补充和订正。

1966 年

1966年1月

　　1日　《工人日报》刊出王喜锦等《永远跟着毛主席——大庆工人诗歌选之一》。

　　1日　《文汇报》刊出沪东造船厂居有松的诗《新的任务咱拿下》。

　　1日　《长春》1966年1月号刊出拖拉机制造厂工人刘喜廷《火热的心》、第一机床厂工人郭照海《机床工人歌》等诗。

　　1日　《长江文艺》1966年1月号刊出黄声孝《英雄王杰站得高》、习久兰《万首山歌挤破喉》等诗。

　　1日　《甘肃文艺》1966年1月号刊出《板报诗》，刊有魏接天《陡坡坡修成了平台台》、音亢《支书带头修梯田》等诗。

　　1日　《解放军文艺》1966年第1期以《〈毛主席语录〉发到连》为总题刊出张传富《授"枪"》、陈秀庭《一盏明灯照眼前》等诗13首。

　　1日　《鸭绿江》1966年1月号刊出海城南台人民公社社员霍满生《歌唱王杰学王杰》、沈阳重型机器厂工人晓凡《眼望着红旗心向着党》、沈阳黎明机械厂刘湛秋《敬爱的党，下令吧！》等诗。

　　1日　《延河》1966年1月号刊出《墙头诗选》和陕西机械厂齐振业《车间就是杀敌前线》、工人徐剑铭《战斗的车间》等诗及高陵县文化馆《工农喜爱墙头诗——"墙头诗选"座谈记要》。

　　2日　《解放日报》以《旗手就是毛泽东》为总题刊出福建龙溪县

西洋公社张家銮《毛主席著作是红灯》等诗。

2日 《文汇报》刊出满锐的诗《怒火在燃烧……》。

4日 《北京文艺》1966年1月号《工农兵业余作者新作》栏刊出北京第一机床厂工人温承训《号角向着顶峰吹》、房山县琉璃河中学赵日升《访南韩继》等诗。

5日 《北方文学》1966年1月号刊出呼兰县社员韦尚田《王杰永远和我们在一起》、战士季在春《王杰在成长》等诗。

5日 《广西文艺》1966年1月号刊出莎红《苗家山鹰飞出林》、林起《深夜，在工人宿舍里》等诗。

5日 《萌芽》1966年第1期刊出上海沪东造船厂工人居有松《一手挥锤一手写诗》等文和肖岗《千万个王杰在战斗》、赤叶《三个话务员》等诗。

5日 《青海湖》1966年第1期刊出杨植霖《一片红心》、齐星明《建设人类的新天》、王绥青《耕读学校赞》等诗。

8日 《人民日报》刊出沪东造船厂工人居有松《焊花怒放报春光》、大庆油田采油工人王成俊《采油工人忠于党》等诗。

10日 《江西文艺》1966年1月号刊出战士冯火顺《时代的光荣——颂王杰》、朱昌勤《进军放歌》、吕云松《竹林春雨》等诗。

10日 《山东文艺》1966年1月号刊出袁忠岳《蚂蚁照样搬大山》、王耀东《尖刀连人物》、戈振缨《革命良种到处播——颂王杰》、宫玺《田野上》等诗。

14日 《人民日报》刊出《千军万马战海河——海河工地诗抄》，刊有刘小放《铁脚站在最前排》等诗。

15日 《解放日报》刊出《大庆人诗抄》，刊有王喜锦《毛主席著作是航标》等诗。

16日 《人民日报》刊出《大庆工人诗选》，刊有孙家祥《毛主席著作闪金光》等诗。

19日 《文汇报》刊出顾工的诗《草原上的雄鹰——记一位藏族解放军排长》。

21日 《解放日报》刊出《大庆人诗抄》，刊有王进喜《石油工人一声吼》等诗。

21日 《文汇报》刊出上海汽轮机厂胡永槐的诗辑《汽轮机工人战歌》。

25日 《收获》1966年第1期刊出《"猛虎艇"战士诗歌选》和居有松《攀高峰》、陶然《天安门连着咱校园》等诗。

26日 《人民日报》刊出田间的诗《七彩笔——为迎接第三个五年计划作》。

27日 《人民日报》刊出战士姚成友的诗《哨所春歌》。

30日 《解放日报》以《农民歌颂毛主席》为总题刊出安徽枞阳县东风公社社员吴仕兰《幸福树呀党来栽》等诗。

1月 《边疆文艺》1966年1月号刊出《参加全国青年业余文学创作积极分子大会云南作者作品特辑》,刊有彝族工人普福才《茶山顶上望北京》、纳西族农民和执仁《不要忘记阶级斗争》等诗。

1月 雁翼的诗集《激浪集》由百花文艺出版社出版。作品分为《故乡诗抄》、《沸腾的山乡》2辑,收《山城,我就要出发》、《我去参加支部会》、《写在记分簿上》、《红色的文凭》等诗40首。

雁翼,原名颜鸿林,1927年生,河北馆陶人。1942年参军,1953年转到铁路工程局工作,1957年开始专业写作,曾任《星星》诗刊、《四川文学》主编。出版的诗集还有《大巴山的早晨》(1955)、《白杨颂》(1963)、《白杨林风情》(1981)、《女性的十四行诗》(1991)等。

1966年2月

1日 《长春》1966年2月号刊出《永远跟着毛主席》新民歌11首,有机车工人刘忠义《主席著作放红光》、公社社员康绍东《书记社员学"毛选"》等。

1日 《长江文艺》1966年2月号刊出管用和《公社人》、于元盛《进山蹲点》等诗。

1日 《甘肃文艺》1966年2月号《板报诗》刊出郝在岗《公社春早》、彭波《播种》2首。

1日 《火花》1966年2月号刊出朱兆雪《战歌更响旗更红》、李耘《战天斗地组歌》等诗。

1日 《鸭绿江》1966年2月号刊出盖县旺兴仁人民公社社员汤和伟《赶超大寨歌声响》、沈阳第三机床厂工人刘镇《早练》等诗。

1日 《延河》1966年2月号刊出雁翼《寄越南》、峭石《德浪河谷的枪声》、农民李强华《风雪战歌》等诗。

2—20日 江青根据林彪的委托,"在上海邀请部队的一些同志,就部队文艺工作的若干问题进行了座谈"。"会议纪要"经毛泽东修改后名为《林彪同志委托江青同志召开的部队文艺工作座谈会纪要》4月10日以中共中央名义批发全党,1967年5月29日《人民日报》刊出。《纪要》说:"文艺界在建国以来……被一条与毛主席思想相对立的反党反社会主义的黑线专了我们的政,这条黑线就是资产阶级的文艺思想、现代修正主义的文艺思想和所谓三十年代文艺的结合。……在这股资产阶级、现代修正主义文艺思想逆流的影响或控制下,十几年来,真正歌颂工农兵的英雄人物,为工农兵服务的好的或者基本上好的作品也有,但是不多;不少是中间状态的作品;还有一批是反党反社会主义的毒草。我们一定要根据党中央的指示,坚决进行一场文化战线上的社会主义大革命,彻底搞掉这条黑线。搞掉这条黑线之后,还会有将来的黑线,还得再斗争。所以,这是一场艰巨、复杂、长期的斗争,要经过几十年甚至几百年的努力。这是关系到我国革命前途的大事,也是关系到世界革命前途的大事。""近三年来,社会主义的文化大革命已经出现了新的形势,革命现代京剧的兴起就是最突出的代表。从事京剧革命的文艺工作者,在以毛主席为首的党中央的领导下,以马克思列宁主义和毛泽东思想为武器,向封建阶级、资产阶级和现代修正主义文艺展开了英勇顽强的进攻,锋芒所向,使京剧这个最顽固的堡垒,从思想到形式,都发生了极大的革命,并且带动文艺界发生着革命性的变化。革命现代京剧《红灯记》《沙家浜》《智取威虎山》《奇袭白虎团》等和芭蕾舞剧《红色娘子军》、交响音乐《沙家浜》、泥塑《收租院》等,已经得到广大工农兵群众的批准,在国内外观众中,受到了极大的欢迎。这是一个创举,它将会对社会主义文化革命产生深远的影响。""近三年来,社会主义文化革命的另一个突出表现,就是工农兵在思想、文艺战线上的广泛的群众活动。从工农兵群众中,不断地出现了许多优秀的、善于从实际出发表达毛泽东思想的哲学文章;同时,还不断地出现了许多优秀的、歌颂我国社会主义革命的伟大胜利,歌颂社会主义建设各个战线上的大跃进,歌颂我们的新英雄人物,歌颂我们伟大的党,伟大的领袖英明领导的文艺作品,特别是工农兵发表在墙报、黑板报上的大量诗歌,无论内容和形式都划出了一个完全崭新的时代。"

3日 《人民日报》刊出李瑛的诗《打双草鞋走千里》。

4日 《解放日报》刊出陈文和《姑娘学医回山庄》、贺羡泉《犁手》等诗。

4日 《北京文艺》1966年2月号《新人新作》栏刊出京西长沟峪煤矿工人李春明《〈毛主席语录〉之歌》、石景山发电厂工人王贵彬《风雨夜演习》等诗。

5日 《人民日报》刊出《战士诗选》,刊有徐子芳《军号曲》、张兴礼《征服狮子山》等诗。

5日 《北方文学》1966年2月号刊出王书怀《硬队长》、满锐《一本账》、陈国屏《治山记》等诗。

5日 《广西文艺》1966年2月号刊出《要为革命唱新歌——出席全国青年业余文学创作积极分子大会广西代表诗歌选》,刊有上林县公社社员黄寿才《会议归来》、邕宁县插队知识青年陈敦德《扎根农村永革命》等诗。

5日 《萌芽》1966年第2期刊出新疆生产建设兵团农八师滨之《戈壁水利兵》、东海舰队朱鹭《东海凯歌》等诗。

7日 《人民日报》发表通讯《县委书记的榜样——焦裕禄》和社论《向毛泽东同志的好学生——焦裕禄同志学习》。

9日 《人民日报》刊出陈国屏的诗《鄂伦春人之歌》。

10日 《江西文艺》1966年2月号刊出俞树红的诗《新的一课》和工人谢能、王枚成的快板诗《华林山之歌》。

10日 《山东文艺》1966年2月号刊出邢书第《新兵李火山》、陈显荣《我们早已准备好》等诗和定陶县南王店公社立文的文章《干起活来诗就有》。文章说:"'要编诗,不用愁,扛起大镢上山头,山头顶上猛翻地,干起活来诗就有。'莱阳前发坊大队社员们写的这首诗,看起来很简单,但却道出了劳动和创作的辩证关系。"

12日 《人民文学》1966年2月号《严阵以待　来者必歼》栏刊出邢书第《爆破手》、麻俊华《雪原轻骑》、王也《战士的马》、李健葆《哨所十枝枪》、吴修文《刺杀歌》等诗。

13日 《解放日报》刊出陈晏的诗《沙丘上的脚印——赞焦裕禄同志》。

14日 《文学评论》1966年第1期刊出中国科学院文学研究所安徽寿县九里公社劳动实习队的《安徽寿县九里公社社员阅读和评论文学作品情况的调查》和湖南新化游家公社社员杨善书《我们喜欢这样的诗》、丁洋《革命的颂歌,革命的战歌——读〈北京青年业余作者诗选〉》等文。调查说:"我们从一九六五年十月十三日到十月三十日,在安徽寿县九里公社花园、九里、周寨和陡涧四个大队,分别找了一部分社员调查有关文学作品的阅读和评论情况。"其中"我们对十八个人进行了诗歌方面的调查(全部是知识青年)。他们之中除了耕读小学教师严贺然一人读过一本《中国新诗选》以外,其他人都说没有读过诗集。一次,我们在调查会上,读了十四首诗,耕读小学教师刘永良说他只听懂了其中《歌唱毛泽东》等三首。耕读小学教师李继娟(女)说:'我们一般都喜欢看小说,因为诗看不懂,不懂就不感兴趣。'民兵张克强说:'我们读诗没有什么劲头。'""从调查来看,尽管他们直接读诗的机会较少,但他们一看到、一听到歌颂革命领袖和那些以他们所熟悉的所热爱的革命斗争、阶级斗争和当前农村生活为题材的诗歌,就说这事'说到了俺心里',十分喜欢,议论也最多。""我们在一次调查会上,读了严阵的《双堆集颂》,很多人说听不懂,有人对诗中'你发言吧:我的饱经炮火的村垒!'这一句提出疑问,说:'我不明白,这"圩子"(即"村垒")怎么能说话呢?'还有人对'和平只不过是弹坑里生长的一朵玫瑰'的诗句,也提出了类似的疑问。看来,这既不是属于诗歌体裁本身的问题,也不是属于题材的问题。这大概是诗人的思维和表达形式与这些读者的欣赏习惯有了距离的缘故。"

16日 《文汇报》刊出肖木的诗《毛主席的好学生——焦裕禄》。

20日 《文汇报》刊出任彦芳的诗《改天换地录——焦裕禄之歌》。

23日 《人民日报》刊出李瑛的诗《一个纯粹的人的颂歌——献给焦裕禄同志》。

25、27日 湖北省文联、武汉市文联主办学习焦裕禄、王杰、麦贤得诗歌朗诵会音乐会。《长江文艺》1966年4月号消息:"《县委书记的榜样——焦裕禄》等有关报导发表以后,我省文艺界的同志们无不反复阅读学习,极为感动,一个学焦裕禄、写焦裕禄、演焦裕禄的活动正在开展。从二月二十七日起一星期内,我省作家、诗人、音乐家、文艺院校、文艺团体和广大工农兵业余作者,以深厚的阶级感情,创作了一批歌颂焦裕禄同志的诗歌、散文、曲艺和音乐作品。湖北省文联、武汉市文联于二月二十五日、二十七日主办了学习焦裕禄、王杰、麦贤得诗歌朗诵会音乐会,工人、演员和文艺院校师生都积极热情地参加朗诵演出。"

27日 《解放日报》刊出《豪言壮语新风貌——工厂黑板报、墙报诗画选刊》。

27日 《人民日报》刊出张永枚、韦丘等的诗《是什么力量这样强大》和《喝令地球献石油——大庆工人诗选》。

2月 《边疆文艺》1966年2月号刊出农民李洪仁《毛主席著作在农村》、邓耀泽《喜迎春》等诗。

2月 那沙的诗集《你早啊 群山》由安徽人民出版社出版。收《高歌吧,英雄的祖国!》、《你早啊,群山》、《用生命织染的红旗》、《美国,会永远沉睡么》等诗21首。

1966年3月

1日 《长春》1966年3月号刊出黎靖《颂焦裕禄》、社员郝玉芳《旗》、工人徐治义《报捷》等诗。

1日 《长江文艺》1966年3月号刊出骆文《颂歌》、保卫大队文化室《手拿"毛选"田边学》、杨小峰《"毛选"胜过红太阳》等诗。

1日　《甘肃文艺》1966年3月号刊出辛耀午《战士的宣言》、秦川牛《不朽的诗篇》、师日新《脚印——路标》等诗。

1日　《河北文学》1966年3月号刊出肖平安《雨露滋润禾苗壮》等诗。

1日　《鸭绿江》1966年3月号刊出《北镇群众诗歌选》和林火《歌唱焦裕禄》等诗。

1日　《延河》1966年3月号刊出张波《好领导呵,焦书记》、雁翼《战斗的新春》、陈策贤《县委书记蹲点来》等诗。

4日　《北京文艺》1966年3月号刊出浩然《焦裕禄同志,我看到了你》、李学鳌《永远当好顶梁柱——为北京市贫农下中农协会成立而歌》、殷波《当年的"山丫"回来了》等诗。

5日　《北方文学》1966年3月号以《颂钢铁战士——麦贤得》为总题刊出王书怀《伟大一兵》、刘畅园《寄英雄》等诗,以《斗天歌》为总题刊出李凤清《音河河套闹春图》、于希敏《十八姐妹》等诗。

5日　《广西文艺》1966年3月号刊出《读毛主席的书听毛主席的话——壮族新民歌专辑》和黄青《犁山》等诗。

5日　《湖南文学》1966年3月号刊出战士文哲安《焦裕禄颂》、汪承栋《木匠姑娘》等诗。

5日　《萌芽》1966年第3期刊出南京部队任红举《春雷万里出彩虹》、广东部队瞿琮《想起毛主席》等诗。

6日　《解放日报》以《毛主席教导我干革命》为总题刊出陈文和《授"枪"》、上海矽钢片厂史玉新《越读思想越亮堂》等诗。

8日　河北省邢台地区发生强烈地震。

9日　《人民日报》刊出陈兵等的文章《锤底风雷谱战歌——读〈加热炉之歌〉和〈红色的铆钉〉》。

10日　《江西文艺》1966年3月号刊出郭蔚球《不朽的共产党人——献给焦裕禄同志》、工人殷庭佳《闪光的红旗》、肖贞福《雏凤展翅落山村》等诗。

10日　《山东文艺》1966年3月号刊出宋协周《赞焦裕禄同志》、莫西芬《做大自然的主人》、工人郭廓《"金刚钻"》等诗。

11日 《人民日报》刊出河北兴隆县沟门子公社刘章的诗《写在北京唱给党》。

12日 《人民文学》1966年3月号刊出陈清波、赵焕亭的诗《焦裕禄之歌》和李瑛《刺刀进行曲》、陈山《谷雨篇》、章明《青松下》、刘章《革命调》等诗。

13日 《解放日报》刊出松江山阳公社张玉林《老贫农》等诗。

14日 《人民日报》刊出武汉钢铁公司工人蒋育德的诗《浇铸工人歌》。

16日 《人民日报》刊出宫玺的诗《阿松伯进城去开会》。

20日 《人民日报》刊出马鞍山钢铁公司轧钢工陈玉林《我的轧机》、马鞍山钢铁公司工人邢开山《炉前》等诗。

20日 《文汇报》刊出黄秉荣的诗辑《边防军赞歌》。

25日 《人民日报》刊出李瑛的诗《咱们的购销站》。

25日 《收获》1966年第2期刊出严辰《油香千里》、王书怀《山间红梅花枝俏》等诗。

27日 《解放日报》刊出沪东造船厂工人居有松的诗《满天红霞照机舱》。

3月 《边疆文艺》1966年3月号刊出《昆明机床厂黑板报诗选》，刊有李云祥、任代清、朱文玫《毛泽东思想是指路明灯》和欧阳国斌《大庆人是好榜样》等诗。

1966年4月

1日 《奔流》1966年4月号刊出纪鹏《不熄的火把》、赵宗宪《焦裕禄爱唱"南泥湾"》等诗。

1日 《长江文艺》1966年4月号以《干革命靠的是毛泽东思想》为总题刊出许东想《毛主席著作宝中宝》、邱宏祁《永远听毛主席的话》等诗。该刊编者按说："这是从湖北省第二次贫下中农代表大会举行赛诗活动中选辑的一组诗歌。中华人民共和国副主席董必武为大会写了贺词，中共湖北省委第一书记王任重也给代表们的诗歌写了序曲。""我们编辑这一组诗歌的时候，心情是喜悦而振奋的。因为这不是一组一般的诗歌,它们是真正出自贫农下中农内心深处的诗,对毛主席表达了无比纯真的崇敬和爱戴,对毛主席的著作表达了最深厚的革命的阶级感情,决心认真地学,狠狠地用;要这一代学,下一代学,子孙万代把毛泽东思想伟大红旗永远传下去!""当前,学习毛主席著作的群众运动,正在波澜壮阔地发展。这组诗歌,就是在这个运动中产生的《红旗歌谣》。它们是我省农业战线高举毛泽东思想伟大红旗,把社会主义革命推向前进的诗歌,它们是我省农业战线迎接第三个五年计划,发扬大寨精神,掀起社会主义建设生产高潮的信号。"

1日 《甘肃文艺》1966年4月号刊出永登县社员张国宏《春讯》、兰州部队张凤和《老贫农的话》等诗。

1日 《河北文学》1966年4月号刊出何小庭、王惠云的文章《提倡写说唱诗》。文章说:"目前,在诗歌创作中有两个特别值得注意的问题:一个是越来越多的诗人用诗的形式写歌剧。田间同志前几年曾经和其他同志合作把《赶车传》改为诗剧,并且有过关于这种活动的倡导,我省创作的《园林曲》歌剧,部队中的张永枚同志写的《红松店》歌剧,在南方和首都上演,都获得好评。这些作品的特点是:语言凝炼,形象感强,朗朗上口。诗人写歌剧,这未尝不可以看作是诗歌创作的又一新天地。这对于歌剧的繁荣,会有积极的影响。另一个值得注意的问题是:大量的说唱诗出现了。这是诗歌创作向着民族化、群众化、革命化迈进的新探索,新成绩。我们觉得,这种说唱诗,打开了革命诗歌的又一新天地。"

1日 《火花》1966年4月号刊出李晴林《榜样的力量是无穷的》、潘笛《焦裕禄来了俺村中》等诗。

1日 《江苏文艺》1966年4月号刊出《青年业余作者作品特辑》,刊有淮安县城郊公社富强大队俱乐部创作组《学"毛选"》、蒋宝香《锄棉花》等墙头诗。

1日 《鸭绿江》1966年4月号以《毛泽东思想是我们心中的红太阳》为总题刊出沈阳部队战士胡世宗《〈毛主席语录〉随身带》、沈阳市友谊公司吴一勇《语录板》等诗;以《突出政治练为战》为总题刊出沈阳部队战士刘福林《精神刺刀》、沈阳部队战士朱清江《小小手榴弹》等诗。

1日 《延河》1966年4月号刊出峭石《王杰日记》、汪承栋《巡回医疗队》、曹谷溪《送行之夜》等诗。

4日 《北京文艺》1966年4月号刊出中国人民大学王绍瑛《在烈士墓前》、石景山钢铁公司工人赵凤成《四个梳辫子的姑娘》等诗。

5日 《北方文学》1966年4月号以《县委书记的榜样——焦裕禄颂歌》为总题刊出余弘达《缅怀焦裕禄誓作后来人》、韩福林《学习焦裕禄同志》等诗;是期后该刊停刊。

5日 《广西文艺》1966年4月号刊出陈祯伟《革命闯将焦裕禄》、解放军空军某部飞行员于凤伦《我爱祖国的蓝天》等诗。

5日 《湖南文学》1966年4月号刊出何纪光《永远战斗在红旗下》、战士黄粲兮《枪尖上的锋刃——颂麦贤得》等诗。

5日 《萌芽》1966年第4期刊出刘章《二大寨》、肖玲《东海边上闪明珠》等诗。

5日 《青海湖》1966年第4期刊出方存弟《英雄赞——献给焦裕禄同志》、工人秦介龙《怀念你呵,焦书记》等诗。

6日 《解放日报》刊出谢其规的诗《红旗下面英雄多》。

8日 《人民日报》刊出《工农兵黑板报、墙报诗画选》,刊有海军副观通长任海鹰《海上炊事班》等诗。

10日 《江西文艺》1966年4月号以《大寨红花遍地开》为总题刊出潘行受《林业战线大寨旗》、徐万明《十三把锄头闹革命》等诗。

10日 《山东文艺》1966年4月号刊出王耀东《战士思想有支枪》、战士栾纪曾《行军路》、符加雷《一把土》等诗。

14日 郭沫若在人大常委会第三十次会议上发言,发言题为《向工农兵群众学习 为工农兵群众服务——郭沫若副委员长在四月十四日人大常委会第三十次会议上的发言》在1966年5月5日《人民日报》刊出。发言说:"石西民同志的报告(按:指石西民同志在人大常委会第三十次会议上所作的关于社会主义文化革命的报告),对我来说,是有切身的感受。说得沉痛一点,是有切肤之痛。因为在一般的朋友们、同志们看来,我是一个文化人,甚至于好些人都说我是一个作家,还是一个诗人,又是一个什么历史家。几十年来,一直拿着笔杆子在写东西,也翻译了一些东西。按字数来讲,恐怕有几百万字了。但是,拿今天的标准来讲,我以前所写的东西,严格地说,应该全部把它烧掉,没有一点价值。""主要的原因是什么呢?就是没有学好毛主席思想,没有用毛主席思想来武装自己,所以,阶级观点有的时候很模糊。""文史方面,近来在报纸上开展着深入的批评,这是很好的,我差不多都看了。我是联系到自我改造来看的,并不是隔岸观火。每一篇文章,每一个批评,差不多都要革到我自己的'命'上来。我不是在此地随便说,的确是这样,我自己就是没有把毛主席思想学好,没有把自己改造好。""当然,我确实是一个文艺工作者,而且我还是文联的主席。文艺界上的一些歪风邪气,我不能说没有责任。毛主席《在延安文艺座谈会上的讲话》发表以来,已经二十几年了,我读过多少遍,有的时候也能拿到口头上来讲,要为工农兵服务啦,要向工农兵学习啦,但是,只是停留在口头上。口头上的马克思列宁主义,纸头上的马克思列宁主义,就是没有切实地做到,没有实践,没有真正照着毛主席的指示办事,没有把毛主席思想学好。""惭愧得很。毛主席在二十多年前就教导我们,要我们为工农兵服务。今天不是我们在为工农兵服务,而是工农兵在为我们服务了。现在工农兵学习毛主席著作,写的东西比我们好。特别是我们拿笔杆子的人,搞文艺、搞历史、搞哲学的人,必须要深刻地反省。我自己感到很难受,实在没有改造好。"

郭沫若,原名郭开贞。1892年11月16日生于四川乐山。早年受家塾教育。1906年入乐山县高等小学读书,次年升入嘉定府中学堂。1910年入成都高等学堂。1913年去日本留学,先后在东京第一高等学校预科、冈山第六高等学校、九州帝国大学医科学习。1919年开始发表新诗,1921年结集为《女神》出版。1921年与郁达夫等组织创造社,编辑《创造》季刊。1923年毕业回国,在上海编辑《创造周报》,从事新文学活动。同年出版诗文合集《星空》。1926年到广州任广东大学文科学长。同年随国民革命军北伐,先后任政治部宣传科长、总政治部副主任等职。1927年出版诗集《瓶》。1928年出版诗集《前茅》、《恢复》。同年去日本，主要致力于历史学、考古学、古文字学的研究。1937年抗战爆发后回国，在上海从事抗日文化宣传工作，筹办《救亡日报》。1938年出版诗集《战声》，同年到武汉，任国民政府军事委员会政治部第三厅厅长，年底去重庆。1940年改任政治部文化工作委员会主任。1944年出版诗集《凤凰》。1946年到上海，次年去香港。1948年出版诗集《蜩螗集》。1949年2月到北平，同年当选全国文联主席。此后曾任中央人民政府委员、政务院副总理、中国科学院院长、中国科技大学校长、全国人民代表大会常务委员会副委员长等职。又出版诗集《新华颂》(1953)、《百花齐放》(1958)、《长春集》(1959)、《骆驼集》(1959)等。1978年6月12日在北京逝世。出版的著作除诗集外，还有大量的戏剧集、小说集、文论集、历史研究以及翻译作品等。1957至1963年人民文学出版社出版《沫若文集》17卷。1982年起，该社又出版《郭沫若全集》文学编20卷。

14日 《文学评论》1966年第2期刊出《工农兵谈文学·学习毛泽东思想，为革命而创作》。

17日 《人民日报》刊出党永庵的诗《社员爱读毛主席的书》。

18日 《解放军报》发表社论《高举毛泽东思想伟大红旗，积极参加社会主义文化大革命》。

26日 《人民日报》刊出纪鹏《风雪远航》、工人陶世绵《革命永向前》等诗。

27日 《解放日报》刊出《工农兵诗歌选》，刊有《毛泽东思想永挂帅》、《大庆精神大发扬》、《高唱战歌赶大寨》等诗辑。

27日 《文汇报》刊出石太瑞的诗辑《苗山诗抄》。

4月 《边疆文艺》1966年4月号刊出傣族社员康朗景《永远跟着共产党》、傣族社员岩三满《上北京》等诗。

4月 《新疆文学》1966年第4期刊出田先瑶、李瑜《开着我的解放车》和东虹《新城》等诗。

4月 《鸭绿江》1966年4月号刊出《毛泽东思想是我们心中的红太阳》民歌11首和《突出政治练为战》战士诗歌11首。

4月 丁力的长诗《踏天曲——登上珠穆朗玛峰颂歌》由人民体育出版社出版。作品共13章，有《引子》和《后记·登上一个高峰又一个高峰》。《后记》说："四年前的五月呀，/北京城里百花红，/万千杨柳舞春风，/听到我们的登山队/从北坡登上了珠穆朗玛峰；/我日日夜夜思潮涌，/奋写长歌颂英雄。//长歌写了两年整，/修修改改难成功；/可歌可颂的英雄事迹唱不尽，/恨我无才只能粗略写几宗。/诗虽不好情意重，但愿各个战线都能攀高峰。"

丁力，原名丁明哲。1920年11月生于湖北洪湖。曾参加编辑《平民诗歌丛刊》等，1948年出版诗集《招唤》。1950年入中央文学研究所学习，1953年毕业留所助教。后曾任《文艺学习》和《诗刊》编辑、编辑部主任。1959年出版诗集《北京的早晨》。1977年调至北京电影学院，后又调入中国音乐学院文学系任教授。1983年出版诗论集《诗歌创作与欣赏》。1992年出版诗集《爱，永远年轻》。1993年6月23日在北京病逝。

1966年5月

1日 《解放日报》以《毛泽东思想是我们心中的红太阳》为总题刊出郑成义《突出政治头一条》、徐州韩桥煤矿孙友田《煤山煤海齐欢腾》等诗。

1日 《长江文艺》1966年5月号刊出黄声孝的诗《站起来了的长江主人》。该刊编者按说："码头工人黄声孝同志的长诗《站起来了的长江主人》，本刊于一九六二年八、十月号发表了第一部（一九六三年由中国青年出版社出版），曾受到广大读者的欢迎和好评。现在，长诗的第二部又和大家见面了。这部长诗通过何铁牛等先进工人形象，反映了解放初期码头工人在党的领导下，起来当家作主，同封建把头进行英勇斗争的事迹。长诗具有强烈的阶级爱憎，浓厚的生活气息，朴实的生活语言，是我省工人作者写的一部较好的作品。"

黄声孝，又名黄声笑，1918年农历9月9日生于湖北宜昌。读私塾三个月。1949年后，在宜昌搬运公司当码头工人。1950年开始创作，1960年加入中国作家协会。曾任宜昌港装卸总支书记、武汉市文联副主席。1994年12月18日在湖北宜昌病逝。出版的诗集有《黄声孝诗选》(1958)、《站起来了的长江主人》(1962)、《挑山担海跟党走》(1975)、《搭肩一抖春风来》(1979)等。

1日 《甘肃文艺》1966年5月号刊出白有林《铁锹就是咱的枪》、工人孙景瑞《我是红锻工》等诗；是期后该刊停刊。

1日 《河北文学》1966年5月号以《震不倒的英雄人民》为总题刊出尧山壁《毛主席就在我们身边》、李中贤《党啊，灾区社员向您保证》等诗。

1日 《解放军文艺》1966年第5期以《战士最爱毛主席的书》为总题刊出薛治本《战士最爱毛主席的书》、马庆传《革命干劲书中来》等诗。

1日 《鸭绿江》1966年5月号刊出鞍山市文联王荆岩《英雄像挂在平炉旁》、抚顺矿务局司机李代生《晨钟当当响四下》、辽中老达坊人民公社社员齐凤林《我管温室爱温室》等诗。

3日 《文汇报》刊出郑成义的诗《巡回》。

4日 《解放军报》发表社论《千万不要忘记阶级斗争》。

4日 《文汇报》刊出宁宇的诗《接过父辈的红旗》。

4日 《北京文艺》1966年5月号刊出第一机床厂工人温承训《把牛鬼蛇神一个一个揪出来》、北京开关厂工人王光林《永远战斗在文化革命最前哨》等诗；是期后该刊停刊。

4—26日 中共中央政治局在北京召开扩大会议。16日会议通过《中国共产党中央委员会通知》(即《五一六通知》)。

5日 《广西文艺》1966年5月号刊出桂林机修厂工人诗选《"鞋子"里面闹革命大庆精神开红花》。

5日 《萌芽》1966年第5期刊出上海轮船公司业余演出队《战海浪》、上海玻璃厂王森《女青年技术员》、韩北萍《春雷》等诗。

5日 《青海湖》1966年第5期以《红五月之歌》为总题刊出工人陈延林《在生产高潮中》、王佩山《老锻工》等诗。

7日 毛泽东看了军委总后勤部《关于进一步搞好部队农副业生产的报告》后给林彪写封信，此信后被称为"五七指示"。

8日 《解放军报》发表高炬的文章《向反党反社会主义的黑线开火》。

9日 《人民日报》刊出《工农兵诗画选》,刊有河北省兴隆县沟门子公社社员刘章《公社春光比金贵》、海军某部副观通长任海鹰《扛炮弹》等诗。

10日 《解放日报》、《文汇报》发表姚文元的文章《评"三家村"——〈燕山夜话〉、〈三家村札记〉的反动本质》。

10日 《江西文艺》1966年5月号以《"毛选"胜过红太阳》为总题刊出农民肖万件《昨夜读了毛主席的书》等山歌;以《工人诗选》为总题刊出涂树贵《为祖国挥汗如雨》等诗。

12日 《人民文学》1966年5月号刊出《工农兵墙报诗文选》,刊有《天下何处是难关》、《万人齐颂毛泽东》等诗。该刊《编者按》:"少数知识分子垄断文化的局面打破了,广大工农兵掌握文化的大时代开始了。这是社会主义文化大革命的一个伟大胜利。广大劳动人民将沿着这条道路,乘胜前进,创造出崭新的社会主义新文化。从本期起,本刊特辟'工农兵墙报诗文选'一栏,专门发表全国各地工农兵墙报、黑板报上的作品。"是期后该刊停刊。

15日 《解放日报》刊出中国人民解放军上海警备区陈忠干《革命人唱革命歌》等诗。

25日 北京大学哲学系聂元梓等七人在校内贴出题为《宋硕、陆平、彭珮云在文化大革命中究竟干了些什么?》的大字报,毛泽东誉之为"全国第一张马列主义的大字报",并批准6月1日向全国广播,6月2日《人民日报》全文刊登并发表评论员文章《欢呼北大的一张大字报》。

25日 《人民日报》刊出《工农兵诗画选》,刊有战士邢书第《俱乐部里摆战场》等诗。

28日 中共中央发布《关于中央文化革命小组名单的通知》。名单为:组长陈伯达,顾问康生,副组长江青、王任重、刘志坚、张春桥,组员谢镗忠、尹达、王力、关锋、戚本禹、穆欣、姚文元。

28日 《工人日报》刊出《毛泽东思想光芒万丈——厂矿报刊工

人诗歌选》。

29日 清华大学附属中学的学生集会,决定像苏联卫国战争时期的青年近卫军那样组织起来,并取名为"红卫兵"。7月28日清华大学附属中学的"红卫兵"写信给毛泽东,8月1日毛泽东复信表示支持。

5月 流沙河作诗《故乡》。此诗收《流沙河诗集》,上海文艺出版社1982年12月出版。

5月 《湖南文学》1966年5月号刊出沅江农民高雪华《致橡胶工人》、安江工人马盛乾《车间挂起毛主席语录牌》等诗。

5月 《新疆文学》1966年第5期刊出王祖德等《3225钻井队工人墙报诗选》和杨丰《钻井工人之歌》等诗。

1966年6月

1日 《人民日报》发表社论《横扫一切牛鬼蛇神》。

1日 《奔流》1966年6月号刊出《红旗渠诗歌选》,刊有社员牛团全《手捧"毛选"学起来》、社员秦易《渠水流得欢》等诗;是期后该刊停刊。

1日 《长春》1966年6月号刊出刘泗川《毛主席给咱掌舵》、王方武《语录板之歌》等诗。

1日 《长江文艺》1966年6月号刊出《毛主席站在天安门》、《毛主席搭起幸福台》等"社员短歌"14首;是期后该刊停刊。

1日 《广西文艺》1966年6月号出刊后停刊。

1日 《河北文学》1966年6月号刊出解放军某部战士胡广岭《钢铁战士——贺相魁》、何树岩《想起贺相魁》等诗;是期后该刊停刊。

1日 《火花》1966年6月号刊出李希文《县县都有焦裕禄》等诗。

2日 《光明日报》刊出《毛主席著作是明灯——工农兵群众诗歌选》。

5日 《人民日报》发表社论《做无产阶级革命派,还是做资产阶级保皇派?》)。

  5日　《萌芽》1966年第6期刊出《铁路工地诗选》。该刊编者按:"随着轰轰烈烈的社会主义文化大革命新形势的出现,群众业余文艺创作活动也蓬勃地发展起来,特别是工农兵发表在墙报、黑板报上的大量诗歌,更是光彩照人,充满着战斗的气氛;他们满腔激情地歌颂我们伟大的党和伟大的领袖毛主席的英明领导,歌颂我国社会主义革命的伟大胜利,歌颂社会主义建设各个战线上的大跃进,歌颂我们的新的英雄人物,无论内容和形式都划出了一个完全崭新的时代。这里选刊的仅仅是革命烈焰中的几朵火花,然而同样显示了对党和毛主席的无限热爱;抒发了工人阶级的革命豪情。这些火红的诗句是写在工地的墙报上,宣传灯上,岩壁上的……真是一句一个鼓点,鼓舞着我们在社会主义大道上迈进!鼓舞着我们在文化革命这个伟大的斗争中勇往直前,彻底搞掉反党反社会主义这根黑线!"

  10日　《解放日报》刊出《毛泽东思想是我们心中的红太阳——工农兵诗歌选》,刊有工人李国勋《把文化大革命红旗举起来》、沪东造船厂工人居有松《越读浑身越有劲》等诗。

  10日　《江西文艺》1966年6月号以《高举毛泽东思想伟大红旗,向反党反社会主义黑线开火——工农兵、学生、干部业余文艺战士声讨邓拓黑帮》为总题刊出驻军某部战士孙炳根《磨刀上阵斗黑帮》、南昌县协成公社社员肖万件《邓拓,哪里逃!》、南昌八一配件厂工人殷庭佳《工农兵奋起斩毒蛇》、南昌通用机械厂工人李根生《把邓拓的黑话砸碎》等诗文;是期后该刊停刊。

  10日　《山东文艺》1966年5—6月号刊出徂徕公社小河西大队民兵连长宗传惠《要把毒草连根拔》、徂徕公社杜家庄大队社员时元风《文化阵地工农兵要占领》、徂徕公社杜家庄大队社员王金才《决不让邓拓黑帮偷过关》等诗。

  12日　《解放日报》刊出上海玻璃厂王森《照到那里那里红》、上钢三厂孙建华《一定要打倒黑帮》等诗。

  12日　《文汇报》刊出《工农兵诗画选》,刊有空军某部五好战士杨志安《文化革命当闯将》、上钢一厂谷亨利《钢铁工人最听毛主席的话》等诗。

18日 《中国青年报》刊出诗辑《敬爱的毛主席,您是我们心中的红太阳——工农兵青年歌颂伟大领袖毛主席》。

26日 《解放日报》刊出安徽安凤公社女社员吴仕兰《毛主席著作手中捧》、国棉十九厂工人殷银珠《对准黑线来开炮》等诗。

30日 《文汇报》刊出《歌唱共产党歌唱毛主席——工农兵纪念"七一"诗画选》,刊有上海汽轮机厂胡永槐《歌颂中国共产党》、上海警备区陈忠干《毛主席来过非洲》等诗。

6月 《边疆文艺》1966年5—6月合刊号刊出《昆钢黑板报诗选》,刊有工人徐国新《时刻不忘毛主席的话》、工人桃林《老工人参加青年突击队》等诗;是期后该刊停刊。

6月 《延河》1966年5—6月号刊出工人关本满《扛起文化大革命的旗》、战士唐世敬《笔锋作刺刀》等诗。

1966年7月

1日 《解放日报》刊出《毛泽东思想是我们心中的红太阳——工农兵歌唱党和毛主席》,刊有大沣造纸厂工人周银宝《山歌齐唱给党听》、沪东造船厂工人居有松《人人要做革命派》等诗。

1日 《长春》1966年7月号刊出梁海暄等《永远跟着毛主席》新民歌5首并刊出《停刊启事》:"为了全力投入无产阶级文化大革命运动,我刊从一九六六年八月停刊。"

1日 《火花》1966年7月号出刊后停刊。

1日 《解放军文艺》1966年第7期以《毛主席,我们心中的红太阳——各族人民歌颂毛主席民歌选》为总题刊出《旗手就是毛主席》等民歌20首;以《最高指示记心怀——战士学习毛主席著作诗选》为总题刊出张伯印《毛泽东思想是明灯》、师东升《毛主席咋指咱咋走》等诗18首。

1日 《鸭绿江》1966年7月号刊出《毛泽东思想是我们心中的红太阳》民歌28首;是期后该刊停刊。

1日 《延河》1966年7月号刊出柴油机厂李振国《毛主席著作

随身带》、西安某厂张波《向黑线猛烈开火》等诗;是期后该刊停刊。

5日 《青海湖》1966年第7期刊出《各族人民高声唱毛主席是我们心中红太阳》颂歌23首;是期后该刊停刊。

7日 《文汇报》刊出《工农兵诗选》,刊有嘉定县徐行公社张瑞生《毛主席著作无价宝》、上海汽轮机厂张呈富《读了毛主席的书》等诗。

8日 《人民日报》刊出《毛主席的关怀记心间——邢台地震灾区社员诗选》,刊有社员王巧花《毛主席处处关心咱》等诗。

10日 《山东文艺》1966年7月号刊出《工农兵诗歌创作选》,刊有解放军邢书第《党的恩情唱不尽》、济南汽车制造厂工人任春远《车间语录板》、历城县牛旺公社志远大队社员李学忠《文化革命号角响》等诗;是期后该刊停刊。

19日 《云南日报》刊出《我省无产阶级文化大革命的又一重大胜利,云南大学揪出反党反社会主义分子李广田》。

20日 《云南日报》刊出《云大革命师生昨举行声讨集会,誓把反党分子李广田彻底斗臭斗垮》和《高举毛泽东思想伟大红旗彻底打倒一切牛鬼蛇神,各大专院校革命师生纷纷举行集会,同仇敌忾怒斥反党反社会主义分子李广田》。

21日 《云南日报》刊出《坚决捍卫毛泽东文艺思想,彻底铲除修正主义文艺黑线,我省革命文艺工作者愤怒声讨反党反社会主义分子李广田的罪行》。

24日 《文汇报》刊出《坚决支持越南人民抗美救国正义斗争》诗画专页,刊有江南造船厂池再生《坚决拥护刘主席声明》、上海警备区陈忠干《永远战斗在一道》等诗。

25日 《萌芽》1966年第7期刊出《上海工农兵诗选》和北京部队王石祥的诗《抄语录》;是期后该刊停刊。

27日 《解放日报》刊出上海汽轮机厂何启棠《刘主席声明到工厂》、郑成义《誓做越南兄弟的后盾》等诗。

1966年8月

1日 《解放军文艺》1966年第8期刊出韩笑《毛主席，我们祝您万寿无疆》、韩瑞亭《永远跟着毛主席，前进——喜颂毛主席畅游长江》诗2首；并以《援越抗美战歌高》为总题刊出邢书第《准备好》、李瑛《让我们合写新诗篇》等诗9首；以《掏尽红心为人民——战士学习毛主席著作诗选》为总题刊出于宗信《毛主席的话是真理》、杨德祥《毛泽东思想的大学校》等诗15首。

1—12日 中共中央八届十一中全会在北京召开。5日毛泽东写出《炮打司令部——我的一张大字报》，8日会议通过《关于无产阶级文化大革命的决定》（即"十六条"）。

2日 《解放日报》刊出中国人民解放军福州部队某部班长陈飞《〈毛主席语录〉威力大》、中国人民解放军海军东海舰队某部田永昌《传宝书》等诗。

2日 《人民日报》刊出战士郭振清等整理的《战士的红心永向毛主席——解放军某部赛诗会诗选》。

2日 《云南日报》刊出黎颂红的文章《李广田是周扬修正主义文艺纲领最忠实的执行者》。

3日 吴兴华在北京逝世。"文化大革命时，旧案重提，大字报贴满家门。他感到大祸临头，日夜担忧，寝食不安。但他还在对我说，要相信党，相信群众，要尽一切努力改造，争取重新做人，绝不能自杀，否则我和孩子将更受到株连。在他去世前三天，他将他平日爱不释手的《四部丛刊》重新核对整理了一遍，告诉我将来日子过不下去时可以变卖。谁料到次日他被勒令劳改，在劳改时因体力不支，又被红卫兵灌下污水后又踢又打，当场晕迷，又耽误了送医院的时间，终于在1966年8月3日晨含冤离开了人世"（谢蔚英《忆兴华》，1986年6月《中国现代文学研究丛刊》1986年第2期）。

吴兴华，1921年生，浙江杭州人。1937年入燕京大学西语系读书，1941年毕业留校任教。后曾离校，以翻译为生，抗战胜利后返燕京大学西语系。1952年后历任北京大学西语系副教授、英语教研室主任、副系主任。1957年划为右派，1962年摘除。1937年开始发表新诗，作品多刊于《小雅》、《新诗》、《辅仁文苑》、《朔风月刊》、《中国文艺》、《燕京文学》、《文艺时代》等刊物。2005年《吴兴华诗文集》出版。

13日 《人民日报》刊出广州部队海上文化工作队韩笑的诗《万岁！万岁！伟大的毛主席！》。

15日 《人民日报》刊出解放军工程兵某部喻晓《党中央公报振奋人心》、北京第一机床厂王恩宇《红心向着中南海》等诗。

16日 《解放日报》刊出上海汽轮机厂胡永槐《上海工人读公报》、中国人民解放军南京部队某部朱文虎《党中央的决定最英明》等诗。

18日 北京百万人在天安门广场举行"庆祝无产阶级文化大革命"群众大会，毛泽东首次接见来自全国各地的红卫兵和师生。至11月26日，毛泽东在北京先后八次共接见1100多万人。

20日 《解放日报》刊出上海警备区陈忠干《毛主席，我们心中最红最红的太阳》、上海中学高一（2）全体同学《毛主席登上天安门城楼》等诗。

21日 《红旗》杂志发表评论员文章《向革命的青少年致敬》。

21日 《人民日报》刊出北京工业学院一一六一一第二战斗组《天安门上升起了红太阳》等诗。

21日 《文汇报》刊出驻沪空军某部杨志安《毛主席穿上绿军装》、上海警备区陈忠干《百万颗红心向太阳》等诗。

22日 《解放日报》刊出驻沪空军部队杨志安《万岁！万岁！敬爱的领袖毛主席》、东海舰队政治部田永昌《手捧公报细细瞧》等诗。

22日 北京大学文化革命委员会《新北大》报创刊号刊出中文系王英志的诗《最高统帅一挥手》。

23日 《人民日报》发表社论《工农兵要坚决支持革命学生》。

23日 流沙河作诗《七夕结婚》。此诗收《流沙河诗集》，上海文艺出版社1982年12月出版。

23日 《解放日报》刊出郑成义《七亿人民在欢呼声中胜利进军》等诗。

23日 《文汇报》刊出上海化工厂沈炳龙《舵手颂》、郑成义《红卫兵之歌》等诗。

24日　《人民日报》刊出解放军某部白水《无比英勇小闯将》、陈涛《歌唱"红卫兵"》等诗。

25日　《人民日报》刊出解放军某部继英等的诗《赞红卫兵》。

25日　《文汇报》刊出驻沪空军某部五好战士万良顺《战士支持红卫兵》等诗。

26日　《解放日报》刊出上海警备区陈忠干的诗《"红卫兵"赞》。

26日　北京大学文化革命委员会《新北大》报第2期刊出闻兵的诗《战歌向着太阳唱——欢呼主席题字〈新北大〉》。

27日　《解放日报》刊出驻沪空军部队杨志安《红卫兵赞歌》、上海汽轮机厂黄世益《革命造反精神就是好》等诗。

27日　《文汇报》刊出驻沪空军某部杨志安《红卫兵赞歌》、曹忠德《红卫兵上街去战斗》等诗。

28日　《光明日报》刊出战士翟玉堂的诗《红卫兵，支持你们造反》。

28日　《解放日报》刊出空军某部张献隆《红卫兵，向你致敬!》、空军某部张长和《遥寄首都红卫兵》等诗。

28日　《文汇报》刊出上海铁路局南站李鸿福《红色列车运金书》、上海新华印刷厂曲延顺《决心印好主席书》等诗。

29日　《人民日报》发表社论《向我们红卫兵致敬》。

29日　《人民日报》刊出王继荣的诗《七赞红卫兵》。

30日　《解放日报》刊出上海市工人业余文艺宣传队《红色小将心向党》等诗。

30日　《人民日报》刊出通信兵部队余光烈《歌唱英勇小将红卫兵》、通信兵部队王雄《红卫兵干得好》诗2首。

31日　《解放日报》刊出上海航海仪器厂朱贤明《红卫兵心最红》等诗。

31日　《云南日报》刊出云文兵的文章《李广田通过〈一滴蜜〉这首黑诗恶毒攻击伟大的反右派斗争》。

1966年9月

1日　《人民日报》发表北京红卫兵战校（原清华大学附中）红卫兵的文章《打碎旧世界，创立新世界——无产阶级革命造反精神万岁》。

1日　《解放日报》刊出上海汽轮机厂胡永槐的诗《红卫兵学习解放军》。

1日　《人民日报》刊出北京语言学院阎纯德的诗《颗颗红心向着毛主席》。

1日　《文汇报》刊出上海汽轮机厂蒋汉光《革命小将干得好》等诗。

1日　《解放军文艺》1966年第9期以《东风浩荡凯歌高——欢庆无产阶级文化大革命战士诗选》为总题刊出张如意《毛主席来到群众中》、张志胜《听林彪同志讲话》等诗7首；以《战士笑谈纸老虎——纪念毛主席〈和美国记者安娜·路易斯·斯特朗的谈话〉发表二十周年诗选》为总题刊出麦贤得《打靶》、冯永杰《美国佬，算个啥》等诗7首；以《伟大号召天下传——把我军办成毛泽东思想的大学校战士诗选》为总题刊出丁锋《毛主席的号召到军营》、叶文艺《军工红旗手》等诗17首；此外还刊有继英、周森、志毅、振江的诗《赞"红卫兵"》。

3日　诗人陈梦家逝世。"陈梦家在8月24日夜里写下遗书，服大量安眠药片自杀。由于安眠药量不足以致死，他没有死。1966年8月24日是阴历七月初九，是有'新月'的时候。不知道那一夜他是否看到了新月，也不知道他对月思考了什么。他20岁的时候作诗说'新月张开一片风帆'，这是一个美丽的隐喻：新月形如风帆，送他走向理想。但是那时新月伴他走向死亡。""十天以后，陈梦家又一次自杀。陈梦家自缢，死于1966年9月3日"（王友琴《诗人和考古学家陈梦家之死》）。

陈梦家，1911年生，浙江上虞人。1927年入南京中央大学学习法律，开始新诗写作。1931年出版《梦家诗集》和编选的《新月诗选》。1932年去青岛大学任助教，出版诗集《在前线》。同年到北平，入燕京大学宗教学院学习，1933年曾短期在芜湖中学任教。1934年出版诗集《铁马集》。同年进燕京大学研究生班,攻读古文字学。此后主要致力于古史与古文字的研究。1936年毕业,留校任助教。同年出版诗集《梦家存诗》,1937年抗战爆发后到长沙清华大学任教,次年迁昆明,并入西南联合大学。1944年去美国芝加哥大学教授古文字学。1947年回国,继续在清华大学执教。1952年到中国科学院考古所任研究员。

4日 《解放日报》刊出战士倪志良的诗《革命小将红卫兵》。

4日 《人民日报》刊出赵金福《红卫兵歌》等诗。

5日 中共中央、国务院发布《关于组织外地高等学校革命师生、中等学校革命师生代表和革命教职工来京参观文化大革命运动的通知》。

6日 《文汇报》刊出华东师范大学红卫兵曹忠德《毛主席万岁》、驻沪空军某部张生民《颂红卫兵》、上海汽轮机厂胡永槐《毛泽东思想红旗举得高》等诗。

7日 《解放日报》刊出郑成义的诗《红卫兵诗传单》。

7日 《人民日报》刊出新华社的报道《小将挥起千钧棒 敢教日月换新天——记空军某部五连指战员赞颂红卫兵诗歌晚会》。报道说:"在伟大领袖毛主席的英明领导下,红卫兵小将们勇敢地向旧世界发起猛烈冲击,所向披靡,捷报频传。红卫兵小将们破'四旧'、立'四新'的伟大功勋,鼓舞着人民解放军广大干部战士。""空军某部五连在最近召开的诗歌晚会上,指战员们怀着高昂的革命激情,用最美好的诗句,高歌欢唱:战斗吧,英雄的红卫兵!"

11日 《解放日报》刊出东海舰队某部尹和云《毛泽东思想放光芒》、上海市工人业余文艺宣传队《毛主席,最伟大》等诗。

11日 《文汇报》刊出上海化工厂沈炳龙《红卫兵的歌》、郑成义《红卫兵诗传单》等诗。

14日 《文汇报》刊出上海汽轮机厂胡永槐《心花怒放去报喜》、空军战士万良顺《毛主席向着咱们笑》等诗。

15日 陈白尘日记:"今日天安门有大会,主席再次接见红卫兵,东单一带戒严。而作协在青年艺术剧院开斗争张天翼的大会,我们只得持通行证通过。会场黯淡无光,台上只开一工作灯,阴森森的。台前地板上竖斗大黄纸黑字,张的名字被打上红××,尤觉鬼气。我等后于群众入场,坐前排。张则最后由主席 R 宣布'押上来'后,才徐步走上台去,在被审席上就坐(但他基本上站着)。张交代不数分钟,即被喝止,而由群众揭发。在揭发中插以追问,有的又插以小揭发,追问中则又口号迭起。会开得井井有条,但也显得做作,R 更像是演戏。追问中我数度登台'陪绑',吴组缃、陈翔鹤等人也上了台。""最后是群众喝令全体黑帮登台'示众',于是二十余人鱼贯而上,自报家门。刘白羽自称'黑帮大将',于是严文井等都是'干将'之流了,我自然也未能免俗。但张僖迟疑之后,却自称'黑帮爪牙';陈翔鹤是川腔十足,抑扬顿挫,令人忍俊不禁;白薇老太太身躯臃肿,满台乱转;臧克家衣衫瘦小,耸肩驼背,都可笑亦复可怜。只可惜没有穿衣镜,不自知是副什么怪状了。"(《牛棚日记》,生活·读书·新知三联书店 1995 年 5 月出版)

臧克家,1905 年 10 月 8 日生于山东诸城。1923 年考入济南山东省立第一师范读书。1926 年去武汉,次年入中央军事政治学校,不久该校改编为中央独立师开赴前线。同年部队被缴械,回到山东,后逃亡东北、上海。1929 年考入青岛大学补习班,同年开始新诗写作。1930 年入青岛大学英文系,后转中文系。1933 年出版诗集《烙印》。次年出版诗集《罪恶的黑手》。同年大学毕业,到山东临清中学任教。1936 年出版长诗《自己的写照》和诗集《运河》。1937 年抗战爆发后,辗转济南、徐州、西安等地。1938 年加入徐州第五战区的青年军团,随军转战河南、安徽、湖北等地,从事抗敌救亡宣传工作,并写下不少鼓舞抗战的诗歌,先后出版诗集《从军行》(1938)、《泥淖集》(1939)、《呜咽的云烟》(1940)和长诗《淮上吟》(1940)。1942 年到重庆,参加中华全国文艺界抗敌协会活动,后当选为该会候补理事。又出版诗集《泥土的歌》(1943)、《国旗飘在雅雀尖》(1943)、《生命的秋天》(1945)和长诗《古树的花朵》(1942)、《感情的野马》(1943)等。1945 年开始政治讽刺诗写作,结集为《宝贝儿》次年出版。1946 年到上海,曾主编《文讯》月刊。1947 年与曹辛之等组织星群出版公司,创办《诗创造》月刊,编辑《创造诗丛》,又出版诗集《生命的零度》(1947)、《冬天》(1948)。1948年底去香港,次年初到北平,先任华北大学三部文学创作研究室研究员,后主编《新华月报》文艺栏。1956年到中国作家协会任书记处书记。1957年《诗刊》创刊,任主编,又出版诗集《一颗新星》(1958)、《春风集》(1959)、《欢呼集》(1959)、《凯旋》(1962)及长诗《李大钊》(1959)等。1969年到湖北咸宁文化部干校劳动,1972年回北京。1976年《诗刊》复刊,任顾问兼编委。后又出版诗集《忆向阳》(1978)、《今昔吟》(1979)、《臧克家长诗选》(1982)、《落照红》(1984)、《放歌新岁月》(1991)等。出版的著作除诗集外,还有文论集、小说集、散文集等多种。1985年起出版《臧克家文集》6卷。2004年2月5日在北京逝世。

16日 《解放日报》刊出王建国《红色上海出新貌》、张景琢《家家升起红太阳》等诗。

16日 《人民日报》刊出黑龙江工学院一红卫兵的诗《祝毛主席万寿无疆》。

18日 《解放日报》刊出郑成义《挺进！文化革命的大军》等诗。

21日 《文汇报》刊出华东师范大学红卫兵王月梅《我见到了毛主席》、上钢三厂孙建华《毛主席接见新一代》等诗。

27日 北京大学文化革命委员会《新北大》报第10期刊出技术物理系工人红卫兵董宽的诗《把反党黑帮打个稀巴烂》。

28日 《解放日报》刊出上海音乐学院附中红卫兵王海珍《毛主席接见我们红小兵》、中国人民解放军某部王金海《战士最爱读毛主席的书》等诗。

29日 北京矿业学院《红卫兵战报》第6期刊出李怀堂的诗《毛主席就是我们心中的红太阳》。

30日 北京大学文化革命委员会《新北大》报第12期刊出图二马无缰《我在毛主席身边战斗》、文四(3)杨东明《永远跟着毛主席》等诗。

秋 流沙河作诗《情诗六首》。此诗收《流沙河诗集》,上海文艺出版社1982年12月出版。流沙河说:"一九六六年春天,黑茫茫的长夜来临了,我被押解回故乡金堂县城厢镇监督劳动改造,此后全靠体力劳动计件收入糊口了。""我在故乡劳动十二年,前六年拉大锯,后六年钉包装箱,失去任何庇荫,全靠出卖体力劳动换回口粮维系生命,两次大病,差点呜呼哀哉。后六年间,压迫稍松,劳动之余暇,温习英语,为小儿子编写英语课本十册,译美国中篇小说《混血儿》,通读《史记》三遍,写长诗《秦火》,一千行,此稿自毁了。在那十二年的长夜中,只留下《情诗六首》、《故园九咏》两组小诗和《唤儿起床》、《故乡吟》等几首小诗,实在惭愧!"(《流沙河自传》,《流沙河诗集》,上海文艺出版社1982年12月出版)

流沙河,原名余勋坦。祖籍四川金堂,1931年11月11日生于成都。1949年考入四川大学农业化学系。1950年到《川西农民报》编副刊版与时事版。1952年调到四川省文联创作组,从事专业写作。1956年出版诗集《农村夜曲》。同年参加《星星》诗刊筹备工作。1957年《星星》诗刊创刊,在上面发表了组诗《草木篇》,很快遇到批判,并被错划为右派。"文化大革命"开始后,遣送回金堂。1978年到金堂县文化馆工作。次年秋错案平反,调回四川省文联,任《星星》诗刊编辑。1982年出版《流沙河诗选》,次年出版《游踪》、《故园别》。1984年开始从事专职创作,曾任中国作家协会四川分会副主席。出版的著作还有诗论集《隔海说诗》(1985)、《流沙河诗话》(1995)等。

1966年10月

1日 《解放日报》刊出沪东造船厂工人居有松《毛主席万岁!万万岁!》、上海重型机器厂沈金生《全靠领袖毛泽东》等诗。

1日 《文汇报》刊出复旦大学蔡祖泉《万岁万岁毛泽东!》、松江县新五公社戚永芳《红天红地红江山》等诗。

1日 《解放军文艺》1966年第10期以《工农兵活学活用毛主席著作诗歌选》为总题刊出孙建华《毛主席著作揣在怀》、居有松《人人要做革命派》等诗37首;以《向红卫兵欢呼 向红卫兵致敬》为总题刊出李守义《红卫兵小将显神威》、阚士英《革命的闯将红卫兵》等诗9首(组)。

2日 《解放日报》刊出华东师范大学红卫兵曹阳《毛主席！我们歌颂您！》、郑成义《国庆献诗》等诗。

4日 《解放日报》刊出复旦大学红卫兵余华《红卫兵队伍向太阳》等诗。

8日 《人民日报》刊出解放军某部廖代谦的诗《高原战士来到毛主席身旁》。

9日 《解放日报》刊出上海吴泾热电厂王克智《一曲毛泽东思想的凯歌》、驻沪空军部队杨帆《战士心贴红卫兵》等诗。

10日 《文汇报》刊出驻沪空军某部万良顺《一曲凯歌震长天》、上海市黄浦区公安分局广东路派出所沈其昌《火海英雄赞》等诗。

11日 《解放日报》刊出《一轮红日出东方，毛泽东思想放光芒——上海工农兵诗文选摘》。

13日 《解放日报》刊出毛炳甫《千年万年跟您走》等诗。

15日 《解放日报》刊出上海供电局毛震郁《毛主席像处处挂》等诗。

15日 《文汇报》刊出解放军五好战士瞿远云《坚决响应林彪同志号召》、华东师范大学红卫兵王咏梅《欢呼我国三次核试验成功》等诗。

17日 《人民日报》刊出解放军某部焦海臣、赵友国的诗《革命小将红卫兵》。

22日 《人民日报》发表社论《红卫兵不怕远征难》。

22日 《解放日报》刊出沪东造船厂居有松《毛主席身边住下来》等诗。

23日 《文汇报》刊出沪东造船厂居有松《红太阳赞歌》等诗。

26日 《光明日报》刊出开封师范学院革命造反队红卫兵的诗《红卫兵唱给鲁迅的歌》。

29日 中共中央、国务院发布《关于北京大中学校革命师生暂缓外出串联的紧急通知》。

30日 《解放日报》刊出东海舰队某部陆振声《战鹰身旁听喜讯》、上海美术印刷厂熊凤鸣《车间成了欢腾的海》等诗。

1966年11月

　　1日　《解放军文艺》1966年第11期刊出孙永良《我的心飞向北京》、红兵《歌唱心中不落的红太阳》等朗诵诗4首；并以《向32111钻井队的英雄们致敬》为总题刊出胡宾《毛泽东思想育英雄》、樊发稼《歌唱血战火海的英雄》等诗12首。

　　3日　《解放日报》刊出仇学宝《伟大舵手万万岁》、华东师范大学一红卫兵《我又看见毛主席啦》等诗。

　　3日　《文汇报》刊出上海警备区孙家云《世界革命的旗手》等诗。

　　6日　《解放日报》刊出复旦大学一红卫兵《万朵葵花向太阳》等诗。

　　6日　《人民日报》刊出西北大学一红卫兵的诗《毛主席啊，延安人民想念您》。

　　6日　《文汇报》刊出东海舰队蔡国柱《无产阶级大民主精神万岁！》等诗。

　　8日　《光明日报》刊出湖南师范学院一个红卫兵的诗《金色的纪念章》。

　　12日　《文汇报》刊出上海工具厂蔡杏春《毛泽东思想的威力无穷尽》等诗。

　　14日　《解放日报》刊出夏连荣《紧跟毛主席去战斗》等诗。

　　20日　《人民日报》刊出北京外国语学院红旗战斗大队一队员《蔡永祥，红卫兵学习的榜样》、李瑛《英雄欧阳海——蔡永祥颂歌》等诗。

　　21日　辽宁大学八·三一红卫兵红色造反兵团总部《八·三一战报》创刊号刊出曹木的诗《红卫兵最爱毛主席》。

　　21日　《文汇报》刊出国营上海第二纺织机械厂吴治国《两个战场显威风》、上海市印刷五厂张元才《革命生产双丰收》等诗。

　　23日　《解放日报》刊出石佃坤《"老三篇"是座右铭》等诗。

　　23日　《人民日报》刊出姚成友《长征路上新一代》等诗。

　　25日　陈白尘日记："今日主席又接见，提前出发到文联大楼。

洗刷四楼全部,累极。坐下写材料,疲乏无力,眼力亦不佳,似将失明矣。""晚回宿舍,为冰心换煤炉升火,成功。她年近七旬,离家独居于此,颇狼狈。其夫吴文藻当年在日本秘密起义,她成为团结对象。归国后写了不少散文,出国多次也做了不少工作,不无微功吧。但她在民族学院(吴在该院任教授)被斗甚惨,衣服都被没收,手表等贵重物品更不用说,而且公开展览,标其出国皮大衣为6000元云。如今她到作协后已很满意了,不再每天揪斗也。"(《牛棚日记》,生活·读书·新知三联书店1995年5月出版)

冰心,女,原名谢婉莹。1900年10月5日生于福建福州。童年在山东烟台度过。1911年随家归福州,次年入福州女子师范预科读书。1913年到北京,翌年进入贝满女子中学。1918年考入协和女子大学,次年以冰心笔名发表小说。1921年参加文学研究会。1923年出版《繁星》和《春水》。1923年去美国留学。1926年出版散文集《寄小读者》。同年回国,先后在燕京大学、清华大学和北京女子文理学院任教。1932年出版《冰心诗集》。1936年去欧美游历一年。1938年到昆明,次年到重庆,曾任国民党政府参政会议参政员。1943年用男士笔名出版散文集《关于女人》。1945年回北平。次年去日本,曾在东京大学任教。1951年回国,此后定居北京。1960年出版诗文集《小桔灯》,同年当选为中国作家协会理事。1979年任中国文联副主席。1981年出版散文集《三寄小读者》。1983年起《冰心全集》6卷出版。1999年2月28日在北京逝世。

25日 《人民日报》刊出山东邮电学校长征红卫队《困难面前炼出英雄汉》等诗。

28日 北京召开"文艺界无产阶级文化大革命大会",北京和来自全国各地的两万多名革命文艺战士参加。中共中央政治局常委、国务院总理周恩来,中共中央政治局常委、中共中央文化革命小组组长陈伯达,中共中央文化革命第一副组长、中国人民解放军文化工作顾问江青出席并讲话。江青在讲话中说:"帝国主义是垂死的、寄生的、腐朽的资本主义。现代修正主义是帝国主义政策的产物,是资本主义的变种。他们什么好作品都搞不出来了。资本主义已经有几百年了,他们的所谓'经典'作品,也不过那么一点。他们有一些是模仿所谓的'经典'作品,死板了,不能吸引人了,因此完全衰落了;另一些则是大量泛滥,毒害麻痹人民的阿飞舞,爵士乐,脱衣舞,印象派,象征派,抽象派,野兽派,现代派,……等等,名堂多了。一句话:腐朽下流,毒害和麻痹人民。"

29日　《文汇报》刊出东海舰队某部陆振声《灵魂深处摆战场》等诗。

30日　《解放日报》刊出陈忠干《毛主席给我们撑腰》、原大兴中学一红卫兵《统帅和小兵心相连》等诗。

11月　云南人民出版社编的诗集《毛主席,我们心中的红太阳》由该出版社出版。收麦贤得《掏尽红心为人民》、于宗信《毛主席的话是真理》、姚成友《毛主席的光辉照万代》、田章夫《篝火》等诗48首。该书《内容提要》说:"这本民歌集是无产阶级文化大革命以来,全国各地(包括云南地区)工农兵歌唱党和毛主席的民歌。""这些民歌充满对党和毛主席无比崇敬,无比热爱,表达出用毛泽东思想武装起来的工农兵群众胸怀广阔,意气风发,敢于批判旧世界,创造新世界的英雄气概。""这些民歌出自工农兵之口,感情真挚,流利顺口,便于歌唱。"

1966年12月

1日　《解放军文艺》1966年第12期以《毛主席是世界革命人民心中的红太阳》为总题刊出[越南]素友《毛主席啊,我看见了您巍峨的形象》等"国际友人歌颂毛主席"诗22首;以《红卫兵歌颂蔡永祥》为总题刊出江西吉安第二中学一红卫兵《光辉的榜样》等诗8首;此外还刊有大连海运学院长征红卫兵的诗《长征》。

1日　中国人民大学战地文艺社《战地文艺》报第4期刊出《赞造反者》、安徽省含山县长冈农业中学红卫兵长征队《长征歌》、北京标准机件厂工人李文汉《长征队赞》、北京四季青公社社员郭德贵《毛主席的客人来咱家》等诗。

3日　《解放日报》刊出江苏江阴河塘公社周信礼《毛主席说啥

我干啥》、社员于书恒《"老三篇"是无价宝》等诗。

4日 《人民日报》《"老三篇"照心中,战天斗地力无穷》栏刊出党花、书亭《"老三篇"篇篇红》等诗。

5日 《解放日报》刊出驻沪空军某部战士朱寿鹏《学习蔡永祥,歌唱蔡永祥》等诗。

5日 《文汇报》刊出东海舰队苏逢湘《血海深仇记心间》等诗。

10日 《解放日报》刊出中国人民解放军驻浙部队某部演出队《伟大的共产主义战士——蔡永祥》等诗。

12日 全国红卫兵树立毛泽东思想绝对权威彻底打倒孔家店联络委员会《讨孔战报》第6期刊出岳家村大队贫下中农的诗《歌赞红卫兵》。

20日 《文汇报》刊出东海舰队战士徐效忠的诗《语录歌声响军营》。

20日 中国人民大学战地文艺社《战地文艺》报第5期刊出甘肃省靖远师范红卫兵王鹅羽的诗《造反歌》。

23日 重庆红卫兵革命造反司令部《山城红卫兵》报第7期刊出革命工人造反军李亮的诗《血之歌——致全市革命群众》。

26日 《光明日报》刊出《放声歌唱我们心中的红太阳》,刊有程秋荣《东方升起了红太阳》、大庆油田工人《油工想念毛主席》等诗。

26日 《解放日报》刊出邢台人民《一心信仰毛主席》、战士韦荣久《〈毛主席语录〉放光彩》等诗。

26日 《人民日报》刊出廖代谦《毛主席是世界革命的旗手》等诗。

26日 北京外国语学院红旗战斗大队等主办的《红卫报》第8期刊出毛泽东主义红卫兵东方澜《红太阳的故乡》、顾炯《光辉的起点——访中国共产党第一次全国代表大会会址》、北京公社红卫兵赵向东《学了老三篇》、吉林通化卫生学校长征队霍红等《毛主席,我们见到了您》诗4首。

1966年 蔡其矫作诗《无题三首》。此诗收《蔡其矫诗选》,人民文学出版社1997年7月出版。

1967 年

1967 年 1 月

1 日 《人民日报》、《红旗》杂志发表社论《把无产阶级文化大革命进行到底》。

1 日 《人民日报》刊出社员殷光兰《毛主席铺出长征路》、红卫兵顾炯《太阳从这里升起——访韶山》等诗。

1 日 《解放军报》刊出孙宝山《心上的红太阳永不落》、王本善《无限热爱毛主席》等诗。

1 日 《解放军文艺》1967 年第 1 期以《金光闪闪的"老三篇"》为总题刊出鲁水泊《颂"老三篇"》、杨海满《"老三篇"是座右铭》等诗 15 首;以《金色的太阳照心头——部队生活短诗》为总题刊出马连华《金色的太阳照心头》、胡世宗《夜宿》、叶晓山《团长》等诗 11 首。

1 日 北京大学文化革命委员会《新北大》报第 24 期刊出中文系祁念东的诗《永远跟着毛主席》。

1 日 清华大学井冈山报编辑部《井冈山》报第 6—7 期刊出诗配画《抓扒手——大扒手王光美在清华》。

1 日 河南省红卫兵革命造反司令部《河南红卫兵》报第 9 号刊出向东的诗《我来到了毛主席身旁》。

1 日 北京航空学院红旗战斗队《红旗》报第 3 期刊出宣传队的诗《永远革命向前进》。

4 日 首都大专院校红卫兵革命造反联络站《东方红》报第 13

号刊出卫东的诗《学习"老三篇"》。

6日 上海市委机关革命造反联络站等组织召开"打倒上海市委大会",夺了上海市的党政大权。史称"一月风暴"。11日《人民日报》发表中共中央、国务院、中央军委、中央文革小组的《给上海市各革命造反团体的贺电》。2月5日"上海市人民公社"成立,14日根据毛泽东的建议改名为"上海市革命委员会"。

6日 首都大专院校红卫兵第一司令部宣传部《红卫兵》报第16期刊出向阳的诗《炮轰刘邓陶》。

6日 《文汇报》刊出红革会新师大一战士的诗《战鼓迎春》。

8日 《解放日报》刊出解放军某部许力行《心心永向毛主席》、解放军某部战士邢书第《〈毛主席语录〉怀中揣》等诗。

10日 陈白尘日记:"文联大楼贴出了打倒刘白羽、张光年、张天翼的大标语,路人注目。"(《牛棚日记》,生活·读书·新知三联书店1995年5月出版)

张光年,笔名光未然。1913年11月1日生于湖北光化。1927年参加大革命,革命失败后到钱庄当学徒,到书店当店员。1931年入武昌中华大学中文系读书。1933年参加秋声剧社任社长。1935年退学到武昌安徽中学任教。1936年去上海从事抗日救亡文艺活动。抗战爆发后到武汉、鄂北等地宣传抗日。1939年率抗敌演剧队第三队由晋西到延安。同年创作组诗《黄河大合唱》。不久去重庆从事文艺活动。1942年到昆明,任北门出版社和《民主增刊》编辑。1944年出版诗集《雷》,次年出版搜集整理的彝族民间叙事长诗《阿细的先鸡》(后改名为《阿细的先基》)。1946年到华北,先后任北方大学艺术学院主任,华北大学第三部副主任。1949年后,先后任《剧本》主编,中国作家协会书记处书记、副主席,《文艺报》主编,《人民文学》主编等职。出版诗集《五月花》(1960)、《惜春时》(1988)、《光未然歌诗选》(1990)、《光未然诗存》(1998)。2002年1月28日在北京病逝。同年《张光年文集》出版。

11日 清华大学井冈山报编辑部《井冈山》报第9—10期刊出井冈山兵团"老实话"战斗组的诗《看,刘少奇的黑心》。

11日 《文汇报》刊出上海铁道红色文艺造反队的诗传单《在毛泽东旗帜下奋勇前进》和上海汽轮机厂工人革命造反总队宣传组《革命生产一肩担》、同济大学东方红兵团战上海二支队《毛主席啊,我们心中最红最红的红太阳》等诗。

12日 首都大专院校红卫兵第一司令部宣传部《红卫兵》报第17号刊出诗配画《赤膊上阵》。

14日 《光明日报》刊出红卫兵顾炯的诗《号角》。

14日 《解放军报》刊出上海铁道红色文艺造反队《在毛泽东旗帜下奋勇前进》、余光烈《欢呼革命造反派干得好》等诗。

14日 《解放日报》以《彻底粉碎资产阶级反动路线的新反扑》为总题刊出姚克明《警告》、市印刷二厂工人李锦修《我们是工人革命造反派》等诗。

16日 《文汇报》刊出上海货车制造厂工人革命造反队《手捧贺电心欢喜》、上海警备区倪梅林《革命造反派干得好》等诗。

17日 《解放日报》刊出万良顺《毛主席支持革命造反派》等诗。

19日 《光明日报》刊出上海一工人的诗《致革命战友》。

19日 红卫兵复旦大学革命委员会《新复旦》报第2期刊出诗《革命造反派就是有骨气》。

21日 《光明日报》刊出毛泽东思想宣传队的诗《造反派的脾气》。

21日 《人民日报》刊出河南郑州电缆厂六个工人《红卫兵来到俺车间》等诗。

22日 《人民日报》发表社论《无产阶级革命派大联合,夺走资本主义道路当权派的权》。

23日 中共中央、国务院、中央军委、中央文革小组发布《关于人民解放军坚决支持革命左派群众的决定》。

23日 《解放军报》刊出余光烈的诗《为革命造反派夺权欢呼》。

24日 《文汇报》刊出驻沪空军某部战士吴振标的诗《无产阶级革命派大联合万岁》。

24日 北京大学文化革命委员会《新北大》报第30期刊出一团

一连念东的诗《欢唱最新指示》。

25日 《解放军报》刊出于宗信的诗《无产阶级革命派联合起来》。

26日 首都科研设计单位革命造反联合委员会《科技红旗》报第4期刊出诗《夺取革命生产双胜利》。

27日 中国人民解放军艺术学院星火燎原革命造反队星火燎原报编辑室《星火燎原》报第4期刊出军艺无产者联合造反队供稿的诗配画《看刘邓资产阶级反动路线在军内的代表人物刘志坚的罪行》。

28日 《解放日报》刊出解放军某部姚炳南的诗《敌人不投降，就叫他灭亡》。

28日 《人民日报》刊出解放军海军某部世新《毛主席的战士支持革命造反派》、战士余志安《胜利永远属于革命造反派》等诗。

28日 北京矿业学院东方红公社《东方红》报第5期刊出参加军训的解放军战士郑彦平的诗《坚决支持革命造反派》。

29日 《解放日报》刊出东海舰队朱志刚《造反派掌权好得很！》等诗。

30日 北京铁道学院红旗公社《铁道红旗》编辑部《铁道红旗》报第2号刊出红缨枪为街头革命漫画《送瘟神》所配的同题诗。

30日 斗争彭、陆、罗、杨反革命修正主义集团筹备处《战报》第4期刊出刘时叶的诗《呜呼，我的乌纱帽！——斥走资本主义道路的当权派》。

31日 《人民日报》刊出解放军某部战士黄武力《赞革命造反派》等诗。

31日 首都职工红色造反总联络站第七（西城）分站《燎原》编委会《燎原》报第6—7期刊出红色造反者一战士的诗《夺权》。

1967年2月

1日 清华大学井冈山报编辑部《井冈山》报第13—14期刊出清华军政训练第三指挥部八团四连的诗《造反！造反！》。

2日 《解放日报》刊出驻沪空军某部孙凤鸣《箭上弦,刀出鞘》等诗。

4日 《人民日报》刊出北京第一机床厂红色造反者《向反修战士致敬——欢迎留欧学生从莫斯科归国》、解放军海军某部世新《热烈欢迎英雄的反修战士》诗2首。

4日 北京工农兵体育学院毛泽东主义兵团《体育战线》报第7期刊出诗《打倒贺龙》。

5日 空军技术学院红色造反纵队《红色造反报》第7期刊出一兵《革命造反派联合起来》、一卒《革命造反派大联合大夺权》诗2首。

5日 《解放日报》刊出上海汽轮机厂工人革命造反纵队红艺兵《左派夺权好好好》等诗。

5日 《文汇报》刊出嘉定县农民革命造反总司令部搜集的《农民革命造反歌谣》,有长征公社真北大队龚四泉《夺大权》、嘉定县农民革命造反总司令部李再俭《革命风暴卷农村》等。

7日 《光明日报》刊出卫东兵的诗《让暴风雨来得更猛烈些吧》。

7日 《解放日报》刊出上海汽轮机厂工人革命造反纵队红艺兵《欢呼上海人民公社诞生》、海防战士左军《革命造反派掌权就是好》等诗。

7日 《人民日报》刊出铁道兵文工团红色造反者"追穷寇"炮台《抗议的吼声震宇宙》、纪鹏《愤怒的雷声——最坚决最强烈地抗议苏修反华新罪行》等诗。

7日 《文汇报》刊出印刷二厂一工人《上海人民公社赞歌》、同济大学东方红兵团一战士《我们不当权,谁当权?》等诗。

8日 北京外国语学院红旗战斗大队等主办的《红卫报》第12—13期刊出顾炯《敬祝毛主席万寿无疆——热烈欢呼毛主席关于派解放军支持左派广大群众的伟大号召》、法二红旗红芒《打倒苏修》诗2首。

8日 首都大专院校红卫兵革命造反总司令部(首都第三司令部)《首都红卫兵》报第28号刊出北京部队红兵的诗《好!——夺权

赞》。

9日 外交学院革命造反团《红卫战报》第7号刊出反修专刊，刊有革命造反兵团陈汝海《致反修战士——献给从莫斯科归国的我留欧学生》、革命造反红卫兵童晓《苏修混蛋们，等着瞧吧!》诗2首。

9日 《解放日报》刊出上海铁路红色工人造反总部《毛主席革命路线新胜利》、上海革命文工团"一月风暴"战斗队螺丝钉《上海人民公社，好!!!》等诗。

9日 北京工农兵体育学院毛泽东主义兵团《体育战线》报第8期刊出《漫画专刊》，配有《刘氏驯狗》、《打倒贺龙》等诗。

9日 《文汇报》刊出战士马胜泉《大联合大夺权就是好!》、红上司一战士《欢呼上海人民公社成立》等诗。

10日 北京地质学院东方红公社《东方红报》第11期刊出尹业新的诗《夺权赞》。

10日 北京航空学院红旗战斗队《红旗》报第10—11期刊出内蒙古工人朱兵的诗《致北航红旗》。

10日 首都红卫兵造反大队《燎原》报第12期刊出红浪的诗《好一个"造反有理"》。

11日 陈白尘日记："今日臧克家写材料时，误造反团为'造犯团'，大受申斥，继以斗争，荒唐可笑。"(《牛棚日记》，生活·读书·新知三联书店1995年5月出版)

14日 《解放军报》刊出胡世宗的诗《七亿神州响惊雷》。

14日 《人民日报》刊出明朋《红色革命造反派赞歌》、解放军某部毛泽东思想宣传队《革命派大联合、大夺权好得很》等诗。

15日 北京矿业学院东方红公社《东方红》报第8期刊出解放军战士郑风雷的诗《严正警告苏修混蛋》。

15日 北京地质学院东方红报编辑部《东方红报》第12期刊出北京地质学院东方红公社反修的诗《已是悬崖百丈冰，犹有花枝俏——献给英雄的中国留学生》。

15日 中国人民解放军技术工程学院红旗报编辑部《红旗报》第2期刊出高歌的诗《欢呼东方的新曙光》。

15日 《解放日报》刊出范良《警告苏修混蛋》、上海警备区孙家云《砸烂勃列日涅夫、柯西金的狗头》等诗。

16日 首都职工红色造反总联络站第七（西城）分站《燎原》编委会《燎原》报第9期刊出长缨的诗《大联合》。

17日 中共中央发布《关于文艺团体无产阶级文化大革命的规定》。

17日 北京地质学院东方红报编辑部《东方红报》第13期刊出社员很想动《要动歌》、重医一革命造反派《心中只有毛泽东》诗2首。

18日 首都大专院校红卫兵革命造反总司令部（首都第三司令部）《首都红卫兵》报第30号刊出北京地院东方红公社反修的诗《犹有花枝俏——献给英雄的中国留学生》。

18日 首都大专院校红卫兵第一司令部宣传部《红卫兵》报第22号刊出解放军战士于宗信的诗《无产阶级革命派联合起来！》。

19日 《文汇报》刊出松江县新五公社革命文化造反队赵政《贫下中农最革命》等诗。

21日 北京外国语学院红旗战斗大队等主办的《红卫报》第14期刊出反修专刊，刊有红旗红卫兵赤潮的诗《愿以鲜血染乾坤——颂反修战士》。

21日 河南省会毛泽东思想红卫兵总部《红卫兵》报第35—36期刊出丛中笑的诗《政治扒手与刘建勋》。

21日 《人民日报》刊出解放军某部向东《革命造反的春天来了》、喻晓《春雷颂》诗2首。

21日 北京大学文化革命委员会《新北大》编辑部《新北大》报第42期刊出王英志的诗《活雷锋》。

22日 首都大专院校红卫兵革命造反总司令部（首都第三司令部）《首都红卫兵》报第31—32号刊出北京部队红兵的诗《我为左派把岗站》。

23日 外交学院革命造反兵团《红卫战报》第8号刊出革命造反兵团革命造反红卫兵闯战斗队《苏修混蛋的自白》、革命造反红卫兵雷厉《叛徒的嘴脸——柯西金伦敦出丑记》诗2首。

23日 北京革命造反公社通县联络站《通县风暴》报第2期刊出红松的诗《一个老贫农的话》。

24日 《人民日报》以《无产阶级革命派颗颗红心向阳开》为总题刊出五好战士郑志和《一声春雷震天响》等诗。

25日 北京农业机械化学院东方红公社《东方红战报》第30期刊出八三一公社永红战斗队的诗《赞"左派"——致极少数》。

25日 《解放日报》刊出战号《"一月革命"的颂歌》、赵正达《毛主席号召"三结合"》等诗。

2月 《解放军文艺》1967年第2期以《"老三篇"万岁》为总题刊出叶文福《"老三篇"哺育的战士心最红》、姚成友《战士最爱"老三篇"》等诗10首；以《战斗诗传单》为总题刊出于宗信《革命的硬骨头》等诗3首。

1967年3月

2日 《人民日报》发表社论《革命的"三结合"是夺权斗争胜利的保证》。

2日 外交学院革命造反兵团《红卫战报》第9号刊出革命造反兵团风行的诗《刘少奇坏东西》。

4日 北京大学文化革命委员会《新北大》报第47期刊出文二(4)"迎春"战斗队的诗《葵花朵朵向太阳——欢呼首都红代会诞生》。

7日 《人民日报》发表社论《中小学复课闹革命》。

8日 《文汇报》刊出金山县金卫公社红色革命造反联合委员会《收到毛主席的信》、南汇县农民革命造反总司令部顾亚华《头脑里装进整个天下》等诗。

10日 陈白尘日记："近下班时，《文艺报》的几个'黑帮'，包括臧克家、刘白羽、葛洛等八人由'黑窝'中迁出，交本单位群众直接管理了。"(《牛棚日记》，生活·读书·新知三联书店1995年5月出版)

11日 陈白尘日记："《人民文学》和行政部门的'黑帮'也准备迁移。但9时突然宣布开会，至401室门外，见有'砸烂旧作协'、'打倒刘、邓、彭、安反动组织路线'等等大字报。入室，两大标语赫然：

'打倒叛徒杜麦青'、'砸烂东风战斗组'。即为大会的两个主题了。其实,二者即为——打倒这个东风战斗组。因为杜是这个组织的主要成员,借'揪叛徒'的东风以打倒这个'东风'耳。臧克家、王真和我都出列站前排,作为'叛徒'陪斗;涂光群和刘剑青亦出列,前者是其成员,后者大概是其后台。大会由Y主持,H虽称为第一把手,但未终席即去他处开会了。会开到下午1时,未及午餐,极疲劳。"(《牛棚日记》,生活·读书·新知三联书店1995年5月出版)

11日 北京师范大学井冈山公社《井冈山》编辑部《井冈山》报第17期刊出军训一团解放军《歌颂红卫兵,高唱东方红》、北师大井冈山战士《贺红代会》诗2首。

11日 《人民日报》刊出崇华《一排排人马闹春耕》等诗。

14日 《解放日报》刊出上海警备区施德华《亿万军民齐响应》等诗。

14日 《人民日报》刊出舒衡的诗辑《春潮》。

15日 北京市城建系统革命造反联络总部《城建战报》第3期刊出市政水泥制品厂革命造反公社一小兵的诗《革命——我们抓生产——我们干》。

17日 诗人阿垅在狱中服刑期间病逝于天津新生医院。"1966年2月,在监禁了近十一年之后,总算对阿垅正式开庭审判了……最后,阿垅作为'胡风集团骨干分子',以'历史反革命罪'和'现行反革命罪'被判处有期徒刑12年。""在判刑半年多后的1966年8月,天津市法院宣布了对他'予以提前释放',可并未执行。这时,他身患骨髓炎已病重,疼痛难忍。知道自己将不久于人世,他曾给唯一的儿子写信,希望能见上最后一面。由于可以想见的原因,儿子终于没有去见他。1967年3月17日,在病痛和悲愤的折磨下,阿垅带着极大的遗憾在天津新生医院(想必是公安部门的医院)病逝,死时正当年富力强的六十岁。遗体火化时只有号码没留姓名,也不让留骨灰。多亏了一位好心人,将骨灰装在一个破木箱里埋到了火葬场的墙角下,这才得以保留了下来,不致死无葬身之地。"(晓风《丹心白花铁骨铮铮》,2001年5月22日《新文学史料》2001年第2期)

阿垅，原名陈守梅，又名陈亦门，1907年2月生于浙江杭州。1930年考入上海工业专科学校，1934年毕业后入中央黄埔军官学校。1935年开始发表新诗。1936年毕业在军队服役，1937年曾在上海战斗中负伤。1938年到延安，入抗日军政大学学习。1939年在野战演习中眼球受伤去西安治疗。1941年伤愈返延安因路被封锁而去重庆，考入陆军大学。1942年出版诗集《无弦琴》。1946年到成都军校任战术教官，编辑《呼吸》，后去南京、杭州等地。1949年到天津，任天津文学工作者协会编辑部主任，先后出版诗论集《诗与现实》等。1955年因"胡风反革命集团"案入狱。1986年诗集《无题》出版。

17日　《光明日报》刊出时阳《〈毛主席语录〉在世界飞翔》、郝北林《队长，咱们的队长》等诗。

19日　《解放日报》刊出战士左军《一路歌声迎朝阳》、海防战士文革《千军万马下田庄》等诗。

21日　《人民日报》刊出王恩宇的诗《党中央和咱心连心》。

23日　中国作家协会革命造反团《文学战报》编辑部《文学战报》创刊号刊出《简讯》："反革命修正主义分子刘白羽、邵荃麟长期盘据的作协黑党组，在作协执行了一条彻头彻尾的招降纳叛、结党营私的反革命修正主义组织路线。作协革命群众自文化大革命以来，对他们的这条路线进行了猛烈冲击，已揪出叛徒、前《人民文学》副主编陈白尘和叛徒、前《诗刊》主编臧克家"。

25日　《光明日报》刊出刘德耀《革命志不移》、郭李荣《党的信件闪光辉》等诗。

25日　《解放军文艺》1967年第3期以《战士齐颂红太阳》为总题刊出薛锡祥《永远跟随毛主席》、扎布《战士想念毛主席》等诗11首。

26日　红卫兵成都部队政治部《红卫兵》报第19期刊出诗《我们大声为您叫好！——献给成都工学院临时革命委员会》。

28日　北京航空学院红旗战斗队《红旗》报第21—22期刊出向天红的诗《毛主席带我们奔前程》。

28日　《解放日报》刊出市印刷二厂工人季锦修《字字句句指方

向》、福建武平城关公社社员钟尚坤《〈毛主席语录〉兜里装》等诗。

28日 天津大专院校红代会《天津红卫兵》报红3期刊出诗《砸烂万张反党集团》。

28日 北京大学文化革命委员会《新北大》编辑部《新北大》报第56期刊出明竹的诗《怀念英雄郭嘉宏》。

29日 《文汇报》刊出东海舰队张斤夫《毛主席给咱来了信》、上钢三厂孙祥《北京又传大喜报》等诗。

30日 红代会北航红旗战斗队《红旗》报第23期刊出红山石的诗《欢呼"三·七"批示》。

3月 中央戏剧学院毛泽东思想战斗团《毛泽东主义战报》第3期刊出中央戏剧学院革命造反委员会演出队的枪杆诗《人民解放军坚决支持革命造反派》。

1967年4月

1日 《人民日报》发表戚本禹的文章《爱国主义还是卖国主义？——评反动影片〈清宫秘史〉》。

2日 诗人饶孟侃在北京病逝。"逝世前曾嘱咐家属，将多年珍藏古董（各代铜镜）及书画等捐献故宫博物院。英国文学书籍赠送北京图书馆及外交学院英语教研室"（《简谱》，王锦厚、陈丽莉编《饶孟侃诗文集》，四川大学出版社1997年1月出版）。

饶孟侃，字子离，1902年3月24日生于江西南昌。1916年入北京清华学堂读书，参加清华文学社。1924年于清华大学毕业，曾任《京报副刊》编辑。1928年参与编辑《新月》月刊。1930年去安徽大学教书。1932年任浙江大学文理学院教授，次年任河南大学英语系教授。1938年任西北联合大学英语系主任，次年去四川大学任外文系教授。1954年调到北京，任中国人民大学英语教授。1956年外交学院成立，任该院英语教授。1997年《饶孟侃诗文集》出版。

2日 南开大学卫东红卫兵"批判刘邓陶联络站"《卫东》报第11期刊出批判刘邓陶办公室美工组的诗配画《王光美桃园现原形》。

3日 《光明日报》刊出战士孔令洲、赵润志的诗《不落的太阳照山庄》。

4日 西藏自治区无产阶级革命派大联合造反总指挥部《风雷激战报》第42期刊出林芝县人委财粮科朗杰、艾学勤的诗《毛主席呀,翻身农奴想念您》。

6日 红代会北航红旗战斗队《红旗》报第25期刊出诗《如此"修养"》。

6日 《文汇报》刊出松江县城西公社毛泽东思想宣传队《坚决把他拉下马》、一文艺战士《向中国的赫鲁晓夫开炮》等诗。

8日 红代会清华井冈山报编辑部《井冈山》报特刊刊出井冈山兵团"井冈画戟"战斗组的诗配画《打倒扒手王光美!》。

9日 《解放日报》刊出宝山县浩华《把中国的赫鲁晓夫拉下马》等诗。

10日 《文汇报》刊出上海工人革命造反总司令部姜延良的诗《革命的同志们,联合起来战斗!》。

10日 《解放军文艺》1967年第4期以《在工农业战线上立新功》为总题刊出陈秀庭《毛主席来信贴墙上》、明大胜《深夜修车》等诗12首。

11日 红代会清华大学井冈山报编辑部、北京航空学院红旗报编辑部《井冈山·红旗》报联合版刊出清华井冈山红映宇、北航红旗湘天宏的诗《首都革命委员会成立了!》。

13日 《光明日报》刊出晓笛《同志们,勇敢战斗》等诗。

14日 红代会北京外国语学院红旗战斗大队《红卫报》第20期刊出英教红旗的诗《〈论修养〉是黑货》。

18日 北京文艺界革命造反派召开"打倒刘少奇,彻底摧毁反革命修正主义文艺黑线进军大会"。

18日 北京"无产阶级文化大革命史诗"编排筹备处《首都文艺》报第2期刊出王瑞萍的诗《夺私字的权》。

20日 中国人民大学新人大公社毛泽东思想红卫兵《新人大》报第12期刊出新人大公社迎春战斗队《欢呼你,首都革命委员会》、新人大公社江涛《热烈欢呼北京市革命委员会成立》诗2首。

20日 七机部916革命造反兵团宣传勤务部《造反有理》报第11期刊出小兵呐喊的诗《革命造反派的脾气》。

22日 《人民日报》刊出郑军华《在时代的前列——欢呼北京市革命委员会诞生》等诗。

23日 《解放日报》刊出复旦大学洪军《向中国的赫鲁晓夫开炮》、宁宇《斥"驯服工具论"》等诗。

24日 《文汇报》刊出解放军某部王振亚的诗《砸烂黑〈修养〉》。

25日 《解放军文艺》1967年第5期刊出纪鹏《太阳颂》等诗；并以《毛泽东思想育新人》为总题刊发杨金书《看战友》等诗6首。

27日 《文汇报》刊出东海舰队陆振声的诗《毛主席掌舵咱划桨》。

1967年5月

1日 首都红代会北京矿业学院东方红、中国人民大学三红联合主办的《矿院东方红·人大三红》报五一专刊刊出矿院东方红"东风劲"战斗组的诗《献给红"五一"的战歌》。

1日 北京大学文化革命委员会《新北大》报第69期刊出新北大公社红卫兵文步彪（文武斌）的诗《毛主席的红卫兵向你们致敬——遥寄英雄的越南人民》。

1日 中国人民大学新人大公社毛泽东思想红卫兵《新人大》报第15期刊出党史系大队春生的诗《祝福毛主席万寿无疆》。

1日 七机部916革命造反兵团宣传勤务部《造反有理》报第15期刊出向东《毛主席，916战士永远跟着您》、星星之火战斗队刘文楷《咱工人最听毛主席的话》诗2首。

2日 北京大学文化革命委员会《新北大》报第70期刊出杨儒鹏的诗《永恒的光芒》。

2日 天津战鼓编委会《战鼓》报创刊号刊出天津业余作者造反总部云水怒的诗《赞歌唱给毛主席》。

3日 红卫兵上海市大专院校革命委员会红卫兵上海司令部《红卫战报》第36期刊出上海汽轮机厂工人胡永槐《毛主席的〈讲话〉

红日照》等诗。

6日 周作人在北京病逝。

周作人，原名周櫆寿，1885年1月16日生于浙江绍兴。1901年考入江南水师学堂。1906年去日本留学，1911年回国，曾任中学英语教员。1917年到北京，任北京大学文科教授。1918年起在《新青年》等刊物发表文章，提倡人的文学。1920年参加新潮社，次年参与发起成立文学研究会。创作以散文为主，出版了大量散文集。1919年开始发表新诗，作品后结集为《过去的生命》于1929年出版。1928年任北平大学文学院国文系主任及日本文学系主任。1937年"七七"事变后，北大南迁，周作人仍留居北平，曾任"华北政务委员会委员"兼"教育总署督办"及"东亚文化协会会长"等伪职。1945年因汉奸罪被国民党政府逮捕，判有期徒刑10年。1949年1月保释出狱，后定居北京。

6日 《解放日报》刊出王翔蔚的诗《金水桥畔迎太阳》。

6日 红代会清华井冈山报编辑部《井冈山》报第41—42期刊出井冈山兵团"倚天剑"《毛主席啊，井冈山人的红司令！》、麦地《毛主席站在井冈山上》等诗。

7日 《人民日报》发表社论《一定要把全国办成毛泽东思想的大学校》。

8日 《人民日报》发表红旗杂志编辑部、人民日报编辑部的文章《〈修养〉的要害是背叛无产阶级专政》。

8日 《红旗》1967年第6期发表江青的《谈京剧革命——一九六四年七月在京剧现代戏观摩演出人员的座谈会上的讲话》和社论《欢呼京剧革命的伟大胜利》。

9日 陈白尘日记："今天又是一场严重考验。上午10时，H来召集我等开会，让各人自己并相互定类。对白羽、荃麟、光年、天翼，大家都认为是四类，他们自己也自认四类。大多数认为我是四类，但也有未明确者。我自己从南京出发时即认自己是三类；来此后，对自己的错误有较深的认识，但我推行周扬的反动路线不是自觉的，所以还不应是四类。会上我却不得不自承是四类，这完全是受到环境压力的结果。我相信天翼、光年都应该是三类,而他们都自承是四类了,我如何说得出口?这种试定虽然不会算数,但是自问,这种态度还是自欺欺人的。其他人如文井、金镜、秋耘、李季等,有的定四类,有的未表态。冰心,克家都自承是反动权威,也是过了头的,并非真心。再以下就多含糊其词了。"(《牛棚日记》,生活·读书·新知三联书店1995年5月出版)

李季,原名李振鹏,1922年8月16日生于河南唐河。1937年入河南南阳敬业初级中学读书。1938年去陕北,进中国人民抗日军政大学学习。次年到太行山,先后在游击队和八路军总部特务团工作。1940年任中共中央北方局党校教育干事。1942年到陕北靖边县靖镇完全小学教书。1944年调三边行政公署教育科编写教材,1945年到盐池县政府任政务秘书。1946年出版长篇叙事诗《王贵与李香香》。1947年回延安,任《群众日报》副刊编辑。1949年到武汉,任中南行政区文联编辑出版部部长,次年任《长江文艺》主编。1952年出版《短诗十七首》。同年去玉门油矿深入生活,任矿党委宣传部部长。1955年调任中国作家协会创作委员会副主任。1958年再次去兰州、玉门,曾任中国作家协会兰州分会主席。1961年调回北京,任《人民文学》副主编。先后又出版诗集《玉门诗抄》(1955)、《心爱的柴达木》(1959)、《石油诗》(1965)等。1969年去湖北咸宁干校劳动。1972年回北京,次年任石油勘探开发规划研究院副院长。1975年主持《诗刊》复刊工作。1979年任中国作家协会副主席、书记处常务书记。1980年3月8日在北京病逝。同年出版《李季诗选》,1982年起《李季文集》4卷出版。

10日 《解放军文艺》1967年第6期以《心中的太阳红又红——欢呼毛主席像章发到部队》为总题刊出田永昌《红光万道照大海》、于宗信《毛主席永在我身旁》等诗8首;以《革命的城 战斗的城 胜利的城——在北京市革命委员会成立的日子里》为总题刊出冯红《北京城里旗最红》等诗5首。

11日 中国科学院红卫兵革命造反司令部红卫兵报编辑部《红卫兵报》第18期刊出自动化所高歌的诗《红卫兵,时代的雄鹰!》。

17日 红代会北京工业大学东方红公社东方红报编辑部《东方红》报第12期刊出东方红公社"英特纳雄耐尔"的诗《在战火中得到永生》。

17日 132厂11.19革命造反派《11.19战报》新2期刊出11.19派战士的诗《烈士的血——献给"五·六"惨案牺牲的战友》。

20日 陈白尘日记："9时开纪念主席《讲话》发表25周年大会,刘白羽、邵荃麟、张光年、严文井及我共九人出席被斗。11时40分休息,下午继续开到5时。"(《牛棚日记》,生活·读书·新知三联书店1995年5月出版)

20日 首都文艺界红色造反总部《红色文艺》报第2—3期刊出延歌的诗《社会主义文艺万代鲜红——纪念《讲话》发表二十五周年》。

21日 北京市革命职工代表会议常设委员会《北京工人》报第5期刊出工代会北京轻工业品进出口公司红旗兵团金树良的诗《沿着毛主席的文艺路线胜利前进》。

23日 《红旗》1967年第8期发表社论《为捍卫无产阶级专政而斗争——纪念〈在延安文艺座谈会上的讲话〉发表二十五周年》。

23日 东北人民大学红色造反大军毛泽东思想红卫兵、吉林师范大学革命造反大军八一八红卫兵《反修报·革命造反军报》第25期刊出东北人大毛泽东思想红卫兵庭葵《手捧〈讲话〉心澎湃——纪念毛主席〈在延安文艺座谈会上的讲话〉》、东北人大法律系八卅一支队战士曹积三《万岁,毛主席!万岁,红太阳!》诗2首。

23日 北京师范大学革命委员会、红代会北师大井冈山公社《井冈山》第41期刊出"过大江"战斗队的诗《伟大的著作光辉的思想》。

23日 《首都红卫兵》报红26—27期刊出新北大红卫兵文步彪(文武斌)的诗《毛主席的红卫兵向你们致敬——遥寄英雄的越南人民》。

23日 中国人民解放军军乐团革命造反队《新军乐》编辑部《新军乐》报第4期刊出革命造反队战士向阳的诗《伟大的里程碑——欢

呼中共中央"五一六"通知公开发表》。

25日 红旗报编辑部《红旗报》第10期刊出女民歌手殷光兰的诗《毛泽东思想红旗天下扬——纪念毛主席〈讲话〉发表二十五周年》。

29日 红旗报编辑部《红旗报》第11期刊出解放军驻肥某部谢世法、白笠筠的诗《〈讲话〉威力无限大》。

29日 中央统战、民委系统彻底摧毁反革命修正主义路线革命联合委员会《八·八战报》第22期刊出中央民族歌舞团毛泽东思想红卫兵的诗《沿着毛主席革命文艺路线前进》。

30日 中国科学院红卫兵革命造反司令部《红卫兵报》第21期刊出诗《造反派的脾气》。

30日 北京大学文化革命委员会《新北大》报第79期刊出子弟兵的诗《百花盛开的时节》。

31日 《人民日报》发表社论《革命文艺的优秀样板》。社论说："为了纪念毛主席《在延安文艺座谈会上的讲话》发表二十五周年，首都舞台上正在上演八个革命样板戏：京剧《智取威虎山》、《海港》、《红灯记》、《沙家浜》、《奇袭白虎团》，芭蕾舞剧《红色娘子军》、《白毛女》，交响音乐《沙家浜》。""这八个革命样板戏，突出地宣传了光焰无际的毛泽东思想，突出地歌颂了历史主人翁工农兵。"

31日 毛泽东思想哲学社会科学部向资产阶级反动路线猛烈开火联络委员会红卫兵联队《进军报》第22—23期刊出工农兵文学所敢字当头战斗队的文章《声讨何其芳篡改〈讲话〉的滔天罪行》。文章说："何其芳是前文学研究所所长、作家协会书记处书记、《文学评论》主编、反革命修正主义分子。他是文艺界黑头目周扬手下的亲信和得力干将，长期以来，追随陆定一、周扬之流执行反革命修正主义文艺路线，是文学理论界的一个'东霸天'。""何其芳一贯打着'红旗'反红旗，以宣传《讲话》为名，行篡改和反对《讲话》之实，犯下了滔天的罪行。"

何其芳，原名何永芳，1912年2月5日生于四川万县。1929年考入上海中国公学预科，开始新诗写作。1931年入北京大学哲学系学习,1935年毕业,先后到天津、山东任教。1936年与卞之琳、李广田合出诗集《汉园集》。1938年到延安,曾任鲁迅艺术学院文学系主任。1944年后两次去重庆,任《新华日报》社副社长等职。1945年出版诗集《预言》《夜歌》。1948年调入中央马列学院。1953年起,一直在中国科学院文学研究所(今属中国社会科学院)工作,历任副所长、所长,主要致力于文学评论和文学研究的组织工作,出版有诗论集《关于写诗和读诗》(1956)、《诗歌欣赏》(1962)。1977年7月24日在北京病逝。后又出版《何其芳诗稿》(1979)、《何其芳诗全编》(1995)等。1982年起《何其芳文集》6卷出版。

1967年6月

1日 长春公社报编辑部《长春公社》报"6.1"专号刊出东北人大红旗野战军鸿耶的诗《献给战友的一支歌——纪念全国第一张马列主义大字报发表一周年》。

2日 国家科委系统革命造反派《科技战报》编辑部《科技战报》第15期刊出全国科协毛泽东思想宣传队的诗《毛主席来到了我们身旁》。

6日 诗人袁勃逝世。

袁勃,原名何风文,1911年生,河北广宗人。1937年到延安,历任八路军西北战地服务团通讯员、《新华日报》助理编辑、《人民日报》副总编、《解放报》总编等职。1949年后曾任云南省新闻出版处处长、云南省委宣传部部长、云南日报社社长。1981年《袁勃诗文选》出版。

7日 红旗报编辑部《红旗报》第14期刊出定远驻军战士时红军的诗《朝阳路上飘红旗》。

8日 北京师范大学革命委员会、红代会北师大井冈山公社《井冈山》第44期刊出北京军区峭石的诗《猛烈轰击!》。

8日 红卫兵长沙市高等院校革命造反军《警报》第2期刊出诗《如此"武工队员"》。

10日 毛泽东思想贵州大学革命委员会《贵州大学》报第8期

刊出世宇的诗《六六放歌》。

10日 首都大专院校红卫兵代表大会《首都红卫兵》报红38—39号刊出解放军支农工作队张亚南、安靖祯的诗《工农兵昂首上舞台》。

14日 《解放军报》刊出于宗信的诗《阳光洒满了车间》。

14日 毛泽东思想哲学社会科学部向资产阶级反动路线猛烈开火联络委员会红卫兵联队《进军报》第24期刊出云水怒的诗《致阿拉伯兄弟》。

14日 北京人民艺术剧院毛泽东思想红卫兵、红旗红卫兵《文艺批判》编辑部《文艺批判》报第5期刊出《文艺界斗批动态》。动态说:"田间,这个披着共产党员外衣的反动诗人,出身于地主家庭,早在大学时就开始写反动诗,被胡风、冯雪峰等人吹捧为'战斗的诗人',加入过丁铃[玲]的'西战团',是丁陈反党集团的成员,解放后,在历次运动中,均被周扬等保护过关。现在把这条毒蛇揪出来,真是大快人心。""黑诗人戈壁舟、前四川省文联党组副书记,在苏期间,大写黑诗。吹捧苏修、攻击我们伟大的领袖毛主席,戈是一个大叛徒。"

田间,原名童天鉴,1916年5月14日生于安徽无为。1933年到上海光华大学外语系读书。次年加入中国左翼作家联盟,并参加编辑《新诗歌》,先后出版诗集《未明集》(1935)、《中国牧歌》(1936)和长诗《中国·农村底故事》(1936)。1937年春去日本,抗战爆发后回国。1938年到西北战地服务团当记者,出版诗集《呈在大风沙里奔走的岗卫们》。同年去延安,年底到晋察冀边区,先后任战地记者、边区文学艺术工作者协会副主任、盂平县委宣传部长、《新群众》杂志社长兼主编,出版诗集《给战斗者》(1943)、《盂平英雄歌》(1946)、《戎冠秀》(1946)、长诗《她也要杀人》(1947)等。1948年任张家口市委宣传部长。次年出版长诗《赶车传》。1950年到北京,历任全国文联研究室主任,中国作家协会创作部副部长、文学讲习所主任,河北省文联主席等职,出版诗集《抗战诗抄》(1950)、《誓辞》(1953)、《芒市见闻》(1957)、《马头琴歌集》(1957)、《非洲游记》(1964)、《清明》(1978)、《青春中国》(1985)等。1985年8月30日在北京病逝。

1989年起花山文艺出版社出版《田间诗文集》。

戈壁舟,原名廖耐难,1916年农历2月16日生于四川成都。1939年到中共安吴堡青训班学习。1941年考入鲁迅艺术文学院,1945年到伊克昭盟中央民族学院任教。1946年任陕甘宁边区文协创作组组长。1947年到新华社前线分社做记者。1950至1957年任西北文联创作室主任,西安作协秘书长,《延河》月刊主编。1958年到四川文联工作。"文革"后调西安工作。1986年3月5日在成都病逝。出版的诗集有《把路修上天》(1950)、《别延安》(1951)、《延河照样流》(1956)、《黑海赞歌》(1958)、《我迎着阳光》(1959)、《登临集》(1963)、《延安诗抄》(1978)等。

14日 首都红代会国际关系学院《五洲风雷》编辑部《五洲风雷》报第3期刊出戈西的诗《前进,港九爱国同胞!》。

15日 《解放军文艺》1967年第8—9期以《响彻云霄的毛泽东思想的凯歌——热烈欢呼我国第一颗氢弹爆炸成功》为总题刊出胡世宗《特大的喜讯来自北京》等诗8首。

16日 《文汇报》刊出松江新五公社向阳红《丰收》等诗。

19日 《解放军报》刊出廖代谦的诗《万岁,万岁,毛主席!》。

20日 《工人文艺》编辑部编辑的《工人文艺》1967年第2期刊出朝华《咱们是红色宣传队》、五一中学马榕勤《红舞台之歌》、解放军某部战士陈茂根《风雷激处现英雄》、国棉九厂周美华《布机声声唱新歌》等诗。

22日 红代会清华大学井冈山报编辑部《井冈山》报第59—60期刊出追穷寇的诗《将帝修反统统埋葬》。

22日 重庆红卫兵革命造反司令部《山城红卫兵》报第43期刊出李鹏辉的诗《向旧世界宣战》。

24日 辽宁大学八三一红卫兵红色造反兵团总部《八三一战报》第34期刊出范培瑾的诗《胸中万杆红旗飘》。

24日 广州三司华南工学院《红旗报》编辑部、华南工学院红旗造反团东方红公社《红旗报》第29期刊出东方红人郭锐、红旗战士鸣节《高举红旗迈大步——为纪念"六·二四"而作》等诗。

29日　红代会北京工业学院东方红公社《北工东方红》报编辑部《北工东方红》报第42期刊出二支队险峰的诗《万岁中国共产党万岁领袖毛主席——纪念"七一"四十六周年》。

　　29日　红旗报编辑部《红旗报》第21期刊出诗《把捍卫〈九条〉的斗争进行到底》。

　　30日　北京地质学院《东方红报》编辑部《东方红报》刊出新愚公战斗队的诗《祝福毛主席万寿无疆》。

1967年7月

　　1日　辽宁大学八三一总部《八三一战报》第36期刊出辽大八三一红卫兵三军的诗《暴徒歌》。

　　1日　红旗报编辑部《红旗报》第22期刊出解放军某部战士谢世法、职工白笠筠的诗《革命路上跟党走》和《把一生交给党安排》。

　　1日　《人民日报》刊出解放军某部战士郑明东的诗《手捧金书读起来》。

　　1日　外贸部井冈山公社等主办的《外贸战报》新3号刊出井冈山公社一局反修战斗队的诗《歌唱伟大领袖毛泽东》。

　　1日　《文汇报》刊出驻沪空军万良顺《光辉的太阳啊毛主席,祝您万寿无疆!》、上海沪东造船厂居有松《跟着毛主席往前闯》、同济大学东方红兵团二战士《我们是毛主席的红小兵》等诗。

　　3日　红代会北京师范学院东方红公社等编的《东方红》报刊出红代会北师院东方红公社鲁迅兵团新愚公的诗《满怀豪情颂"七·三"》。

　　5日　天津战鼓编委会《战鼓》报第2期刊出天津业余作者革命造反总部胡书千的诗《高举战旗》。

　　10日　《解放军文艺》1967年第10期以《毛主席是世界革命人民心中的红太阳》为总题刊出[越南]红南《伟大的毛泽东》等诗12首;以《军民骨肉亲》为总题刊出高益泉《火红的车间》等诗5首。

　　12日　毛泽东思想红卫兵沈阳总部《红卫报》第53期刊出聋哑人总部火炬革命造反队的诗《血》。

14日 西藏民族学院《农奴戟战报》第24期刊出"农奴戟"红卫兵次旦的诗《毛泽东思想照亮了西藏高原》。

18日 天津大学《八·一三红卫兵报》编辑部《八·一三红卫兵》报第94期刊出诗《呜呼！薄老狗……》。

20日 武汉发生"七二〇事件"。

21日 中国作家协会革命造反团《文学战报》编辑部《文学战报》第20—21号《文艺动态》消息："西安文艺界革命造反派揭发了反党分子、叛徒柯仲平为了吹捧反党野心家高岗、习仲勋，大写长诗《刘志丹》的阴谋活动。"

柯仲平，原名柯维翰，1902年1月25日生于云南广南。1924年入法政大学法律系学习，同年创作抒情长诗《海夜歌声》1927年出版。1926年到上海，加入创造社出版部。1929年参加狂飙社出版部工作。1930年任《红旗报》采访记者。1935年去日本。1937年回国不久到延安，任边区文协主任。1938发起成立战歌社并任社长，同年创作长篇叙事诗《边区自卫军》与《平汉路工人破坏大队》。1942年延安平剧院成立，任副院长。1949到北京，任中国文学工作者协会副主席，1950年出版诗集《从延安到北京》，同年任西北文学艺术界联合会主席。1956年任中国作家协会西安分会主席。1964年10月20日在西安病逝。1984年《柯仲平诗文集》出版。

23日 《文汇报》刊出上海工人革命造反总司令部姜延良《齐心协力痛打落水狗》、东海舰队田永昌《六月天兵征腐恶》等诗。

25日 《解放军文艺》1967年11期以《北航红旗飘》为总题刊出北京航空学院远征《探索者之歌》等诗3首；以《在毛泽东思想的大学校里》为总题刊出马绪英《哨所声讨》、张庆功《地头批判会》等诗13首。

25日 毛泽东思想红卫兵武汉地区革命造反司令部与天津红代会南开大学卫东红卫兵《卫东》编辑部合编的《武汉钢二司·卫东》联合版刊出武汉钢二司红后代的诗《放开我，妈妈！》。

28日 《人民日报》发表社论《向武汉的广大革命群众致敬》。

30日 红旗报编辑部《红旗报》第28期刊出合肥晚报P派作战

部供稿的《墙头诗选辑》,刊有《誓死保卫毛主席》、《杨明狗嘴巴》、《背后有个严司令》、《百货大楼》、《妈姨泪滔滔》、《G派头头挑武斗》、《见了P老大字报》、《大杀回马枪》、《过街鼠》9首。

1967年8月

　　3日　红二司新疆大学星火燎原兵团宣传部《星火燎原》报第7期刊出诗《老子就是红二司的》。

　　4日　北京地质学院东方红报编辑部《东方红报》第61期刊出师院东方红韧兵的诗《革命的大批判胜利万岁》。

　　6日　浙江省彻底摧毁反革命修正主义文艺黑线联络站、杭州大学东方红兵团红三纵队政宣组编的《文艺简讯》第12期《消息窗》消息:"人民文学出版社揪出叛徒、变节分子、国民党特务等十八名。大右派冯雪峰(原社长),一九四一年二月在浙江义乌被捕后,投敌叛党,一九四四年三月在《东南日报》上刊登《脱离共产党宣言》。""孟超(原戏剧出版社社长,人民文学出版社戏编室主任),反党鬼戏《李慧娘》的作者。一九三二年在上海被捕,后转苏州反省院。在反省院内供认了党员身份,卖身投敌,并接受特务驱使,在'犯人'面前发表'讲演',得到了敌人'思想纯正'的评语,因而保全狗命,获得释放。"

　　冯雪峰,原名冯福春。1903年生,浙江义乌人。1921年考入杭州浙江省立第一师范,参加晨光社,开始新诗创作。1922年与潘漠华等结成湖畔诗社,出版《湖畔》等诗集。1925年到北京,在北京大学旁听。1926年开始翻译日本、苏联的文学作品及文艺理论。1929年底参加左翼作家联盟的筹备工作,1931年任左联党团书记。1933年去江西瑞金,任党校副校长。次年参加长征。1936年到上海,任中共上海办事处副主任。1941年被捕,囚于江西上饶集中营,在狱中写作诗歌,后结集为《真实之歌》于1943年出版。1942年出狱后去重庆,从事统战和文化工作。1946年到上海,同年出版诗集《灵山歌》。1949年后历任上海市文学工作者协会主席、中国作家协会副主席、人民文学出版社社长兼总编辑、《文艺报》主编。1957年被错划为"右派",停止公开文学活动。1976年1月31日病逝。1979年错案平反。1981年人民文学出版社出版《雪峰文集》4卷。

孟超,1902年生,山东诸城人。1925年参加共产主义青年团,翌年参加中国共产党,北伐战争时期任上海大学区分部执行委员、上海市特别党部宣传干事。"四·一二"后,去武汉。1927年回上海在江苏省委组织部工作,期间与蒋光慈、阿英等组织"太阳社",出版《太阳月刊》,出版诗集《候》(1927)、《残梦》(1928)。后参加创办艺术剧社工作和筹组左翼作家联盟工作。为"左联"发起人之一。1932年3月在组织沪西纱厂工人罢工中被捕,翌年出狱。1940年与夏衍等创办《野草》杂志,并在桂林、贵阳、昆明、重庆等地任教。1949年后,历任出版总署科长、图书馆副馆长,人民美术出版社研究室副主任。1957年任中国戏剧出版社副总编辑。1961年任人民文学出版社副总编辑兼戏剧编辑室主任。1976年5月6日逝世。

8日 吉林省红色造反者砸烂文艺黑线联络站文艺批判办公室、省红革会红艺兵吉林省文联革命造反大军《文艺批判》报创刊号刊出驻军某部何有斌的诗《"毛主席万岁!"》。

10日 《解放军文艺》1967年第12期刊出《武汉地区无产阶级革命派歌谣选》,刊有《革命不怕死》、《为"钢工总"翻案》等歌谣12首。

10日 清华大学井冈山兵团《井冈山》报第72期刊出迅雷的诗《滚蛋吧,日修小丑——为日修砂间等送行》。

12日 红旗报编辑部《红旗报》第33—34期刊出《墙头诗》。

22日 红旗报编辑部《红旗报》第38期刊出《欢迎亲人六四零八——墙头诗选》,刊有《六四零八进了城》、《将军脚上穿草鞋》、《又遇当年子弟兵》诗3首。

25日 北京市工代会城建组城建战报编辑部《城建战报》第9期刊出诗配画《打倒刘少奇》。

25日 毛泽东思想红卫兵沈阳总部《红卫报》第60期刊出毛泽东思想红卫兵敬置的诗《送八三一工人战友》。

26日 人民文学出版社革命联合总部《文艺战鼓》编辑部《文艺战鼓》报第7期刊出王杰生前所在部队战士董铁棒的诗《永保红日当

空照》。

27日 《解放日报》刊出上海建筑机械制造厂张鸿喜《高师傅》等诗。

8月 武汉钢工总宣传部、红司(新华工)宣传部、新湖大红八月公社编印的白桦诗集《迎着铁矛散发的传单》印行。收《我也曾有过你们这样的青春》、《一个解放军战士的公开答话》、《孩子,去吧!》、《"七·二○"记实》等诗19首,有编者《序》和一个忠于毛主席的解放军战士《后记》。《序》说:"这一束'迎着铁矛散发的传单'不是一集寻常的诗歌。""她是由一个饱受带枪的刘、邓路线摧残的解放军战士,在江城最严峻的日子里,冒着生命危险,冲破重重封锁,用一颗忠于毛主席、忠于毛主席革命路线的赤诚之心所写下的激昂战歌。""她,是一枚枚投向陈再道的炸弹,是一面面在黑夜中迎接黎明的红旗,是一张张宣告敌人死亡的通牒!""这一切,从作者白桦同志的诗歌本身已经得到了充分的说明。""震惊世界的无产阶级文化大革命一开始,陈再道之流就以反革命的敏感性,预料到他们'小王朝'的覆灭。因而在军内顽固地执行了刘、邓资产阶级反动路线,他们以'打击一大片'的救命术来转移斗争的大方向,妄图达到'保护一小撮',挽回自己垂危命运的目的。他们以'写过一些不好文章,不好作品'为罪状,把许多一般创作干部打成了'黑帮',进行了骇人听闻的残酷迫害。如白桦同志就被关押了九个月之久,剥夺了一切政治权利和人身自由……,直至今年三月,他们才得到可以外出和阅读中央文件的自由。从此,作者就用他的诗,在关键的斗争时刻鲜明地表了态——坚定不移地站在革命左派一边,与陈再道血战到底!""然而战斗是艰难的,在陈再道爪牙的严密控制下,在那些少数不许别人革命的'假洋鬼子'和'帮闲'们的围攻中,作者不得不采取地下方式。这些作品大多是利用休息时间,在蚊帐内以代用符号为文字写成,然后辗转而出的。""这些诗的出现,使敌人大为惊慌。他们以反革命的嗅觉,猜测到诗作者可能是白桦同志,于是就加紧了对作者的围攻、'警告'和监视。七月的一天,当作者和另一同志去营救一个在百匪屠刀下将遭杀害的革命干部时,被百匪绑架了。陈再道的爪牙乘机唆使百匪对他们进行殴打和侮辱,在匕首长矛下进行了九小时的非法审讯。审讯的主要内容就是:写了些什么'黑诗'?放了些什么'毒'?……然而,百匪在这两个'解放军叛徒'身上终无一获。"《后记》说:"这些诗歌是在武汉最困难的时候、在军内一小撮反革命修正主义分子严密封锁下写出的。当时不能保留手稿,而且没有办法复印,转抄。全是那些不相识的英勇的小将迎着铁矛把这些诗张贴和散发出去的。有些诗稿刚刚递给小将,他就被百匪捕杀了,大约有三分之一的诗稿湮没在小将的血泊中。但大部分诗歌都通过他们敏捷的手散发在乌云密布的武汉三镇。""这些诗不是艺术品,是当时急迫间用来打击敌人的武器,必然很粗糙。红司(新华工)和钢工总的战友们认为可以收集起来复印一下,可能是由于这些诗从某些侧面记录了武汉革命造反派战士艰苦战斗的历程。同时,也是广大指战员忠于毛主席、坚决支持左派革命群众的佐证。"白桦2005年6月27日给笔者信说:"我在文革时还年轻,三十多岁。虽然是五七年右派,盲从之心未改。的确,那些时候我忘记了一切。当然,其中主要是人道主义在我心里起作用,我恨暴力!为学生的热情感染。文革是暴力维持到底的!"

白桦,原名陈佑华,1930年11月20日生于河南信阳。1947年参加中国人民解放军,历任昆明军区、武汉军区政治部创作员。1958年错划为"右派",20年后改正。先后出版诗集《金沙江的怀念》(1955)、《鹰群》(1956)、《热芭人的歌》(1957)、《悲歌与欢歌》(1978)、《情思》(1980)、《白桦的诗》(1982)等。1985年转业到上海,从事专业创作。又出版诗集《我在爱和被爱时的歌》(1987)、《白桦十四行抒情诗》(1992)。

8月 解放军文艺社编的《毛主席万岁——战士诗歌一百首》由中国人民解放军战士出版社出版。作品分为3辑,收战士金旭升《战士心向毛主席》、维吾尔族战士克里《歌颂毛主席的歌》、战士田永昌《红光万道照大海》、战士胡世宗《火红的太阳暖心间》、战士于宗信《毛主席的话是真理》、战士时永福《"老三篇"哺育的战士心儿最红》、马绪英《哨所声讨》等诗100首。

1967年9月

2日 北航革命委员会、红代会北航红旗主办的《红旗》报第65—66期刊出红旗战士张烈的诗《红旗英雄颂》。

4日 废名（冯文炳）在长春病逝。"1967年8月底，接到母亲发来的父亲病危的电报，我立即乘飞机回家，因当时东北四平、长春武斗很厉害，火车不通，只得改乘飞机了。到家后，见父亲躺在床上，面黄肌瘦，腹部已化脓、溃烂。1967年9月4日中午1时多，父亲去世。我把父亲病逝的消息报告给学校，学校没人管。我和我的中学同学张鹤松（当时是吉大法律系的学生）雇了一个地排车，把父亲放在车上，车夫推着，我和鹤松在后面跟着，送父亲到十余里外的东郊火葬场火化。沿路都是武斗者的关卡，得经几道检查才到达"（冯思纯《为人父，止于慈——纪念父亲废名诞辰100周年》，2001年11月22日《新文学史料》2001年第4期）。

废名，原名冯文炳，1901年生，湖北黄梅人。1929年北京大学毕业后留校任教。1939年回湖北黄梅，在小学、中学任教师。1944年与开元合出诗集《水边》并出版诗论集《谈新诗》。1946年重新任教于北京大学。1952年调至东北人民大学（现吉林大学）任教授。1985年《冯文炳选集》出版。

5日 首都出版界革命造反总部、工代会人民文学出版社革命造反团《风雷》报文学批判专刊第3期刊出工代会人民文学出版社革命造反团的文章《"红学权威"俞平伯为什么批而不倒？》。

6日 首都出版界革命造反总部、工代会人民文学出版社革命造反团《风雷》报文学批判专刊第4期《文艺战线简讯》刊有《河北贫下中农批斗田间》，说："今年六月下旬，河北饶阳县五公大队民兵营、创作组和河北省文联的革命群众，在五公大队联合举行了批斗原河北省文联主席、反动诗人田间大会。贫下中农以大量事实，深刻地揭露了这个被反革命分子胡风吹捧起来的'战斗诗人'、党内最大的走资派刘少奇的忠实爪牙的丑恶嘴脸。田间被批斗得丑态百出，狼狈不堪。"

10日 《解放军文艺》1967年第13—14期以《永远跟着毛主席，

从胜利走向新胜利》为总题刊出姚成友《赞歌唱给毛主席》、于宗信《战士来到天安门》等诗6首。

16日 清华大学井冈山兵团、光明日报革命造反总部《井冈山·光明战报》合刊刊出李华岚的散文诗《献给披荆斩棘的人》和该报评论员文章《热情歌颂文化革命的闯将》。文章说:"本版上面发表的《献给披荆斩棘的人》是一篇很好的散文诗,它以纯朴而饱满的热情,由衷地歌颂了文化大革命的开路先锋——江青同志,它表达了千百万工农兵和革命小将对我们敬爱的江青同志的崇高敬意。""但是,就是这样一篇很好的散文诗,却被《光明日报》社头号走资派穆欣活活地扼杀了!""这篇散文诗是在今年五月份为纪念毛主席《在延安文艺座谈会上的讲话》发表二十五周年时,由作者从遥远的扬子江畔寄给《光明日报》文艺部的。当时,文艺部的有关同志都觉得这篇散文诗很好,值得刊登。五月底,文艺部的有关同志编了一期赞扬革命样板戏的《东风》副刊,把这篇散文诗放在头条地位。拼出版后,把大样给穆欣看,可是,老特务穆欣却别有用心地把这期《东风》压下了。""时隔半月,到了六月中旬,文艺部的同志又编排了一期《东风》,又把这篇《献给披荆斩棘的人》用上,再送样子给穆欣看,老特务穆欣再一次把这篇散文诗别有用心地压下了。""到了六月二十五日夜里,穆欣召集编辑业务小组开会时,说:'《东风》上赞扬江青的那篇文章不要用了。我曾托人(什么人?待查)看过,他也不赞成见报,因为江青同志不赞成人家恭维她。'""穆欣的话一语道破了天机!""请同志们想一想:过去阎王殿的老爷们不也是挥舞'毛主席不赞成对他的歌颂'、'不要个人崇拜'等大棒,大砍大杀广大工农兵由衷地热情歌颂我们心中最红最红的红太阳毛主席的诗文吗?联想到六四年京剧现代戏观摩演出时,穆欣破口辱骂我们敬爱的江青同志,以及整黑材料的特务活动,岂不令人深省吗!?"

20日 《解放日报》刊出上海第一纺织机械厂工人姜庆申的诗《擂起大联合欢腾的响鼓》。

25日 《解放日报》刊出空军部队宫玺《毛主席万万岁!》等诗。

25日 《解放军文艺》1967年第15期刊出《武汉地区无产阶级

革命派诗选》,刊有《望北方》、《收下吧,解放军同志》、《放开我,妈妈!》、《孩子,去吧!》诗4首。

26日　陈白尘日记:"昨日郭小川受'遭遇战',被斗约半小时。"(《牛棚日记》,生活·读书·新知三联书店1995年5月出版)

郭小川,原名郭恩大,1919年9月2日生于河北丰宁。1937年参加八路军。1941年到延安马列学院文艺理论研究室学习。抗日战争胜利后,曾任丰宁县县长、《群众日报》副总编辑。1949年后,曾任中共中央宣传部文艺处副处长、中国作家协会书记处书记、秘书长。出版的诗集有《平原老人》(1950)、《投入火热的斗争》(1956)、《致青年公民》(1957)、《月下集》(1959)、《甘蔗林——青纱帐》(1963)等。"文化大革命"中下放到湖北"五七干校"劳动,1976年10月18日在安阳不幸去世。后又出版《郭小川诗选》(1977)、《谈诗》(1978)等。2000年《郭小川全集》出版。

27日　《人民日报》刊出战士杨志和的诗《毛主席视察回北京》。

28日　北京市革命职工代表会议常设委员会《北京工人》报第24期刊出红铁匠《欢呼革命大联合风暴》、居松《毛主席在革命风暴中走全国》诗2首。

30日　呼和浩特大中院校红卫兵革命造反司令部《呼三司》报第29期刊出剑青的诗《革命方知北京近》。

1967年10月

1日　《解放日报》刊出空军部队宫玺《跟着毛主席,前进!》、上海玻璃厂王森《一轮太阳举世颂》、汽车工业公司上海分公司陈晏《红光照亮亚非拉》等诗。

1日　红代会清华大学井冈山报编辑部《井冈山》报第88期刊出麦地《走向天安门》、钢《迎宾曲》诗2首。

1日　兰州大学红三司《新兰大》报第103期刊出红卫兵的诗《毛主席啊,红卫兵向您表决心》。

4日　《人民日报》刊出廖代谦的诗《放声高唱〈东方红〉》。

6日　《人民日报》发表社论《"斗私,批修"是无产阶级文化大革命的根本方针》。

10日 北京师范大学革命委员会、红代会师大井冈山公社《井冈山》报第71期刊出朗诵诗《到工农兵中去"斗私批修"》。

10日 《解放军文艺》1967年第16期以《红太阳照亮山山水水——热烈欢呼伟大领袖毛主席视察归来》为总题刊出胡世宗《毛主席万岁！万万岁！》、叶明山《欢呼毛主席视察归来》等诗5首；以《欢呼毛主席最新指示的伟大胜利——为无产阶级革命派大联合放歌》为总题刊出李瑛《天安门前凯歌高》等诗2首。

12日 《人民日报》发表社论《全国都来办毛泽东思想学习班》。

14日 中共中央、国务院、中央军委、中央文革发布《关于大、中、小学校复课闹革命的通知》。

14日 石家庄工人联合革命造反司令部《风雷激》报第16期刊出文艺鲁迅公社歌颂4800部队《赞万岁军》、张河石《"狂人怒火"赞》诗2首。

17日 中共中央、国务院、中央军委、中央文革发布《关于按照系统实行革命大联合的通知》。

20日 河南二七公社郑大联委革命造反报编辑部《革命造反报》第39期刊出号兵的诗《不要忘记……》。

25日 《解放军文艺》1967年第17期以《喜传毛主席的动员令——革命群众"斗私，批修"短诗选》为总题刊出工人孙栋《伟大的号令》、红卫兵白凤昆《"斗私，批修"风暴起》等诗8首。

29日 北京大学文化革命委员会《新北大》报第129期刊出4602部队政治部马荣惠、王新涛的诗《毛主席最新指示传下来——欢呼毛主席视察华北、中南和华东地区所作的最新最高指示》。

30日 中国作家协会革命造反兵团《文学战报》第27—28号刊出蒋士枚、石湾的诗《毛主席视察走天下》。

10月 红卫兵广州总部编的《红闯将》第2期刊出毛泽东主义红卫兵小兵公社铲除教育黑线战团《十七年仇与恨，化为缨枪捣修根》、中国人民解放军红色战士《战士红心向工农》等诗。

10月 钢二司武汉水利电力学院、钢工总新人印东方红兵团编印的诗集《江城壮歌》印行。作品分为五部分，收有《三钢颂》、《大旗颂歌——为工总成立半周年而作》、《我爱钢二司的袖章》、《放开我，妈妈！》、《孩子，去吧！》、《再见，妈妈！》等诗，有编者《编后》。《编后》说："《江城壮歌》，这不是一本普通的诗集。她是江城英雄浴血奋战的红色履历，她是无数革命闯将用鲜血谱成的壮丽篇章。""这些诗词的作者，大多数不是诗人。但是，他们都是毛泽东思想武装起来的无产阶级革命造反派！尤其是为捍卫毛主席的革命路线而英勇献身的烈士们，他们本身，就是一篇闪烁着毛泽东思想光辉的壮丽诗章，就是一曲足以惊天地而动鬼神的英雄赞歌。""在那些严峻的日子里，武汉三镇，恶魔狂舞，江汉侧畔，群丑跳梁。而我们时代的英雄——以'三钢'、'三新'、'三司革联'为代表的革命造反派，却横眉冷对魅魑魍魉，刀笔齐伐刘邓陶王。文攻武卫，用鲜血和生命捍卫了毛主席的革命路线。""这些诗词，是投向刘、邓资产阶级黑司令部的烈性炸弹！""这些诗词，是戳向王、陈之流的心脏的匕首投枪！""这些诗词，是宣判敌人死刑的判决书！""这些诗词，是迎接黎明曙光的红旗！""这些诗词，在取得'刹黑风，顶逆流，抗暴揪陈'斗争胜利后的今天，仍将以其光彩夺目的毛泽东思想的光辉，以其鲜明的阶级立场和尖锐泼辣的战斗风格，激励我们：继承烈士遗志，不忘战友忠告，紧握笔和枪，穷追猛打，为夺取文化革命的彻底胜利英勇奋斗。""因此，我们把这些诗词汇集整理，编印成了这本《江城壮歌》。"

10月 武汉钢二司宣传部编印的《武汉战歌——抗暴诗选》印行。收《"鸡毛上了天"——武汉抗暴歌谣选》25首和丁晞《战斗吧，二司的战友》、新华农东方红战士吴克强《放开我，妈妈！》、钢二司战士吕凉《请松一松手》、武汉部队白桦《孩子，去吧》等诗35首，有编者《序言》和《编后》。《序言》说："满怀革命激情，我们收集选编了这一集烈火般的抗暴诗篇。这些日子，每当我们从战友的手里接过一首首革命诗稿的时候，每当我们从'红旗大楼'、从'人民文化园'、从大街小巷的墙壁上抄录这些豪言壮语的时候，我们总是抑制不住内心的激动。每一行，每一句，都会把我们带到武汉的昨天，那些革命与反革命生死搏斗的日子里去……""二月黑风，三月逆流，六月屠杀……一次又一次反复,一次又一次较量,但我们武汉的革命造反派从来就没有屈服过!我们一遍又一遍挥动着《毛主席语录》,用自己犀利的笔和鲜红的血,写下了这些战斗的诗章。""这是前进的号角,这是发自每个战士心底的最强音,这是鼓舞我们奔出战壕、迎着枪林弹雨、冲锋陷阵的声声鼓点,这是杀向刘、邓、陶、王、陈的匕首和投枪,这是毛主席革命路线一曲又一曲胜利的凯歌!""每一首,都是一团炽烈的火,每一首,都是火中通红的铁和钢;每一首,都是武汉革命造反派在腥风血雨的艰难岁月里,向毛主席和中央文革立下的斩钉截铁的誓言!"

1967年11月

7日 武汉红色革命敢死队、《战地黄花》编辑部、红司(新华工)中总汇编的《十月的烈火——反修诗选》印行。收何帆《克里姆林宫的钟声》、夏里《苏维埃人,战斗!》、燕峰《造反吧,布尔什维克!》、杨帆《到苏联串联去》、毅然《1917——毛泽东时代》等诗24首,有编者序《前奏》。序说:"伟大的十月社会主义革命,已经整整半个世纪了。""每当我们回想起那扭转世界命运的空前伟大的创举;回想起那人类历史新纪元的早晨,我们就禁不住要放声讴歌十月革命的那杆鲜红鲜红的,留下枪眼弹洞的;被敌人和叛徒诅咒的,为全世界无产者颂赞的社会主义大旗;就禁不住要放声讴歌无产阶级英勇的旗手——马克思,恩格斯,列宁,斯大林及他们天才的继承发扬者毛泽东!""这一束诞生在无产阶级文化大革命胜利凯歌声中的诗歌,就是亿万支颂歌和战歌中的几个跳动的音符。"

10日 《解放军文艺》1967年第18期以《献给十月革命的诗》为总题刊出陶嘉善《光辉的节日》等诗2首。

10日 中国人民解放军兽医大学红色造反团编印的《革命造反诗选——建团一周年纪念》印行。作品分为《革命方知北京近,造反更觉毛主席亲》、《红旗卷起农奴戟,黑手高悬霸主鞭》等6辑,收红团:希明·红青《万岁!毛主席》、红团:红尖兵《红卫兵赞歌》、红团:进军号《同志,可不能再受蒙蔽——致春城的武斗士》、红团:铭心《为了不忘记这"可纪念"的日子——忆"三、四"行动》等诗70首,有《革命造反诗选》编辑部《致读者》和《编后》。《编后》说:"为了热烈庆祝毛主席革命路线的伟大胜利,为了纪念红色造反团成立一周年,我们特出版此《诗选》。""《诗选》高度热情地歌颂了我们心中最红最红的红太阳毛主席,歌颂了无产阶级文化大革命的伟大胜利,歌颂了革命小将的大无畏的革命造反精神以及英勇斗争的烽火里程,歌颂了光焰无际的伟大的毛泽东思想。""《诗选》以激昂的战斗姿态向党内一小撮走资本主义道路当权派猛烈开火。字字像匕首,句句似排炮,齐射中国赫鲁晓夫刘邓陶的黑心。将资产阶级旧世界杀得个人仰马翻,片甲不留。""《诗选》是千百万革命小将生活的真实写照。""《诗选》是千百万革命小将革命造反精神的集中体现。"

12日　西北大学红卫兵总部《新西大》报第58期刊出户县农民李强华的诗《欢迎学生下乡来》。

18日　陈白尘日记:"连续数日均按照布置进行面对面的揭发。前天是郭小川对张光年发起进攻;昨天由我谈光年在五二年全国会演中的作用,兼及对京剧本《宋景诗》的评价问题(其演出时遭到冷遇),反映强烈;今天则先是陈默发言,涉及光年对海瑞问题的态度;继而侯金镜对××揭发,说其在文化大革命初期虽被关进'黑窝',却说是'我来这里是为了揭发你们的',闻者哗然。××却推说,忘了说过这样的话了。""这种面对面的斗争实比群众大会有内容,但是否合适?惘然。"(《牛棚日记》,生活·读书·新知三联书店1995年5月出版)

24日　陈白尘日记:"昨天上午在四楼电梯旁揪斗丁力,今天果然打进'黑帮'来了;上午大楼中又贴出有关杨子敏问题的大字报,大概也不免于入'帮'了。"(《牛棚日记》,生活·读书·新知三联书店1995年5月出版)

25日　《解放军文艺》1967年第19期以《欢呼革命形势大好》为总题刊出王者诚《战士最爱毛主席》、冯永杰《流动书店到军营》等诗10首。

1967年12月

1日　北京市革命职工代表会议常设委员会《北京工人》报第31期刊出北京印染厂革命委员会宣传队的诗《紧跟毛主席的最新指示》。

1日　《解放日报》刊出东海舰队某部常有青、黎德强的诗《热烈欢呼林副主席最新题词》。

4日　《文汇报》刊出东海舰队朱志刚《红水兵永远忠于毛主席》等诗。

5日　《解放日报》刊出东海舰队某部常有青、黎德强《水兵的红心永向红太阳》等诗。

12日　《解放日报》刊出上海工人革命文艺创作队刘希涛、张鸿喜《大江写满"公"字篇》等诗。

13日　陈白尘日记:"今天《文艺报》斗张光年。"(《牛棚日记》,生活·读书·新知三联书店1995年5月出版)

14日　陈白尘日记:"下午斗李季,约二小时。""大楼门口贴出贺敬之自我亮相的大字报,其旁并有柯岩及其子女弟妹等人支持其革命行动的声明,是新的做法,但怕要遭人反击。"(《牛棚日记》,生活·读书·新知三联书店1995年5月出版)

贺敬之,1924年11月5日生于山东峄县。1937年考入山东省立第四乡村师范。抗战爆发后到湖北、四川,继续读书,并开始诗歌写作。1940年到延安,入鲁迅艺术学院文学系第三期学习。期间创作的新诗、歌词结集为《并没有冬天》、《笑》1951年出版。1946任华北联合大学文艺学院教员。1949年到北京,在中央戏剧学院创作室工作,出版诗集《朝阳花开》(1954)、《乡村的夜》(1957)、《放歌集》(1961)等。1964年任人民日报社文艺部副主任。1976年调文化部工作,后曾出任文化部副部长、代部长,中共中央宣传部副部长。又出版诗集《贺敬之诗选》(1979)、《回答今日的世界》(1990)。

18日　《文汇报》刊出金瑞华、肖孔的诗《"一月革命"颂》。

19日　北师大革命委员会、红代会北师大井冈山公社《井冈山》报第82期刊出数革朝阳的诗《分,分,大毒药,考,考,杀人刀》。

25日 《文汇报》刊出空军部队宫玺《亿万人民齐歌颂》、东方红造船厂工人钱国梁《毛主席巨像挂船台》等诗。

25日 《解放军文艺》1967年第20—21期以《各族战士齐颂红太阳》为总题刊出时永福《祝毛主席万万岁》、王炎欣《把决心献给毛主席》等诗20首。

26日 北航《红旗》报编辑部、清华《井冈山》报编辑部出版的《红旗·井冈山》报刊出清华井冈山仰泽的诗《抒不尽热爱毛主席的情》。

26日 《解放日报》刊出宫玺的诗辑《毛主席万岁！万万岁！》。

26日 宁夏大中专毛泽东思想红卫兵总指挥部《毛泽东思想红卫兵》报第6期刊出井孝全的诗《永做毛主席的红小兵》。

26日 北京大学革命委员会《新北大》报第145期刊出新北大公社红卫兵向日葵的诗《红太阳颂》。

28日 戏剧战报编辑部《戏剧战报》第24—25期刊出中国人民解放军某部张剑华、何念选的朗诵诗《军民齐颂红太阳》。

29日 北京市革命职工代表会议常设委员会《北京工人》报第35期刊出北京证章厂包尔木的诗《世界人民热爱毛泽东思想》和北京针织总厂张方钦、马长林的诗《红太阳照亮了北京针织总厂》。

30日 新兴批陶联《新兴红司》编辑部《新兴红司》报第31期刊出劳大红司"红诗兵"的诗《齐赞支左解放军》。

1967年末 郭路生（食指）作诗《鱼群三部曲》。此诗初刊1979年4月1日《今天》第3期，收诗集《相信未来》（漓江出版社1988年3月出版）改题《鱼儿三部曲》。食指说："那是1967年末1968年初的冰封雪冻之际，有一回我去农大附中途经一片农田，旁边有一条沟不叫沟，河不像河的水流，两岸已冻了冰，只有中间一条瘦瘦的流水，一下子触动了我的心灵。因当时红卫兵运动受挫，大家心情都十分不好，这一景象使我联想到在见不到阳光的冰层之下，鱼儿（即我们）是在怎样地生活。于是有了《鱼儿三部曲》的第一部。""之后，我的朋友李平分给我讲了他的老家白洋淀冬天捕鱼的情景，加上当时一些政治背景，一经联系起来便有了第二部。""第三部是写'解冻'，'解冻'

一词来自赫鲁晓夫时代初期。'文化大革命'中提'解冻'是非常危险的,况且当时我就被定为'右派学生'准备后期处理的。的确我曾有过考虑,但是我认为第三部构思发自我的内心,我是热爱党,热爱祖国,热爱毛主席的(即阳光的形象)。再加上诗一发已至不可收了,这就是第三部的背景。""这三部曲曾发在民办杂志上。当时我只能记起第一部,第二、第三部是由振开给我找到的,当时我对此曾感谢再三。"(《〈四点零八分的北京〉和〈鱼儿三部曲〉写作点滴》,1994年5月《诗探索》1994年2辑)

郭路生,笔名食指,祖籍山东鱼台,1948年11月21日生于山东朝城。1961年考入北京五十六中学,1965年开始诗歌写作。1969年到山西杏花村插队。1971年在山东济宁参加中国人民解放军。1972年患精神分裂症,1973年退伍,到北京光电技术研究所工作。1988年出版诗集《相信未来》。1990年后一直在北京第三福利院医病。1993年出版《食指黑大春现代抒情诗合集》。1998年《诗探索金库·食指卷》出版。

1967年 蔡其矫作诗《寂寞》。此诗收《蔡其矫诗选》,人民文学出版社1997年7月出版。

1967年 郭路生(食指)作诗《命运》、《海洋三部曲》的第二首《再也掀不起波浪的海》、《期望》、《书简(二)》。《命运》初刊1979年2月26日《今天》第2期;前三首均收诗集《相信未来》,漓江出版社1988年3月出版;《书简(二)》收《诗探索金库·食指卷》,作家出版社1998年6月出版。

1968 年

1968 年 1 月

1 日　沈阳《八·三一》报刊出慧英的诗《回头吧,哥哥!——给在辽革站武斗队的"哥哥"》。

1 日　《人民日报》刊出刘希涛《改天换地四卷书》、沪东造船厂工人居有松《焊花飞溅报春来》、解放军某部战士栾纪曾《喜看大好形势》等诗。

2 日　红代会北航红旗战斗队《红旗》报第 83 期刊出向天红的诗《火红的太阳心中升》。

3 日　《解放日报》刊出红卫电影院刘希涛的诗《欢呼毛主席身体非常健康》。

8 日　陈白尘日记:"大楼又出现大批大字报,林元、王光、谢永旺、陈敬容都被批,并勒令王光即日进'黑窝'。汪静之等三人亦被点名。'洪洞县'里真无好人欤?"(《牛棚日记》,生活·读书·新知三联书店 1995 年 5 月出版)

8 日　《文汇报》刊出上海金星金笔厂工人卞永泉的诗《革命造反派的红旗手》。

10 日　《解放军文艺》1968 年第 1 期刊出万里浪的诗《李文忠之歌》。

12 日　北京市革命职工代表会议常设委员会《北京工人》报第 37 期刊出北京内燃机总厂高平《在光荣的岗位上》、建筑系统毛泽东思想宣传队《我们要把毛泽东思想热情赞颂》诗2首。

15日 北京政法学院革命委员会《讨瞿战报》编辑部《讨瞿战报》第22期刊出苏州阀门厂红铁锤的诗《斥叛徒瞿秋白》。

15日 北京广播学院《战斗报》第62期刊出（广院）北京公社一战士的诗《妈妈，我不回家》。

25日 《解放军文艺》1968年第2期刊出《北京针织总厂拥军爱民诗歌选》，刊有工人张才钦《支左部队到我厂》、工人王瑞尧《解放军送我"老三篇"》、战士王德福《军民"一对红"》等诗。

26日 陈白尘日记："群众上下午召开大会斗争丁力。"（《牛棚日记》，生活·读书·新知三联书店1995年5月出版）

30日 四川大学革命委员会、东方红八·二六战斗团、红三司红卫兵川大支队《八·二六炮声》报第60号刊出解放军战士童嘉通的诗《太阳升起的地方》。

31日 《解放日报》刊出上海建筑机械制造厂张鸿喜《汽笛欢呼大联合》、中国汽车工业公司上海分公司陈晏《锻出万张红喜报》等诗。

1月 伍立宪（哑默）作诗《鸽子》。此诗收诗文集《乡野的礼物》，贵州民族出版社1990年12月出版。哑默说："上小学念书时，我就养过许多鸽子，后来鸽子与海鸥一样，飞进了我的心灵中。60年代，我狂热地读泰戈尔、惠特曼、普希金、莱蒙托夫、海涅、拜伦、雪莱……觉得他们的诗的精灵就像海鸥、鸽子一样。普希金们的思想和句式在我的诗中出现很多，我淳朴地向往着他们的向往。"（《当代"潜在写作"史料：关于哑默〈真与美〉的史料（一）》，《现代中国文化与文学》第1辑，巴蜀书社2005年4月出版）

伍立宪，笔名哑默，1942年8月1日生于贵州贵阳。1963年高中毕业后地贵阳野鸭小学、野鸭塘中学任教。1984年到贵阳广告装饰公司供职，1991年返野鸭塘中学任教。1965年开始新诗写作，出版诗文集《乡野的礼物》（1990）、《墙里化石》（1999）。

1月 钢九·一三武钢分团《武钢战报》、钢二司红武测总部、钢工总青印兵团编印的诗集《狂飙曲》印行。收河北狂人公社红兵《旗颂》、钢二司新华师一兵《穿过夜空望北方》、三司硬革联新华师一兵《给革命造反派战友》、钢二司新华农《放开我,妈妈》、中国人民解放军革命造反派斗罗筹备处赴汉调查团《怒吼吧,江城!》等诗87首和《抗暴歌谣》14首,有编者《序》。《序》说:"伟大的无产阶级文化大革命震撼着世界,荡涤着中国土地上的一切污泥浊水。她不仅为无产阶级专政下继续进行革命开辟了光辉的道路,而且还在历史的史页上留下了一首首壮丽的诗篇。""我们收编的这集诗歌只是无数壮丽诗篇中的沧海一粟。她不是一般的写景舒[抒]情,而是战斗的冲锋号角。""她充分表现了革命造反派对党、对毛主席的无限热爱、无限敬仰、无限崇拜的真挚感情,她充分表现了革命造反派誓死捍卫毛泽东思想、誓死捍卫毛主席革命路线的坚韧不拔的战斗意志,同时也充分表现了革命造反派那种'只要中国不变色,死了也值得'的革命英雄主义和革命乐观主义精神。""她表现了革命造反派对资产阶级反动路线和党内一小撮走资本主义道路当权派的刻骨仇恨。""她饱含着无产阶级革命派的阶级感情,激励着革命造反派勇敢地战斗。她也唤醒了受蒙蔽的同志反戈一击,回到毛主席的革命路线上来,同我们一道战斗。"

1月 北京图书馆无产阶级革命派《毒草图书批判提要》编辑小组、揭发中国赫鲁晓夫破坏毛主席著作出版发行罪行展览会办公室编印的《毒草及有严重错误图书批判提要》(三百五十种)印行,其中新诗集有严慰冰《于立鹤》、田间《赶车传》、田间《非洲游记》、方纪《大江东去》、方纪《访苏诗文集》、白桦《鹰群》、白桦《金沙江的怀念》等。《前言》说:"伟大的无产阶级文化大革命开始以来,全国的无产阶级革命派和红卫兵小将对反动的毒草书刊和有严重错误的文章,进行了无情的揭发和批判,写出了许多优秀的批判文章。为了进一步从政治上、思想上、组织上批倒、批臭党内最大的一小撮走资本主义道路当权派,彻底挖掉以中国赫鲁晓夫刘少奇为总后台的反革命修正主义文艺黑线,我们将全国各大报纸以及北京、上海等地红卫兵和革命群众组织小报发表的批判文章,连同出版界革命同志提供的革命批判大字报文章摘录汇编成这份《毒草及有严重错误图书批判提要》,供同志们参考。由于我们接触到的资料有限,还有一些应收入的书,未能编入。以后,我们将继续汇编,并增补修改,使它日臻完善。"

毒草及有严重错误图书批判提要(新诗集部分)

《于立鹤》(长诗) 严慰冰 1962年11月 作家出版社

这是反革命分子严慰冰为其地主家族树碑立传的大毒草。作者以极其恶毒的手法污蔑和丑化农民革命运动,而对大地主家的大少爷,却百般美化,吹捧为江南贫苦农民的救星,永记不忘的恩主。

《赶车传》(长诗) 田间 1958年 人民文学出版社

这首长诗明目张胆地与毛泽东思想相对抗、严重地歪曲阶级斗争,否认党的领导,丑化贫下中农,美化阶级敌人,为地主阶级树碑立传。

《非洲游记》(诗集) 田间 1964年 作家出版社

这是一部反对一切战争,渲染战争的恐怖的苦难,贩卖和平主义,反对毛主席的伟大人民战争思想的毒草。

《大江东去》(长诗) 方纪 1961年12月 作家出版社

这是在建国十周年时发表的长诗,它以古代周穆王驾着八匹骏马在天空奔驰,来比喻我们伟大领袖毛主席和大跃进,对毛主席的伟大形象和大跃进大肆丑化歪曲,真是无比荒谬和恶劣,令人难以容忍。

《访苏诗文集》 方纪 1956年9月 中国青年出版社

本书完全抹煞了社会主义国家内的阶级、阶级矛盾和阶级斗争,大肆宣扬资产阶级"人性论"和"阶级斗争熄灭论",对洋人古人顶礼膜拜,毫无批判地歌颂,甚至对有的作家叛党自杀也表示无限原谅和同情,对修正主义作家大肆吹捧和美化,并极力鼓吹所谓"干预生活""揭露阴暗面"的修正主义文艺谬论。

《鹰群》(长诗) 白桦 1956年 中国青年出版社

这是一篇为贺龙表功,为贺龙树碑立传的大毒草,把贺龙吹捧为"带领人民前进",人民"一直跟在他身边战斗"的"慈父"和"领袖"。

《金沙江的怀念》 白桦 1955年 中国青年出版社

作者极力渲染、胡说什么好像云彩与花朵都在与金沙江畔的人民一道怀念着贺龙。把贺龙比为"一朵金色的云"、"一座威严的雪山",疯狂地把这个野心家吹捧为"胡子亲过藏族娃娃的嘴唇"的"一位可亲的将军",是一位"指挥着红色战士前进"的,给藏族人民带来"融雪的春天"的"金沙江的主人"。

1968年2月

1日 郭路生(食指)作诗《海洋三部曲》的第三首《给朋友们》。此诗收《诗探索金库·食指卷》,作家出版社1998年6月出版。

1日 《人民日报》以《同声歌唱毛主席》为总题刊出北京电子管厂顾顺章《架线工之歌》等诗。

8日 北京大学新北大公社《新北大》报第152期刊出西藏山新兵的诗《送宝书的战士》。

10日 《解放军文艺》1968年第3期刊出战士陈兆尔的朗诵诗《我们为毛主席站岗》,并以《新春祝捷歌》为总题刊出余光烈《越南战友打得好》、战士苏文河《胜利的新春寄战友》等诗。

12日 北京师大井冈山公社《井冈山》报第90期刊出中文系"井冈曙光"《"斗私批修"会》、张德芳《主席著作像太阳》诗2首。

25日 《解放军文艺》1968年第4期以《首首兵歌唱新风》为总题刊出唐大贤《边防战士想北京》、战士栾纪曾《过海》、战士黄荣基《忆苦餐》等诗。

1968年3月

6日 《人民日报》刊出易和元的诗《十唱毛泽东思想学习班》。

9日 陈白尘日记:"下午学习会上,张光年就'文艺十条'问题作交代,原原本本,颇为精彩。有许多事至此才恍然大悟。"(《牛棚日记》,生活·读书·新知三联书店1995年5月出版)

10日 《解放军文艺》1968年第5期以《战士心中太阳红》为总题刊出费洪智《毛主席万岁!万万岁!》、杨泽明《向毛主席问安》、姚成友《南海前哨十八年》等诗。

12日 《解放日报》刊出上海工人革命文艺创作队刘希涛《"穷棒子"精神传万代》等诗。

22日 陈白尘日记:"大楼有关于方纪的大字报,说他是胡风分子,刘白羽、郭小川均包庇之云云,不解。然而郭之被隔离即由于此?"(《牛棚日记》,生活·读书·新知三联书店1995年5月出版)

30日 《人民日报》发表《人民日报》、《红旗》杂志、《解放军报》社论《革命委员会好》。

春 郭路生(食指)作诗《相信未来》。此诗初刊1979年2月26日《今天》第2期,收诗集《相信未来》,漓江出版社1988年3月出版。李恒久说:"1968年初春的一个早上,我和郭路生相约在北海见面。见面后,他兴致勃勃地告诉我他昨天夜里又写了一首诗。在早春的寒风中,我有幸作为第一个听众听他用那沙哑而低沉的嗓音缓慢地背诵了后来曾在一代人中广为传颂的《相信未来》那首诗。我被诗中的激情、诗人对未来的期待、憧憬以及他那优美的诗句和深深的内涵所感染、所震慑。直觉告诉我,这首诗一定会成为传世之作。我请他马上给我写出这首诗,而他自己却觉得诗中的某些词句和段落还欠推敲。直到两天以后,我才拿到了他已经修改过的、工工整整抄录的《相信未来》。"(《路生与我》,《华人世界》1997年第4期)

春 南京大学《八二七战报》编印的《钟山风雨——江苏省无产阶级革命派诗选》印行。收江苏省工农兵革命文艺公社《毛主席微笑着向我们走来》、南京汽车制造厂叶永生《我们是革命造反派》、洪兵《造反派的脾气》、上海作家协会革命造反兵团宁宇《向大桥工人致敬》等诗75首,有编者《前言》。《前言》说:"我们写诗……不,我们是在战斗!因为我们的诗,不是遗老遗少月下花前的无病呻吟;不是公子哥儿茶前饭后的消遣珍品;不是才子佳人谈情说爱的窃窃私语;更不是那些个人野心家华丽的大衣和桂冠。我们的诗,永远是歌唱伟大领袖毛主席的赞歌,永远是投向敌人的匕首和炸弹,永远是激励战友的号角和战鼓。诗行里,回荡着天安门广场上春雷般的吼鸣,闪耀着工厂车间里飞溅的钢花,沸腾着造反派战友的热血,呼啸着杀向旧省市委的战旗……""当我们写每个字的时候,想到的不是自己,而是整个无产阶级;当我们审阅诗行时,我们清楚地看到一列无畏的战士,正勇敢地向敌人发起攻击……""不要说我们的诗句'火药味太浓',我们就是要在炮火中杀出个毛泽东思想的新天地!""不要说我们的诗句'千篇一律',我们就是要让每首诗都闪耀着毛泽东思想的光辉!""不要说我们没有'才华',我们是文化艺术的当然主人!"

1968 年 4 月

18 日　《解放日报》刊出上海工人革命文艺创作队陈晏、张鸿喜、王建国的诗《毛主席支持黑人兄弟》。

18 日　山东省大中学校红代会《山东红卫兵》报红 54 号刊出下乡青年杨学义的诗《做迎风破浪的海燕》。

19 日　北京市革命职工代表会议常设委员会《北京工人》报第 48 期刊出北京光华织布厂林红的诗《工人爱读"老三篇"》。

25 日　《解放军文艺》1968 年第 7－8 期以《毛主席声明传天下——声援美国黑人抗暴斗争战士诗选》为总题刊出战士茅山《毛主席声明刻心里》、战士崔合美《夜,在华盛顿一间窝铺里》等诗;以《革命委员会好》为总题刊出黎征《好啊,红色政权》、战士胡世宗《坚守在反帝反修前哨》等诗。

26 日　陈白尘日记:"《文艺报》上午斗陈默,下午斗臧克家,声闻于外。"(《牛棚日记》,生活·读书·新知三联书店 1995 年 5 月出版)

27 日　《光明日报》刊出张化《革命委员会好》、钟其伟《咱为革命委员会站第一班岗》诗 2 首。

1968 年 5 月

1 日　《人民日报》刊出解放军战士杨志和《我向领袖表决心》、安徽省肥东县店埠公社社员殷光兰《社员歌唱红太阳》等诗。

1 日　《文汇报》刊出《万朵红花向阳开无限忠于毛主席——上海工农兵向心中最红最红的红太阳毛主席献诗》,刊有上钢三厂孙建华《献给领袖毛泽东》、驻沪空军冯永杰《毛主席给我铁翅膀》等诗。

4日 陈白尘日记:"下午果然转为开斗争'叛徒'的大会,计有臧克家、杜麦青、王真和我;党组成员及张僖陪斗。这显然是暗示,我的问题划在了敌我矛盾的范围里了。文化大革命原是揪走资派和反动权威的,如今则以'叛、特、顽'三者并列,而且揪叛徒成为最主要的内容,实在不解。专案组在外调材料的后面每每注上我是'叛徒'云云。这难道就算定案了么?结论产生于调查研究的结尾,而不是开始,这样定案是不符合于毛泽东思想的!斗争会上思潮起伏,一再隐忍。当有人指着我的鼻子发问:'你混进党内来想干什么?'我竟脱口而出:'想干坏事呗!'事后颇觉得这样回答未免可耻,但又怎么能否认'叛徒'的头衔呢?我至今还是坚决相信群众,相信党,但现在置身于群众的围攻之中,究竟应该何以自处呢?"(《牛棚日记》,生活·读书·新知三联书店1995年5月出版)

5日 诗人邵洵美在上海病逝。"'文化大革命'开始没有书译了,经济来源也就没有了。家中书物均被抄去,洵美明白困苦不只是他,有谁来援助?感到绝望。我当然不能坐视不管,每月将女儿们寄给我的钱悉数寄给了洵美,然而洵美贫病交迫,喘病加剧,终于病倒了。咳嗽、气喘,吃药、打针都无效,身不能动弹,气透不过来,哼声日以继夜,睡不安席,靠在床上,连床也被震动,痛苦万分。""后来终于休克了。送他到上海徐汇区中心医院急诊就医,检查结果是'肺原性心脏病',要住院、用氧气。用氧气急救的是重病号,重病号都住在一起,看到进来时能走能说的病人,过一天却走了,这只床空了又换来新病人。洵美亲眼看到,死神就在他身边徘徊,他惊惶极了,好像自己被判处了死刑,他要回家。洵美住院两个月,也休克过两次,经打针活过来,却不见好转,洵美心中的痛苦、悲伤、忧急,是可想而知的,他怕活过来了又会死,又怕死过去了不会活过来。我们感到他在医院只会加剧精神上的痛苦和惊悸,只好答应他回家。特地买了氧气枕,医生为他灌好一枕氧气,以备到家急用。回到家总算过了新年,又挨了三个多月。他对进出医院感慨万千,作诗一首:天堂有路随便走,地狱日夜不关门;小别居然非永诀,回家已是隔世人。过了五一国际劳动节,他的病情有所加剧、恶化,他呕吐、胃出血,逐渐昏迷,打针、氧气都无效。这次他再也没有醒来,于 1968 年 5 月 5 日晚上 8 时 28 分永别了人间,享年 62 周岁"(盛佩玉《盛氏家族·邵洵美与我》,人民文学出版社 2004 年 6 月出版)。

邵洵美,原名邵云龙,1906 年 6 月 27 日生,浙江余姚人。1923 年上海南洋路矿学校毕业后去英国留学,入剑桥大学攻读英国文学。期间尝试各种诗格的新诗写作,结集为《天堂与五月》1927 年出版。同年回国后,创办金屋书店,出版《金屋》月刊。1928 年出版诗集《花一般的罪恶》。30 年代又办时代图书公司,并与人合办《论语》、《人言》等刊物。1936 年出版诗集《诗二十五首》。抗战胜利后,重开时代书店。1949 年后,居家从事外国诗歌翻译。

8 日 诗人张志民因反江青罪名被捕入秦城监狱,1971 年 8 月 10 日出狱。

张志民,1926 年 5 月 21 日生于河北宛平。1940 年参加八路军,从事文化宣传工作。1947 年参加华北地区土地改革运动。1949 年出版诗集《天晴了》。同年到华北军区文化部创作组。1950 年出版诗集《死不着》。1953 年到中央文学研究所学习。1956 年转业到群众出版社工作,先后出版《家乡的春天》(1956)、《社里的人物》(1958)、《村风》(1961)、《西行剪影》(1963)等诗集。1976 年继续从事专业创作工作,1986 年任《诗刊》主编,又出版的诗集《边区的山》(1980)、《祖国 我对你说》(1981)、《"死不着"的后代们》(1986)、《梦的自白》(1989)等。1998 年 4 月 3 日在北京病逝。

10 日 《解放军文艺》1968 年第 9 期以《"五·七"指示金光闪大学校里尽朝晖》为总题刊出战士高东胜《向毛主席汇报》、战士栾纪曾《我的誓言》、姚成友《海上"南泥湾"》等诗。

21 日 红代会北航红旗战斗队《红旗》报第 104 期刊出张烈的诗《红五月颂》。

25 日 《文汇报》刊出上海戏剧学院"革命楼"一战士《浦江洪流通四海》、东海舰队冯景元《法国工人兄弟,你们干得好!》等诗。

25 日 《解放军文艺》1968 年第 10 期刊出总后勤部"塞外红"写作组《毛泽东思想普天照——欢呼〈通知〉发表两周年》、胸怀忠《伟大的胜利——欢呼〈通知〉发表两周年》、总后勤部"五·七"写作组《五月的榴花比火红——欢呼〈通知〉发表两周年》等诗。是期后该刊休刊。

28日 安徽大学革命大联合委员会《安徽大学》报红17号刊出李思法的诗《赞江青同志》。

31日 《解放日报》刊出上海工人革命文艺创作队东方哨的诗《革命烈火铸丹心——赞门合同志》。

31日 《人民日报》刊出时辉《门合和我们在一起》、解放军战士钟永华《毛泽东思想育英雄》等诗。

31日 《文汇报》刊出上海工人革命文艺创作队刘希涛的诗《英雄化作昆仑山——献给门合同志的歌》。

1968年6月

2日 《光明日报》刊出喻晓的诗《高唱赞歌颂英雄》。

23日 陈白尘日记:"下午文联各协会与生产队联合举行斗争大会,第一次被施以'喷气式'且挨敲打。每人都汗流如雨,滴水成汪。冰心年近七十,亦不免。文井撑持不住,要求跪下,以代'喷气式',虽被允,又拳足交加。但令人难忍者,是与生产队中四类分子同被斗,其中且有扒灰公公,颇感侮辱。Z于中途喝令我和光年退出会场,实是让我等至树下休息,但已两个半小时了。会上有说我等是'没有土地的地主、没有资本的资本家',颇妙。"(《牛棚日记》,生活·读书·新知三联书店1995年5月出版)

30日 《光明日报》刊出潘任《红心向阳紧跟党》、郭浩《万遍高唱〈东方红〉》等诗。

6月 《红卫兵文艺》第9期刊出雨石《从韶山唱到天安门——敬献给伟大领袖毛主席》、夏春华《不死的雄鹰》、武汉钢二司一战士《您胸前像章闪着红太阳的光辉》诗3首和《红卫兵文艺》编辑部《红卫兵诗选》编辑小组的《〈红卫兵诗选〉征稿启事》。《征稿启事》说:"为了歌颂伟大的毛泽东思想,为了反映史无前例的无产阶级文化大革命的伟大风貌,反映震惊中外的红卫兵运动波澜壮阔的雄伟图景,本刊编辑部准备编选出版《红卫兵诗选》。当前,编选工作正在进行之中,我们热诚希望全国各地的红卫兵战友们踊跃来稿、提供资料;衷心欢迎一切革命同志积极提出各种建议和要求。世界是我们的,办事大家来。在广大群众的支持和关心下,《红卫兵诗选》必将早日问世。"

6月 北京师范学院革委会《教改通讯》编辑部编辑出版的《教改通讯》刊出毛主席论诗词专刊。

6月 《文艺革命》编辑部《文艺革命》第3期刊出解放军3154部队政治处姜凤臣《"忠"字化的典型》、五好战士陈雄《"忠"字的最强音》等诗。

夏郭路生(食指)作诗《多希望》、《寒风》。诗均收诗集《相信未来》,漓江出版社1988年3月出版;《多希望》收《诗探索金库·食指卷》(作家出版社1998年6月出版)改题《希望》。

1968年7月

1日 油画《毛主席去安源》在《人民日报》、《解放军报》同时刊出。

1日 南京大学红色造反兵团《新南大》报第22号刊出法专首届毕业生江天、锤红的诗《毕业生之歌》。

5日 北京大学文化革命委员会《新北大》报第190—191期刊出新北大公社胜利团的诗《鲜花和园丁——赞江青同志》。

7日 《解放日报》刊出驻沪空军某医院左家发《毛主席宝像贴心间》等诗。

7日 《文汇报》以《千遍万遍歌唱毛主席》为总题刊出奉贤县金汇公社沈吉明《毛泽东思想放异彩》、陈晏《红日高照安源峰》等诗。

10日 广州工革联《广州工人》编辑部《广州工人》报工37期刊出工革联文化系统委员会的诗《举红旗悼周胜》。

16日 《文汇报》以《一曲"红灯"从天落 百万工农齐鼓掌》为总题刊出上海建筑机械制造厂张鸿喜、陈学新《毛泽东思想点红灯》等诗。

20日 上海《新师大战报》刊出二附中忠于毛主席大军赴黑龙江战斗队的诗《造反派的脾气》。

21日 毛泽东在调查报告《从上海机床厂看培养技术人员的道路》上批示:"大学还是要办的,我这里主要说的是理工科大学还要办,但学制要缩短,教育要革命,要无产阶级政治挂帅,走上海机床厂从工人中培养技术人员的道路。要从有实践经验的工人农民中间选拔学生,到学校学几年后,又回到生产实践中去。"此批示后称"七·二一指示",此后各地纷纷办起"七·二一大学"。

29日 《人民日报》刊出空军某部孙瑞卿《颂歌唱给毛主席》等诗。

31日 《光明日报》刊出李维承《七亿人民七亿兵》、罗铭恩《解放军同志下乡来》等诗。

1968年8月

8日 《人民日报》刊出北京针织总厂工人张才钦、马长林《颗颗芒果金光闪》等诗。

10日 陈白尘日记:"昨今均有斗争会。昨天斗严文井、李季、林元和侯金镜,今天又加上张僖、黄秋耘、陈默,但无林元,不知其内容。"(《牛棚日记》,生活·读书·新知三联书店1995年5月出版)

10日 《人民日报》刊出北海舰队红海城《赞首都工农毛泽东思想宣传队》、海军某部丁福合《喜讯飞到军舰上》等诗和德华、家铭的诗表演《向工农毛泽东思想宣传队学习》。

14日 《光明日报》刊出王又安《手捧芒果情满怀》、陶嘉善《红心铸就铁长城》等诗。

18日 北京地质学院东方红公社《东方红报》第149期刊出剑华、念选的诗《祝毛主席万寿无疆》。

18日 《光明日报》刊出岳效良《向毛主席表忠心》、鲁海《誓作毛主席的好工人》等诗。

18日 《人民日报》刊出金宝、辛红、旭峰的诗《向阳红花遍地开》。

25日 中共中央、国务院、中央军委、中央文革发布《关于派工人宣传队进驻学校的通知》。

27日 《人民日报》刊出北京第二机床厂工人李连玉《红心永向金太阳》、北京第一机床厂工人王恩宇《满怀豪情挑重担》等诗。

28日 《人民日报》刊出红颂东的诗《车间向阳曲》。

30日 《光明日报》刊出宋士军、李晋《工人阶级掌大权》等诗。

8月 北京大学文化革命委员会《文化批判》编辑部编辑的《文化批判》1968年第8期刊出人民文学出版社红鹰战斗队的文章《向旧人民文学出版社的国民党余孽猛烈开炮》。文章说："旧人民文学出版社的一小撮走资派,一直推行着一条招降纳叛的反革命修正主义的组织路线。十五年中,他们所网罗的各种牛鬼蛇神,竟达百人以上。其中有大叛徒、自首变节分子冯雪峰、王任叔、楼适夷、孟超、蒋天佐、金人、孙绳武、方殷等;特务、密探高长荣、刘岚山、吴启元等;大汉奸周作人、钱稻荪、赵少侯等;臭名昭著的胡风分子、右派分子绿原、舒芜、牛汀、吕荧、肖乾、傅雷、聂绀弩、金满城、顾学颉、王利器、张友鸾等;罪恶累累的国民党反动军官、反动政客,如国民党中央候补执行委员高宗禹,国民党少将、伪上海社会局长麦朝枢,国民党少将陈北鸥,伪县邮政局长孙用等;漏网右派韦君宜、曲六乙等;反革命知识分子如C.C特务报纸《大刚报》代总编辑欧阳柏等;各种各样的反革命分子黄爱、王寿彭、潘漪、于明等;坏分子文怀沙等,反动学术'权威'王士菁、周汝昌、汝龙、陈迩冬等;资本家、地主周绍良等;叛国投敌分子黄星圻等。在这一百多人中,除已被专政机关逮捕及调职、退职、退休和编外人员外,已被社内革命群众揪出者,即有五十多人。革命群众正在审查的政治历史严重不清者尚未计入。这些牛鬼蛇神,构成了刘邓反革命修正主义文艺黑线专政的社会基础。"

8月 北京师范学院革命委员会《文艺革命》编辑部编辑的《文艺革命》第4期刊出四季青公社郭颂东《纵情歌唱"东方红"》、4699部队唐远钰《毛主席步行去安源》等诗。

8月 吉林师大革命造反大军、八一八红卫兵《革命造反军报》编辑部编印的《战地黄花——八一八诗选》印行。作品分为《伟大统

帅毛主席啊 八一八战士永远忠于您》、《革命方知北京城近 造反倍觉毛主席亲》等6辑,收王红《毛主席啊,您老人家好》、高帆《长城颂》、"丛中笑"战斗队《同仇敌忾批〈修养〉》、岫峰《八一八红卫兵赞》等诗73题及对口词1篇、春联1组,有《难忘的八一八》诗1首代序和《战地黄花分外香》文1篇代跋。编者《代跋》说:"拂去战斗的风尘,翻开红色的诗集。可以看见'革命楼'的星星之火,'八一八礼堂'的殊死论战;可以看到火烧省市委、炮打东北局的猛烈炮火;可以记起那最最幸福的时刻——毛主席的亲切接见;可以瞥见八一八战士征腐恶、卫长城,用鲜血和生命迎来了'红日高照长白山'……。那一字字啊,就是我们战斗的足迹,那一行行啊,就是我们斗争的历程,那一篇篇啊,就是我们为保卫毛主席而战的光辉史诗。在这本诗集里,它散发着史无前例的无产阶级文化大革命的战斗的硝烟,你如果真的是亲身参加了这场雄伟斗争的一位无愧的战士,就一定会觉得,这本诗的油墨味分外香。她比什么《望星空》、《月下集》不知强上几千倍。因为,她根本没有什么'风花雪月',她根本没有缠绵悱恻的儿女情,有的只是雄伟的无产阶级文化大革命的战场,有的是无限忠于毛主席、无限忠于毛泽东思想、无限忠于毛主席无产阶级革命路线的深厚的无产阶级感情。所以,我们可以说,这本书的字里行间,都充满的八一八战士对毛主席无限忠诚的无产阶级感情,这株战地黄花就是'忠'字的红花。"

1968年9月

7日 《人民日报》发表《人民日报》、《解放军报》社论《无产阶级文化大革命的全面胜利万岁!——热烈欢呼全国(除台湾省外)各省、市、自治区革命委员会全部成立》。

7日 《光明日报》刊出吴国生《紧跟毛主席向前进》、杨志和《毛泽东思想满天红》等诗。

7日 北京师范大学《井冈山》报刊出闫纯德的诗《毛泽东思想照亮了山和水》。

8日 《人民日报》刊出海军某部杨渡《欢呼全国山河一片红》、

上海沪东造船厂工人居有松《"喜报"》等诗。

9日 《光明日报》刊出陶嘉善《为捍卫红色政权出航》等诗。

18日 《人民日报》刊出《红太阳照亮安源山——上海工农兵诗选》,刊有工人作者李根宝《安源颂》、东海舰队田永昌《东方亮起启明星》、红卫电影院刘希涛《毛主席登上安源峰》等诗。《编者按》说:"我们怀着十分激动的心情,向大家推荐上海工农兵创作的诗歌《红太阳照亮安源山》。""伟大的时代,产生伟大的艺术。在夺取无产阶级文化大革命全面胜利的凯歌声中,光辉夺目的革命油画《毛主席去安源》诞生了。在那激动人心的日子里,上海广大工农兵,怀着对伟大领袖毛主席的无限热爱,怀着对大工贼、大叛徒中国赫鲁晓夫的刻骨仇恨,创作了大量充满革命豪情的诗歌。今天本报发表的,就是其中的一部分。这些诗,一首首都是对伟大领袖毛主席的壮丽颂歌,一篇篇都是声讨中国赫鲁晓夫的战斗檄文。""《林彪同志委托江青同志召开的部队文艺工作座谈会纪要》这个伟大的历史文件指出:'工农兵发表在墙报、黑板报上的大量诗歌,无论内容和形式都划出了一个完全崭新的时代。'上海工农兵创作的这些诗歌,又一次雄辩地证实了这一点。这些诗,爱憎分明,雄壮豪迈,充分显示了工农兵崇高的精神境界和革命的战斗风格。那些轻视工农兵、自以为了不起的'作家'能写出这样美好的诗篇来吗?那些脱离实际、关在书斋里苦吟的'诗人'能写出这样战斗的乐章来吗?""现在世界正在进入一个以毛泽东思想为伟大旗帜的新时代。由毛泽东思想武装起来的工农兵,一定要而且也完全有能力成为文艺的主人。"

22日 陈白尘日记:"中午听良种场的广播,今晚似开斗争大会。5时许果提前收工,提前吃饭,8时半进斗争会场。文联以张雷为首,作协以严文井为首,共十余人,我在其列。另外二十来人两厢侍立。文联的阳翰笙、刘芝明,作协的邵荃麟、刘白羽都未来劳动,于是'廖化作先锋',张雷打头阵了,冤哉!文井还是很规矩,张雷则以嘻皮笑脸对付之,于是又对他搞'喷气式'。张仍用开玩笑的口气说:'别、别、别!我有病。'忍俊不禁。其次对冰心、天翼、克家、金镜批判较多,我和李季、杜麦青等也出列一次。至11时始休。"(《牛棚日

记》,生活·读书·新知三联书店1995年5月出版)

23日　《人民日报》刊出解放军战士毛世英、郑德铭的诗《红太阳颂》。

25日　《文汇报》刊出社论《赞工农兵诗歌集〈红太阳照亮安源山〉》和《毛主席来到安源山太阳光辉映红天——上海工农兵诗选》,刊有上钢三厂孙建华《站在钢城望安源》、铁路局南翔机务段朱珊珊《安源路上战歌高》等诗。

27日　《光明日报》刊出徐长林《工人阶级上讲台》、勤颂东《纵情歌颂红太阳》等诗。

28日　《文汇报》刊出驻沪空军赵正达的诗《咱送班长参加工人宣传队》。

30日　复旦大学八·一八红卫兵师《复旦战报》第88期刊出工宣队金节廉《崭新世界我们造》、工宣队一连常友宽《工人小将心连心》诗2首。

9月　顾城作诗《星月的来由》、《烟囱》。《星月的来由》初刊《星星》诗刊1980年第3期;均收诗集《黑眼睛》,人民文学出版社1986年3月出版。

9月　"原中国文联批黑线小组"编的《送瘟神——全国111个文艺黑线人物示众》由北京师范学院《文艺革命》编辑部出版,其中诗人有何其芳、袁水拍、臧克家、田间、柯仲平、李广田、徐迟、纳·赛音朝克图等。《前言》说:"刘少奇及其在文艺界的代理人周扬之流,为了推行这样一条罪恶的反革命修正主义文艺黑线,在文艺界大搞招降纳叛,结党营私,千方百计地把一批叛徒、特务、汉奸、国民党残渣余孽、反革命修正主义分子、资产阶级反动'权威'、牛鬼蛇神、社会渣滓以及反革命分子,统统搜罗在他们在大黑伞之下,组成许多大大小小的'匈牙利裴多菲俱乐部',把持文权,发号施令,横行霸道,飞扬跋扈,实行资产阶级专政。这里所'示众'的111个文艺黑线人物,仅仅是其中比较典型的一批资产阶级代表人物。"

臧克家

反动学术"权威"、《诗刊》黑主编臧克家,早在二十年代就是一个变节自首、叛党投敌、出卖革命同志、从敌人狗洞里爬出来的大叛徒。这个无耻的叛徒,解放后在周扬黑帮的包庇下,先后窃踞了中央出版总署和人民出版社编辑、编审、全国文联委员、中国作家协会书记处书记、《诗刊》主编、及全国人大代表等要职,打着"红旗"反红旗,干尽反党反社会主义反毛泽东思想的罪恶勾当。

臧克家是一个不折不扣的漏网大右派,一个反党反社会主义的急先锋。1957年资产阶级右派分子向党进攻时,他认为时机已到,跳了出来,疯狂反对党的领导,恶毒地攻击社会主义制度。他污蔑革命群众听党的话,是"没有头脑","没有自由","只能'以耳代目'";咒骂人与人的关系"冷若冰霜"、"六亲不认";叫嚷党"不要给作家出题目",并煽动反动"诗人"以"愤怒的感情揭露认为不平的事件"。三年困难期间,他又一次赤膊上阵,恶毒攻击党的领导,咒骂我们伟大领袖毛主席;反对革命的正义战争,宣扬同帝、修、反"和平共处"的反动谬论。

臧克家还狗胆包天地利用职权,妄图垄断毛主席诗词的发表权、解释权,大捞政治资本。他攻击毛主席文艺思想,胡说什么"'政治第一'的说法是不完全的","'古为今用'不能简单地理解成为政治思想教育服务"等等。并竭力宣扬"反题材决定"论。鼓吹复古主义,不遗余力地推行周扬黑帮反革命修正主义文艺黑线。臧克家还网罗大批牛鬼蛇神社会渣滓,把《诗刊》办成三十年代的"同人刊物"和反革命的裴多菲俱乐部,为刘少奇复辟资本主义大造反革命舆论。

打倒臧克家!

田 间

臭名昭著的反动诗人田间,出身于安徽的一个大地主家庭,原名童天鉴,是刘少奇在文艺界代理人周扬的死党,漏网的胡风分子,丁陈反党集团的得力干将。

远在三十年代,他就追随胡风,大干反对毛主席无产阶级革命路线的罪恶勾当。一九三三年他入上海光华大学后,就开始写反动诗。他为了出名,自己出钱印诗集并认识了反革命分子胡风。所谓"战争诗人",就是由胡风、冯雪峰等人吹捧起来的。抗战前夕,他害怕白色恐怖,逃亡日本。一九三八年回国后,在西安参加了丁玲的"西战团",是丁陈反党集团的成员。后来又怀着不可告人的目的混进解放区,与丁玲打得火热,合伙贩卖胡风的极端反动的"化大众"论,狗胆包天地与毛主席提出的"大众化"的英明论断唱反调。

解放后,田间在历次运动中,一贯采用装疯卖傻和假自杀等手段,在周扬、丁玲等保护下过了关,并且骗取了全国人民代表大会代表和河北省文联主席的要职。

田间一贯打着"和平"、"自由"的旗号,调和阶级矛盾,反对革命战争,贩卖修正主义货色。他疯狂叫嚷什么"在大陆上,在海洋上,和平法则是信仰。""要把自由的旗号,高高挂在自由树上,再也不能被撕毁,再也不能被降下去。""战争一来,我就没法子,我就自杀。"等等。是帝国主义、修正主义的十足的应声虫。

田间凭他反革命的本性,极力美化赞扬地富反坏,污蔑丑化工农兵。在臭名昭著的《赶车传》中,他把老贫农石不烂丑化成为毫无革命性,把自己亲生女儿兰妮送给地主做小老婆的麻木无知的软骨头,同时却竭力宣扬地主还乡团的"骨气""英雄",为其树碑立传。在《宋村记事》里,他把农会主席宋老小写得糊里糊涂,不敢斗争,自私自利,目光短浅。在《一杆红旗》中他大力歌颂地主武装。他在五九年抛出的《火花集》中,专门丑化诬蔑劳动模范,配合右倾机会主义分子向党猖狂进攻。

田间是老牌反革命刘少奇的忠实信徒。一九四六年,在他的臭名昭著的《赶车传》里,就为刘贼大唱颂歌,什么"少奇同志告诉他,乐园不在天上,乐园在地面"。把毛主席领导的土改运动归功于刘少奇。在长诗中,他还拼命鼓吹刘修的假共产主义。

……

文化革命开始以来,他拼命地进行顽抗,妄图为他的黑主子刘少奇、周扬等一小撮国民党反动派的代理人翻案。一九六七年,他又与王亢之、方纪、孙振等人,互相勾结,密谋策划了天津反革命文艺黑会,再一次暴露了他一贯坚持反动立场,死心踏地的为刘少奇、周扬之流卖命的丑恶嘴脸。

打倒反动诗人田间!

柯仲平

柯仲平是一个血债累累的大叛徒、政治骗子。在刘、邓黑司令部和彭德怀、高岗、习仲勋反党集团的包庇、重用之下,先后曾窃据西北文委副主任、西北文联主席、中国作家协会副主席和作协西安分会主席等要职。在历次路线斗争中,都顽固地站在以刘少奇为首的资产阶级反动路线一边。反对以毛主席为首的党中央,反对光焰无际的毛泽东思想和我们最最敬爱的伟大领袖毛主席。

一九三〇年,柯仲平混入中国共产党。同年冬在上海被捕,向敌人屈膝投降,出卖了柯孟雄、林育南等。一九三二年转到苏州反省院,又向国民党写了"悔过书",并在敌人组织的反省人员大会上讲演,破口大骂共产党,再一次向敌人出卖了当时在押的革命同志。此后中统特务头子陈立夫曾登门拜访柯仲平,结为"莫逆之交",并赠以巨款,表彰其反共有功。

一九三七年,柯仲平隐瞒了这一段叛徒历史,在延安又一次混入党内。在刘少奇和反党集团头目高岗指示、支持下开始炮制反党长诗《刘志丹》,曾四次易稿,达二十七年之久。在这部黑诗中,柯仲平丧心病狂,狗胆包天,恶毒地诬蔑我们伟大领袖毛主席。相反却把刘少奇及其狐群狗党高岗、习仲勋之流捧上了天,千方百计地往这些叛徒、工贼、野心家、阴谋家的丑恶嘴脸上贴金,别有用心地吹嘘他们是革命人民的"领袖"、"救星"、"旗手"。像这样一部毒汁横溢的黑诗,像这样一个十恶不赦的大叛徒,在刘少奇、大阴谋家高岗、习仲勋、大土匪贺龙和大叛徒刘澜涛以及陕西省委内的一小撮走资派庇护之下一直没有受到彻底批判、揭发和斗争。解放十几年来柯仲平高官厚禄,骑马坐轿,煽阴风、点鬼火、耍阴谋、放暗箭,以十倍的疯狂,百倍的仇恨反对以毛主席为首的无产阶级司令部,为刘、邓在中国复辟资本主义大造反革命舆论。一九六四年,柯仲平暴病身死,西北局和陕西省委走资派还赐以"革命烈士"称号,把这个大流氓的臭骨灰放在烈士陵园,直到文化大革命开始以后,广大革命群众才戳穿了他二十七年炮制反党长诗的黑幕,揭露了这个资产阶级司令部"盖棺论定"

的御用诗人的真面目。

9月 上海工人革命文艺创作队编的《红太阳照亮安源山——上海工农兵献诗选》由上海文化出版社出版。收李根宝《安源颂》、刘希涛《毛主席登上安源峰》、孙一广《老工人送宝像到连队》、周美华《安源走的"忠"字路》等诗46首,有编者《编后记》。《编后记》说:"革命油画《毛主席去安源》的诞生,让我们幸福地见到了我们最最敬爱的伟大领袖毛主席青年时代的光辉形象,使我们进一步了解了毛主席的伟大革命实践。在那激动人心的日子里,我们广大革命工农兵业余作者,在上海市革命委员会的支持下,满怀对伟大领袖无限敬仰的激情,燃烧着对中国赫鲁晓夫的无比仇恨,聚集一堂,举行了'欢呼红太阳照亮安源山献诗大会'。……会场上,诗篇如潮,歌声激昂,在短短的两个多小时内,就涌现了近六百首诗篇。这些诗篇,一首首都是我们工农兵献给伟大领袖毛主席的红心;这些诗句,一字字都是射向中国赫鲁晓夫的钢铁子弹!这些诗篇,表达了我们工农兵对伟大领袖毛主席的无限热爱和耿耿忠心。这些诗篇,也显示了我们工农兵完全能够掌好毛主席给我们的笔杆子,能够做好文艺的主人。"

秋 郭路生(食指)作诗《我这样说》。此诗收诗集《相信未来》,漓江出版社1988年3月出版。

1968年10月

1日 《人民日报》刊出瑶族邓友铭《毛主席啊,瑶族儿女忠于您》、河北饶阳县五公大队社员李惠琴《毛主席给咱把路引》等诗。

1日 《文汇报》刊出上海工人革命文艺创作队《红太阳颂》创作组《红太阳颂》、中国汽车工业公司上海分公司修配厂陈晏《毛主席请咱上北京》等诗。

4日 《文汇报》刊出郑成义《长江桥头鱼水情》等诗。

5日 《人民日报》发表通讯《柳河"五·七"干校为机关革命化提供了新的经验》。此后全国各地相继办起"五七干校"。

5日 《光明日报》刊出郭红兵《毛泽东思想照万家》、李建忠《定教世界红彤彤》等诗。

7日 《人民日报》刊出福州工人郑荣知《毛主席挥巨手》、空军部队孙瑞卿《红十月之歌》等诗。

8日 红代会北京师大井冈山公社《井冈山》报第141期刊出学工农《主席指示是方向》、工人毛泽东思想宣传队三排二班《毛主席和我们工人心连心》等诗。

9日 《人民日报》刊出《南京长江大桥工地诗选》和《守桥战士唱大桥——南京长江大桥守桥战士诗选》。

12日 《光明日报》刊出于厚清、韩明波《最新指示传下来》和秦红《我用锄头挖"修"根》等诗。

12日 《文汇报》刊出《喜报红心献给毛主席——上海工人抓革命、促生产诗选》，刊有中国汽车工业公司上海分公司修配厂陈晏《向着高峰飞跨》、沪东造船厂居有松《大锤掀起万里浪》等诗。

17日 《光明日报》刊出郭德贵《最新指示到咱村》、峭岩《又一阵春雷响天外》等诗。

18日 复旦大学八·一八红卫兵师《复旦战报》第95期刊出言志的诗《拉一拉毛主席握过的手》。

22日 首都工人、解放军驻新北大毛泽东思想宣传队政宣组《新北大战报》第4期刊出中文系赵石保的诗《乘风破浪万里行——献给敬爱的江青同志》。

29日 《光明日报》刊出齐颂东《"大老粗"登讲台》、王森《师傅送我三件宝》等诗。

1968年11月

2日 诗人李广田在昆明逝世。"我走后，父亲很快被监禁、拷问、批斗、罚跪、拳打脚踢，失去了人身自由，失去了说话的权利。在那些'红色恐怖'笼罩全国的日子里，父亲曾对母亲说：'要活下去，一定要活下去！'但是万万没有想到，在经过长时间的迫害与折磨后，父亲这个硬汉子却突然死去了。一九六八年十一月二日夜，莲花池周围的村民们听到不断的狗吠声，后半夜平息下去了。次日有村民在莲花池里发现了父亲。他满脸是血，腹中无水，头部被击伤，脖子上有绳索的痕迹。捞上以后,即送去火化,他那一身劳改时穿的补丁衣裤还是湿漉漉的"(李岫《悼念我的父亲李广田》,1980年11月22日《新文学史料》1980年第4期)。

李广田,1906年生,山东邹平人。1923年到济南山东第一师范学校读书。1929年考入北京大学预科,次年开始发表诗歌、散文。1931年入北京大学外语系,1935年毕业回济南教书。1936年与卞之琳、何其芳合出诗集《汉园集》,同年还出版散文集《画廊集》、《银狐集》。1937年抗战爆发后,经河南、湖北至四川,任国立六中国文教员。1941年到昆明西南联合大学任教。1944年出版诗论集《诗的艺术》。1946年到天津南开大学任教。1947年出版长篇小说《引力》,次年出版文学评论集《文学枝叶》、《创作论》。1949年任清华大学中文系主任,后任该校副教务长。同年参加中华全国文艺工作者第一次代表大会,当选为全国文联委员、理事。1952年调至云南大学,任副校长、校长。1958年出版诗集《春城集》。1982年《李广田诗选》出版。1983年起《李广田文集》出版。

3日 《光明日报》刊出蒋国田《无产阶级政权传万代》、吴涛声《打倒工贼刘少奇》等诗。

6日 《人民日报》刊出北京永定机械厂工人张宝申、杨俊青《手捧公报心潮涌》和韩笑《巨浪滚滚,凯歌阵阵》诗2首。

13日 《文汇报》以《拿起笔杆作刀枪直捣刘贼黑心肠——上海工人狠批大叛徒、大内奸、大工贼刘少奇》为总题刊出《船台班组批判会》、上海航海仪器厂朱贤明《万炮齐轰刘少奇》等诗。

28日 《光明日报》刊出峭岩《革命的航船乘风破浪》等诗。

11月 伍立宪(哑默)作诗《晨鸡》。此诗收诗集《乡野的礼物》,贵州民族出版社1990年12月出版。

1968年12月

9日 郭小川日记:"今天天气很好,我的感觉也好,没有穿大衣、戴口罩,七时半多到了文联大楼。""昨夜,梦自己被敌人打死,心中想到:'我们为人民而死,就是死得其所。'醒后犹有所感。""我多次地考虑了自己应该采取的态度,最重要的就[是]相信毛主席,相信群众,相信党,自己认真地进行改造,在斗争中和劳动中认真改造自己。"(《郭小川全集》第10卷,广西师范大学出版社2000年1月出版)

20日 郭路生(食指)从北京乘火车去山西杏花村插队,在车上开始创作《这是四点零八分的北京》一诗。此诗初刊于1979年6月20日《今天》第4期。郭路生说:"1968年底,上山下乡的高潮兴起。在去山西插队的火车上(火车四点零八分开),我开始写这首诗。当时去山西的人和送行的人都很多。再有,火车开动前先'咣当'一下,我的心也跟着一颤,然后就看到车窗外的手臂一片。一切都明白了,'这是我的最后的北京'(因为户口也跟着落在山西)。""还有一点,小时候我有一个极深刻的印象,妈妈给我缀扣子时,我们总是穿着衣服。一针一线地缝好了扣子,妈妈就把头俯在我的胸前,把线咬断。""我就是抓住了这几个细节,在到山西不几天之后,写成了《四点零八分的北京》。原来还长一些,几番删改之后,就成了现在这样。"(《〈四点零八分的北京〉和〈鱼儿三部曲〉写作点滴》,1994年5月《诗探索》1994年2辑)戈小丽说:"大家最感兴趣的事是听郭路生念诗。诗人朗诵诗歌的场地是我们那破旧的砖砌厨房;厨房左侧是一个大灶和用木架去起的长条案板,大灶上方的窗户早就没了窗纸,右侧是一口大水缸及一副扁担和两个水桶。朗诵会都是在晚饭后,郭路生总是站在大灶旁,身着褪了色的布衣裤,背对窗外的黑夜,灶台上小油灯的微光映出诗人瘦长的身影。烧粥的大锅仍有余热,不断升腾出蒸汽。观众席在水缸和案板之间,座位是水桶、扁担和南瓜。郭路生通常选一些自己的旧诗来朗诵,有时也发表新作。我们最爱听并一遍又一遍要求郭路生朗诵的总是《这是四点零八分的北京》和《相信未来》,因为它们不仅是我们生活的真实写照,还表达了我们的感情……郭路生是唯一念诗能把我们念哭的人。一次他朗诵《这是四点零八分的北京》……当时的两个女生还没听完就跑出厨房,站在黑夜中放声大哭。"(《郭路生在杏花村》,《华人世界》1997年第4期)

22日 《人民日报》发表毛泽东指示:"知识青年到农村去,接受贫下中农的再教育,很有必要。"从此全国掀起知识青年上山下乡运动,先后上山下乡的知识青年达1600多万。

22日　诗人伍禾逝世。

伍禾,原名胡德辉,1913年10月11日生于湖北武昌。早年在湖北省立师范学校读书。1937年抗日战争爆发后,参加中华全国文艺界抗敌协会,并在《新华日报》营业部工作。1938年参加抗敌演剧宣传队第二队。1940年到桂林,先在广西省立艺术馆工作,后又在中学教书。1942年出版诗集《萧》、《寒伧的歌》。1944年到重庆,1946年回武汉,接编《新湖北日报》副刊。1950年起,任湖北省文联副主席、湖北省文化局副局长。1955年和1957年两次运动中被错划,下放农场劳动改造。1962年调回湖北省图书馆。1984年诗集《行列》出版。

24日　复旦大学八·一八红卫兵师《复旦战报》第114期刊出工宣队一连顾金祥的诗《工人阶级上讲台》。

26日　郭小川日记:"今天是伟大领袖毛主席七十五岁寿诞。早起,六时半即出发,坐九路车到王府井看了一下极为壮观的场面,大约有几千人在新华书店等处门口等着买毛主席像章或毛主席的著作。""七时四十多分钟到了大楼。八时,举行了仪式,向毛主席致敬,向毛主席请罪。朗读了林彪同志写的《〈毛主席语录〉再版前言》。""我是要永远向毛主席请罪的。""我特别大声地朗诵了'敬祝毛主席万寿无疆,万寿无疆,万寿无疆'。""今天的心情万分激动。""中午,去王府井买了一些桌上摆的毛主席像,上面写着'伟大的导师,伟大的领袖,伟大的统帅,伟大的统帅[舵手]毛主席万岁!'真是高兴极了,这是毛主席七十五岁诞辰的珍贵纪念。"(《郭小川全集》第10卷,广西师范大学出版社2000年1月出版)

26日　《文汇报》刊出驻上海外国语学院工宣队、上海汽车电机厂工人赵国华《我们对毛主席最最忠》和松江县城东公社朱雪仁《永远紧跟毛主席》、东方红造船厂钱国梁《红太阳照亮造船台》等诗。

26日　上海工人革命造反总司令部《工人造反报》第195期以《韶山升起红太阳》为总题刊出宝山喷漆厂陈志超《万岁万岁毛主

席》、上海无线电二厂杨俊逸《晴空万里东方红》、上海交电站袁军《红心绣出红太阳》、沪东造船厂李文成《红太阳照亮造船厂》、齐顺东《万里江河总有源》、闸北服装鞋帽公司陈肇云《毛泽东思想印脑里》、上海第二印染厂马开元《宝书映得炉火熊》等诗；以《四海同歌毛主席》为总题刊出第一石油机械厂韦书生《炉前升起红太阳》、沪东纺织机械厂龚咏燕《毛主席的阳光照大道》、上海制皂厂晏克和《毛主席万岁万万岁》、上海耐火材料厂郑士达《毛泽东思想放光彩》、金星金笔厂卞永泉《车头飞旋赛风雷》诗5首。

29日 南京长江大桥建成并通车。

29日 《文汇报》刊出上海汽轮机厂工人黄世益《喜讯掀起浦江潮》、警备区某部谢国顺《喜报飞舞迎"九大"》等诗。

30日 上海大专院校红代会、上海中等学校红代会联合主办的《上海红卫战报》忠52期刊出复旦大学陈晓华《韶山颂》、淮海中学红卫兵《迎着东升的太阳》等诗。

12月 首都大专院校红代会《红卫兵文艺》编辑部编的《写在火红的战旗上——红卫兵诗选》由该编辑部出版。作品分为《红太阳颂》、《红卫兵歌谣》、《在那战火纷飞的日子里》、《夺权风暴》等8辑，收北京向日葵《红太阳颂》、江苏言子清《舵手颂》、武汉丁晞《战斗吧，革命的战友！》、武汉吕凉《请松一松手——献给抗暴斗争中英勇牺牲的战友》、武汉吴克强《放开我，妈妈！》、山东纪宇《夺权风暴——"一月革命"之歌》等诗98题，有编者《序》和《后记》。《序》说："这不是一册普通的诗选。""收集在这里的诗章，几乎都写自年轻的中国红卫兵战士之手。""它们是用碧血丹心写成的。""它们是红卫兵战士在毛主席和中央文革的带领下捣毁刘邓王朝胜利前进的战歌。""它们有着和国际歌同样的内容和旋律。""它们写在文化大革命战火纷飞的日子里，写在红卫兵火红的战旗上。"

冬 郭路生（食指）作诗《冬夜月台送别》。此诗收诗集《相信未来》，漓江出版社1988年3月出版。

1968年 蔡其矫作诗《诗品》。此诗收《蔡其矫诗选》，人民文学出版社1997年7月出版。

1968年 郭路生(食指)作诗《烟》、《酒》、《还是干脆忘掉她吧》、《你们相爱》、《送去北大荒的战友》、《灵魂》、《难道爱神是……》、《黄昏》、《在你出发的时候》、《胜利者的诗章》。《烟》初刊1979年9月《今天》第5期;《酒》、《还是干脆忘掉她吧》初刊1980年4月《今天》第8期;前六首均收诗集《相信未来》,漓江出版社1988年3月出版;第七至九首均收《诗探索金库·食指卷》,作家出版社1998年6月出版;最后一首收《食指的诗》,人民文学出版社2000年12月出版。《还是干脆忘掉她吧》收入《相信未来》(漓江出版社1988年3月出版)改题《爱人》;收入《食指黑大春现代抒情诗合集》(成都科技大学出版社1993年5月出版)改回原题。

1968年 黄翔作诗《野兽》。此诗收诗集《狂饮不醉的兽形》,1986年7月油印。

1968年 北京师范学院中文系"为工农兵"战斗队编的诗集《红太阳颂歌》由《首都红小兵》编辑部出版。作品分为《万寿无疆红太阳》、《战无不胜的毛泽东思想光芒万丈》、《永远忠于毛主席,誓死保卫毛主席》等7辑,收哈萨克族战士《万岁,人类的救星毛主席》、战士《"老三篇"哺育的战士心最红》、工人《日夜想念毛主席》、社员《歌唱毛主席语录牌》、苦聪族战士《一辈子忠于毛主席》等诗200首。有编者《说明》。《说明》说:"在史无前例的无产阶级文化大革命运动中,出现了更多的,歌颂毛主席,歌颂毛泽东思想,歌颂毛主席的革命路线的好诗。""《红太阳颂歌》就是近几年工农兵群众歌颂伟大领袖毛主席的专题诗歌选集。""怀着对伟大领袖毛主席的无限热爱、无限忠诚、无限崇拜、无限信仰的心情,在广大无产阶级革命派的热情支持下,用一年多的时间终于完成了本书的编辑工作。工农兵要登上文艺舞台,工农兵要成为文艺主人。让我们举起双手欢呼,被颠倒了的历史又颠倒过来了! 为工农兵文艺立传,用工农兵自己的创作打倒大洋古、封资修,这是我们的目的。""这个集子力图比较全面地反映近几年来,我国七亿人民活学活用毛泽东思想,用毛泽东思想改造主观世界、客观世界的精神面貌和时代特色。选编时首先着眼于诗歌的思想内容,其次看艺术性高低。""本集选诗二百余首,除几首歌词外，全部是工农兵群众的作品；从时间上看，除六三年以前的十首民歌外，全部是文化革命中的诗。"

1969 年

1969 年 1 月

  1 日 上海工人革命造反总司令部《工人造反报》第 197 期刊出沪东造船厂创作组《毛主席亲手指航向》、上海钢丝厂赵钟铃《钢花满天迎九大》等诗。

  1 日 《光明日报》刊出韩静霆《第一堂课》、祁念东《出征曲》等诗。

  2 日 《人民日报》刊出《南京长江大桥工地诗选》,刊有工人魏则玉《桥工见到了毛主席》等诗。

  8 日 郭小川日记:"今天没有看病,因为我想抓紧在本周学习最新指示和元旦社论中好好解决一下自己的态度问题,从下周起就集中精力日夜赶写检查材料和揭发材料。""上午,劳动了近两小时,又帮助校对了大家抄的最新指示。""中午回家吃了饭。下午刚开会不久,又通知去劳动——收拾房子,看见标语,工人、解放军毛泽东思想宣传队马上就要来了。""约四时半,我正同杨子敏一起背老三篇,毛主席派来的亲人来了,楼下敲锣打鼓。这时,我的心情是激动的,宣传队来后,这个机关的运动肯定会搞得更好,我自己也将被改造。今后,我必须抓紧一切时间交代检查自己的问题,'革面洗心,重新做人',我相信,我是可以改造的,革命队伍还是会要我的,党还是会要我的,我将永远成为人民的儿子,成为一个劳动者。往日的罪过,将成为我永生永世的教训。伟大的毛泽东思想将是我的强大武器,伟大领袖毛主席呵,下半生我将永远忠于您!""我给大家抄写毛主席在无产阶级文化大革命以来关于民主集中制的最新指示和新发表的有关语录,一直抄到八时半。""八时半,胡德培同志宣布,现在可以回去,明天照常上班。我到北京车站才吃了饭,回家已九时多,即睡,夜间多次梦见工人宣传队。"(《郭小川全集》第10卷,广西师范大学出版社2000年1月出版)

16日 郭小川日记:"早起,值日,打扫四楼、五楼的大厅。""学习时间,又准备了发言。""七时开会,我先发了言,主要谈了文化大革命的实质和必要性。李季发了言,仅仅从生活上讲到资产阶级的腐蚀,根本不上纲,立刻引起大家的批评。这个人,就是不认真学习,理论水平又低。以后又有胡海珠一句一泪的发言,我也陪她哭了一场。在我,并不是因为委屈情绪,实在是觉得自己太对不起毛主席了。"(《郭小川全集》第10卷,广西师范大学出版社2000年1月出版)

25日 陈白尘日记:"今日9时半由斗批改委员会召开批斗大会,我等共去8人:文井、光年、天翼、冯牧、金镜、克家、北屏及我。荃麟、白羽二人未见,似隔离了。会场为我们特设了座位,入场前Y温言相慰,说不要紧张,不叫你们不必起立。这显然是做给工宣队看的。大会主要从两条路线斗争来批判旧作协的罪恶。会后令写汇报,只好感恩、认罪。"(《牛棚日记》,生活·读书·新知三联书店1995年5月出版)

31日 陈白尘日记:"下午3时20分被叫去《人民文学》编辑部,与天翼一起接受批斗。发言者各有分工,或对张,或对我,又或为二人的总批判。主要是针对作品中的错误思想,未及政治问题。这是上次全机关批斗大会的继续和发展。昨日《文艺报》斗克家、丁力、葛洛,上午《人民文学》斗王真,都是同一步骤。发言多老生常谈,毫无创见。"(《牛棚日记》,生活·读书·新知三联书店1995年5月出版)

1969年2月

14日 诗人王老九逝世。

王老九,原名王建禄,1894年2月23日生,陕西临潼人。出版诗集《王老九诗选》(1954)、《东方飞起一巨龙》(1958)等。

　　15日　《光明日报》刊出陕西省群众艺术馆毛泽东思想学习班《放声高歌红太阳》、任桂珍《向阳村永向红太阳》等诗。

　　17日　蓬子在上海病逝。

　　蓬子,原名姚梦生。1905年生,浙江诸暨人。1929年出版诗集《银铃》。1930年参加中国左翼作家联盟,后曾编辑《文艺生活》、《文学月报》。1938年在武汉参加中华全国文艺界抗敌协会,后去重庆,创办作家书屋。抗战胜利后到上海。1949年后,在上海大学任文科教授。

　　17日　《解放日报》刊出杨德祥的诗《毛主席,您是战士最亲的人》。

　　22日　《文汇报》刊出上海玻璃厂王森《跃进潮头来势高》、上海建筑工程局金德生《山花烂漫永向阳》等诗。

1969年3月

　　1日　《文汇报》刊出上海军垦中学六八届学生赴吉林插队落户青年黄萍《手捧宝像赴吉林》等诗。

　　11日　《文汇报》刊出上海建筑机械制造厂张鸿喜《打倒新沙皇》等诗。

　　12日　《文汇报》刊出东方哨的诗《警告新沙皇》。

　　14日　郭小川日记:"小卫生,请示后读两篇文件《南京政府向何处去》、《论人民民主专政》。""九时多,魏队长来谈了几个问题,下午,革命群众将叫回一些人到班里接受群众的监督、教育、改造、批判。开了会,我做了发言。""下午,行政第一班,把我、陈树诚领回,上了第一课。""八时,听了广播《关于总结经验》的《红旗》社论,传达了最新指示。八时半以后,与群众一起上街游行,到了天安门,兴奋极了,时时都想流泪,我不是认为我已经成为群众的一员了,不,我现在还不是,我还没有真正认识错误,还没有真正总结自己的反面经验,但是,毛主席在挽救我,群众在挽救我,和群众在一起游行,和工人、解放军毛泽东思想宣传队一起游行,使我非常深切地感到这一点。""回来后,开了会,落实最新指示。会后,老赵和老翟同志同我谈了话。""回宿舍后,老裴同志又同几个人谈话,一直谈到十二时。兴奋异常,吃了安眠药,睡下。""这是我的历史中有数的重要时刻之一,我永远记住这一天。"(《郭小川全集》第 10 卷,广西师范大学出版社 2000 年 1 月出版)

1969 年 4 月

1—24 日 中国共产党第九次全国代表大会在北京举行。

2 日 《文汇报》刊出驻沪空军万良顺《党的"九大"召开啦》、松江县新五公社戚永芳《天大的喜讯北京来》等诗。

3 日 《光明日报》刊出杜重光《庆"九大"》、何庆麟《党的恩情比天大》等诗。

3 日 《人民日报》刊出首都钢铁公司工人陈洪芝《红色女工迎"九大"》、安徽省肥东县店埠公社南头生产队社员殷光兰《红心献给毛主席》等诗。

9 日 《光明日报》刊出杨洪立《为"九大"站好岗》、任宝常《万里东风展红旗》等诗。

9 日 《文汇报》刊出中国汽车工业公司上海分公司修配厂陈晏《亿万颗红心向着太阳唱》等诗。

16 日 《文汇报》刊出上海建筑机械制造厂张鸿喜《紧跟毛主席就是胜利》、上海玻璃厂王森《东风万里报春来》等诗。

19 日 《光明日报》刊出邵学文《紧跟毛主席就是胜利》、潘俊龄《庆"九大",献厚礼》等诗。

19 日 《人民日报》刊出解放军某部王振堂《毛主席登上"九大"主席台》等诗。

23 日 郭小川日记:"上午通知我今天检查,当即进行准备。""下午,只检查了一个问题,即对毛泽东思想的态度问题,讲了一小时二十分钟。然后,小詹同志来参加我们的小会,批评我不相信群众,别人也反映我没有讲清楚,主要是对《望星空》和'围攻鲁迅'的问

题。""晚上,再做准备。"(《郭小川全集》第10卷,广西师范大学出版社2000年1月出版)

24日 陈白尘日记:"上午《人民文学》又对李季进行批判,下午毛承志作检查,据说态度较李为好。行政部门是郭小川检查,《文艺报》则阎纲检查,批判时闻口号声。"(《牛棚日记》,生活·读书·新知三联书店1995年5月出版)

26日 《光明日报》刊出王善同《祝毛主席万寿无疆》、王森《崭新的征程眼前耀》等诗。

27日 《文汇报》刊出郑成义《万岁!中国共产党》、驻北方区海运管理局工宣队国棉九厂工人周美华《团结的大会奏凯歌》等诗。

28日 中国科学院革命委员会《革命造反》报第187期刊出诗专版,刊有心理所五七战士《毛主席啊,我们永远忠于您》、天文台五三二战士路丕业《敬祝毛主席万寿无疆》等诗。

4月 山东鲁迅大学革命委员会宣传组编印的诗集《忠心献给毛主席》印行。收工宣队王信银《工人阶级永远忠于毛主席》、侯书良《喜迎九大绣忠心》、光明《放声歌唱毛主席》、马恒祥《写在伟大的日子里——献给中国共产党全国第九次代表大会》等诗58首,有编者《写在前面》。《写在前面》说:"滚滚春雷,浩荡东风,传来了特大喜讯:党的第九次全国代表大会胜利召开了!'九大'的召开,是国际共产主义运动中,具有划时代意义的重大事件。它将开辟人类历史的新纪元,掀开中国革命的新篇章!""葵花朵朵向太阳,红心颗颗献给党。我们怀着无比激动、兴奋的心情,在驻校工宣队、校革委的领导下,编辑了这本《忠心献给毛主席》,作为我们向'九大'的献礼!""在欢庆'九大'的喧天锣鼓声中,进驻鲁迅大学的工宣队员,全校革命师生员工,忆征程,看今朝;献忠心,抒情怀;放声把歌唱,挥笔写诗篇。这些用红心拼成的诗句,洋溢着强烈的时代精神,充满着浓郁的战斗气息。气魄豪壮,语言铿锵,旋律激昂,无限深情地歌颂红太阳,讴歌共产党,抒发了欢庆'九大'的豪迈感情。它凝聚了全校革命师生员工的共同的无产阶级感情,表达了全体革命同志的心声!"

1969 年 5 月

15 日 陈白尘日记:"10 时半归,全机关正在开批判大会,批荃麟、白羽、光年。"(《牛棚日记》,生活·读书·新知三联书店 1995 年 5 月出版)

1969 年 6 月

5 日 大会批判郭小川。有批判说:"攻击肃反,是配合了阶级敌人进攻的,出笼的背景,是配合苏修大合唱。看了毒草,毛骨悚然,国内外很少有这样恶毒反动的程度,包括苏修也好,你的名字可以并驾齐驱,苏联一作品也如此。""创作基本倾向,美化叛徒,歌颂动摇,这种倾向上独一无二的,叛徒文学"。"《深深的山谷》写了一个叛徒,也充满了同情。《致大海》写自己,动摇,怕死。"(《郭小川全集》第 12 卷,广西师范大学出版社 2000 年 1 月出版)

5 日 《光明日报》刊出刘新华的诗《车向湘西》。

12 日 陈白尘日记:"8 时半召开落实政策、解放干部大会,李季、沈季平、黄沫、冼宁、汤浩五人解放。"(《牛棚日记》,生活·读书·新知三联书店 1995 年 5 月出版)

12 日 郭小川批判会。有批判说:"毒草很多,《一个和八个》已批判,认识不够,再批判。""要害在那儿?叛徒哲学、人性论,要害、实质在于自觉地攻击无产阶级专政、肃反运动,鸣锣开道。"(《郭小川全集》第 12 卷,广西师范大学出版社 2000 年 1 月出版)

14 日 陈白尘日记:"上午郭小川作第三次检查,群众反映尚可。"(《牛棚日记》,生活·读书·新知三联书店 1995 年 5 月出版)

29 日 《文汇报》刊出宁宇的诗《中国桥工颂》。

6 月 郭路生(食指)作诗《等待重逢》。此诗收诗集《相信未来》,漓江出版社 1988 年 3 月出版。

1969 年 7 月

7 月 伍立宪(哑默)作诗《是谁把春天唤醒》。此诗收诗文集《乡野的礼物》,贵州民族出版社 1990 年 12 月出版。

1969年8月

15日 黄翔作诗《火炬之歌》。此诗收诗集《狂饮不醉的兽形》，1986年7月油印。黄翔说："我的房间里有个窗户靠着屋顶，我常常独自坐在屋顶上眺望远空和街道。燥热的晴空一碧如洗，往往引起我的青春心灵的骚动和遐想。楼下街道上不时出现头戴藤帽和肩扛梭镖的游行队伍，他们一边朝前走一边高呼口号：'革命无罪，造反有理！''文攻武卫，针锋相对！'一看到这情景就使我产生莫名的窒息和憎恶！……我忍不住在心里大喊大叫，而内心暴烈的呼喊化为狂飙，呼之欲出，它终于从我的口腔里蹦出来了，使我大吃一惊！屋子里一片寂静，只有我一个人。我从窗台上跳了下来，又跳了上去，一会又从窗台上跳下往床上一倒。掏出一枝烟，狠狠地吸了几口。烟头上挂着长长的烟蒂，快掉下来了，我用中指把它狠狠一弹，突然一颗火星一闪，我的脑子里刷地一亮，浑身像着了火似的猛地燃烧起来。这股火来势凶猛，越烧越大，烧得我在屋子里像头困兽似的团团直转，此时的时间是1969年8月13日上午10时。窒息中产生诗的灵感。第三天，一种鲜明的诗的形象出现了，清晰了，成熟了。我在白天打开灯，然后用黑布把灯蒙上，让一圈灯光投射在桌子上。我铺开了纸，抓起了笔，热泪纵横中一口气写出了我的《火炬之歌》，时间是1969年8月15日。"（《喧嚣与寂寞》，柯捷出版社2003年出版）

黄翔，1941年农历12月26日生于湖南武冈，祖籍湖南桂东。1952年小学毕业后失学。1956年到贵阳，在一工厂学徒，后曾在茶场当茶农、贵阳针织厂当工人。1997年旅居美国。1958年开始发表诗作，1986年自印诗集《狂饮不醉的兽形》。出版的诗集有《黄翔——狂饮不醉的兽形》(1998)、《黄翔禁毁诗选》(1999)、《狂饮不醉的兽形·受禁诗歌系列》(2002—2003)等。

8月 安源工农兵诗歌编选小组编的《红日照安源——安源工农兵诗歌选》由江西省新华书店出版。

1969年9月

6日 《文汇报》刊出仇学宝《江山万里舞红绸》、钱国梁《站在船台望北京》诗2首。

25日 《文汇报》刊出上海冶炼厂工人徐怀堂的诗《给祖国焊上金翅膀》。

30日 《红旗》1969年第10期发表哲平的文章《学习革命样板戏 保卫革命样板戏》。

30日 牛汉到湖北咸宁文化部"五七干校"劳动,至1974年末结束。牛汉说:"在古云梦泽劳动了整整五年(1969年9月30日到1974年12月29日)。大自然的创伤与痛苦触动了我的心灵。由于圩湖造田,向阳湖从一九七〇年起就名存实亡,成为一个没有水的湖。我们在过去的湖底、今天的草泽泥沼里造田。炎炎似火的阳光下,我看见一个热透了的小小的湖沼(这是一个方圆几十里的湖最后一点水域)吐着泡沫,蒸腾着死亡的腐烂气味,湖面上漂起一层苍白的死鱼,成百的水蛇耐不住闷热,棕色的头探出水面,大张着嘴巴喘气,吸血的蚂蟥逃到芦苇秆上缩成核桃大小的球体。一片嘎嘎的鸣叫声,千百只水鸟朝这个刚刚死亡的湖沼飞来,除去人之外,已死的和垂死的生物,都成为它们争夺的食物。向阳湖最后闭上了眼睛……,十几年来,我第一次感到诗在心中冲动。"(《对于人生和诗的点滴回顾和断想》,见《蚯蚓和羽毛》,人民文学出版社1986年4月出版)

牛汉,原名史成汉,1923年10月23日生于山西定襄。蒙古族。1938年初到西安,开始习作新诗,1940年发表作品。1943年考入城固西北大学外文系学俄文,次年到西安,编辑《流火》等杂志。1945年回西北大学从事学生运动。1946年4月被捕入狱,不久出狱辗转去开封做地下工作。1948年经上海到华北,在河北正定县华北大学学习和工作。这期间写下的部分诗作1948年编成诗集《彩色的生活》,1951年出版。1949年2月初到北京。1951年出版诗集《祖国》和《在祖国的面前》。1953年到人民文学出版社工作,翌年出版诗集《爱与歌》。1955年5月因"胡风反革命集团"案被拘捕。1958年恢复工作,降级使用。1969年到湖北咸宁干校劳动。1975年初回北京。1980年错案平反,重新开始发表诗作,又出版诗集《温泉》(1984)、《海上蝴蝶》(1985)、《沉默的悬崖》(1986)、《牛汉抒情诗选》(1989)、《牛汉诗选》(1998)等。1978年参加创办《新文学史料》,曾任该刊主编。1985至1986年还曾任文学期刊《中国》副主编。

9月 郭路生(食指)作诗《杨家川——写给为建设大寨县贡献力量的女青年》。此诗收《食指的诗》,人民文学出版社2000年12月出版。

秋 郭路生(食指)作诗《给朋友》。此诗收诗集《相信未来》,漓江出版社1988年3月出版。

1969年10月

1日 《文汇报》刊出松江县献诗队《喜报献给毛主席》、上海玻璃厂王森《毛泽东思想照炉台》等诗。

21日 《文汇报》刊出国棉九厂周美华《穷棒子精神永不丢》、沪东纺织机械厂龚咏燕《二十年创业炼红心》等诗。

21日 天津市文化系统革命委员会《文艺革命》编辑部《文艺革命》报第7号刊出《高举毛泽东思想伟大红旗,坚决击退方纪反革命翻案活动》专号。

28日 天津市文化系统革命委员会《文艺革命》编辑部《文艺革命》报第8号刊出诗《革命样板戏英雄人物赞》。

10月 郭路生(食指)作诗《农村"十一"抒情》。此诗收诗集《相信未来》,漓江出版社1988年3月出版。

1969年11月

4日 陈白尘日记:"自从第二批群众去干校后,我与光年又离群索居了,倒退到近乎隔离的状况,终日无所事事,精神至苦。"(《牛棚日记》,生活·读书·新知三联书店1995年5月出版)

13日 天津市文化系统革命委员会《文艺革命》编辑部《文艺革命》报第10号刊出天津饮料厂洪宣斌的诗《工农兵最爱看样板戏》。

27日 陈白尘日记:"晨,突然传来消息,说我和光年已被批准去咸宁干校了。8时半专案组的侯××果然来作正式通知，与第三批群众同行。一时惊喜交集，不知所措。立即补信给玲，又发丽梅夫妇一信。光年归家报喜，却不许留宿，夜11时半又返回，实不近人情。"（《牛棚日记》，生活·读书·新知三联书店1995年5月出版）

30日 臧克家到湖北咸宁干校。臧克家1969年12月1日致郑曼信："我于昨日到咸宁，一路平顺，昨下午、今日休息。我们早6时半起，7时早饭，7时半——8时半天天读，8时半——12时劳动，下午1时半劳动，5时收工。晚9时半熄灯。""我一切甚好，此次下来，决心在劳动中改造自己。"（《臧克家全集》第11卷第725—726页，时代文艺出版社2002年12月出版）臧克家后来说："响应伟大领袖毛主席的号召，我于一九六九年十一月三十日到了湖北咸宁干校。""这个日子，我永生不能忘。它是我生命史上的一座分界碑。这以前，我把自己局限于一个小天地里，从家庭到办公室，便是我的全部活动场所。身体萎弱，精神空虚。上二楼，得开电梯，凭打针吃药过日子。为了思想改造，为了挽救身心的危机，我下定决心，换个新环境，去尝试、锻炼。""当一脚踏在大江南岸向阳湖畔的土地上，一个完全不同的新天地展开在我的面前。眼界顿时宽大了，心境也开阔了。乍到，住在贫农社员家里，他们甘愿自己挤一点，把好房子让给我们。我们推谢，他们一再诚挚地解说：'不是听毛主席话，请也请不到你们到向阳湖来呵。'从朴素的话里听到了赤诚的心。同志们床连床的顶着头睡，肩并肩的一同劳动，心连心的彼此关怀。一切等级、职位的观念，统统没有了，大家共有一个光荣称号：'五七战士'。小的个人生活圈子，打破了，把小我统一在大的集体之中。在都会里，睡软床，夜夜失眠，而今，身子一沾硬板便鼾声大作。胃口也开了，淡饭也觉得特别香甜。心，像干枯的土地得到了及时的雨水一样滋润。"（《高歌忆向阳·序》，见《忆向阳》，北京人民出版社1978年3月出版）

11月 张建中（林莽）作诗《深秋》。此诗收诗集《我流过这片土地》，新华出版社1994年10月出版。林莽说："写一种日记性的东西，后来认为日记很危险，'文革'的经验。后来就写成诗歌。我保存下来最早的一首诗《深秋》，情调基本上还是浪漫主义。还是郭小川、贺敬之、闻捷这些人的东西穿插在里边。和五、六十年代不同在于我写得有血有肉，是一种真实心灵流露，而不是虚假的寄托。到1973年接触到黄皮书以后，才突然发生转变。我读的最早的一本是《带星星的火车票》。"（廖亦武、陈勇《林莽访谈录》，见廖亦武主编《沉沦的圣殿》，新疆青少年出版社1999年4月出版）

张建中，笔名林莽，1949年11月6日生于河北徐水。上小学时到北京。1969年去河北白洋淀插队，开始诗歌写作。1975年回北京，在中学任教。1981年到北京经济学院工作。1991年调入中国作家协会中华文学基金会文学部，1998年到诗刊社工作。出版有诗集《林莽的诗》(1990)、《我流过这片土地》(1994)、《永恒的瞬间》(1995)和诗文合集《穿透岁月的光芒》(2001)等。

1969年12月

7日 《文汇报》刊出东方红造船厂工人仇学宝、钱国梁，上海建筑机械厂工人张鸿喜的诗《金训华之歌》。

21日 天津市文化系统革命委员会《文艺革命》编辑部《文艺革命》报第15号刊出《红太阳颂》诗专版，刊有天津市海洋捕捞公司赵伏生《敬祝毛主席万寿无疆》等诗。

26日 《文汇报》刊出金瑞华的诗《毛主席啊，紧跟您就是胜利！》。

1969年 蔡其矫作诗《新叶》、《山雨》。诗均收诗集《生活的歌》，人民文学出版社1982年7月出版。

1969年 黄翔作诗《我看见一场战争》。此诗收诗集《狂饮不醉的兽形》，1986年7月油印。

1970 年

1970 年 1 月

1 日 郭小川日记:"今天已进入七十年代,很想写一首诗,但一下子结构不成,思想也不成熟,丢生了。"(《郭小川全集》第 10 卷,广西师范大学出版社 2000 年 1 月出版)

5 日 郭小川去湖北咸宁干校。郭小川 1970 年 1 月 5 日日记:"中午十时多,运行李,梅梅、小蕙送我,到车站已近十二时。""一时半开车,开学习班,学习元旦社论。"1 月 6 日,"早到武汉,下去转了一下。车误点,又在武汉等了一小时多,二时多到咸宁。""车愈南下,雪下得愈大。""住干校招待所。"(《郭小川全集》第 10 卷,广西师范大学出版社 2000 年 1 月出版)

13 日 天津市文化系统革命委员会《文艺革命》编辑部《文艺革命》报第 18 号刊出驻海洋捕捞公司军代表马国超《只等毛主席一声召唤》等诗。

30—31 日 臧克家受批判。郭小川日记:1970 年 1 月 30 日,"上午,筛沙。""下午,批判臧克家。""晚上,写了思想汇报。"1 月 31 日,"上午,批判臧克家。""下午,装车,没有几个人,劳动力差。我在那里拼命装"(《郭小川全集》第 10 卷,广西师范大学出版社 2000 年 1 月出版)。张光年 1970 年 1 月 30 日日记:"今天全连开大会批判臧克家。上午臧检查,我随批斗对象十余人到沙场劳动。下午参加大会,听革命同志批判发言。"(《向阳日记》,上海远东出版社 2004 年

5月出版）

1月 张建中（林莽）作诗《沐浴在晚霞的紫红里》。此诗收诗集《我流过这片土地》，新华出版社1994年10月出版。

1970年2月

4日 广州地区大专院校红代会《广州红代会》报第69期刊出白云农场机械厂工为农《前进,毛主席的红卫兵》、海南东路农场智青《海鹰之歌——献给战斗在海南岛的知识青年》等诗。

13日 天津市文化系统革命委员会《文艺革命》编辑部《文艺革命》报第22号刊出天津市冶金局工人调查组邹春明《紧紧握笔如握枪》等诗。

20日 郭小川日记:"上午批判臧克家；下午,发了言。""晚上,张政委动员,刮十二级台风,扫除五一六。"(《郭小川全集》第10卷,广西师范大学出版社2000年1月出版)

2月 张建中（林莽）作诗《心灵的花》。此诗收诗集《我流过这片土地》,新华出版社1994年10月出版。

1970年3月

4日 召开批斗臧克家的叛徒罪行的大会。郭小川1970年3月4日日记:"上午,开批斗臧克家的叛徒罪行的大会。""下午,到甘棠背粮食,路极难走。我背了50斤,因为小陈一记背不动,我一直同他纠缠到张家湾。后被古立高接了过去。""晚上又下雨,这雨已经下了半个月了。"(《郭小川全集》第10卷,广西师范大学出版社2000年1月出版)臧克家1970年3月6日致郑曼信:"昨天全连又对我进行了革命的大斗争、大批判（以后在排里还要经常批判,也许还在连里批）,我的问题严重,心情沉重。同志们对我的揭发批判,是对我的教育和挽救。我一定好好检查,相信群众相信党。下午2时我检查完后,又全连到甘棠去运米,我也去了,力气小,用手提包提了二十多斤,有的同志挑一百斤。"(《臧克家全集》第11卷,时代文艺出版社2002年12月出版)

21日 天津市文化系统革命委员会《文艺革命》编辑部《文艺革命》报第27号刊出大沽化工厂公红忠《抡锤的手,握紧笔》等诗。

29月 张光年日记:因雨不出工,改两餐。饭前班会学中央办公厅干校报导及调查报告。饭后全排会,讨论差距。大家对生产安排上提了不少意见和建议。晚饭后继续讨论。汤××发言中揭发我前两天在麦地锄草中漏掉半行,经她指出后我拒不承认,态度嚣张。臧克家也是这样。我接着发言,说她讲的不合事实。我讲时态度恶劣,引起革命同志义愤。陈×、孙××、葛×等同志都先后对我提出尖锐批评,同时批了臧、冯等人的劳动态度,认为是阶级斗争的表现。会后葛×找我谈话。我承认了错误。(《向阳日记》,上海远东出版社2004年5月出版)

3月 郭路生(食指)作诗《我们这一代》。此诗收《诗探索金库·食指卷》,作家出版社1998年6月出版。

1970年4月

10日 郭路生(食指)作诗《南京长江大桥——写给工人阶级》。此诗收《诗探索金库·食指卷》,作家出版社1998年6月出版。

28日 天津市文化系统革命委员会《文艺革命》编辑部《文艺革命》报第32号刊出诗专版,刊有警备区战士李钧《颂歌献给毛主席》等诗。是日该报还刊出"欢呼伟大领袖毛主席的伟大号召实现了,欢呼我国第一颗人造地球卫星发射成功"第33号诗画增刊,刊有人民汽车一厂周永森《热烈欢呼第一颗人造卫星》、天津警备区战士李钧《〈东方红〉激荡着滚滚心涛》等诗。

1970年5月

1日 《红旗》1970年第5期刊出丁学雷的文章《人民战争的壮丽颂歌——评钢琴协奏曲〈黄河〉》。文章说:"钢琴协奏曲《黄河》是根据冼星海同志的《黄河大合唱》创作的。《黄河大合唱》产生在抗日战争时期,乐曲气势雄伟,音调简明有力,它的某些段落,在广大的抗日军民中十分流传,曾在一定程度上鼓舞了中国人民的抗日斗志。

但是,原歌词也曾被塞进了叛徒、汉奸、特务王明的右倾机会主义的黑货。钢琴协奏曲《黄河》较之《黄河大合唱》,是一次新的创造和飞跃。""钢琴协奏曲中的《黄河愤》是用《黄河大合唱》中的《黄水谣》和《黄河怨》作为素材重新创作的。同《黄水谣》的歌词美化国民党统治区相反,《黄河愤》则一开始就用竹笛吹出了陕北风格的'信天游',明确地点明了这是陕北的抗日革命根据地,是延安,是解放区。从而恢复了历史的真实面目。《黄河大合唱》中的《黄河怨》,原来表现的是一个被敌寇侮辱过的妇女形象。'怨',是一个受人凌辱、走投无路、悲切茫然的形象,而今一改旧貌,突出一个'愤'字,'愤',就是化悲痛为力量,就是反抗,就是斗争! 钢琴协奏曲《黄河》以火热的无产阶级感情,表达了一个阶级的愤怒,将个人遭遇提高到一个阶级一个民族的高度,集中到阶级仇,民族恨,进行阶级斗争,民族斗争的高度。"张光年1970年6月15日日记:"上午随三排十余人到向阳区扛晚稻种和化肥。我没有扛,被分配看管东西,后把大家的东西背到桥头。在向阳区守候的时候,考虑了《黄河大合唱》歌词的一些问题,准备在班会上检查。"张光年后补注说:"看过《红旗》上的批判文章,这是必须检查的。"(《向阳日记》,上海远东出版社2004年5月出版)

20日 毛泽东发表声明《全世界人民团结起来,打败美国侵略者及其一切走狗!》。21日北京50万军民在天安门广场举行支持世界人民反对美帝斗争大会,毛泽东等出席。

28日 天津市文化系统革命委员会《文艺革命》编辑部《文艺革命》报第37号刊出天津化工厂工人田宗友《热烈欢呼伟大领袖毛主席发表了庄严声明》等诗。

1970年6月

19日 张光年日记:整天小雨不停。早上出工前有中雨,继续在稻田挠秧,进度较快。……午饭时连部宣布除少数人留工地外,其他人都回去自学,把湿衣服换下来。我在小雨中沿河边回来,花了一个半小时。下午5时,班会上讨论大批判问题。我未参加,在穿堂里读报。晚上应班长要求,写了个简短(检讨)材料《关于〈保卫大武汉〉

歌词》(《向阳日记》，上海远东出版社 2004 年 5 月出版)。

22 日　张光年日记:下午在饭厅参加全连大批判会。会上有六个发言,其中五个针对××、×××分子陈白尘的大毒草《石达开的末路》等进行了严正的批判。最后孙××同志发言,尖锐批判了《黄河大合唱》歌词,还有《在绿星旗下》、《保卫大武汉》歌词,并涉及我的其他罪行,我服服帖帖地诚恳接受对我的批判,认为是对自己的教育和挽救(《向阳日记》,上海远东出版社 2004 年 5 月出版)。孙一珍说:一天早上,我们正准备出工,连长要我留下。"一会连长走过来对我说:'今天不让你出工给你个重要任务。上边批评咱们连,只揪"五一六",不批走资派。所以我们要组织一次批走资派的全连大会,声势要大,发言要有准备、有水平。据北京专案组的消息:陈白尘的叛徒问题大部已查证落实,我们研究这个会主要是批陈白尘,准备组织四个发言;最后还要有一个批判张光年的发言,我就把这个任务交给你。'"我说不行吧,我是外单位来的,不了解作协的运动情况,更不了解张光年。连长说批什么人,谁发言,都是经过研究确定的,你不能推,并把一本很厚的有关张光年的大字报汇编交给我。我一个人留在谭家湾女宿舍翻阅这本厚厚的大字报,不知从何处下笔,直到快吃晚饭的时候,才憋出一个提纲。正在犯愁,忽然,脑子里闪出一个人,那就是冯牧。我找到冯牧"便开门见山地说:'连里要开大会批走资派,让我批张光年。我憋了一天,只拟出一个粗纲,可是《黄河大合唱》不知道该不该批？怎么批？冯牧你看怎么办？'冯牧稍稍想了一下说:'这好办,你就批他的《黄水谣》好了。'他在随口哼出'麦苗儿肥呀,豆花儿香……'这几句歌词后说:'这就是美化国统区的,他写的国统区呀,不是解放区呀！'他这一点拨,使我茅塞顿开,豁然明朗,急忙回到谭家湾,坐在床上,点上油灯连夜赶写批张光年的发言稿。次日上午一看,历史部分还比较空洞,我想再去找连长要些材料,刚出门正巧撞见张光年,张住在我隔壁,他告诉我今天要在家里写材料,因此没出工。我见只有他一个人便走进他的宿舍,干脆对他说:'连里要我批你,可我不知道怎么批你的历史,你告诉我你历史上有什么可批的？'他很从容地对我说:'历史上你批我追随王明左倾路线好了。'我感到很新鲜,很有内容,急忙抓住问他:'你追随王明路线有什么实际的东西?'我急于要完成发言稿,便认真和他聊起来。他告诉我当时毛主席的正确路线是农村包围城市,王明的左倾路线则是急于攻打大城市,因此,革命力量伤亡惨重。'在这样的时代背景下,我写过《保卫大武汉》的歌词,岂不是为王明路线唱赞歌吗?'关于这首歌和这样的认识我从来没听人说过,便追问下去,'《保卫大武汉》什么内容,你说说我好记下来。'他顺手递给我圆珠笔和纸,随即把歌词复述了一遍。我迅速的记下来,回到我的宿舍,急忙补写了批张光年历史部分的内容,然后把草稿又重抄了一遍,晚上交给连长审阅。连长看了当即肯定批判稿内容充实,符合要求,同时也提出修改意见,并强调发言时要感情充沛,不要念稿子"(《湖北咸宁干校散记》,2005年2月22日《新文学史料》2005年第1期)。陈白尘1970年6月22日日记:"上午仍出工,去向阳工地。中午食堂内贴出打倒叛徒陈某某、打倒反革命分子陈某某的标语若干张,是开斗争我的大会的模样了。""下午2时,在食堂前空场上开大会,形式上很文明,让我坐而记录,也不检讨,只简答一二句问话而已。发言者六人,前五人对我,后一人则批判张光年的《黄河大合唱》,是'陪绑'。"(《牛棚日记》,生活·读书·新知三联书店1995年5月出版)

27日 中共中央批准《北京大学、清华大学关于招生(试点)的请示报告》。《报告》规定"实行群众推荐、领导批准和学校复审相结合的办法"招收"工农兵学员"。此后,一些大学陆续恢复自"文革"开始中断的大学招生工作。

27日 臧克家致郑曼信:"我连大前天晚上开了全连大会,宣布解放了郭小川、严文井、谢冰心、张僖等五人,他们批判完结已经一年了,得到解放是意中事。我连,连我在内,问题尚未解决的尚有八人。我看到别人得到解放,想想自己的问题严重,将来能否得到宽大处理,信心越来越不足了。心情极为沉重!我半年多来,在艰苦劳动中得到锻炼,怕脏、怕苦的情况有所改进,但思想上的收获就差多了。像我这样一个人,思想改造是十分艰苦而迟缓的。"(《臧克家全集》第11卷,时代文艺出版社2002年12月出版)

28日 天津市文化系统革命委员会《文艺革命》编辑部《文艺革命》报第41号刊出解放军驻津某部齐明昌的诗《心中赞歌献给党》。

夏 牛汉作诗《鹰的诞生》。此诗初刊《哈尔滨文艺》1980年第5期；收诗集《温泉》，上海文艺出版社1984年5月出版。

1970年7月

21日 天津市文化系统革命委员会《文艺革命》编辑部《文艺革命》报第44号刊出天津化工厂工人田宗友的诗《把美帝国主义赶出亚洲》。

7月 张建中（林莽）作诗《独思》。此诗收诗集《我流过这片土地》，新华出版社1994年10月出版。

1970年8月

21日 天津市文化系统革命委员会《文艺革命》编辑部《文艺革命》报第49号整版刊出工人万洲的诗《关成富之歌》。

8月 仇学宝的长诗《金训华之歌》由上海市出版革命组出版。全诗共33章。该书《内容提要》说："这是一部叙事长诗。作品以饱满的革命激情，歌颂了革命青年的榜样——金训华在伟大的毛泽东思想的哺育下成长；歌颂了金训华的壮丽青春及其可歌可泣的英雄事迹。在创作方法上，作者作了一些新的尝试。"

仇学宝，1929年生，上海人。17岁进美商电话公司当机务员。1949年后在上海电话局、市委交通部工作。1960年调到上海作协，曾担任《萌芽》、《上海文学》编辑。1979年应上海市总工会聘请筹办《工人创作》月刊，任执行编委。1954年开始诗歌创作。

1970年9月

10日 张光年日记："早上学习二中全会公报。上午参加大队召开的庆祝大会。中午种菜一小时。下午班会上，我做了思想汇报发言。""我的发言引起革命同志们的不满，指出是对文化大革命受冲击、受审查的不满情绪的发泄，是暴露，是反扑。我在前几页记下了大家批判发言的要点。我本想深挖自己灵魂深处的阴暗反动的东西，但因立场不对头，结果恰恰暴露了自己的反动情绪；不是以批判态度对待这些消极东西，必然要引起革命同志的反感。我接受李震同志的要求，准备第二次发言，进行批判消毒。我要把这件坏事变成好事，认真批判自己，并接受大家进一步的批判帮助，作为改造自己的新起点。我此刻不是懊丧，而是觉得今天对我是一次有力的促进，促进自己清醒头脑，以积极态度接受教训。"(《向阳日记》，上海远东出版社2004年5月出版)

23日 《人民日报》刊出山西省昔阳县学大寨的调查报告并发表社论《农业学大寨》。

27日 诗人韩北屏逝世。

韩北屏，原名韩立。1914年生，江苏扬州人。1932年任《江都日报》编辑主任。1936年与路易士编辑《诗志》双月刊。抗战爆发后，创办《抗敌日报》，后转至广西、云南，曾任《广西日报》、《扫荡报》编辑主任。1940年出版诗集《人民之歌》。抗战胜利后去香港，先后任《新生日报》编辑主任、新闻学院教授。1950年到广州，任教于华南文学艺术学院。1959年任中国作家协会广东分会副主席兼秘书长，出版诗集《和平的长城》。1961年到中国作家协会工作，曾任中国作家协会对外联络委员会副主任、代主任，亚非作家会议中国联络委员会副秘书长。1980年诗集《夜鼓》出版。

9月 伍立宪(哑默)作诗《启明星》。此诗收诗文集《乡野的礼物》，贵州民族出版社1990年12月出版。

9月 张建中(林莽)作诗《明净的湖水》。此诗收诗集《我流过这片土地》，新华出版社1994年10月出版。

9月 上海市出版革命组编的诗集《颂歌献给毛主席》由该出版革命组出版。作品分为《红太阳颂》、《革命烈焰》等5辑，收上海工程机械厂谢其规《欢呼"贺电"北京来》、宁宇《中国桥工颂》、上海警备区姜金城《打败美帝野心狼——赞杨伟才》、南汇县农业局排灌所姚海红《军民并肩巡海防》等诗70首。该书《出版说明》说："在波澜壮阔的无产阶级文化大革命中，上海广大工农兵革命群众怀着深厚的阶级感情,创作出千万首诗歌,热烈歌颂我们最最敬爱的伟大领袖毛主席,歌颂战无不胜的毛泽东思想,歌颂毛主席的无产阶级革命路线的伟大胜利,抒发了他们在两个阶级、两条道路、两条路线的激烈搏斗中高昂激越的革命豪情。""这本诗歌里收编的诗,便是从文化大革命以来上海地区的大量诗歌作品中选出来的。集子分为五辑:《红太阳颂》,是对伟大领袖毛主席的颂歌;《革命烈焰》,抒写了文化大革命斗争风貌的若干侧面;《跃进浪潮》,反映了工人阶级、贫下中农狠抓革命、猛促生产的豪迈气概和工农业各条战线蓬勃兴起的生产新高潮;《英雄赞歌》,是一组革命样板戏主要英雄人物的赞诗;《紧握钢枪》,表达了全国军民在毛主席'提高警惕,保卫祖国'的伟大号召下积极备战、反帝反修的坚强决心。"

1970年10月

10月 郭小川作诗《欢乐歌》、《楠竹歌》。《欢乐歌》初刊《安徽文艺》1977年第2期,《楠竹歌》初刊《诗刊》1977年2月号,均收《郭小川诗选》,人民文学出版社1977年12月出版。

1970年11月

16日 洪为法在扬州病逝。

洪为法,1900年1月30日生于江苏扬州。1921年入武昌师范大学读书,后参加创造社。1927年回扬州,在国民党省党部工作。后到上海、山东等地,抗战爆发后去江苏泰州,抗战胜利后到江苏省教育厅和镇江文化公司工作。1948年回扬州,先后在扬州中学、扬州师专、扬州师院任教。出版的诗集有《他,她》(1928)、《这工头阿桂》(1933)。

24日 毛泽东对军队作出提倡野营拉练的批示。12月10日中共中央发出《通知》,要求大、中城市(包括省地属市)学校在寒暑假进行分期分批野营拉练。

11月 张建中(林莽)作诗《诉泣》、《秋天的韵律》。诗均收诗集《我流过这片土地》,新华出版社1994年10月出版。

1970年12月

12月 张建中(林莽)作诗《自然的启示》。此诗收诗集《我流过这片土地》,新华出版社1994年10月出版。

初冬 北京青年精神上的一个早春。"1970年初冬是北京青年精神上的一个早春。两本最时髦的书《麦田里的守望者》、《带星星的火车票》向北京青年吹来一股新风。随即,一批黄皮书传遍北京:《娘子谷及其他》、贝克特的《椅子》、萨特的《厌恶及其他》等,毕汝协的小说《九级浪》、甘恢理的小说《当芙蓉花重新开放的时候》以及郭路生的《相信未来》"(多多《被埋葬的中国诗人》,见廖亦武主编《沉沦的圣殿》,新疆青少年出版社1999年4月出版)。

1970年 蔡其矫作诗《希望》、《梦》。诗均收《蔡其矫诗选》,人民文学出版社1997年7月出版。

1970年 牛汉作诗《雪峰同志和斗笠》、《关于脚》。诗均初刊《人民文学》1982年第5期;收诗集《温泉》,上海文艺出版社1984年5月出版。

1970年 曾卓作诗《悬崖边的树》。此诗初刊《诗刊》1979年9月号,题为《悬岩边的树》,收入诗集《悬崖边的树》(四川人民出版社1981年9月出版)改为此题。曾卓说:"写这首诗的时候,我在农村劳动。有一天,我从我所在的那个小队到另一个小队去,经过一座小山的时候,看到了一棵生长在悬崖边的弯弯曲曲的树,它像火一样点燃了我的内心,使我立刻产生了一些联想,一种想象。我觉得它好像要掉入谷中去,又感到它要飞起来。这是与自己特有的心境,与自己的遭遇联系起来才会产生的联想和想象。不然,我就会毫不注意地从这棵树边走过去了。它要掉入谷中与要飞翔,都是我自己内心的感觉。同时,也流露了我内心的要求。在过去的年代中,与我的遭遇相同或相似的大有人在,所以这首诗引起了一些共鸣。"(《和大学生对话》,1986年5月10日《中国作家》1986年第3期)

曾卓,原名曾庆冠。祖籍湖北黄陂,1922年3月5日生于汉口。1936年开始发表诗歌。1938年到重庆,入复旦中学。1941年与邹获帆等创办诗刊《诗垦地》。1943年考入重庆中央大学,次年出版诗集《门》。1946年随学校复员到南京。1947年毕业回武汉,先后在私立大江中学、鸡公山中学教书,并兼编《大刚报》副刊《大江》。1949年任《大刚报》(后改名为《新武汉报》,今名《长江日报》)副社长,1953年兼任武汉市文联常务副主席。1955年因"胡风反革命集团案"被捕,保释后下放农村劳动。1961年到武汉话剧院任编剧。1979年错案平反,回到武汉市文联,任副主席,1985年当选中国作家协会湖北分会副主席,先后出版诗集《悬崖边的树》(1981)、《老水手的歌》(1983)、《曾卓抒情诗选》(1988)、《给少年们的诗》(1990)等。1994年出版《曾卓文集》3卷。2002年4月10日在武汉病逝。

1971 年

1971 年 1 月

7 日　郭小川作诗《赠友人》。此诗初刊《诗刊》1977 年 1 月号，收《郭小川诗选》，人民文学出版社 1977 年 12 月出版。

13 日　诗人闻捷在上海逝世。

我万万没有想到这竟是我们的诀别！

元月十二日，我还是见到过他的。我们坐在一排听市党代会的传达。中间只隔了几个人。我看着他，他目不斜视地盯着主席台。他的脸色发紫，嘴唇也是紫的。我担心他病了。但是，我不敢对他说一句话。我怕"眼睛"！

整整开了半天会，总算散了。一宣布散会，他站起来就走，看也不看我。我远远地尾随着他。这是星期六晚上，我无处可去，他家就是我的家啊！他是步行回家的。我也步行。我不知道身后有没有眼睛，我只想去问问他是不是病了。

走到成都路了，他头也不回地往南京路上转，根本没有感觉到我在跟着他。大概离他家还有一百米左右吧，我站住了。因为我感到一阵剧烈的头痛，更因为我犹豫了。我能嫁给他吗？不能！那么我这样的行动除了使我们永远不能摆脱痛苦以外，还会有什么结果呢？不会有结果。我必须斩断情丝，我必须和自己的感情作斗争。我命令自己：回去！回去！熬过这一阵痛苦，你就会麻木了，就不会感到痛了。

我回来了,慢慢地走了回来……

第二天,我便听到了他自杀的消息!

我好悔啊!我觉得是自己杀了他!我恨自己的怯懦和无情!后来听小妹告诉我,那天晚上他回到家里,很早就把小妹打发睡了。他喝了很多酒,但并没有醉,因为他还能够用纸条把小妹房门上的缝隙一条条贴起来,免得煤气透进去。他是用煤气自杀的。

亲爱的朋友!如果那天晚上我去看了他,这一切不是就不会发生了吗?然而我回来了!我回来了!(戴厚英《我和闻捷——致高云》,1996年9月15日《江南》1996年第5期)

闻捷,原名赵文节,1923年6月生,江苏丹徒人。小学毕业后做过学徒。抗战爆发后在武汉参加抗日救亡演剧工作。1940年到延安,经过在陕北公学学习到陕北文工团工作。1944年开始创作。1945年任《群众日报》编辑和记者组组长。1949年随军到新疆,在新华社西北总社任采访部主任。1952年调任新华通讯社新疆分社社长。1953年调任文艺报记者、人民日报特约记者。1956年出版诗集《天山牧歌》。1958年任作协兰州分会副主席,次年出版《复仇的火焰》。1961年任作协上海分会专业作家。后又有诗集《闻捷诗选》(1979)、《长江万里》(1985)等出版。

1971年2月

2月　郭路生(食指)作诗《新兵》。此诗收《食指的诗》,人民文学出版社2000年12月出版。

1971年3月

15日—7月22日　国务院召开全国出版工作座谈会。

3月　郭路生(食指)作诗《澜沧江,湄公河》。此诗收《食指的诗》,人民文学出版社2000年12月出版。

3月　工人、解放军驻北京大学毛泽东思想宣传队,北京大学革命委员会政工组编印的《千里野营诗歌选》印行。作品分为《红心永向红太阳》、《野营战士表决心》、《千里野营大课堂》、《广阔天地炼红心》、《行军路上红旗扬》、《贫下中农亲又亲》6辑,收《野营路上望韶山》、《从小不当老爷兵》、《革命战士斗志昂》、《为保卫毛主席而战斗》等诗108首。

1971年4月

12日 张光年日记:"今天是作协第一批下放咸宁的两周年纪念日,连部安排了一个很有意义的活动:动员全连人员翻沼泽地边的八亩生荒地,并进行革命传统教育。进湖后先在场院开会,请大队李详同志讲三五九旅当年在南泥湾开荒情况。讲得很好,很有教育意义。翻地时候,工地上热火朝天,干劲十足。语录声、口号声、歌唱声此伏彼起。上午休息时还开了赛诗会。"(《向阳日记》,上海远东出版社2004年5月出版)

4月 诗集《祖国,您好!》由江西省新华书店出版。收黎族苏如光《毛主席的光辉照黎家》、北京化工机修厂何玉锁《光辉灿烂的节日》、冯永杰《锤声叮当唱赞歌》、解放军某部浩华《毛主席指挥七亿兵》等诗46首(组)。该书《出版说明》说:"这本诗集里收编的诗,均是从报纸上发表的诗歌作品中选出来的。在编选过程中,我们作了一些修改和加工。"

1971年5月

9日 《文汇报》刊出允璜的诗《草房——干校诗抄之一》。

5月 龚舒婷(舒婷)作诗《寄杭城》。此诗初刊《福建文艺》1980年第1期;收诗集《双桅船》,上海文艺出版社1982年2月出版。舒婷说:"七一年五月我和一位学政治经济的大学生朋友在上杭大桥散步,他连续三天和我讨论诗与政治的问题,他思想言谈在当时每一条都够得上反革命的名册。他肯定了我有写诗的可能,同时告诫我没有思想倾向的东西算不得伟大的作品。""'那草尖上留存的露珠儿,是否已在空气中消散;江边默默的小亭子哟,是否还记得我们的心愿和向往?'回到小山村之后,我写了这首诗给他《寄杭城》发表在《福

建文艺》80.1期)。"(《生活、书籍与诗》,《福建文学》1981年第2期)

龚舒婷,笔名舒婷,女,1952年5月18日生于福建龙海。1967年厦门第一中学毕业。1969年到福建上杭县插队落户,期间开始新诗创作。1972年回厦门,先后做过泥水工、挡纱工、浆洗工、焊锡工、统计员。1980年调入福建省文联从事专业创作。1982年出版诗集《双桅船》、《舒婷顾城抒情诗选》,后又出有《会唱歌的鸢尾花》(1986)、《始祖鸟》(1992)、《舒婷的诗》(1994)等。1997年《舒婷文集》3卷出版。

5月 张建中(林莽)作诗《色彩》。此诗收诗集《我流过这片土地》,新华出版社1994年10月出版。

1971年6月

1日 沈尹默在上海病逝。

沈尹默,原名沈君默,祖籍浙江吴兴,1883年6月11日生于陕西兴安。早年留学日本。1913年起曾任北京大学、燕京大学、中法大学教授。1918年参加编辑《新青年》杂志。1929年任河北省教育厅厅长。1949年后,曾任中央文史馆副馆长。1918年1月开始发表白话新诗作品,多刊于《新青年》杂志。

6月 顾城作诗《无名的小花》。此诗收诗集《黑眼睛》,人民文学出版社1986年3月出版。

6月 中共长春第一汽车制造厂委员会工人业余文学创作小组编的诗集《白玉基石颂》由吉林人民出版社出版。作品分为《红太阳高照汽车城》、《霹雳一声天地开》、《歌唱亲人红九连》等6辑,收戚积广《祝福毛主席万寿无疆》、王方武《毛主席坐上咱"红旗"》、张殿生《车间就是反美战场》等诗77首,有《七月献歌——代序言》。《代序言》说:"我们一手握铁钳、挥钢钎,一手拿起笔来,登上上层建筑领域,占领文艺阵地。毛主席呵,是您'为工农兵而创作,为工农兵所利用'的伟大教导,给我们指引了前进的方向。我们以江青同志为榜样,向革命样板戏学习,用自己的笔参加战斗,为创造无产阶级新文艺,有热的发热,有光的发光。向阶级敌人开火,我们把诗的战鼓擂动;在抓革命促生产的会战中,我们把诗的号角吹响!为了捍卫毛主席的无产阶级革命路线,为了巩固无产阶级专政,为了把社会主义革命进行到底,我们汽车工人的诗,要在冲天炉里燃烧,要在车刀上闪光,要在发动机里点火,要在砧子上擂响!"

6月 上海人民出版社编的诗集《千歌万曲献给党》由该出版社出版。作品分为《颂歌向着太阳唱》、《党的光辉照千秋》等5辑,收驻沪空军吴金杰《颂歌献给毛主席》、上海玻璃厂王森《红色航程这儿起——瞻仰党的"一大"会址》、上海警备区陈忠干《夜读》、宁宇《碑》等诗72首。

6月 诗集《延安儿女歌唱毛主席》由陕西人民出版社出版。收城固县宋文杰《颂歌唱给毛主席》、杨明湘《延安儿女怀念毛主席》、户县李强华《墙上挂起毛主席像》、西安王平凡《到延安去——记北京知识青年到延安插队落户》等诗50首。

夏 姜世伟(芒克)拿来一首诗。"1971年夏季的某一天对我来说可能是个重要的日子。芒克拿来一首诗,岳重的反应令我大吃一惊:'那暴风雪蓝色的火焰……'他复诵着芒克的一句诗,像吃了什么甜东西。显然,我对诗和岳重之间发生的重大关系一点预感也没有。我那时的笔记本上是隆美尔的《战时日记》和加罗谛的《人的远景》。""芒克是个自然诗人,我们十六岁同乘一辆马车来到白洋淀。白洋淀是个藏龙卧虎之地,历来有强悍人性之称,我在那里度过六年,岳重三年,芒克七年,我们没有预料到这是一个摇篮。当时白洋淀还有不少写诗的人,如宋海泉、方含。以后北岛、江河、甘铁生等许多诗人也都前往那里游历。芒克正是这个大自然之子,打球、打架、流浪,他诗中的'我'是从不穿衣服的、肉感的、野性的,他所要表达的不是结论而是迷失。迷惘的效应是最经久的,立论只在艺术之外进行支配。芒克的生命力是最令人欣慰的,从不读书但读报纸,靠心来歌唱。如果从近期看到芒克诗中产生了'思想',那一点也不足怪:芒克是我们中学的数学课代表"(多多《被埋葬的中国诗人》,见廖亦武主编《沉沦的圣殿》,新疆青少年出版社1999年4月出版)。

姜世伟,笔名芒克,1950年11月16日生于辽宁沈阳。1956年到北京。1967年毕业于北京三中,1969年到河北白洋淀插队。1976年返京到北京造纸一厂当工人。1978年与北岛创办《今天》,1980年《今天》停刊同时被所在工厂除名。出版的诗集有《阳光中的向日葵》(1988)、《芒克诗选》(1989)、《今天是哪一天》(2001)。

夏　牛汉作诗《毛竹的根》。此诗初刊《诗刊》1980年5月号;收诗集《温泉》,上海文艺出版社1984年5月出版。

1971年7月

7月　顾城作诗《生命幻想曲》。此诗初刊1979年《蒲公英》第3期;收诗集《黑眼睛》,人民文学出版社1986年3月出版。顾城说:"夏天,又一个夏天。一九七一的夏天,充满了白热的阳光。""我和父亲赶着猪走进了河湾。在这里没有什么能躲避太阳的地方。连绵几里的大沙洲上,闪动着几百个宝石一样的小湖,有的墨蓝,有的透绿,有的淡黄……我被浸湿,又被迅速烤干。在我倒下时,那热风中移动的流沙,便埋住了我的手臂。真烫!在蓝天中飘浮的燕鸥,没有一点声息。渐渐地,我好像脱离了自己,和这颤动的世界溶成一体……我缓缓站起,在靠近水波的沙地上,写下了我少年时代最好的习作——《生命幻想曲》。""这个夏天,我在阳光下收获了许多小诗。当阳光变得稀疏的时候,我便把它们集成了一束,编写了一本诗集——《无名的小花》。"(《少年时代的阳光》,《青年诗人谈诗》,北京大学五四文学社1985年出版)

顾城,1956年9月24日生于北京。1969年随父下放到山东,自习诗画。1974年返京,当过木工、翻砂工、油漆工,借调当过报刊编辑。1986年出版诗集《黑眼睛》。1987年去欧美进行文化交流、讲学活动,1988年到新西兰,被聘为奥克兰大学亚语系研究员,后辞职隐居激流岛。1993年10月8日在新西兰杀妻后自缢。1995年《顾城诗全编》出版。

1971年8月

8月　天津人民出版社编的诗集《满怀豪情唱赞歌》由该出版社

出版。收龚文兵《敬祝毛主席万寿无疆》、红阵地《老舵工》、霍平《挥笔批"刘毒"》、李钧《寄战斗的印度支那》等诗50首,有编者《编后》。《编后》说:"这本诗集共收编了天津市工农兵作者的诗歌五十首,分为三辑。""第一辑《颂歌献给毛主席》是献给我们伟大领袖毛主席和伟大、光荣、正确的中国共产党的颂歌;第二辑《毛泽东思想育英雄》歌颂了在毛泽东思想哺育下成长起来的工农兵英雄人物,反映了七十年代工农业生产的新高潮;第三辑《紧握钢枪干革命》(书内为《紧握手中枪》)表达了中国人民解放军和广大民兵积极响应伟大领袖毛主席提出的'提高警惕,保卫祖国'的号召,以'抓革命,促生产,促工作,促战备'的实际行动,支援世界革命的坚强决心。"

1971年9月

13日 林彪和叶群等乘飞机出逃,在蒙古温都尔汗机毁人亡。18日经毛泽东批准,中共中央发出[1971]57号文件《关于林彪叛国出逃的通知》。

9月 杭州市文化局革委会《向着太阳歌唱》编辑组编的诗集《向着太阳歌唱》由浙江人民出版社出版。该书1972年10月再版,收叶兆雄《红卫兵见到毛主席》、杭州建筑工程公司赵振汉《脚手架上望北京》、驻浙空军某部创作组《公社幸福歌》、浙江生产建设兵团黄亚洲《畜牧房的早晨》等诗54首,增编者《后记》。《后记》说:"经过波澜壮阔的无产阶级文化大革命运动,随着社会主义革命与建设的飞跃发展,在毛主席《在延安文艺座谈会上的讲话》指引下,革命样板戏在广大工农兵群众中大普及,群众性的革命文艺创作活动蓬勃开展,欣欣向荣。广大工农兵满怀革命激情,写下了大量的革命诗歌,歌唱伟大的领袖毛主席和伟大的党,歌唱了火热的斗争生活,反映了我们伟大时代的新面貌。为了进一步推动和繁荣群众性的革命诗歌创作,我们在去年编选出版了诗集《向着太阳歌唱》。""诗集出版后,得到了广大工农兵读者的关怀,收到了许多宝贵的意见和建议。根据广大读者的要求,我们对部分作品作了一些修改和增删,重新出版。"

1971年10月

10月 诗人穆木天在北京逝世。"'史无前例'到来后彻底不让木天工作了,家被撵出教授楼,搬到一个小房子里,彭慧1968年被揪斗后急骤病逝后,他孤单一个人。1971年10月的一天,人们想起了他,多日不见了,到他小屋一看,他早已停止了呼吸。因此,他的逝世的日子只知是十月而不知是哪一天"(戴言《穆木天评传》,春风文艺出版社1995年4月出版)。

穆木天,原名穆敬熙,1900年3月26日生于吉林伊通。1918年天津南开中学毕业后去日本留学。1920年考入日本京都第三高等学校。1921年加入创造社。1923入东京帝国大学读法国文学。1926年回国,先后在广州中山大学、北京孔德学院、天津中国学院任教。1927年出版诗集《旅心》。1929年去吉林大学任教。1931年到上海,加入左翼作家联盟。1932年与杨骚等发起成立中国诗歌会。1937年去武汉,参与创办《时调》诗歌半月刊,同年出版诗集《流亡者之歌》。1938年到昆明,次年到中山大学任教,此后主要致力外国文学作品的翻译。1942年辞聘。同年出版诗集《新的旅途》,后在桂林师院任教。1947年到上海,任教于同济大学。1949年去东北师大任教。1952年调至北京师范大学。1957年错划为右派。出版的著作除诗集外,还有大量的翻译作品。

10月 北京图书馆根据全国出版工作座谈会"关于清理文化大革命前出版的一般图书的若干意见",开放"解放后"至"无产阶级文化大革命前出版的中文社会科学图书近万种(计十五大类)",其中新诗集有:吉林人民出版社出版《越南兄弟打得好》,北京师大中文系55级5班学生集体编《毛主席颂歌》,中共鞍山市委宣传部编《钢铁工人之歌》,诗刊社编《工人诗歌一百首》,福庚《工地琵琶》,王方武《红色的铆钉》,黄声孝《站起来了的长江主人(第一部)》,李学鳌《太行炉火》,贺敬之《雷锋之歌》,雁翼《激浪集》、《白杨颂》、《彩桥》,戚积广《加热炉之歌》,孙友田《煤城春早》,严阵《红石》,蓝曼《坦克奔驰》,乔林《白兰花》,刘章《燕山歌》。所编印的《开放图书目录》说明说:"本目录'文学'类图书经工农兵、革命师生和有关出版社审查,'哲学'、'经济'、'政治'、'法律'、'历史'等类图书经北京大学哲学系,法律系,经济系,历史系审查,其余各类基本上系我馆自审。开放前,部分图书曾作适当处理,目录中未加说明。其中'文学'类图书只限在本馆阅览,概不外借(因特殊需要可凭介绍信借出)。"

1971年11月

15日 张光年日记:"下午2时,我参加了小组会。……我在发言中谈到自己对党犯罪,对不起党,对不起毛主席,可是党和革命群众仍然一而再、再而三地挽救我。文化大革命使我猛醒,五七道路使我认清今后怎么办。这次让我参加整党学习(原来没有想到),是对我的继续审查、教育和挽救。最后表明了决心。我极力抑制自己的激动情绪,谈时仍然热泪盈眶,不断夺眶而出!是感激又是惭愧!"(《向阳日记》,上海远东出版社2004年5月出版)

1971年12月

11日 张光年日记:"上午大组会,我念了发言稿。念了一小时(全文约一万二千字)。念后群众评议。参加会的二十余人,发言的十三人,有高铮、张迅达、朱革非、马季远、朱行、周明、田野、沈承宽、冯牧、张秋蕊、许翰如、周增勋、石云山等同志。意见比较集中:一、对检查本身提不出什么意见,怀疑是做文章,会检讨,是否深挖自己的思想?二、改造不主动,劳动态度差,老爷架子未放下,说明认罪不足。三、着重谈了过去在班会上、全连会上批过的事,没暴露出新的东西,等等。我认为同志们还是击中了要害,表示会后消化,以便继续检查。"(《向阳日记》,上海远东出版社2004年5月出版)

16日 《人民日报》发表短评《发展社会主义的文艺创作》。

26日 郭小川作诗《长江边上"五·七"路》。此诗初刊《北京文艺》1976年第12期,收《郭小川诗选》,人民文学出版社1977年12月出版。胡德培说:"过了不久,小川同志就创作出了一篇长诗《长江边上"五七"路》,曾贴在我们五连刚创刊不久的一期墙报上,霎时间引起众多的关注和议论。可惜,不久却遭到了严厉批评,军宣队和大队领导说他不安心走'五七'道路,一心想着回北京,有一种不正常的情绪。这是使诗人想不通的。他认为,创作是抒发自己遵循毛主席无产阶级革命路线,更好地走'五七'道路的革命感情,是很正常的,不应当受到那样的怀疑和批评。但在当时情况下,他是无法进行说理或辩护的。在屋子里,他沉默了好几天,有时夜晚也睡不着觉,一支接着一支地抽烟,而且一次吃几种不同的安眠药。有一次,我半夜醒来,还看见对面床上小川同志的烟头一明一暗地闪烁着。那一夜他几乎彻夜未眠。"(《一颗年轻的心》,李城外编《向阳情结——文化名人与咸宁(上)》,人民文学出版社1997年12月出版)

12月 郭小川作诗《祝诗》。此诗初刊《安徽文艺》1977年第7期,收《郭小川诗选》,人民文学出版社1977年12月出版。

12月 《北京新文艺》试刊第1期刊出华瑞《红太阳颂》、李学鳌《烽火台》、北京永定机械厂工人杨俊青《车灯迎彩霞》、战士李钧《军营短歌》等诗。《编者的话》说:"在毛主席的革命文艺路线指引下,在市委的关怀下,《北京新文艺》试刊第一期出刊了。这期刊登的作品,绝大部分是工农兵的业余创作,这是十分可喜的;但是,本刊无论在编辑经验方面或来稿质量方面,还都处在开初的幼芽阶段。要使这个刊物又要有大方向,又要新鲜活泼,逐渐办得好起来,就必须靠大家来办,请大家来批评。为此,我们殷切地希望得到广大工农兵群众、革命干部、革命知识分子以及各有关方面的关心、帮助和支持,积极为本刊组稿供稿,经常对本刊提出改进方案或批评意见,使这个刊物茁壮成长起来,真正办成为工农兵所利用的一个文艺阵地。"

12月 《革命文艺》试刊号以《万岁,万岁,毛主席》为总题刊出贾来宽《贫下中农心向党》等诗以及榆林子公社诗歌辑《战歌嘹亮》。

1971年 郭路生(食指)作诗《架设兵之歌》。此诗收《食指的诗》,人民文学出版社2000年12月出版。

1972 年

1972 年 1 月

1 月　张建中(林莽)作诗《凌花》。此诗收诗集《我流过这片土地》,新华出版社 1994 年 10 月出版。

1 月　《工农兵文艺》1972 年第 1 期刊出肖重声《英雄铁道兵》等诗。

1 月　《广东文艺》试刊之一刊出钟青《全世界无产阶级的歌》、沈岩《我们的朋友遍天下》等诗。

1 月　《广西文艺》1972 年第 1 期刊出柳州木材厂工人剑文、三江侗族自治县同乐公社苗红文、钦州县那庆大队社员黄立俊的长诗《韦江歌》和凤山县长洲公社班汉隆《红旗颂》、韦平选《高唱〈国际歌〉向前迈》等诗。该刊 1972 年第 2 期刊出河池地区革委会文化局写作小组的文章《数风流人物还看今朝——喜读叙事长诗〈韦江歌〉》。文章说:"无产阶级文化大革命的伟大胜利,开创了社会主义文艺的崭新局面。一个群众性的革命文艺创作运动正在蓬勃兴起,越来越多的工农兵业余作者,登上了无产阶级的革命文坛。他们满怀豪情,挥笔塑造无产阶级英雄人物,热情讴歌伟大的毛泽东思想,热情讴歌毛主席的革命路线。《广西文艺》一九七二年第一期发表的叙事长诗《韦江歌》,就是我区群众业余创作中一篇比较好的作品。""长诗以韦江歌这个先进人物的事迹作为创作的主要依据,但又不完全受真人真事的局限,进行了艺术加工和创造。作者把韦江歌的模范行为,加以提炼、集中和概括,提到路线斗争的高度上,从而塑造了无产阶级专政下继续革命先锋战士的生动形象。"

1972年初　岳重(根子)作诗《三月与末日》。此诗收郝海彦主编《中国知青诗抄》,中国文学出版社1998年2月出版。多多说:"1972年春节前夕,岳重把他生命受到的头一次震动带给我:《三月与末日》,我记得我是坐在马桶上反复看了好几遍,不但不解其文,反而感到这首诗深深地侵犯了我——我对它有气!我想我说我不知诗为何物恰恰是我对自己的诗品观念的一种隐瞒:诗,不应当是这样写的。在于岳重的诗与我在此之前读过的一切诗都不一样(我已读过艾青,并认为他是中国白话文以来第一诗人),因此我判岳重的诗为:这不是诗。如同对郭路生一样,也是随着时间我才越来越感到其狞厉的内心世界,诗品是非人的、磅礴的,十四年后我总结岳重的形象:'叼着腐肉在天空炫耀。'继《三月与末日》之后,岳重一气呵成,又作出8首长诗。其中有《白洋淀》、《橘红色的雾》,还有《深渊上的桥》(当时我认为此首最好,现在岳重也认可这首),遗憾的是,至今我仅发现岳重3首诗,其余全部遗失。"(《被埋葬的中国诗人》,见廖亦武主编《沉沦的圣殿》,新疆青少年出版社1999年4月出版)

岳重,笔名根子,1967年毕业于北京三中,1969年到河北白洋淀插队。现居美国。

1972年2月

2月　《工农兵文艺》1972年第2期刊出吴树民《高唱战歌又出发》、李善余《千年旱塬变良田》等诗。

2月　汉沽盐场诗歌编辑小组编的诗集《春从盐工心里来》由天津人民出版社出版。作品分为《盐工热爱毛主席》、《百里盐滩展宏图》等3辑,收李怀祥《毛主席接见咱盐工》、韩延功《离不开毛主席的书》、祝润功《咱是盐场装车工》、曲孟祥《革命大批判掀高潮》等诗72首,有编者《编后》。《编后》说:"这本诗集的作者,大都是第一次写诗,其中不少诗篇是在生产劳动中产生的,有的老工人,是先把诗句想好,回家口述给自己的子女,记录下来;有的随手记在香烟盒上,再请别人改正错字。虽然有些诗现在看来还比较粗糙,但他们都是通过亲身感受,用朴实的语言来表达自己的革命胸怀和思想感情,这是可贵的。为了进一步推动和繁荣群众性的革命诗歌创作,我们出版了这本诗集。我们相信经过无产阶级文化大革命锻炼的广大盐场工人,一定会通过学习马列主义、毛泽东思想,通过三大革命的战斗锻炼,通过创作实践,写出更多更好的文艺作品。"当时的评论说:"渤海湾上,百里盐滩。千百年来,盐工在这里艰辛地劳动着。在他们的生活里,没有春天,也没有诗。""'一唱雄鸡天下白。'共产党、毛主席给他们带来新的生活。现在,摆在我们面前的《春从盐工心里来》,就是汉沽盐工新创作的诗集。长满老茧的粗手,写出豪壮的诗篇;旧社会被剥削阶级极度歧视的盐工,出书啦! 咱们工人阶级,怎能不高兴,不自豪呢!?"(大沽化工厂工人评论组《渤海盐工谱新篇——评诗集〈春从盐工心里来〉》,1972年《天津文艺》试刊第1期)

2月　首钢五七干校编辑的《我们走在光辉的五七道路上——五七战士诗抄》油印发行。作品分为《颂歌献给毛主席》、《誓叫沙荒变良田》等8辑,收《五七指示是灯塔》、《紧跟毛主席向前走》、《咱为革命抬大筐》、《插秧英雄顶风战》等诗55首。

1972年3月

2日　臧克家致郑曼信:"从今天到后天,干校开三天大批判会,你可能去参加,我因值夜班,去不成,丁力去了。周明同志后天探亲回京。昨晚开全连大会,宣布冯牧解放。现在尚未解放的(中央专案的张、陈除外)只有我、丁力和雷奔了。下一个也许轮到丁力了。李季同志在大会上说:最近各报刊载了八篇解放干部落实政策的文章,我们也一定落实政策。一个一个地落实……由于种种迹象,我对个人的问题更加乐观。结果有二:一是按内部矛盾处理(性质是敌我);二是解放。两种可能均有。我相信群众相信党。对历史问题,我毫无隐瞒。"(《臧克家全集》第11卷,时代文艺出版社2002年12月出版)

3月　《北京新文艺》试刊第2期刊出李瑛的诗辑《枣林村集》,

有《"红保管"》、《摇辘轳》、《管天的哨兵》等诗。

3月　《工农兵文艺》1972年第3期刊出文星《老司机》、肖重声《军代表》等诗。

3月　《广西文艺》1972年第2期刊出李锦华《劈山开路赞》、上海江湾农机二厂工人冯永杰《老钻工》、叶子青《沸腾的山村》、解放军某部张雅歌《蓝天警戒》等诗和广西民族学院学员刘日亮、卢志恒、覃义文《不许抹煞阶级斗争——批判反动长诗〈元宵夜曲〉》及龙胜各族自治县龙坪大队党支书吴昌基《美化剥削制度就是妄图复辟资本主义——批判反动长诗〈元宵夜曲〉》、河池地区革委会文化局写作小组《数风流人物还看今朝——喜读叙事长诗〈韦江歌〉》等文。前文说："反动长诗《元宵夜曲》……以描写侗族青年罗铁塔与珍珍反抗地主包城军破坏他们的婚姻的斗争为名，打着'红旗'反红旗，极力鼓吹'同民族一家亲'，贩卖地主资产阶级人性论，掩盖阶级矛盾，取消阶级斗争，为刘少奇一类骗子复辟资本主义鸣锣开道。必须给予彻底批判。"

苗延秀，原名伍延秀，侗族，1918年11月10日生，广西龙胜人。1942年入延安鲁迅艺术学院文学系学习。1946年至1949年任《晋察冀日报》、《东北日报》、《文学战线》编辑。1951年后历任三江县副县长、广西民族学院民族问题研究室副主任、《红水河》主编、广西文联副主席、广西作家协会副主席等职。出版的诗集有《大苗山交响曲》(1954)、《元宵夜曲》(1960)、《带刺的玫瑰花》(1989)。

3月　《吉林文艺》1972年第1期刊出沈阳部队于宗信《大庆灯火》、汽车工人房德文《引松工地女焊工》、吉林市郊区革委会张满隆《春耕战鼓》、农安黄金公社社员董福山《铁姑娘打井队》等诗。

3月　井冈山地区革委会政治部宣传组编的诗集《井冈山颂》由江西人民出版社出版。

3月　陈瑞康的叙事长诗《老炉长》由江西人民出版社出版。长诗共13章，有作者《后记》。该书《内容说明》说："这部叙事诗，以山区钢厂为背景，以浇铸军区交给的战备大型铸钢件为线索，展开了钢铁战线上的两条路线斗争故事。作者以熟悉的生活、饱满的热情、生动的语言,塑造了老炉长这一钢铁工人的英雄典型,同时还刻画了钢厂党委书记黎明、军区军械主任田忠良、后勤股长李祖光、青年工人王小刚、青年技术员辛红等艺术形象。作者对长诗的结构和塑造人物方面,作了一些探讨。"

3月 张相林的叙事诗《朝阳青松》由山东人民出版社出版。长诗共10章,有《序诗》和《我们的歌》。该书《内容提要》说:"这是一部叙事诗。作者以深厚的无产阶级感情,热情地歌颂了党的好女儿毕英兰,比较成功地塑造了一个在毛泽东思想哺育下,成长起来的优秀女共产党员的英雄形象。作品充满着饱满的政治热情,有较浓厚的时代气息。"

3月 中国人民解放军工程兵政治部宣传部编的诗集《工程兵之歌》由天津人民出版社出版。收叶文福《我们在毛主席身边》、喻晓《工程兵之歌》、韩作荣《师长到工地》、朱秉龙《野营》等诗50首,有编者《后记》。《后记》说:"为了迎接伟大领袖毛主席的光辉著作《在延安文艺座谈会上的讲话》发表三十周年,我们编选了这本诗集《工程兵之歌》。""诗集的作者都是战斗在工程兵各条战线上的战士和基层干部,是业余文艺队伍中的新兵。"

3月 吉林省庆祝中国共产党诞生五十周年征文小组编的《红霞万朵——庆祝中国共产党诞生五十周年诗歌选》由吉林人民出版社出版。收驻军某部王天瑞《毛主席的声音天下传》、汽车工人戚积广《白玉基石的赞歌》、曲有源《送粮路上》、驻军某部胡世宗《战地黄花》等诗六十余首,有编者《前言》。《前言》说:"在全国人民沿着毛主席的无产阶级革命路线团结战斗、胜利前进的凯歌声中,我们编选的四本书和广大读者见面了。这四本书是:报告文学集《红日照征途》、小说、散文集《重任在肩》、诗歌集《红霞万朵》、演唱集《马蹄声脆》。""党的'九大'以来,特别是去年年初为了庆祝中国共产党诞生五十周年开展征文、文艺会演和美展三项活动以来,在毛主席无产阶级文艺路线的指引下,在大力普及革命样板戏的基础上,我省群众性的革命文艺创作运动,正在蓬勃兴起。仅征文一项,就收到各种形式的作品一万多件,其中百分之九十以上是工农兵、下乡知识青年、'五·七'

战士的作品。这四本书就是从这些来稿中选编出来的。"当时的评论说:"无产阶级的诗,是时代的号角。它要唱出我们伟大时代的时代精神,用火焰般的激情鼓舞我们去为实现共产主义而斗争。由庆祝中国共产党五十周年征文小组编辑、《吉林人民出版社》出版的《红霞万朵》,就是这样的一本诗歌选集。""《红霞万朵》在表现时代精神方面所取得的可喜成就,令人欢欣鼓舞。但是也存在一些明显的缺点。有些作品虽然选取了重大题材,但主题揭示的深度不够,还停留在生活的表象上;有的作品在人物形象塑造上,比较肤浅,显得粗糙;个别作品虽然抒发了革命感情,但因较多地使用了现成语汇,不新鲜,不活泼,以致有'标语口号式'的情形,缺乏艺术感染力。这些问题的出现,主要是由于作者深入生活不够,感受不深,没有把握住生活的本质,没有捕捉住时代的旋律,往往是稍有感触,便仓促落笔,因此不能给人留下深刻的印象。希望我们的业余作者和专业作者长期地、无条件地、全心全意地投入到火热的斗争中去,沿着毛主席的无产阶级文艺路线阔步向前,为发展和繁荣社会主义新文艺而努力创作,让无产阶级的诗花象万朵红霞绚丽地开放!"(吉林师大农场评论组《万朵红霞映朝晖——读诗集〈红霞万朵〉》,1972年11月《吉林文艺》1972年11月号)

3月 诗集《向阳歌》由黑龙江人民出版社出版。收王书怀《毛主席的光辉照边疆》、满锐《冲啊,世界的主人!》、谢文利《党课》、林万春《煤海紧连着中南海》、陈景文《公社好比出征的船》、王智《毛主席啊,边防战士向您宣誓》等诗140首,有编者《序》。《序》说:"我们地处反帝反修前线的黑龙江省广大工农兵和革命文艺工作者,为庆祝中国共产党诞生五十周年,以满腔的革命激情唱出了《向阳歌》。""《向阳歌》是在毛泽东思想光辉照耀下,在机床旁、在地头上、在练兵场上写成的。尽管它还不像刚车好的工件那样精致闪光,不像刚锄过的田垄那样清新秀美,但每一行、每一字都饱含着我们对党对毛主席无比浓厚的感情。"

1972年4月

4月　《革命文艺》试刊第2期刊出陈广斌《边疆春色》、王维章《乌兰额木其》、贾勋《迎春曲》等诗。

4月　《工农兵文艺》1972年第4期刊出孙扬《架桥工人》、谢克强《夜锤》等诗。

4月　《吉林文艺》1972年第2期刊出延边文工团（朝族）韩东吾《万筏颂歌迎朝霞》、李占学《书记的日记》、驻军某部宋协龙《夜过鹰嘴峰》等诗。

4月　绥化地区革命委员会文教局编的诗集《诺敏河畔新歌》由黑龙江人民出版社出版。

4月　徐州市工人写作组编的诗集《迎着朝阳唱赞歌》由江苏人民出版社出版。

4月　李钧的诗集《军号声声》由天津人民出版社出版。作品分为《草原哨兵》、《野营路上》等3辑，收《站在边疆唱颂歌》、《听我唱支行军歌》、《迎着风雨去打靶》、《寄战斗的印度支那》等诗51首。

李钧，1949年4月生于河北康保。1968年参军，历任战士、干事、文工团创作员，现任北京军区政治部创作室创作员。1970年开始发表新诗，出版的诗集还有《山海情怀》（1977）、《细泉集》（散文诗集，1991）、《绿树与红鸟》（1996）等。

4月　李瑛的诗集《枣林村集》由北京人民出版社出版。收《初进枣林村》、《试水》、《锄地小唱》等诗54首。该书《内容提要》说："这些诗篇，描绘了在毛主席革命路线指引下，当前我国社会主义农村涌现出来的新人新事新气象。""作者通过对枣林村的阶级斗争和枣林村人战天斗地、热火朝天的劳动场面的描写，生动地刻画了支农的人民解放军、老支书、老队长、保管员、插队知识青年以及农村人民公社广大社员中各种先进人物的形象，反映了我国农村广大贫下中农在社会主义革命和社会主义建设中的英雄气概和他们丰富多彩的斗争生活。""作品富有农村生活气息，意境清新，语言简练、形象。"当时的评论说："在毛主席'希望有更多好作品出世'的号召下，社会主义文艺的百花园里新花怒放，作为时代号角的诗歌，也呈现出繁荣的局面。李瑛的诗歌《枣林村集》（北京人民出版社出版）就是近年来诗歌创作的可喜收获之一,值得向广大读者推荐。""这个集子,共收作者五十四首短诗。这些诗篇描绘了在毛主席革命路线指引下,当前我国社会主义农村涌现出来的新人新事新气象。经历了无产阶级文化大革命战斗洗礼的我国农村发生了翻天覆地的变化。这种变化最根本的标志,就是广大干部和贫下中农阶级斗争、路线斗争和继续革命觉悟的空前提高,表现出前所未有的'精神振奋,斗志昂扬,意气风发'。作者描写的枣林村,正是我国社会主义新农村的一个缩影。在作者笔下,生动地展示并热情地歌颂了各种先进人物的形象:支农的人民解放军、老支书、老队长、饲养员、保管员、红小兵、老妈妈以及插队知识青年等。他们各自的职责不同,但在革命和生产中都表现出了革命的英雄气概和崇高的精神境界,他们促使社会主义新农村日新月异的变化。"(徐振辉《枣林人歌动地诗——评〈枣林村集〉》,1972年12月《北京新文艺》试刊第5期)

　　李瑛,祖籍河北丰润,1926年12月8日生于辽宁锦州。1943年开始习作诗文,次年与同学合出诗集《石城底青苗》。1945年考入北京大学文学院中国语文学系。1949年参加中国人民解放军,随军南下,任新华社部队总分社记者。1950年回北京,到解放军总政治部工作。1955年以后,历任解放军文艺社编辑、副社长、社长,总政治部文化部副部长、部长,中国文联副主席等职。出版的诗集还有《野战诗集》(1951)、《寄自海防前线的诗》(1959)、《静静的哨所》(1963)、《红花满山》(1973)、《难忘的一九七六》(1977)、《在燃烧的战场》(1980)、《江和大地》(1986)、《多梦的西高原》(1991)、《生命是一片叶子》(1995)、《我的中国》(1998)等。

1972年5月

　　1日　《解放军文艺》复刊,1972年5月号以《战士心中的歌》为总题刊出杨德祥《站在大桥望日出》、宋绍明《列车开北京》、时永福《伟大号召照前程》等诗;以《野营千里红旗飘》为总题刊出陈广斌《千山万水炼红心》、李存葆《野炊》、韩作荣《访磨刀人》等诗;刊出的诗还有王石祥《塞上铁骑》、张力生《写在波山浪谷间》、叶文福《工程兵生活短曲》等。该刊《稿约》说:"本刊为综合性文艺月刊,贯彻执行毛主席的无产阶级文艺路线,坚持为工农兵、为社会主义、为无产阶级政治服务的方向,为发展社会主义的文艺创作,为繁荣我军群众性的革命文艺创作而努力。""本刊欢迎下列稿件:""一、内容革命、形式健康的短篇小说、散文、报告文学、诗歌、戏剧、故事、曲艺等作品。要求:""1.以浓厚的无产阶级感情热情歌颂伟大领袖毛主席,歌颂伟大、光荣、正确的中国共产党,歌颂毛主席的无产阶级革命路线的伟大胜利;""2.以革命样板戏为榜样,努力塑造工农兵英雄人物,特别是战斗在各种岗位上的忠于人民、忠于党、坚决贯彻执行毛主席无产阶级革命路线的我军英雄人物;""3.以路线为纲,反映半个世纪以来,在我党领导下的我国人民的革命斗争,特别是无产阶级专政下继续革命的斗争,反映我军沿着毛主席指引的方向,团结战斗、胜利前进的斗争生活和民兵斗争生活。""二、革命的战斗的群众性文艺评论,如学习马克思列宁主义文艺理论、毛泽东文艺思想的体会;学习革命样板戏创作经验的体会;用马克思主义理论指导研究社会主义文艺创作问题,深入批判刘少奇一类骗子所散布的反马克思主义观点和修正主义文艺黑线的文章以及作品评论等。"

20日 《湘江文艺》1972年第1期刊出振扬、石太瑞《沿着毛主席的文艺路线前进》和工人罗子英《我们要做天下的主人》、工人田章夫《加油》等诗。

22日 《人民日报》刊出新华社通讯员、新华社记者的报道《淀上渔歌——记白洋淀渔民诗人李永鸿》。报道说:"共产党员李永鸿,是河北省安新县白洋淀的一位渔民诗人。他坚持业余创作,写了许多诗歌,并亲自做宣传鼓动工作。平时,她身上总是带着一副竹板,一个小喇叭筒。淀上、村头、房顶都是他的宣传阵地。社员们在看电影或开会之前,都乐意听他说上两段快板。李永鸿说:'我写的东西,就是给咱渔民听的。写好了,自己就用喇叭广播,或在船头朗诵,也有的登在队里的黑板报上。群众欢迎,能鼓舞大家的斗志,我就打心眼里高兴,所以就越写越上劲!'李永鸿满怀激情地歌颂伟大领袖毛主席和伟大的中国共产党,歌颂毛主席的革命路线,歌颂工农兵。他的渔歌在白洋淀上广为流传，人们亲切地称他为'渔民歌手'。"

李永鸿，1921年5月18日生于河北安新。曾任农村初级社副社长、高级社渔业股长、大队治保主任、生产队长等职。1960年开始发表新诗，出版的诗集有《白洋淀渔歌》(1972)、《红菱传》(1977)。

30日 臧克家致郑曼信："李季同志明天回京，今晚来话别，谈了多时。他告诉我，我的问题，支部昨天开会已做出了结论，看口气，是内部矛盾。历史问题可以从中吸取教训。态度极好。我听了高兴极了。你和苏伊听了也一定十分高兴吧。这情况先不必外传。今天写了将近六千字的检查，三日内可赶完。交排长提意见，或再加修改，然后和群众见面，希望能一次通过。然后上报干校、省委批准。往返费时，6月底如不能批下来，但也差不多了。个别小的细节正在调查。我放心了，你们也可以放心了。感谢毛主席！感谢党！感谢革命群众！"（《臧克家全集》第11卷，时代文艺出版社2002年12月出版）

5月 《北京新文艺》试刊第3期刊出李学鳌《放歌长城岭》、房山县琉璃河中学赵日升《收麦歌》、人民解放军某部于宗信《边疆的山》等诗。

5月 《革命文艺》试刊第3期刊出《纪念毛主席〈在延安文艺座谈会上的讲话〉发表三十周年征文专辑》，刊有工人黄河《光辉的道路》、内蒙古生产建设部队旭宇、火华《知识青年战斗在边疆》等诗。

5月 《工农兵文艺》1972年第5期刊出红铁牛《修铁路》、朱秉龙《雪山顶上把根扎》等诗。

5月 《广东文艺》试刊之三以《高歌齐颂红太阳》为总题刊出王国旺《毛主席恩情与日月同光》等诗，以《大庆红旗飘粤海》为总题刊出郑南《钢城的早晨》等诗，以《大寨红花处处开》为总题刊出黄火兴《山歌出口汇成河》等诗。

5月 《广西文艺》1972年第3期刊出施彤《毛主席到我们广西来》、柳州钢铁厂工人黄钟平《冶炼》、广西军区廖维洲《海岛哨兵》等诗。

5月 《吉林文艺》1972年第3期刊出解放军某部胡世宗《万里

东风鼓征帆》、汽车工人王方武《五月之歌》、工宣队员韩明《铁匠指导编教材》等诗。

5月　武文驹的诗集《邢远长颂》由湖北人民出版社出版。

5月　呼和浩特市革命委员会纪念《讲话》办公室编印的诗集《光辉的道路——纪念毛主席〈在延安文艺座谈会上的讲话〉发表卅周年》印行。

5月　诗集《陇原新歌——甘肃省纪念毛主席〈在延安文艺座谈会上的讲话〉发表三十周年诗歌集》由甘肃人民出版社出版。

5月　诗集《颂歌献给毛主席》由辽宁人民出版社出版。

5月　李学鳌的诗集《放歌长城岭》由人民文学出版社出版。收《放歌长城岭》、《百里矿区一窗口》、《最幸福的是钻探工》、《湄公河战歌》等诗17首，有作者《后记》。《后记》说："多年以来，我曾认为：自己一直生活在工农兵的队伍里，生活在火热的斗争中，对于我们时代的英雄人物有了较深刻的理解；经历了伟大的无产阶级文化大革命，进一步提高了自己的路线斗争觉悟，也进一步认识到，自己虽然生活在工农兵中间，对于我们时代的英雄人物理解得还很不深刻。为了解决这一根本问题，遵照毛主席关于'学习马克思主义，不但要从书本上学，主要地还要通过阶级斗争、工作实践和接近工农群众，才能真正学到'的伟大教导，一九六九年五月，我又背起行装，来到雄伟的万里古长城岭下，来到经过无产阶级文化大革命战斗洗礼的采矿工人和钢铁工人中间。在丰富多彩的斗争生活中，我又结识了一批用马列主义、毛泽东思想武装起来的新的英雄人物……我在同他们一起学习毛主席著作，一起参加阶级斗争，一起参加采矿、炼钢和轧钢劳动的过程中，使我对于'人民，只有人民，才是创造世界历史的动力'的伟大真理，有了进一步的理解。他们那种忠于党、忠于人民、为了执行和捍卫毛主席革命路线而战天斗地、英勇顽强的无产阶级革命气魄，深深地激动着我，教育着我，鼓舞着我。两、三年来，在沸腾的采矿工地，在钢花怒放的炼钢炉旁，在金龙飞窜的轧钢机前，在运送矿石和钢材的车厢里，我一面和英雄们共同战斗，一面从他们当中采掘着诗的'矿石'，采集着诗的'钢花'，又一面把它们写成诗的草稿,发表在黑板报上或记在笔记本上。选在这个诗集中的主要作品,就是在去年十一月到今年三月间,从那些诗草中整理出来的一部分。"当时的评论说:"诗集《放歌长城岭》充满着强烈的时代气息,蕴含着饱满的革命激情。诗集中,作者在题材的选择和开掘方面,在塑造无产阶级英雄典型的艺术表现方面,在运用相应的艺术手法表现革命的政治内容方面,都有比较成功的探索,显现出经过无产阶级文化大革命,诗歌创作的一些新特点。"(吴功正《笔蘸浓情谱诗章——评〈放歌长城岭〉的艺术特色》,1973年7月10日《北京文艺》1973年第3期)

李学鳌,1933生于河北灵寿。1947年在晋察冀边区银行印钞厂当工人。1949年后在北京人民印刷厂当工人、党委宣传部副部长。1952年发表诗作。1956年出席全国青年文学创作者会议,并到中央文学讲习所学习三个月。1962年起任中国作协北京分会专业作家。出版的诗集还有《印刷工人之歌》(1956)、《北京的春天》(1959)、《北京晨曲》(1962)、《太行炉火》(1965)、《英雄颂》(1974)、《列车行》(1976)、《乡音集》(1976)、《李学鳌诗选》(1983)、《李学鳌长诗选》(1985)等。1989年9月6日在北京病逝。

5月 安徽大学革命委员会编的《放声歌唱红太阳——殷光兰民歌选集》由安徽人民出版社出版。作品分为《红太阳颂歌》、《翻身歌》等4辑,收《毛主席送我上讲台》、《是党给我一支笔》、《公社花开香万里》等民歌70首,有编者《前言》和殷光兰的文章《毛主席光辉的〈讲话〉照亮了我前进的道路》。《前言》说:"殷光兰同志是我省优秀女民歌手,现任我校中文系兼职教员。二十年来,她在毛主席的光辉文艺思想的哺育下成长,在两个阶级、两条路线的激烈斗争中前进。她深深扎根于阶级斗争、生产斗争和科学实验三大革命实践,努力学习马克思主义、列宁主义、毛泽东思想,坚持毛主席指引的文艺为工农兵服务的方向,与广大工农兵群众同呼吸,共命运。积极从事业余文艺创作,她以饱满的政治热情,放声歌唱中国共产党和毛主席,歌唱毛主席的革命路线,歌唱社会主义革命和社会主义建设的伟大成就;为执行和捍卫毛主席的革命文艺路线作出了出色的成绩。""这本民歌选集是在毛主席革命文艺路线的指引下,由我校中文系师生选编的。共选了殷光兰同志一九五八年以来发表于各种报刊上的民歌七十首。选编时,由殷光兰同志作了一些修改。编成后,曾得到郭沫若同志的关怀和支持。郭沫若同志在百忙中亲自审阅、修改了这本民歌集,题写了书名,并复信我校革委会和殷光兰同志。这是对我们很大的鼓励。"

殷光兰,女,1935年生,安徽肥东人。幼时父母早逝,被迫当童养媳,放牛学会许多民歌。1955年发表第一首民歌,曾参加全国青年创作积极分子会议。

5月 湖南省《工农兵文艺》编辑组、湖南人民出版社编辑组编的诗集《长岛人歌》由湖南人民出版社出版。收土家族颜家文《赞歌颂党情满怀》、解放军某部曾凡华《政委上山来》、工人田章夫《眼望着祖国的地图》等诗44首,有编者《编后》。《编后》说:"今年五月,是伟大领袖毛主席的光辉著作《在延安文艺座谈会上的讲话》发表三十周年。湖南省革命委员会发出了征文通知,广大工农兵业余作者和专业文艺工作者积极响应,创作出了一批较好的作品,一个群众性的革命文艺创作运动的高潮正在形成。""诗集《长岛人歌》,收集了征文中和近年来较好的诗作四十多首。"

5月 武汉市革命委员会文教局编的《工农兵诗选》由湖北人民出版社出版。当时的文章说:"这本诗选收集的四十余首诗,是工农兵火热战斗生活的画卷,是我们英雄时代的颂歌。这些诗,有的歌唱'手托千山送高炉'的矿工,有的赞美'喝令河水爬山坡'的公社社员,有的描绘'千里野营大别山'的战士,有的颂扬走在'五·七'道路上'继续革命不停步'的老干部等等。这些诗作者,置身于革命的洪流中,触景生情,浮想联翩,从多方面抒发了对党和毛主席的热爱,刻画了沿着毛主席革命路线前进的工农兵群众的精神面貌。""当然,这本诗集也存在着一些不足之处,如有的诗构思比较一般,艺术形象还不丰满结实,有的语言欠生动形象。我们相信工农兵业余诗作者,在毛主席革命文艺路线指引下,努力'学习马克思列宁主义和学习社会',一定能写出思想性与艺术性高度结合的好诗来。"(武大中文系工农

兵学员齐林戟《工农兵战斗生活的画卷》，1972年12月17日《长江日报》）

  5月 重庆市纪念毛主席《在延安文艺座谈会上的讲话》发表三十周年办公室编印的诗集《红岩村颂——纪念毛主席〈在延安文艺座谈会上的讲话〉发表三十周年》印行。作品分为《红岩村颂》、《三月的阳光》2辑，收徐国志《号外声声》、任耀庭《战士的怀念》、彭斯远《难忘的春天》、雁翼《山城的怀念》等诗86首，有编者《前言》。《前言》说："为了纪念毛主席《在延安文艺座谈会上的讲话》发表三十周年，在市委和市革委的领导下，我们从去年十一月开始，广泛发动本市工农兵业余作者和专业作者创作歌颂毛主席两次到重庆的伟大革命实践的诗歌。在发动群众开展创作活动的过程中，各区、县和毛主席视察过的重钢、建设、长航等单位，普遍举办了短期创作学习班。广大工农兵业余作者和专业作者怀着对毛主席深厚的无产阶级感情，结合当前的'批修整风'运动，学习了毛主席《在延安文艺座谈会上的讲话》和有关重庆谈判的光辉著作，搜集了有关资料，进行了社会调查，从而进一步提高了我们编辑、创作人员的路线斗争觉悟。开展创作活动的过程，也是我们编辑、创作人员不断提高路线觉悟的过程。开始创作活动以来，广大工农兵业余作者和专业作者，积极投入创作活动，在短短几个月中，就创作了一千多首诗。我们从中选出了八十余首，进行加工修改，编成诗集《红岩村颂》，作为向毛主席《在延安文艺座谈会上的讲话》发表三十周年的献礼。"

  5月 南通市创作办公室编印的《江海春潮——南通市工农兵诗选》印行。收天生港发电厂机修甲班工人创作组《夜读》、国棉二厂创作组《老验布工》、苗春《焊枪一挥天地惊》等诗54首，有编者《编后》。《编后》说："为迎接毛主席的光辉著作《在延安文艺座谈会上的讲话》发表三十周年，在市委、市革委会的领导下，我市群众性的写诗、献诗活动正沿着毛主席的革命文艺路线更加广泛地展开。继去年选编的《心中的歌儿向党唱》诗集以后，我们又从近一年来工农兵来稿中选编成《江海春潮》这本诗集，以资内部交流。"

  5月 《毛主席引来幸福水——安徽诗歌集》由安徽人民出版社

出版。收女民歌手姜秀珍《毛主席就是红太阳》、解放军某部牛广进《哨所门前一棵松》、陶保玺《"女矿工"》、刘祖慈《十月的高空,阳光灿烂》等诗42首。

5月 延川县革命委员会政工组编的诗集《延安山花》由陕西人民出版社出版。收艾歌延《工农兵定弦我歌唱》、闻频《毛主席当年到咱村》、曹谷溪《"复电"光辉照延安》、陶正《宝塔歌》等诗41首,有《出版说明》。《出版说明》说:"这是一本延川县工农兵和干部创作的诗歌集。诗歌以浓郁的陕北民歌色彩,热情洋溢地抒发了具有光荣革命传统的延安人民对伟大领袖毛主席,对伟大、光荣、正确的中国共产党的深厚的无产阶级感情;反映了延安人民在毛主席一九四九年十月二十六日给延安和陕甘宁边区人民复电的鼓舞下,'发扬革命传统,争取更大光荣',在继续革命的大道上奋勇前进的精神风貌。"当时的评论说:"在艺术上,《延安山花》以其浓郁的生活气息,生动质朴的群众语言,陕北人民喜爱的民歌色彩吸引我们。值得注意的是,由于作者们大多是延川县的工农业余作者,毛主席在陕北的伟大革命斗争实践,光荣的延安革命传统,对他们教育很深。特别是经过无产阶级文化大革命的锻炼,他们对党和毛主席更加热爱,阶级斗争和路线斗争觉悟不断提高,因此,他们的诗歌,特别是那些歌颂党和毛主席的作品,感情非常亲切、真挚、深厚,具有较强的艺术感染力。"(刘羽升《陕北人民心里的歌——读诗集〈延安山花〉》,1973年9月《陕西文艺》1973年第2期)

5月 《阳光灿烂照征途——工农兵诗选》由人民文学出版社出版。收北京大学工农兵学员徐刚《阳光灿烂照征途》、解放军某部崔合美《韶山红日照胸怀》、上海国棉二厂陆萍《纺织厂的女民兵》、叶文福《时代的丰碑》等诗60首(组),有人民文学出版社编辑部《编后》。《编后》说:"当前,在毛主席的革命文艺路线指引下,一个以工农兵为主体的群众性革命文艺创作运动正在蓬勃兴起。""为了迎接毛主席的光辉著作《在延安文艺座谈会上的讲话》发表三十周年,为了进一步推动工农兵群众革命文艺创作的发展,我们编选出版了这本工农兵诗歌集。""这本诗集的作者,都是战斗在三大革命斗争第一线的广大工农兵群众和革命知识青年。他们所写的这些诗歌,热情地歌颂了毛主席无产阶级革命路线的伟大胜利,反映了我们社会主义祖国到处热气腾腾、欣欣向荣的大好形势"。当时的评论说:"今年以来,各地陆续出版了一些工农兵诗集,显示出工农兵群众的诗歌创作,在毛主席无产阶级文艺路线指引下正进一步走向繁荣。《阳光灿烂照征途》这部工农兵诗歌选集里,有许多思想性艺术性都比较高的诗歌,为进一步发展社会主义诗歌创作提供了许多好的经验。""革命诗歌,不论是抒情诗还是叙事诗,都要求包含深刻的革命思想,抒发革命的战斗激情,帮助人们从一个方面去具体地认识、感受生活的真理。""《阳光灿烂照征途》这个集子里许多比较优秀的诗篇,不仅给我们提供了一幅幅工农兵火热斗争生活的生动图画,而且蕴含着一股比较深刻的思想力量和革命激情。读了使我们激动,也引起我们的深思和联想。"(吴笛《歌唱我们伟大的时代——评工农兵诗选〈阳光灿烂照征途〉》,1972年10月18日《解放日报》)

5月　云南人民出版社编的诗集《云岭山茶朵朵开——工农兵文艺作品选》由该出版社出版。收昆明部队某部喻祖福《幸福泉水流向全人类》、昆明市机床维修站刘吉昌《机修工人心向党》、玉溪县北城公社社员何万德《毛主席著作认真学》、昆明部队某部高洪波《号兵之歌》等诗68首。

5月　云南人民出版社编的《云南各族颂歌一百首》由该出版社出版。收白族《颂歌声声飞北京》、瑶族《毛主席的声音最响亮》、彝族《永远留住了春天》等诗100首,有编者《编后记》。《编后记》说:"今年,是伟大领袖毛主席的光辉著作《在延安文艺座谈会上的讲话》发表三十周年。我们选辑了《云南各族颂歌一百首》,作为庆祝和纪念。""这些颂歌,大多是从无产阶级文化大革命以来报刊上发表的作品中选出来的;同时也从解放以来云南民歌选的各种版本中,吸取了一部分比较好的民歌。在编选过程中,我们在文字上作了些修改。"

5月　陕西人民出版社编的诗集《战斗的春天》由该出版社出版。收原军《祝福毛主席万万岁》、西安机床精密零件厂工人张郁《师傅的臂膀》、宋文杰《丰收序曲》、吴树民《〈国际歌〉越唱越响亮》等诗

55首。该书《出版说明》说:"选编在本集的五十多首诗,是我省工、农、兵、干部、知识分子一九七一年内和一九七二年初写的。这些诗作,以饱满的无产阶级革命激情,歌颂了伟大领袖毛主席和伟大、光荣、正确的中国共产党;歌颂了毛主席无产阶级革命路线的伟大胜利;描绘了我省各条战线上抓革命,促生产,促工作,促战备的辉煌图景。""本集中有些诗,曾在报纸上发表过,这次选编时有所修改。"当时的评论说:"阅读这本诗集,使人精神奋发。以昂扬的革命激情,歌颂伟大领袖毛主席和共产党,抒发广大工农兵群众沿着毛主席革命路线胜利前进的壮志豪情,构成了这本诗集的主调。工农兵作者根据自己的生活感受,运用不同的艺术构思和表现手法,使这一主题得到了富有诗意的表现。"(武原《工农兵挥笔诗花开——试评诗歌集〈战斗的春天〉》,1973年2月4日《陕西日报》)

1972年6月

1日 《解放军文艺》1972年6月号刊出李瑛的组诗《我们时代的巨流》;并以《战斗的岗位战斗的歌》为总题刊出杜志民《团长灯下学马列》、喻晓《咱师长》、崔合美《师长拉犁》等诗。

19日 栗世征(多多)开始新诗写作。"6月19日,送友人去北京站回家路上我得句:'窗户像眼睛一样张开了',自此,我开始动笔,于1972年底拿出第一册诗集。徐浩渊在我完成前闻讯对我说:'听说你在"攒诗",让我看看。'这不但是她一人所见,在于我一直对思想感兴趣。因此,彭刚的反应是:你写的诗比你讲的好——你讲的都太对!依群的反应和岳重差不多,暧昧和不服气,但我自大狂式的雄心显然感染了他。他希望我能把诗写得朴素,感情要货真价实。同时对中国文化的命运表示忧虑——这是依群洗手不干的一个解释"(多多《被埋葬的中国诗人》,见廖亦武主编《沉沦的圣殿》,新疆青少年出版社1999年4月出版)。

栗世征,笔名多多,1951年8月28日生于北京。1969年到河北白洋淀插队,后在北京一家报社工作。1988年出版诗集《行礼:诗38首》。现居国外。2000年出版诗集《阿姆斯特丹的河流》。

30日 臧克家致郑曼、郑苏伊信:"我昨下午2时半已在全连做了检查,坐着念稿子,念得较快,一万二千字念了一个小时。念完后即散会,各班分头讨论,反映颇好。晚上小川、涂光群同志(我排排长)将讨论情况告诉了我:(1)对检查态度认为比较好。(2)对下到干校后的表现认为基本上可以。(3)对1957年放出的毒草思想检查不够。(4)对官僚地主家庭影响谈得甚少。前天在我排(二排)念了修改稿,排长、三个班长、专案组等七八位同志参加了会,我读时,曾痛哭不能自已。他们又提了一些意见,又加了修改。全连大会检查后,就完了,一次算通过了,也没批判。过一二日,稍松弛一下(这几天太紧张,身体尚可,勿念!),再将检查稿(或还有其它以前的重要性的交待)眷清(能压缩到几千字才好,实在压不了时也不限制)。现在等着最后宣布解放了。你们听了一定十分高兴!"(《臧克家全集》第11卷,时代文艺出版社2002年12月出版)

6月 《工农兵文艺》1972年第6期刊出华阴县文化馆创作组创作、魏志良执笔《选场长》等诗。

6月 《吉林文艺》1972年第4期刊出《战地黄花》专栏,刊有《大柳河工地诗歌选》。编者按:"从本期起我们开辟了《战地黄花》短诗专栏。希望各地有关部门大力协助,不断地把工农兵反映三大革命运动第一线火热斗争生活的墙头诗、板报诗……推荐给我们,共同努力,把它办好。让《战地黄花》开得更茁壮、更芬芳!"该刊1972年11月号刊出赵得身、郭松的文章《激动人心 鼓舞斗志——〈大柳河工地诗歌选〉读后》,文章说:"《大柳河工地诗歌选》(见《吉林文艺》第四期《战地黄花》)是反映英雄的海龙人民在毛主席'农业学大寨'伟大号召鼓舞下,'自力更生、艰苦奋斗'根治大柳河的火热斗争生活的组诗。诗歌的作者,以深厚的无产阶级感情,生动朴素的语言,从不同的侧面,不同的角度,热情地歌颂了在三大革命运动中涌现出来的先进人物和动人事迹,热情地歌颂了毛主席无产阶级革命路线的伟大胜利。""这些出自工农兵之手,反映工农兵自己在三大革命运动第一线火热斗争生活的墙头诗、板报诗,短小精悍,易于为工农兵所接受,是最能直接为无产阶级政治服务的文艺武器,因而最能发挥革命文艺'团结人民、教育人民、打击敌人、消灭敌人'的战斗作用。"

6月 《辽宁文艺》(试刊)1972年第1期刊出社员张崇谦《王大妈的话》、社员霍满生《社会主义好》等诗。

6月 内蒙古师范学院中文系编的《工农兵诗选》由内蒙古自治区人民出版社出版。

6月 西安铁路分局政治部编的诗集《千里铁道唱赞歌》由陕西人民出版社出版。

6月 武汉钢铁公司革命委员会政工组编的诗集《手托千山送高炉》由湖北人民出版社出版。收伍亦文《矿山战鼓》、动力部王维洲《永远战斗在毛主席身旁》、大冶铁矿盛海源《军民团结齐奋战》、工程公司鲁天贞《建矿姑娘战冰雪》等诗52首。当时的评论说:"这些作品从矿山生活的各个角度,用不同的表现手法,热情地歌颂了毛主席号召'开发矿业'的伟大胜利,批判了刘少奇一类骗子在矿业战线上大搞'无米之炊'的反革命修正主义路线。通读诗册,主题深刻,形象生动,诗情充沛,是一部具有时代精神、英雄风貌的矿工战斗诗集。""诗集证明,三大革命的风口浪尖,正是诗意最浓的地方。只有深入到工农兵斗争生活中去,注意观察一切人、一切阶级、一切群众、一切生动的生活形式和斗争形式、一切文学艺术的原始材料,把其中的矛盾和斗争典型化,努力创造诗的意境,写出作者在典型环境中的深切感受,才能使诗歌反映出来的生活'比普通的实际生活更高,更强烈,更有集中性、更典型、更理想,因此就更带普遍性'。"(黄春庭、张良火、黄治尧《沸腾的矿山 战斗的诗篇——读〈手托千山送高炉〉》,1972年12月2日《湖北日报》)

夏 牛汉作诗《夜路上》。此诗初刊《诗刊》1980年5月号;收诗集《温泉》,上海文艺出版社1984年5月出版。

1972年7月

1日 《解放军文艺》1972年7月号刊出战士李钧《高唱一曲颂党歌》、喻晓《访韶山》、牛广进《毛主席掌舵我划桨》、廖代谦《战士上韶山》、战士韩作荣《延水奔流》等诗。

1 日　《解放日报》刊出杜连义、常江的诗《庐山颂》。

28 日　张光年日记："全连奋战几天,今日早稻收割完毕。""前半夜在朦胧月下枯坐。阎纲睡不着,陪我聊天,说他(在京期间)听到中央乐团在赶排《黄河大合唱》,歌词经过修改。""有写诗的念头,还没有想清楚。"(《向阳日记》,上海远东出版社 2004 年 5 月出版)

7 月　牛汉作诗《车前草》。此诗初刊《文汇增刊》1980 年第 7 期;收诗集《温泉》,上海文艺出版社 1984 年 5 月出版。

7 月　《工农兵文艺》1972 年第 7 期以《信天游飞向北京城》为总题刊出张宣强《歌唱毛主席歌唱党》等诗。

7 月　《广东文艺》试刊之四刊出《纪念毛主席〈在延安文艺座谈会上的讲话〉发表三十周年征文作品选》,刊有工人谢作柱《毛主席呵,我们永远在您身边!》、解放军莫少云《兵歌》、工人纪虹《飞花曲》等诗。

7 月　《广西文艺》1972 年第 4 期刊出罗城县横岸学校业余写作小组《呵!时代的画屏》、宜山公路运输站黄斌《幸福水》等诗和三江侗族自治县独峒公社干部吴永金的文章《真亲假亲,阶级划分——批判反动长诗〈元宵夜曲〉》。文章说:"反动长诗《元宵夜曲》大肆宣扬地主资产阶级的人性论,胡说什么'同井饮水同条心,同一寨人亲又亲',如此等等。在阶级社会中,到底有没有这种超阶级的共同的人性?伟大领袖毛主席指出:'在阶级社会里就是只有带着阶级性的人性,而没有什么超阶级的人性。'事实正是这样。就以我个人的亲身经历来说,就是对这种超阶级的人性论的一个有力驳斥!"

7 月　《吉林文艺》1972 年第 5 期刊出吴辛《两代人的誓言》、解放军某部于宗信《战士的行军壶》、庞连玉《架子工之歌》等诗。

7 月　诗集《进军号——甘肃省纪念毛主席〈在延安文艺座谈会上的讲话〉发表三十周年文学作品选》由甘肃人民出版社出版。

7 月　浙江省纪念毛主席《在延安文艺座谈会上的讲话》发表三十周年征文办公室编的诗集《书记的斗笠——纪念毛主席〈在延安文艺座谈会上的讲话〉发表三十周年征文选》由浙江人民出版社出版。

7 月　1101 修建指挥部政治部编的《筑路人之歌——工地诗选》

由陕西人民出版社出版。

7月 贵州人民出版社编的《工农兵诗选》由该出版社出版。收李发模《毛主席万岁》、胥忠国《红军墓前》、郑之楚《苗族女民兵》、张显华《队长授我一把锄》等诗45首,有编者《编后》。《编后》说:"无产阶级文化大革命取得了伟大胜利,毛主席的革命路线深入人心,各条战线高歌猛进,革命和生产的形势热气腾腾。广大工农兵群众在抓革命、促生产的同时,拿起战斗的笔,热情地写作歌颂党和毛主席、歌颂社会主义祖国、歌颂我们伟大时代的诗篇。这些诗篇充满了战斗的激情,有浓厚的生活气息。为纪念毛主席的光辉著作《在延安文艺座谈会上的讲话》发表三十周年,我们从'征文'中挑选了一部分,编成这个集子,今后还将陆续编选出版。"当时的文章说:"读完贵州人民出版社最近编辑出版的《工农兵诗选》,深为《诗选》中所表达出来的无产阶级思想感情所感染,为诗篇中充满了高昂的战斗豪情所激动。经过无产阶级文化大革命锻炼的诗作者,特别是工农兵作者,怀着对我们伟大领袖毛主席的无限热爱,通过诗篇的题材选择和艺术构思,从各个方面体现了毛主席的革命路线的辉煌胜利,具有我们时代的鲜明特点。"(金真《喜读〈工农兵诗选〉》,1972年9月17日《贵州日报》)

7月 诗集《昆仑高歌》由青海人民出版社出版。当时的评介说:"《昆仑高歌》选收了我省文化大革命以来,特别是近几年来较优秀的诗歌六十多首。这些诗歌大都出自工农兵业余作者之手,有许多还是初学写诗的同志。在毛主席革命文艺路线指引下,近几年来,我省群众性的诗歌创作活动日益发展,涌现出了一些工农兵新作者和一批好作品。《昆仑高歌》的出版,代表了几年来我省诗歌创作的成果,显示了无产阶级占领诗歌阵地的崭新风貌。""当然,这本诗集还存在不少不足之处。有的作品挖掘不深提炼不够;人物形象和内心世界描写有点一般化,语言还不够鲜明生动等等。这些都有待于作者在今后的创作实践中改进和提高。"(秋元《青海高原的新声——介绍诗集〈昆仑高歌〉》,1972年12月5日《青海日报》)

7月 《天堑飞虹——南京长江大桥诗选》由江苏人民出版社出

版。当时的评论说:"雄伟壮丽的南京长江大桥,飞越天堑,是毛泽东思想的胜利。江苏人民出版社的诗集《天堑飞虹》,热情地歌颂了这个伟大的胜利。""打开诗集《天堑飞虹》,风雷激荡的时代气息迎面扑来,中国人民沿着毛主席革命路线胜利前进的光辉形象,屹立在我们面前。面对钢铁长虹,作者深情地唱道:'呵,新生的大桥!如果祖国大地的万千气象,是一首毛泽东思想的伟大颂歌,你呵,就是一句赞美毛泽东思想的诗行!'这些洋溢着革命激情的诗句,使我们想到,正是在毛泽东思想灿烂阳光的照耀下,我们伟大的社会主义祖国才如此欣欣向荣,蒸蒸日上,巍然屹立在世界的东方。"(陆建华《大桥,赞美毛泽东思想的诗行——诗集〈天堑飞虹〉读后》,1973年4月8日《新华日报》)

7月 原文化部五七干校政工组编辑的《向阳湖诗选》油印发行。作品分为《幸福不忘毛主席》等3辑,收四大队十四连王笠耘《幸福不忘毛主席》、一大队一连丁国成《韶山的路——瞻仰韶山抒怀》、四大队十四连丁羽《田头合唱〈红灯记〉》、二大队二十三连林谷良《雨夜巡田》、四大队五连杨匡满《送战友》等诗100首,有编者《前言》。《前言》说:"为纪念毛主席《在延安文艺座谈会上的讲话》发表三十周年和《五·七指示》发出六周年,我们编了这本诗选。收入的诗词共计一百首,按内容分为三部分:'幸福不忘毛主席','向阳山啊向阳水','向阳路越走越宽广'。第一部分主要是歌颂党和毛主席,歌颂毛主席革命路线的伟大胜利;第二部分,通过向阳湖围垦区的巨大变化,反映'五·七'战士战天斗地、刻苦锻炼的革命精神;第三部分,从干校斗争生活的各个侧面,反映'五·七'战士精神面貌的变化和无产阶级干部队伍的成长。""我校创建三年多以来,全校广大'五·七'战士认真读马、列的书和毛主席的书,在毛主席无产阶级革命路线的指引下,斗顽敌,战荒湖,奔丰收,创大业;在三大革命实践的火热斗争中,不断提高阶级斗争、路线斗争和无产阶级专政下继续革命的觉悟,思想感情正在发生着深刻的变化。他们在斗、批、改和批修整风的间隙中,在学习、劳动和工作之余,写下了大量的诗篇,歌颂毛主席和毛主席指引的'五·七'道路,记下了干校斗争生活的绚丽画卷,记下了自己在'五·七'道路上的磨练和成长。这些诗篇,或在墙报、黑板报上发表,或在田头、地边和文艺晚会上朗诵,或向全校广播,在广大'五·七'战士中起了鼓舞和教育的作用。这本诗选,就是在这个基础上编选出来的。"郑士德说:"1972年初,我被调到四大队队部搞宣传工作,同校部政工组的联系比较多。校部政工组长孟奂原任人民出版社副总编辑。出于职业敏感,他向各大队发起征诗活动。全干校人文荟萃,藏龙卧虎。不到一个月,各种体裁的诗词作品如雪片飞来。经诗人葛洛(从干校回京后任《诗刊》副主编)精心编选,干校于72年7月出了一本《向阳湖诗选》。""孟奂这位老干部坚持勤俭节约的传统,决定《诗选》的正文用油印,封面用铅印,送武汉装订成册。十一连(新华书店总店)的梁天俊,是杰出的硬笔书法家(九十年代初,他已年近古稀,仍获全国硬笔书法比赛第一名)。我推荐他刻写蜡纸,每首诗另占一页,这样,有些页码就出现空白。二十五连(人民美术出版社)的李平凡,是国内外闻名的画家,日本人特别喜爱他的版画。梁天俊请他在空白书页补画插图,来它个'画配诗'。《诗选》的封面由著名书籍装帧家曹辛之设计。梁、李二人合作得很好,花了一个多月时间精心刻绘,终于使这个油印本成为具有珍贵价值的艺术品。现在看来,《诗选》的内容尽管带有'文革'的时代烙印,但佳作多多。韦君宜等著名作家的诗,非常感人。遗憾的是,《诗选》因受油印的限制仅印400本,流传稀少。"(《几度梦回向阳湖》,见李城外编《向阳情结——文化名人与咸宁(下)》,人民文学出版社2001年2月出版)

1972年8月

1日 《解放军文艺》1972年8月号刊出张澄寰《井冈山诗草》、杨星火《雪山巡逻兵》、纪鹏《海疆军号》等诗。

8日 张光年日记:"夜值班中,考虑诗歌问题,特别是毛主席对诗歌问题的一些指示,想得很多。"(《向阳日记》,上海远东出版社2004年5月出版)

9日 张光年日记:"连日闷热,只早上睡三四小时。下午躺在床上,流汗不止,无法入眠,脊椎隐隐作疼。""夜里提前上班,同臧克家、阎纲乘凉谈诗。阎近一时方去。"(《向阳日记》,上海远东出版社2004年5月出版)

8月 《工农兵文艺》1972年第8期刊出一兵《风雨路上遇亲人》、红波《通讯兵赞》等诗。

8月 《吉林文艺》1972年8月号《战地黄花》栏刊出《铜矿诗抄》;以《战歌嘹亮军旗红》为总题刊出解放军某部胡世宗《战士深情唱井冈》、飞行员侯新民《蓝天银燕》等诗。

8月 《辽宁文艺》(试刊)1972年第2期刊出岸冈《填写入党志愿书》、解放军某部刘秋群《政委高唱〈国际歌〉》、解放军某部宋协龙《草鞋赞》等诗。

8月 中国人民解放军京字801部队、黑龙江省双城县革委会联合创作组创作,满锐执笔的长诗《关成富》由天津人民出版社出版。长诗共8章,有《序歌》、《尾歌》。当时的评论说:"关成富同志是北京部队后勤部某仓库保管股长。我省双城县人,雇农出身。一九四七年参军,南征北战,多次立功。一九六九年四月二十日,在石家庄市财贸系统支左,为群众学习毛主席著作作辅导时,牺牲在讲台上。中国人民解放军京字八〇一部队、双城县革委会组成联合创作组,由满锐同志执笔,写成长诗《关成富》。""'艺术地表现了问题的实质'是无产阶级革命导师马克思评价诗歌的一个标准。长诗《关成富》在这方面取得了可喜的成就。要成功地反映关成富战斗的一生,必须抓住问题的实质,这就是:毛泽东思想育英雄,英雄为宣传毛泽东思想、执行毛主席革命路线战斗一生。长诗调动各种艺术手段,塑造了在毛泽东思想哺育下成长的光辉的无产阶级英雄形象。""长诗的抒情语言生动活泼,人物对话也具有性格化和诗意的特点。表现了英雄的远大目标和广阔胸怀,却不使人感到概念化,英雄的音容笑貌跃然纸上。""读完这首长诗总还感到有些不满足。当读第一遍的时候,漾溢于诗中的热情不时扑面而来,颇有一股激荡人心的力量。可是当读完第二遍、第三遍合书回味的时候,就感到有一些地方在头脑中打的烙印不深。这些地方正是一些只有抒情而缺乏典型事件的地方。"

"另一方面,有的地方单纯叙述了一些事件,但抒情没上去,显得有些平淡,缺乏应有的艺术感染力量。"(任愫《革命英雄的颂歌——读长诗〈关成富〉》,1973年5月《黑龙江文艺》试刊第3期)

满锐,原名满守天,满族,1935年11月18日生于黑龙江宾县。五六十年代曾在林业系统报纸编辑文艺副刊。1972年调至黑龙江人民出版社工作。1952年开始发表新诗,出版的诗集有《岁月的回声》(1979)、《致大海》(1989)。

8月 王石祥的诗集《兵之歌》由天津人民出版社出版。收《战士爱读毛主席的书》、《雪亮的马刀》、《燕山夜哨》、《谁家住了解放军》等诗66首,有作者《后记》。《后记》说:"在欢庆伟大领袖毛主席《在延安文艺座谈会上的讲话》发表三十周年的大喜日子里,我把一九六四年出版的诗集《兵之歌》又整理编选了一下,增添了近年来的一些作品,组成了现在这个集子。""战友们告诉我,写战士诗要有战士的思想、战士的语言、战士的气魄、战士的风格。应该像钢枪、刺刀、手榴弹,短促、有力,铿铿锵锵,闪闪发亮。""连长、指导员告诉我,写战士诗首先自己要做一个真正的革命战士,要做战士的忠实代言人,表达战士对党、对毛主席、对伟大的社会主义祖国、对英雄的祖国人民的赤胆忠心。""当我捧起这些诗稿的时候,感到它的分量实在太轻。离党的要求,离时代的要求,离首长和同志们的要求,还差得很远,很远。"

王石祥,笔名石祥,1939年生于河北清河。1958年参军,曾任北京军区战友歌舞团创作员、北京军区政治部创作室主任。出版的诗集有《兵之歌》(1964)、《新的长征》(1977)、《骆驼草》(1981)等。

8月 《红霞万里——工农兵诗选》由山西人民出版社出版。作品分为《毛主席和咱心连心》、《铁人精神谱新篇》等5辑,收刘世友《毛主席引泉万里流》、梁志宏《书记领唱〈国际歌〉》、工人马晋乾《沸腾的车间》、老贫农郭楼《人老雄心在》等诗100首。该书《内容提要》说:"这本诗集,主要是从我省工农兵业余诗歌作者的新作中选出的。""这些诗篇,题材广阔,内容丰富。作者满怀深厚的无产阶级感情,从不同角度,热情歌颂了我们伟大的党和伟大的领袖毛主席。通过对工矿、农村、连队等战斗生活的描写,生动地刻画了一批闪耀着毛泽东思想光辉的工农兵先进人物形象,反映了在毛主席无产阶级革命路线指引下,我省工业学大庆和农业学大寨群众运动蓬勃发展的大好形势。""作品立意新颖,语言简练,风格朴实,富有生活气息和战斗激情。"

1972年9月

1日　《解放军文艺》1972年9月号刊出《铁道兵生活短诗》,刊有谢克强《快快抬呀》、战士李小雨《推土机手》等诗。该刊11月号刊出战士王秀国的文章《战斗生活涌新诗——读〈铁道兵生活短诗〉》。文章说:这是"一组反映铁道兵战斗生活的好诗。诗写得朴实有力,看着带劲,读着上口,我们铁道兵战士读起来感到特别亲切","读着这些情真意切、动人心弦的诗,使我们想到,只有热爱这种火热的战斗生活,真正了解革命战士的思想感情,才能从平常的斗争生活中发掘出深刻的思想含义,才能使诗具有较高的意境。脱离斗争实践,不熟悉工农兵群众,靠什么'灵感'、'思想的闪光',绝对写不出这样的诗来"。

14日　张光年日记:"下午臧克家来报喜讯,说(他的)历史问题是维持了一九五六年结论;还准备让他回京养病。他说很受感动,哭了一场,写了十几封信通知亲友。"(《向阳日记》,上海远东出版社2004年5月出版)

15日　臧克家致郑曼信:

郝金录同志宣布我的结论如下:

"臧克家同志,1956年曾做过结论,文化大革命以来,经调查,无新的发现,维持原结论。"

我不禁哭泣,做了三分钟的"表态"发言。

郝连长报告了中央对干校分配问题的口头指示。总精神是:全国干校一致,时间要迟,要搞好学习、批判、路线教育、劳动生产。看情况,半年之内,不可能分配了。

(《臧克家全集》第11卷,时代文艺出版社2002年12月出

版)

17日 《贵州日报》刊出金真的文章《喜读〈工农兵诗选〉》。

24日 黄翔作诗《长城的自白》。此诗收诗集《狂饮不醉的兽形》,1986年7月油印。

9月 《广西文艺》1972年第5期刊出澎澎《闪闪发光的二十三年》、黄本升《边寨和北京紧相连》、王一桃《归国谣》等诗。

9月 《吉林文艺》1972年9月号刊出张满隆《访大寨》、李占学《生产队人物》和解放军某部旭宇、火华《边疆新歌》等诗。

9月 《天津文艺》试刊第1期刊出刘章《治水歌》、战士李钧《渔工的手》等诗和大沽化工厂工人评论组《渤海盐工谱新篇——评诗集〈春从盐工心里来〉》、河北区工人书评组《短小的诗歌 鲜明的形象——评短诗〈老舵工〉》等文。

9月 贺敬之的诗集《放歌集》由人民文学出版社出版。收《回延安》、《桂林山水歌》、《放声歌唱》、《雷锋之歌》等诗15首。该书内容提要说:"本书于一九六一年初版。此次重版,由作者作了一些修改,并增编了《又回南泥湾》、《西去列车的窗口》、《伟大的祖国》、《不解放台湾誓不休》、《回答今日的世界》、《胜利和我们在一起》和长诗《雷锋之歌》等。"贺敬之说:"一九六九年,我被革命群众宣布'解放'。到一九七二年,人民文学出版社要再版我那本《放歌集》。告诉我这是根据周总理在出版工作会议上指示的精神,由编辑部选定的。主持此事的同志对我说:这是为解放一大批文艺书目'投石问路'。虽然这时我已经能够想到,这恐怕是不容易的事,因此我对他苦笑着说:'也许结果会是石沉海底吧!'但我当时总觉得还不至因此又重遭横祸。哪里想到,这事很快就惊动了'四人帮'的爪牙。他们把重印这本书和我不愿做'四人帮'希望我做的事联系起来,作为我'不肯转变立场'的表现,通知不许把这本书翻译成少数民族文字,不许选入语文课本,并下令组织'批判'。后来,进一步又把我作为'右倾复辟'、'黑线回潮'的重点人物进行了多番追查和围攻。最后,竟十分'荣幸'地经江青、张春桥、姚文元亲自批示对我采取措施:长期下放,监督劳动。"(《贺敬之诗选·自序》,山东人民出版社1979年12月出

版)

9月 纪鹏的长诗《铁马骑士》由天津人民出版社出版。长诗共12章,有作者《再版小序》和《后记》。该书1962年初版。《再版小序》说:"这部叙事诗已出版十年了,现在天津人民出版社根据读者的要求,又把它重新再版。""在这光辉的七十年代,重翻六十年代写成、反映五十年代中朝人民团结战斗的长诗,心情仍然是激动的、兴奋的。因为在这十年里,中朝两党、两国人民的伟大友谊和战斗团结,又有了进一步的巩固和发展。""趁长诗的再版,又做了若干补充和修改。愿将此书作为友谊的花束,献给中朝战友和人民,祝我们在反对共同敌人的长期斗争中用鲜血凝成的伟大友谊万古常青。"

纪鹏,原名纪鹏云,1927年5月31日生于吉林九台。1948年由长春学院参军,曾任解放军文艺编辑组长、解放军文艺出版社研究员。出版的诗集还有《为了金色的理想》(1959)、《蓝色的海疆》(1973)、《溪流集》(1985)、《山情·水韵》1997等。

9月 张永枚的诗集《螺号》由人民文学出版社出版。收《新春》、《骑马挂枪走天下》、《毛主席在我们中间》、《椰林深处英雄兵》等诗60余首。书前提要说:"本诗集于一九六三年初版。这次再版,又由作者作了一些修改,对原有作品抽掉了一部分,并增补了三十几首新作品。"

张永枚,1932年11月8日生于四川万县。1949年肄业于万县师范学校,参加中国人民解放军,后毕业于42军军政干部学校。次年参加抗美援朝。历任副班长,连队文化干事,文工团员,广州军区政治部创作员。1988年离休。出版的诗集还有《新春》(1954)、《海边的诗》(1955)、《骑马挂枪走天下》(1957)、《椰树的歌》(1958)、《唱社会主义》(1959)、《雪白的哈达》(1961)、《六连岭上现彩云》(1962)、《螺号》(1963)、《人民的儿子》(1973)、《西沙之战》(1974)、《前进集》(1975)、《孙中山与宋庆龄》(1984)、《画笔和六弦琴》(1989)、《张永枚诗选》(1991)、《张永枚故事诗选》(1992)等。

9月 北京大学中文系编印的《诗选》印行。收民歌《歌唱毛泽东》、李季《致北京》、陈辉《为祖国而歌》、郭小川《甘蔗林—青纱帐》、贺敬之《西去列车的窗口》等诗44首,有编者《编后》。《编后》说:"为了帮助学员学习创作,我们选印一些比较优秀的作品,供学员阅读,借鉴。""由于只考虑创作课教学的需要,所选篇目甚少。""目前选印的主要是我国当代文学作品,包括《诗选》《短篇小说选》《散文特写选》《戏剧曲艺选》各一本,文化大革命以来发表的作品单印一本。此外,选印一本外国短篇小说。共六本。"

9月 《红日照海河》编辑组编的诗集《红日照海河》由河北人民出版社出版。收申身《一轮红日照海河》、王和合《在工地上讲家史》、刘小放《激战海潮》、浪波《军民治水图》等诗83首,有《编者的话》。《编者的话》说:"一九六三年十一月十七日,伟大领袖毛主席发出了'一定要根治海河'的号令。""在这场改天换地的斗争中,同时也激发了人们的写作精神。战斗在治河第一线的工农兵革命群众、革命干部和革命工程技术人员,豪情满怀,创作了各种形式的文艺作品。此间诞生的一批批战斗诗篇,以极大的革命热情和深厚的无产阶级感情,歌颂了我们伟大的党;歌颂了我们伟大的领袖毛主席;歌颂了毛主席革命路线的辉煌胜利;歌颂了广大人民群众团结治水的英雄事迹。这些诗篇,在工地上起到了宣传群众、鼓舞斗志的作用;也有力地批判了刘少奇一类骗子的创作'需要特殊的天才'的谬论。这是毛主席革命文艺路线的胜利。"

9月 南京部队政治部宣传部编的诗集《嘹亮的军号》由江苏人民出版社出版。当时的评论说:"这本短诗集选编的八十五首短诗,以满腔的激情,清新的笔调,生动地反映了部队朝气蓬勃的战斗生活,抒发了革命战士的无产阶级的豪情壮志。这些诗篇像战斗的号角,使人精神振奋,给人鼓舞的力量。""《嘹亮的军号》是无产阶级文化大革命以来,南京部队业余作者的第一本诗集。虽然有些作品主题思想开掘得不够深刻,写作技巧也还有待于进一步提高,但是我们相信,在毛主席无产阶级文艺路线的指引下,广大的业余作者和文艺工作者们,一定能够创作出更多更好的文艺作品,把继续革命的号角吹得更响!"(邹雨善《激动人心的号声——喜读短诗集〈嘹亮的军号〉》,1973年8月5日《新华日报》)

9月 中央民族学院编的《颂歌声声飞北京——少数民族诗歌选》由人民文学出版社出版。收壮族韦信龙《壮家最爱毛主席》、维吾尔族民歌《毛主席亲,解放军好》、蒙古族松如布《太阳出来暖洋洋》、满族韩振学《我为祖国把岗站》等诗94首。当时的评论说:"少数民族诗歌选《颂歌声声飞北京》(中央民族学院选编、人民文学出版社出版),收集了蒙、回、藏、维、苗、彝、壮等三十七个少数民族的作者写的短诗九十四首。""这些飞向北京的颂歌,来自祖国的青藏高原,来自北疆的蒙古包,来自长白山麓,来自天山脚下。诗歌的作者有工人、农牧民、解放军战士和干部、教师、学生等。诗歌的格式虽然不一,作者的民族语言尽管不同,但都以炽热的感情,和谐的韵律,朴素的色调,生动的比喻,表达了各族人民对伟大领袖毛主席的和伟大的中国共产党高度崇敬的心情。""从这本少数民族诗歌选里,我们也看到了各族人民大团结,认真贯彻执行毛主席无产阶级革命路线的崭新精神面貌,体会到各族人民经过了无产阶级文化大革命的战斗洗礼,提高了阶级斗争和路线斗争觉悟。""这些诗歌主题鲜明,构思精巧,有独特的民族风味和浓郁的生活气息,在艺术创作上也取得了可喜的收获。诗歌作者们把握住少数民族的生活特点,注意运用形象妥帖的比喻、细腻感人的烘托等艺术手法,使诗既精辟,又别致。""《颂歌声声飞北京》是无产阶级文化大革命以来,我国各族人民团结、战斗、胜利的颂歌。虽然有的作品还缺乏锤炼,但总的来说,这本选集体现了少数民族诗歌创作日益繁荣的景象。我们相信,在毛主席革命文艺路线的指引下,在三大革命运动的实践中,各族歌手一定会创作出更多好的颂歌,激励全国人民奋勇前进!"(童闻《飞向北京的颂歌——喜读新出版的少数民族诗歌选》,1972年12月7日《人民日报》)

9月 第一冶金建设公司革命委员会政治部编的诗集《我为祖国走天下》由湖北人民出版社出版。收张五海《从工地到韶山》、郭才夫《我为祖国走天下》、汤世泽《女锻工》、毛诗龙《工人阶级一双手》等诗46首。

秋 流沙河作诗《M的周年祭》。此诗收《流沙河诗集》,上海文艺出版社1982年12月出版。

1972年10月

1日 《解放军文艺》1972年10月号刊出董耀章《锻工师傅》、曲有源《来自第一线的电话》、叶文福《山中路》、王维章《草原新民兵》、李瑜《开镰歌》等诗。

18日 《解放日报》刊出吴笛的文章《歌唱我们伟大的时代——评工农兵诗选〈阳光灿烂照征途〉》。

10月 《北京新文艺》试刊第4期刊出叶晓山《韶山茶》、北大工农兵学员徐刚《别韶山》、工人张宝申《好代表》、黑龙江生产建设兵团郭小林《林区新景》、郭宝臣《女儿军垦北大荒》等诗。

10月 《革命文艺》试刊第4期刊出贾勋《草原新歌》和旭宇、火华《照相》等诗。

10月 《广东文艺》试刊之五刊出郑南《三大革命的新闯将》、农民黄莺谷《老战友》、解放军瞿琮《可爱的连队》等诗。

10月 《吉林文艺》1972年10月号刊出高继恒《天安门的焰火》、林业工人李广义《送代表》、泉声《铁牛的故事》和蒙族苏赫巴鲁、武昌《草原轻骑》等诗。

10月 山东省纪念毛主席《在延安文艺座谈会上的讲话》发表三十周年办公室编的诗集《幸福泉——纪念毛主席〈在延安文艺座谈会上的讲话〉发表三十周年》由山东人民出版社出版。

10月 新疆人民出版社编的诗集《一代航线万代走》由该出版社出版。

1972年11月

1日 《解放军文艺》1972年11月号刊出李瑛的组诗《红花满山》,有《青松》、《海的怀念》、《哨所门前的河》等。

16日 《光明日报》刊出杨国安的诗《乌江小唱》。

19日 《文汇报》刊出陈忠干的诗《在广交会上》。

11月 《工农兵文艺》1972年第11期刊出史新宇《听说咱队登上报》、山婴《山里姑娘志气大》等诗。

11月 《广西文艺》1972年第6期刊出《红水河畔新歌台》新民歌12首和何津《荔枝熟了》、德保铜矿杨鹤楼《矿工赞歌》等诗。该刊1973年第2期刊出谢永进的文章《热情的颂歌 战斗的歌谣——喜读〈红水河畔新歌台〉的民歌》。文章说："《广西文艺》上《红水河畔新歌台》专栏里的民歌，是一曲曲嘹亮的赞歌，热情歌颂伟大领袖毛主席，歌颂伟大的中国共产党，歌颂毛主席革命路线的伟大胜利，歌颂社会主义和工农兵群众；又是一支支锋利的匕首和投枪，直刺美帝、苏修及刘少奇一类骗子的黑心脏。我们工农兵爱看这样的新民歌。"

11月 《吉林文艺》1972年11月号刊出工宣队员韩明《车间速写》、赵新禄《停车场上》等诗和吉林师大农场评论组《万朵红霞映朝晖——读诗集〈红霞万朵〉》，赵得身、郭松《激动人心 鼓舞斗志——〈大柳河工地诗歌选〉读后》等文。

11月 《辽宁文艺》（试刊）1972年第3期刊出张名河《向阳台畔向阳歌》、李松涛《高歌唱早春》、工人刘世玉《红色架线工》等诗。

11月 《天津文艺》试刊第2期刊出解放军某部王金海《庐山松》、柴德森《吊装队长》、刘国良《海上渔歌》等诗。

11月 李永鸿的诗集《白洋淀渔歌》由河北人民出版社出版。

11月 诗集《南粤新诗——纪念毛主席〈在延安文艺座谈会上的讲话〉发表三十周年征文选》由广东人民出版社出版。

11月 广州部队政治部宣传部编的诗集《韶山红日照胸怀》由广东人民出版社出版。

11月 纪鹏的长诗《新坦克手进行曲》由北京人民出版社出版。作品共9章。该书《内容提要》说："这是一部反映新坦克手成长的长诗。""诗中表现了在毛主席建军路线指引下，战士的阶级斗争、路线斗争、继续革命觉悟不断提高，认真看书学习，发扬革命传统，苦练杀敌本领，迅速成长为新一代的革命接班人。""作者通过富有诗意的情节，抒情的语言，刻画了李小英、指导员、师长、阿妈等感人形象，描绘了坦克部队丰富多彩的战斗生活。"

11月 孙友田的诗集《煤海放歌》由江苏人民出版社出版。收《摊开这张矿产图》、《徒弟的话》、《走进人民大会堂》、《矿山晨曲》等诗70首。该书《内容提要》说:"这本诗集,共收短诗七十首。系作者从先后出版的《煤海短歌》、《矿山锣鼓》、《煤城春早》、《金色的星》、《石炭歌》等几本诗集中选择、修订重版。""作者以'我是煤,我要燃烧!'的强烈的无产阶级感情,描绘了矿山的呼啸,煤海的欢腾,煤矿工人劈山探宝的英雄气概,万年煤层苏醒翻身的奇迹,给人留下鲜明、生动的印象。""这些诗富有浓厚的矿山生活气息,诗句洗炼,劲健。艺术感染力较强。"

孙友田,1936年1月15日生于安徽萧县。1957年淮南煤矿学校毕业后分配到徐州贾汪煤矿工作,15年后调至江苏省文化局从事专业创作。1978年任《雨花》杂志编辑,1984年到江苏省作家协会工作。1954年开始发表新诗,出版的诗集还有《煤海短歌》(1958)、《矿山锣鼓》(1960)、《煤城春早》(1962)、《石炭歌》(1964)、《花雨江南》(1979)、《孙友田煤矿抒情诗选》(1988)等。

11月 王书怀的长诗《张勇之歌》由黑龙江人民出版社出版。该书1975年8月第2版《内容提要》说:"这是一部叙事长诗。""作品运用革命现实主义和革命浪漫主义相结合的创作方法,以相当浓重的抒情笔调,热情歌颂了我国知识青年的好榜样张勇,在马列主义、毛泽东思想哺育下,在与工农结合道路上的迅速成长;刻画了在毛主席革命路线指引下,坚决与剥削阶级传统观念彻底决裂,誓为消灭三大差别、实现共产主义伟大理想英勇奋斗的中国社会主义时期革命青年一代的英雄形象。""长诗语言朴实、凝炼,风格明快,读来亲切感人。"当时的评论说:"读了王书怀同志写的长篇叙事诗《张勇之歌》,内心燃烧起一股炽热的革命火焰。作者运用热情而简洁的语言,淋漓尽致而又富有特征地描写了张勇那短暂但极丰富的斗争生活。她那积极向上、朝气蓬勃的革命精神,认真接受再教育,主动改造世界观的坚强意志,强烈地激励着我们这些知识青年读者,使我们进一步懂得什么是革命的理想,什么是真正的前途,怎样生活才最有意义,从而更加坚定了我们走与工农相结合的道路,在边疆一辈子扎根的决心。"(何志云《革命知识青年的光辉榜样——评长诗〈张勇之歌〉》,1973年7月《黑龙江文艺》试刊第4期)

王书怀，原名王树槐，1929年生，河北抚宁人。1948年参加革命。1950年在原松江省巴彦县农村小学任教，后到县文教科、文化馆做群众文艺工作。1953至1960年，先后任《松江文艺》、《黑龙江文艺》诗歌编辑，《北方文学》编委，中国作协黑龙江分会理事等。1961至1978年，从事专业创作，到绥化农村安家落户，担任县委宣传部长。1950年开始创作，出版的诗集还有《乡土集》(1957)、《扬帆集》(1958)、《桦林曲》(1959)、《山川集》(1960)、《宝山谣》(1963)、《火热的乡村》(1964)、《青纱集》(1964)、《行吟集》(1979)等。1983年逝世。

11月 浙江省纪念毛主席《在延安文艺座谈会上的讲话》发表三十周年征文办公室编的诗集《我们是开路工》由浙江人民出版社出版。收裘跃显《一轮红日韶山升》、解放军驻浙某部叶文艺《对表》、金华拖拉机修配厂吴晓《农机修理车间放歌》、张德强《大步跟上金训华》等诗98首，有编者《前言》。《前言》说："今年五月，是伟大领袖毛主席的光辉著作《在延安文艺座谈会上的讲话》发表三十周年。""为进一步发展社会主义文艺创作，使文学艺术更好地为工农兵、为无产阶级政治、为社会主义服务，为宣传和捍卫毛主席的无产阶级革命路线和巩固无产阶级专政而战斗，浙江省革命委员会政治工作组于一九七一年九月发出了关于'举办纪念毛主席《在延安文艺座谈会上的讲话》发表三十周年文艺创作征文'的通知。自征文活动开展以来，全省各级领导十分重视，各条战线的工农兵群众、革命干部和革命知识分子热烈响应，在《讲话》精神指引下，积极进行文艺创作。一个以革命样板戏为榜样的群众性的革命文艺创作运动正在兴起，一支革命化的业余和专业相结合的文艺创作队伍在逐步成长。""现从这次征文活动中涌现出来的大量作品里面，挑选了一部分，按小说、诗歌、报告文学、散文、戏剧、故事曲艺、歌曲、美术、摄影等分类编印成集，陆续出版。"

1972年12月

1日 《解放军文艺》1972年12月号以《我们是人民的工程兵》

为总题刊出峭岩《踏遍青山》、喻晓《制服地下水》、韩作荣《戈壁行军》等诗。

2日 《湖北日报》刊出黄春庭、张良火、黄治尧的文章《沸腾的矿山 战斗的诗篇——读〈手托千山送高炉〉》。

3日 《光明日报》刊出石犁的诗《草原向阳花——给牧区一位赤脚医生》。

3日 《文汇报》刊出奉贤县奉城公社徐景东《公社的棉田》等诗。

5日 《青海日报》刊出秋元的文章《青海高原的新声——介绍诗集〈昆仑高歌〉》。

7日 《人民日报》刊出童闻的文章《飞向北京的颂歌——喜读新出版的少数民族诗歌选》。

17日 《长江日报》刊出武大中文系工农兵学员齐林戬的文章《工农兵战斗生活的画卷》。

17日 《光明日报》刊出王野《党支书》等诗。

17日 《文汇报》刊出钱国梁的诗《船厂大道》。

31日 《光明日报》刊出王榕树的诗《继往开来》。

12月 郭路生(食指)作诗《吹向母亲身边的海风》。此诗收《食指的诗》,人民文学出版社2000年12月出版。

12月 《北京新文艺》试刊第5期刊出袖春(郭小川)的诗《秋收歌》和徐振辉的文章《枣林人歌动地诗——评〈枣林村集〉》。

12月 《工农兵文艺》1972年第12期刊出解放军某部谢克强《练三伏》、赵熙《南泥湾垦歌》等诗。

12月 《吉林文艺》1972年12月号刊出赵贵忠《管水员》、张红雨《乡邮员》、秋原《火红火红的高粱》等诗。

12月 勉县文化馆编的《巴山新歌》第2期刊出诗专号,刊有汉钢工人沈奇《朝晖》、沙陵《放马高歌》、庄重《丰收之夜》、战士陈明华《深夜攻读》等诗。

12月 《江海春潮——南通市工农兵诗选》由江苏人民出版社出版。

12月 黑龙江人民出版社编的诗集《北国春曲》由该出版社出版。收谢文利《火红的战旗》、鲍雨冰《夜装》、宋歌《公社女儿》、郭小林《采伐突击队》等诗102首,有编者《编后》。《编后》说:"为纪念伟大领袖毛主席《在延安文艺座谈会上的讲话》发表三十周年,我们满怀喜悦的心情,从全省征文的诗歌作品中,选编了这本诗集。诗集中,共收抒情短诗一百零一首,小叙事诗一首,绝大多数是战斗在革命和生产第一线的工人、贫下中农社员和解放军战士创作的。这些诗作,题材比较广泛,风格比较多样,语言比较生动,反映了我省工农兵业余作者和革命文艺工作者在《讲话》精神的指引下,经过无产阶级文化大革命的战斗洗礼,深入三大革命斗争实践,学习革命样板戏的创作经验,在文学创作上所取得的可喜收获,显示了工农兵群众无限的创作才能和巨大的创作潜力,同时也展示了我省革命文艺创作进一步繁荣的广阔前景。"

12月 《风展红旗——工农兵诗选》由人民文学出版社出版。收青岛卷烟厂工人纪宇《井冈山放歌》、北京大学工农兵学员徐刚《讲台》、长航宜昌港务局工人黄声笑(黄声孝)《挑山担海跟党走》、白洋淀渔民李永鸿《好鱼献给毛主席》等诗84首。

12月 上海人民出版社编的诗集《庐山颂》由该出版社出版。作品分为《颂歌高唱》、《铁人精神》等5辑,收徐刚《天安门前畅想》、朱金晨《建设者的脚印》、石一歌《在鲁迅墓前》等诗五十余首,有《后记》。《后记》说:"这本诗集,主要编选自去年六月至今年八月发表在《文汇报》和《解放日报》文艺副刊的部分诗歌。这些作品,反映了一年多来广大工农兵群众在党的思想和政治路线教育下、在三大革命运动中激发出来的政治热情,他们满怀深厚的无产阶级感情,歌颂伟大领袖毛主席,歌颂伟大的中国共产党,歌颂无产阶级革命路线的伟大胜利,抒发工业学大庆、农业学大寨的豪情壮志,反映解放军战士忠于党、忠于人民的深厚感情,欢呼革命知识青年在与工农兵相结合的道路上茁壮成长。"

12月 《挑山担海跟党走——工农兵诗选》由湖北人民出版社出版。收黄声笑(黄声孝)《挑山担海跟党走》、王老黑《毛主席恩情比天大》、李道林《赤脚医生》、雷子明《站岗站到全球红》等诗41首。

1972年 栗世征(多多)作诗《当人民从干酪上站起》、《蜜周》、《战争》、《再会》、《大宅》、《钟为谁鸣》。前三首收《里程——多多诗选》,1988年12月油印发行;后三首收诗集《行礼:诗38首》,漓江出版社1988年3月出版。

1972年 流沙河作诗《梦西安》、《锯的哲学》。诗均收《流沙河诗集》,上海文艺出版社1982年12月出版。

1972年 牛汉作诗《半棵树》。此诗初刊《文汇月刊》1986年第6期;收《牛汉抒情诗选》,青海人民出版社1989年12月出版。

1972年 岳重(根子)作诗《致生活》。此诗收郝海彦主编《中国知青诗抄》,中国文学出版社1998年2月出版。

1972年 赵振开(北岛)作诗《眼睛》、《你好,百花山》、《星光》、《云啊,云》、《我走向雨雾中》、《五色花》、《真的》。《眼睛》、《你好,百花山》、《星光》初刊1979年2月26日《今天》第2期;《云啊,云》初刊1979年4月1日《今天》第3期;均收诗集《陌生的海滩》,《今天》编辑部1980年4月油印发行。

赵振开,笔名北岛,1949年生于北京。曾做过建筑工人、编辑。1978年与芒克创办文学刊物《今天》。1986年出版诗集《北岛诗选》。1989年到海外,先后在欧美多所大学任过教职、驻校作家,又出版诗集《在天涯》(1993)、《午夜歌手》(1995)、《零度以下的风景》(1996)等。

1973 年

1973 年 1 月

1 日　《文汇报》以《一代新人赞》为总题刊出刘同毓《山村发行员》、吴永进《工地红医兵》等诗。

1 日　《解放军文艺》1973 年 1 月号刊出程光锐《新春放歌》、马绪英《开完批判会》、胡世宗《操场上》、胡笳《油海浪花——油田勘探队生活素描》、泉声《公社新人》等诗。

7 日　《文汇报》以《一代新人赞》为总题刊出朱金晨《架线工》、钱国梁《女木工》等诗。

13 日　《文汇报》刊出上海警备区某部朱雪冬的文章《努力锤炼思想 坚持深入生活——工农兵诗歌选集〈庐山颂〉读后》。

15 日　《河北文艺》1973 年第 1 期刊出尧山壁《渡"江"进行曲》、杜志民《试马》等诗和申文钟的文章《无产阶级英雄的颂歌——读长诗〈关成富〉》。

16 日　《山西日报》刊出闻震的文章《战歌嘹亮红霞飞——喜读工农兵诗选〈红霞万里〉》。

21 日　《光明日报》刊出北京第一机床厂工人王恩宇的文章《延安山花红艳艳——读诗集〈延安山花〉》。

1 月　《广西文艺》1973 年第 1 期刊出《红水河畔新歌台》新民歌 28 首和柳州市《友谊常青》创作组《中阿友谊果园诗抄》、韦其麟《桥墩》、王一桃《向日葵》等诗。

1月 《黑龙江文艺》试刊第1期刊出陆伟然《历史的丰碑》、苗欣《召唤》、蒋巍《走毛主席指引的路》、郭小林《兵团战士爱边疆》等诗。

1月 《吉林文艺》1973年1月号刊出《通钢工人诗选》和戚积广《写在斗争中》、王方武《汽车城纪事》、工人朱雷《师徒篇》等诗。

1月 《辽宁文艺》1973年第1期刊出工人杨有方《平炉台放歌》、刘文玉《辽北战歌》、社员霍满生《跃进年头春来早》、陈进化《理想》等诗。

1月 《群众艺术》1973年第1期刊出田涧菁《山村红花》、雪梅《妈妈的来信》、闻频《春风又送我到南泥湾》等诗。

1月 《四川文艺》创刊号刊出胡笳《油海浪花》、工人柯愈勋《喇叭高唱进行曲》、唐大同《阳光灿烂》等诗。

1月 李瑛的诗集《红花满山》由人民文学出版社出版。作品分为《山鹰——在南方》、《青松——在北方》2辑,收《进山第一天》、《高山哨所》、《雪中花》、《哨所门前的河》等诗60首,前有作者题记:"看那满山满谷的红花,是战士的生命和青春。"当时的评论说:"《红花满山》在思想、艺术方面有许多可喜的成绩,但是给人印象最深的一点是:这是来自火热斗争前线的诗篇。它带着高山的寒露,带着泥土的芳香,带着那朝气蓬勃的边防部队的生活气息。这是作者在深入斗争实践,向战士们学习,熟悉他们的生活和感情的基础上,在艺术上精益求精,进行创造性劳动的结果。""《红花满山》的作者在艺术表现方面是有特色的。他善于在日常生活中发现那些激动人心的具有典型意义的人物事件,以抒发无产阶级的伟大胸襟,也善于开掘那些看来平凡的事物所蕴含的深邃的意义。一条普通的山间小路,使人想到难忘的峥嵘岁月;在漫空细雨之中,他谛听到祖国亲人深情的叮嘱:警惕!这里有那种壮丽和浓郁,但又有颇多的蕴藉,二者构成了一种交错而又和谐的风格。""在《红花满山》里,我们可以说,作者为政治和艺术的统一、内容和形式的统一,是做出了可贵的努力的。"(谢冕《战斗前沿的红花——诗集〈红花满山〉读后》,1973年8月1日《解放军文艺》1973年8月号)

1973年2月

1日 《光明日报》刊出邱模堂《筑路工人之歌》等诗。

1日 《解放军文艺》1973年2月号刊出阎一强《沂蒙赞》、纪鹏《写在世界屋脊上》、雷抒雁《沙海练兵抒怀》等诗。

4日 《陕西日报》刊出武原的文章《工农兵挥笔诗花开——试评诗歌集〈战斗的春天〉》。

5日 《文汇报》刊出驻沪海军长江舰徐照瑞《慰问信》、金山县金晓东《春在社员心窝里》、徐刚《迎春花》等诗。

11日 《文汇报》刊出李幼容的诗《寄稻曲》。

25日 《光明日报》刊出秦克温的诗《女教师》。

2月 龚舒婷（舒婷）作诗《致大海》。此诗收诗集《双桅船》，上海文艺出版社1982年2月出版。

2月 《吉林文艺》1973年2月号刊出贺敬之的长诗《雷锋之歌》和曲有源《写在珲春的大地上》、杨子忱《雪打灯》等诗。

2月 《辽宁文艺》1973年第2期刊出战士王中朝《海岛哨兵》、董俊生《毛主席派我来取矿》、王荆岩《钢城春早》等诗。

2月 《群众艺术》1973年第2期刊出陶海粟《我打开〈共产党宣言〉》、解放军某部马士林《山村黎明前》等诗。

2月 《天津文艺》创刊号刊出第四棉纺厂李超元《柳下新歌》、战士时家翎《形象》等诗和电器控制设备厂魏久环的文章《深入下去 升华开来——读诗随笔》。

2月 杨啸的长诗《草原上的鹰》由内蒙古人民出版社出版。长诗共3部，每部10章。该书《内容简介》说："《草原上的鹰》是一首长篇叙事诗，写蒙古族少年莫日根在党的培养教育下，在战斗中成长的故事。""第一部《雏鹰展翅》：莫日根爸妈惨遭王爷杀害，莫日根为了报仇，摸进王府刺王爷，被抓住，后越狱逃出参加了游击队。第二部《鹰飞千里》：游击队派莫日根和巴图去延安学习。半路上被王爷的儿子陶古斯抓住，巴图英勇牺牲，莫日根受了重伤，经过艰难曲折，终于到了延安。第三部《鹰击长空》：三年后，莫日根回到草原，担任了连长,带领部队,化装打进陶古斯的匪巢,彻底消灭了敌人,解放了草原重镇乌兰塔。""故事生动曲折,语言通俗精炼,富有浓郁的草原生活气息。在运用诗歌的民族形式、民间传说等方面,作者作了一些新的探索。"

杨啸,1936年生,河北肃宁人。1956年入内蒙古大学文艺研究班学习,后在内蒙古伊克昭盟文化局文艺创作组从事专业创作,曾任中国作家协会内蒙古分会副主席。出版的诗集还有《柳笛》(1991)。

2月 广西壮族自治区征文办公室编的《红水河欢歌——广西诗选》由广西人民出版社出版。收自治区文化局创作组《壮族人民歌唱毛主席》、王一桃《归国谣》、工人周玉林《我装管道引漓江》、何津《公社荔枝熟了》等诗103首。该书《内容提要》说:"为了纪念毛主席《在延安文艺座谈会上的讲话》发表三十周年,我们选编出版我区工农兵作者创作的诗歌一百零三首。""在毛主席无产阶级革命文艺路线的指引下,我区群众性的文艺创作活动蓬勃发展。在这些诗篇中,作者通过不同的题材、不同的角度、不同的生活画面、不同的意境、不同的艺术风格和不同的形式,歌颂了伟大领袖毛主席和毛主席无产阶级革命路线的伟大胜利,反映了我区社会主义革命和社会主义建设的壮丽图景,描绘了我区各族人民丰富多彩的斗争生活和各条战线上的英雄人物形象。""这本诗选中部分作品曾在区内外报刊上发表过,此次收编时,又作了某些修改、加工。"当时的评论说:"广西诗选《红水河欢歌》,最近由广西人民出版社出版了!这是我区在无产阶级文化大革命以来出版的第一部诗选,是我区群众性诗歌创作的可喜收获!""诗选跳动着路线斗争的脉搏,闪耀着时代的精神。""有些诗,虽然没有直接描绘两个阶级、两条路线的斗争,但由于作者能站在路线斗争的高度来认识和反映生活,也使作品具有时代精神。""从这个诗选里,我们得到一个启示:诗歌要成为时代的号角,作者必须站在阶级斗争、路线斗争和继续革命的高度,来挖掘主题,概括形象和提炼意境。只有这样,才能使诗歌具有强烈的时代精神。"(南宁绢纺厂工人评论组《闪耀时代精神的新诗篇——评广西诗选《红水河欢歌》》,1973年3月《广西文艺》1973年第2期)

1973年3月

1日 《解放军文艺》1973年3月号刊出韩瑞亭《雷锋在我们行列中》、王石祥《无敌夜老虎》、张雅歌《伞兵的诗》、李幼容《天山春早》、张廓《十朵向阳花》等诗和连队文化活动简讯《开展连队业余诗歌活动》。简讯说:"北京部队某部指挥连在深入进行思想和政治路线教育中,广泛开展群众性业余诗歌活动,通过组织朗诵会、赛诗会,活跃了连队文化生活,促进了连队建设。""在开展群众性业余诗歌活动中,他们注意结合形势、任务,发挥诗歌这种武器的特长,使之成为对指战员进行路线教育的生动形式,推动战备、训练等各项任务的胜利完成。如:在路线教育中,通过调查访问农村两个阶级、两条道路、两条路线斗争的状况,狠批了刘少奇一类骗子的'阶级斗争熄灭论',同志们认识到阶级斗争是长期、复杂的。战士吴继东写诗说:'阶级敌人最凶残,豺狼本性不会变,耍阴谋,放暗箭,捣乱、失败、再捣乱;基本路线要牢记,头脑绷紧战备弦,敌人胆敢瞎捣乱,定砸它一个稀巴烂!'炊事班长朱相迎读了这首诗以后,很受启发。他努力克服文化低的困难,认真看书学习,通读了《共产党宣言》、《国家与革命》和毛主席的一些著作。他深有体会地说:打倒了几个敌人,并不等于剥削阶级消灭了,一次路线斗争的胜利,并不是斗争的最后胜利。阶级斗争是长期的,任何时候都不能放松警惕。""在组织群众性业余诗歌活动中,这个连队的党支部还注意加强领导。在创作中,有的同志由于文化较低,写出的诗不像诗,有的同志单纯追求新颖的形式、华丽的词藻,写出来的诗叫人看不懂。为了提高创作水平,促进业余诗歌活动的健康发展,他们就请有经验的同志谈体会,帮助修改,共同提高。还举办夜校,在帮助文化低的同志学文化、学政治的同时,教一些诗歌创作的基本常识。"

4日 《文汇报》刊出纪雷的诗《千万个雷锋在成长——纪念毛主席发出"向雷锋同志学习"伟大号召十周年》。

5日 《光明日报》刊出解放军某部温德友《沿着雷锋的车辙》等诗。

10日 经毛泽东同意,中共中央发出《关于恢复邓小平同志的党的组织生活和国务院副总理的职务的决定》。

10日 《北京新文艺》更名为《北京文艺》出刊,1973年第1期刊出顾工《雷锋和我们在一起》、赵日升《春潮澎湃》、叶晓山《深夜锤声》、陶嘉善《草鞋歌》等诗。《致读者》说:"《北京新文艺》(试刊)在毛主席无产阶级革命文艺路线的指引下,在各级党组织、革命委员会和广大工农兵群众的指导和支持下,先后出版了五期,广泛地听取了工农兵读者和各有关方面的意见。根据广大工农兵读者的要求,经上级同意,从今年三月份开始正式出刊,每两个月出版一期,逢单月出版,并更名为《北京文艺》,在北京市正式发行。""《北京文艺》是北京市综合性的文艺刊物。它的方针是:贯彻执行毛主席的无产阶级革命文艺路线,坚持为工农兵、为无产阶级政治服务的方向,使刊物成为宣传马列主义、毛泽东思想,对广大革命群众进行思想和政治路线教育的武器;通过发表文艺作品和文艺评论,繁荣和推动本市群众性的文艺创作,发展和壮大本市文艺创作队伍。"

11日 《文汇报》刊出黄山茶林场金稼仿的诗《开山锄》。

15日 《河北文艺》1973年第2期刊出诗辑《举手托起半边天》和兴隆社员刘章《公社颂》等诗及艾思《读诗札记二则》等文。

18日 《文汇报》刊出程逸汝的诗《夸公社》。

19日 《解放军报》刊出元辉的诗《伏击》。

21日 诗人芦甸病逝。

芦甸,1920年生于江西贵溪。抗战期间在成都从事文化活动,组织"平原诗社"。抗战胜利前夕去中原解放区,后转赴晋冀鲁豫。1949年后,任天津市文协秘书长。1955年受胡风错案株连。1982年恢复名誉。1939年开始写作,1950年出版诗集《我们是幸福的》。

25日 《光明日报》刊出纪鹏《水兵学〈共产党宣言〉》等诗。

25日 《人民日报》刊出张永枚的文章《新诗也要学习革命样板戏——工农兵诗集〈风展红旗〉、〈阳光灿烂照征途〉读后》。文章说:"学习了这两本诗选和其它一些诗歌,感受集中到一点就是:新诗也要学习革命样板戏的创作经验。""革命样板戏的创作经验,对繁荣社会主义文艺具有普遍的意义。在新诗的创作中，既可运用这些经验于抒情，也可运用于叙事。我们应通过斗争实践和艺术实践，努力掌握马克思主义、列宁主义、毛泽东思想的世界观和艺术观，努力肃清反革命的修正主义文艺路线的种种流毒。学习革命样板戏成功地运用革命现实主义和革命浪漫主义相结合的创作方法；学习革命样板戏正确地贯彻执行'百花齐放，推陈出新'、'古为今用，洋为中用'的方针；学习革命样板戏调动一切艺术手段，千方百计地塑造工农兵的高大英雄形象；学习革命样板戏把叙事和革命抒情完美地结合起来；学习革命样板戏的精湛语言艺术；学习革命样板戏千锤百炼、一丝不苟的创作态度……等等。目前，我们有的诗作还存在着一些问题。如：塑造工农兵英雄典型这个社会主义文艺的根本任务，在叙事诗中还未能引起应有的重视；有的诗的叙事和革命抒情结合得不好；有的言多意少，诗味不浓。这说明学习革命样板戏的创作经验，是多么迫切，多么重要啊！""当然，我们说新诗要学习革命样板戏的创作经验，决不是说就可以生搬硬套，抹煞新诗本身的特点，而是要把革命样板戏的创作经验和新诗的革命实践结合起来。沿着为工农兵、为社会主义服务方向前进的新诗，必然是一条无比绚丽、五彩缤纷的宽广大道。"

29日 《广西日报》刊出黄其星、黄秉生、黄险峰的文章《内容丰富 构思新巧——喜读诗选〈红水河欢歌〉》。

3月 伍立宪（哑默）作诗《春》。此诗收诗文集《乡野的礼物》，贵州民族出版社1990年12月出版。

3月 《广东文艺》1973年第3期刊出韦丘《峥嵘岁月 浩荡春风——纪念毛主席"向雷锋同志学习"题辞发表十周年》、章明《海岸劲松——一位新战士讲的故事》、柯原《像雷锋同志那样生活》等诗。

3月 《广西文艺》1973年第2期刊出《红水河畔新歌台》新民歌27首和张化声《县委书记在乡下》、解放军驻北京某部莫少云《接力赛》等诗和南宁绢纺厂工人评论组《闪耀时代精神的新诗篇——评广西诗选〈红水河欢歌〉》、谢永进《热情的颂歌 战斗的歌谣——喜读〈红水河畔新歌台〉的民歌》等文。

3月 《黑龙江文艺》试刊第2期以《唱不尽的幸福歌》为总题刊出达斯嘎《金灿灿的草原》、郭其柱《幸福全靠共产党》等诗11首。

3月 《吉林文艺》1973年3月号刊出顾笑言《踏着雷锋的足迹前进》、张满隆《欢迎会》、陈玉坤《新人如蓓蕾》等诗。

3月 《辽宁文艺》1973年第3期刊出解放军空军某部战士林山作《雷锋赞歌》、工人田永元《火车头之歌》、刘文玉《种子赞》、东白《夜哨》等诗。

3月 《群众艺术》1973年第3期刊出杨军《同心闹春耕》等诗。

3月 福建人民出版社编的诗集《东海放歌》由该出版社出版。

3月 云南省文化局编的诗集《金色的瀑布》由云南人民出版社出版。

3月 诗集《像雷锋那样生活》由广东人民出版社出版。

3月 张之涛的叙事诗集《大雁高飞》由内蒙古人民出版社出版。收《大青山喜歌》、《乌兰托娅歌》、《草原雷雨》等诗5首。

张之涛,1936年12月12日生于山西娘子关。1954年任内蒙古歌舞团合唱演员,1958年调内蒙电影制片厂任文学编辑。1963年任内蒙艺术剧院专职创作员,1972年调至内蒙文联工作。1959年开始新诗写作,出版的诗集还有《翠绿的晨星》(1978)、《荒火的高原》(1980)、《青山儿女(上部)》(与杨植霖合著,1982)、《青山欲晓》(与杨植霖合著,1984)以及《王磊 毕力格太 查干 张之涛诗选》(1987)。

3月 新疆人民出版社编的诗集《条条金丝线》由该出版社出版。收维吾尔族老贫农依不拉音斯拉木《万岁,万岁毛主席!》、战士游成章《战士心向毛主席》、李幼容《访山村》、新疆军区生产建设兵团农八师一四三团业余文艺创作组《咱们的指导员》等诗77首。当时的评论说:"这本诗歌集的作者,全是战斗在天山南北的各族工农兵和其他方面的业余作者。他们尽情歌颂各族人民的伟大领袖毛主席,歌唱自己的新生活。许多诗篇从不同的角度,反映了'千古荒原笼春光'的壮丽图景和各族人民'身在天山想世界'、'紧跟毛主席朝前迈'的英雄气概。""纵观整个集子,思想健康,意境清新,语言生动,具有较浓厚的地方色彩和生活气息,十分可喜。但同时我觉得,集子里也明显地存在一些不足之处,比如有些诗的主题思想还可以开掘的更深一些,诗意太浅露;有些诗表现方法还较一般化;有的词句还欠锤炼。这些缺点,随着创作实践的不断深化,是可以克服的。"(新疆大学中文系学员周鸿飞《团结战斗的诗篇——读诗歌集〈条条金丝线〉》,1973年12月25日《新疆日报》)

1973年4月

1日 《文汇报》刊出朝兰的诗《补炮衣》。

1日 《解放军文艺》1973年4月号刊出马绪英《春耕归来》、叶文福《战斗在深山》、顾工《我们握枪……》、董耀章《塞外春色》、戚积广《炉前诗草》、姚成友《穿上新军装》、韩作荣《第一页日记》等诗。

8日 《光明日报》刊出刘章的诗《公社春歌》和解放军某部符晓的文章《"铁马"奔驰——长诗〈新坦克手进行曲〉读后》。

8日 《文汇报》以《一代新人赞》为总题刊出刘国屏《山村修理员》等诗。

8日 《新华日报》刊出陆建华的文章《大桥,赞美毛泽东思想的诗行——诗集〈天堑飞虹〉读后》。

15日 《光明日报》刊出肖蒂岩的诗《毛主席呀爱农奴》。

22日 《光明日报》刊出陈官煊的诗《川江纤工》。

22日 《文汇报》刊出钱国梁的诗《心红手巧》。

29日 《光明日报》刊出北京第一机床厂工人王恩宇《金色瀑布歌》等诗。

4月 张建中(林莽)作诗《欢迎你,燕子》。此诗收诗集《我流过这片土地》,新华出版社1994年10月出版。

4月 《福建文艺》(试刊)1973年第1期刊出莆田县梧塘公社社员朱谷忠《公社春歌》、俞兆平《催春曲》、吴万里《公社人物赞》等诗。该刊《编者的话》说:"为着适应我省无产阶级文艺革命发展的需要,我们编印了《福建文艺》试刊。""我们决心与广大工农兵群众和文艺工作者一道,贯彻执行毛主席的无产阶级文艺路线,坚持文艺为工农兵、为社会主义、为无产阶级政治服务的方向,发展我省群众性的社会主义文艺创作。"

4月 《呼和浩特文艺》1973年第2期刊出张志良《雷锋永远活在我们心中》、赵俊德《我们在一起战斗》等诗。

4月 《吉林文艺》1973年4月号刊出钱璞《草原集市》、李占学《送苗路上》、泉声《田野短歌》等诗。

4月 《辽宁文艺》1973年第4期刊出马达的叙事诗《阿萨》和社员张占兴的诗《顶天立地一个"斗"》。

4月 《群众艺术》1973年第4期刊出李善余《满路银光满路歌》、窦树发《重返大娘家》等诗。

4月 《天津文艺》1973年第2期刊出红雨《火红的青春献祖国》、彭辛卯《风雪归来打草队》、孟仁《春满燕山》等诗。

4月 诗集《蔗林曲》由江西人民出版社出版。

4月 河南人民出版社编的诗集《中原新歌》由该出版社出版。

4月 王群生的长诗《新兵之歌》由人民文学出版社出版。长诗共26章。该书《内容说明》说："长诗描写战士赵向阳,在马列主义、毛泽东思想的哺育下,学习和继承革命前辈的光荣传统,在人民解放军队伍里锻炼、成长的过程。作品也刻画了赵向阳的父母——为革命奋战牺牲的英雄连长赵虎和不减当年革命本色的杏大娘、农村新青年红雨、老当益壮的海老伯的形象。""这本长诗曾于一九六五年出版,这次再版时作者作了修改。"

王群生,1935年9月20日生于日本东京。抗日战争爆发随父归国定居重庆。1951年参军,开始文学写作,后从事专业创作。1978年转业回重庆任专业作家。出版的诗集还有《红缨》(1958)、《火凤》(1976)。

4月 旭宇、火华等著的诗集《军垦新曲》由人民文学出版社出版。收内蒙古生产建设部队旭宇、火华《军垦战士见到毛主席》和兰州生产建设部队张岐山《军垦战士忠于党》、浙江生产建设部队黄亚洲《早晨》、新疆生产建设兵团李瑜《开镰歌》等诗51首。当时的评论说:《军垦新曲》"是奔赴边疆的军垦战士唱出的一支战斗生活进行曲,是祖国年轻一代前进在与工农相结合的光辉道路上的豪迈心

声!"(辛述威《在与工农相结合的道路上前进——读诗集〈军垦新曲〉》,1973年12月12日《光明日报》)

4月 陶嘉善、何玉锁、寇宗鄂合著的叙事长诗《礼花赞》由北京人民出版社出版。长诗共15章,有作者《后记》。该书《内容提要》说:"这是三位工人作者创作的反映礼花工人斗争生活的叙事长诗。""作品塑造了甄英华这个青年工人的英雄形象。甄英华攻读马列的书、毛主席的书;积极地从事科学试验;为保护国家财产和阶级兄弟的生命安全,英勇地和阶级敌人搏斗;以顽强的革命意志,战胜了大面积烧伤。作品展示了无产阶级先锋战士的崇高精神境界。"作者《后记》说:"我们是北京的工人业余作者,在文艺创作的道路上还刚起足迈步。然而,我们每迈出一步,都离不开毛主席革命文艺路线的指引,离不开毛泽东思想的阳光照耀。我们深深感到,作为工人业余作者,没有无产阶级文化大革命的伟大胜利,我们不仅没有可能也没有勇气拿起笔写出这篇长诗。因此,在完成这篇习作时,我们衷心地感激伟大的党,感激伟大的领袖毛主席把被颠倒的历史重新颠倒过来,使我们工农兵占领无产阶级文艺阵地,并为我们工农兵业余作者开辟了无限广阔的创作道路。"

陶嘉善,1934年11月28日生于江苏阜宁。1950年参军,曾任政治理论教员、政治指导员、宣传股长,1963年任专业文学创作员。转业后曾任《体育博览》总编辑、《华声报》副社长兼副总编。1954年开始发表新诗,出版的诗集还有《心灵的火花》(1985)。

何玉锁,1935年生,河北枣强人。出版的诗集还有《总是风云情》(1988)。

寇宗鄂,笔名宗鄂,1941年12月21日生于湖北老河口。1962年北京工艺美术学校毕业,到北京美术红灯厂设计室工作。1977年调入诗刊社。1962年开始新诗写作,出版的诗集还有《野蔷薇》(1983)、《悲剧性格》(1989)、《红豆》(1990)、《西片月》(2001)。

4月 歌谣集《甘山歌谣》由甘肃人民出版社出版。收队干部郝怀真《毛主席和咱心连心》、女社员张根扣《筑坝歌》、女社员汪秀秀《文盲挥笔写诗篇》等歌谣60首,有编者《编后》。《编后》说:"礼县雷坝公社甘山大队,是陇南一个偏僻的山村。解放前,在封建地主阶级的残酷剥削、压迫下,广大劳动人民世世代代都被剥夺了掌握文化的权利,没有一个识字的人。解放后,广大贫下中农在政治、经济上翻了身,同时成为掌握革命文化的主人。在党的领导、关怀下,二十多年来,他们一直坚持了业余文化学习。现在,这个大队的政治、生产形势很好,而且有百分之八十五的青壮年摘了文盲帽子,四分之一以上的青壮年语文程度达到了初中水平。昔日贫穷落后的甘山,变成了陇南山区的文化新村。""一九五八年以来,广大贫下中农掌握了社会主义的文艺武器,创作了大量的革命诗歌。""《甘山歌谣》就是从大量的群众创作中选编的一小部分作品,它是这种革命心声的生动写照。"

4月 诗集《塞上新歌》由宁夏人民出版社出版。收社员翟辰恩《韶山日出东方红》、吴淮生《育我心田革命苗》、工人肖川《顶梁柱歌》、解放军某部雷抒雁《沙漠练兵组诗》等诗52首(组)。该书《出版说明》说:"本集所收录的五十多首诗歌,都是我区工农兵业余文艺爱好者创作的。这些诗作,曾在《宁夏日报》上发表过,这次选编时作了个别字句的修改。"

1973年5月

1日 《文汇报》刊出上海冶炼厂徐怀堂《浑身劲头如潮涨》、上海锅炉厂姚鸿恩《夜读》等诗。

1日 《解放军文艺》1973年5月号刊出王荆岩《耿师傅》、刘国良《太行战鼓》、郑南《昆仑山上歌》、泉声《蹲点的老书记》、匡满(杨匡满)《向阳堤》、韩作荣《筑路歌》等诗。

3日 《云南日报》刊出邓耀泽的朗诵诗《青春似火》。当时的评论说:"读了邓耀泽同志的朗诵诗《青春似火》,十分喜悦和感奋,觉得这是一个比较好的作品。在这个作品中,作者不仅抓住革命青年应该怎样度过自己的青春这样一个重大主题,以诗的语言,鲜明地表达了无产阶级的观点与主张,而且通过展示中国青年一代崭新的精神面貌和崇高的思想境界,热情地歌颂了伟大的无产阶级文化大革命,歌颂了毛主席革命路线和毛泽东思想的伟大胜利。作品语言质朴，激情饱满，战斗性强。这一切，不仅在思想上，政治上给人们以教育，而且在文艺创作上，也很能给我们以启示。"（薛平《热情歌颂无产阶级文化大革命——从朗诵诗〈青春似火〉谈起》，1973年8月《云南文艺》创刊号）

6日　《光明日报》刊出时家翎《清泉》、温德友《红柳——给一位兵团战士》诗2首。

10日　《北京文艺》1973年第2期刊出煤矿工人陈建功《欢送》、峭岩《工程兵的自豪》、京棉三厂工人陈满平《金丝银线织锦缎》等诗。

13日　《文汇报》刊出徐刚的诗《月夜锤声》。

15日　《河北文艺》1973年第3期刊出《新民歌一百首》和编者《新民歌赞——百首民歌编后》。编者说："新民歌是社会主义时代精神在艺术上的集中表现。随着批修整风运动的深入开展，工农业出现了跃进的大好形势，广大工农兵群众，满怀激情地歌颂伟大领袖毛主席，歌颂伟大、光荣、正确的中国共产党。'歌调最高诗最多'。他们满怀阶级仇恨批判刘少奇一类骗子对党、对社会主义的诬蔑：'锤锤砸烂骗子头，红色江山咱保卫！'广大工农兵群众不仅是建设社会主义的主人翁，也是诗歌的主人。这些新民歌不仅有较高的政治思想性，而且有较高的艺术性，构思巧，立意新。""新民歌是大跃进的产物。目前，据我们知道的，束鹿、晋县、饶阳县五公公社等地，都开展起赛诗活动。我们深信，随着工农业大跃进的万马奔腾的形势，写新民歌，赛新民歌的活动，一定更会高涨。"

22日　《光明日报》刊出新华社通讯员、新华社记者的报道《劳动出诗篇——记吉林省农民诗人宋福森》。

27日　《文汇报》刊出薛家柱《最远的哨兵》、沈鸿鑫《写在仪表车间的诗》等诗。

5月　《广西文艺》1973年第3期刊出《红水河畔新歌台》新民歌15首和李荣贞《笙歌阵阵》、解放军驻我区某部医院林小玎《踏着雷锋的足迹走》、樊发稼《火车司机》等诗及德保铜矿杨鹤楼的文章《要做战斗员，不做"旁观者"》。文章说："我是个诗歌爱好者。参加革命十几年来,一直在勘探队和冶金矿山部门工作。过去,我总以为自己对勘探和矿山工人生活是比较熟悉的,描写他们的生活是有把握的了。可是事实却不是这样。比如我开始写组诗《矿工赞歌》的初稿时,在《冶炼工》这首诗中,我把冶炼时那种五彩缤纷的场面描绘得很细腻。一位工人看了说:'乍看起来还不错,蛮耀眼的,可仔细一想,吹炼时的火花写得太多了,干嘛对这些废渣那么感兴趣?我们关心的是里边的铜呵!'工人同志对另一首写矿井《炮工》的诗,又提出意见说:'"导火索"太长了,光见冒烟,半天没响声.'意思是说我只注意细微末节的描绘,没有写到点子上。""为什么对那些废渣感兴趣?为什么写不到点子上?工人同志的批评,引起我的深思。当时,我重温了毛主席的光辉文献《在延安文艺座谈会上的讲话》。毛主席教导说:'我们的文艺工作者一定要完成这个任务,一定要把立足点移过来,一定要在深入工农兵群众、深入实际斗争的过程中,在学习马克思主义和学习社会的过程中,逐渐地移过来,移到工农兵这方面来,移到无产阶级这方面来。只有这样,我们才能有真正为工农兵的文艺,真正无产阶级的文艺.'原来,我虽然比较长期地生活在工人群众中,但立足点并没有真正移过来,思想感情还不能和工人群众打成一片,因而不能带着工人阶级的思想感情,从本质上去理解和反映他们的生活。既然同工人群众还想不到一块,又怎么能成为他们的忠实代言人呢?"

5月 《黑龙江文艺》试刊第3期刊出大庆工人李毅《大庆放歌》、兵团某部蒋巍《读书室一日》、龙彼德《接鞭》等诗和任愫的文章《革命英雄的颂歌——读长诗〈关成富〉》。

5月 《吉林文艺》1973年5月号刊出张天民《大庆诗简》、戚积广《上"业校"》等诗和王磊的文章《在工农兵的火热斗争中学习写诗》。

5月 《辽宁文艺》1973年第5期刊出工人高广成《火光中的歌》、浦雨田《铁姑娘》、戚英发《汗水化出新河道》等诗。

5月 《群众艺术》1973年第5期刊出王寅明《咱队有班铁姑娘》、李增宪《李月华颂歌》等诗。

5月　《湘江文艺》1973年第3期刊出高正润《柳娃歌》、杨里昂《向阳人家》、解放军某部曾凡华《瑶山放映员》等诗。

5月　王鸿的诗集《运河赞歌》由江苏人民出版社出版。

5月　鹤岗市革命委员会文化局编的诗集《火热的矿山》由黑龙江人民出版社出版。

5月　纪鹏的诗集《蓝色的海疆》由人民文学出版社出版。作品分为《潜艇组歌》、《蓝海红旗》等5辑，收《听说明天要出海》、《甲板上，怒浪掀》、《夜望金门》、《岛上"天安门"》等诗68首。

5月　纪征民、王维章的诗集《广阔天地进军歌》由内蒙古人民出版社出版。当时的文章说："《广阔天地进军歌》分'山村红花'和'牧笛短曲'两辑，共收集抒情短诗四十八首。诗作者激情洋溢地从各个不同的角度和侧面，反映了广大知识青年遵照伟大领袖毛主席的教导，满怀革命豪情奔赴祖国边疆，把青春献给社会主义祖国农村、牧区建设事业的生活图景。""诗集的作者善于从生活中选择富于典型意义的生活场面和饱含诗意的情景，从一个侧面，一个场景，或一个小镜头来突出人物的精神面貌，深刻地反映了我们新一代接班人，捍卫无产阶级社会主义江山的真实思想。""讴歌劳动，赞美新人，《广阔天地进军歌》热情地诗意地'记述'了在这场移风易俗、改造世界、改造人的斗争中，我们时代年轻一代丰富多彩的战斗生活。诗集里有不少生动的诗，给人深刻的印象，但也有一些诗存在不足之处，其中有的诗内容单薄，构思雷同；另外有的诗还不够精炼。我们希望作者在毛主席革命文艺路线指引下，乘胜前进，写出更多反映我们伟大时代无产阶级英雄人物的赞歌。"（郭超《热情赞颂新一代——读诗集〈广阔天地进军歌〉》，1973年11月14日《内蒙古日报》）

纪征民，1937年生于辽宁。1959年出版诗集《铁花》，出版的诗集还有《驼峰上的云》（1984）、《戈非　周雨明　纪征民　火华诗选》（1987）。

王维章，情况不详。

5月　刘章的诗集《映山红》由河北人民出版社出版。作品分为《字字句句心头歌》、《高歌一曲公社赞》等3辑，收《毛主席登上天安门》、《千吨语言万吨粮》、《老将和新兵》、《我们是公社年轻人》等诗49首,有作者《后记》。《后记》说:"我原是个青年学生,在党和贫下中农的暖手扶持下,在马列主义、毛泽东思想的哺育中,学会了种田、治水、牧羊。在三大革命斗争中,我和贫下中农心贴在一起,汗流在一起,和山区的一山一石,一草一木建立了浓厚的感情。在和阶级敌人斗争中,在改天换地的战场上,生活冲动着我,毛主席的《讲话》给我指方向,我努力克服时间和文字各方面的困难,坚持不懈地努力学习写作,记录着山区前进的步音,描绘新人的形象,摄记着锄光、犁影、炮声,控诉旧社会罪恶,批判资本主义,歌颂社会主义革命和建设,畅想幸福的未来……我牢记住毛主席的'为什么人的问题,是一个根本的问题,原则的问题'的教导,努力改造自己的非无产阶级世界观,力求使作品为工农兵所喜闻乐见。"当时的评论说:"文艺创作中的激情,来自作者对革命战斗生活的火热感情。只有搏击在生活激流中的人,才能感受阳光的温暖,看到飞溅起的浪花,领略那无限的风光。刘章的绝大部分诗歌,正是这种激情的产物。'我是贫农娃,为党把笔拿,不写山间笋,单画向阳花'。革命的诗歌,是革命的斗争生活在作者头脑中的反映。作者原是个青年学生,回乡后跟贫下中农在一起,参加了三大革命斗争,后来曾担任过支部书记。他在业余时间,坚持不懈地学习写诗,'记录着山区前进的步音,描绘新人的形象,摄记着锄光、犁影、炮声,控诉旧社会的罪恶、批判资本主义,歌颂社会主义革命和建设,畅想幸福的未来……'是的,有什么能比这些更有'诗意'呢! 跟着时代的脉搏,去身体力行地一起跳动:这就是诗集《映山红》和作者的生活实践告诉我们的一个真理。"(贺明广《"在党的阳光照耀下生芽,开花……"——喜读诗集〈映山红〉》,1974年3月15日《河北文艺》1974年第2期)

  刘章,1939年1月22日生于河北兴隆。1958年肄业于承德高中,同年参加工作,长期生活在农村,曾任村党支部书记等职。1975年任县文化馆副馆长,1977年到河北省歌舞团工作,1982年调至石家庄市文联。出版的诗集还有《燕山歌》(1959)、《葵花集》(1962)、《燕山春》(1978)、《枫林曲》(1980)、《北山恋》(1986)、《刘章乡情诗选》(1993)、《刘章新诗》(1999)等。

5月 时永福的诗集《我爱高原》由青海人民出版社出版。作品分为《高原新貌》、《风雪线上》等3辑,收《献给祖国》、《如画的草地》、《团长跟车》、《草原铁骑》等诗45首。

时永福,1945年生,山西清徐人。1965年参军,1976年转业,先后在诗刊社、中国社会报、中国社会出版社工作。出版的诗集还有《哨所抒怀》(1973)、《时代的洪流》(1975)、《塞上歌》(1975)、《志气歌》(1977)、《毛泽东颂》(1977)、《周恩来颂》(1977)、《在士兵的行列里》(1982)、《时永福抒情诗》(1990)等。

5月 诗集《苗岭飞颂歌》由贵州人民出版社出版。收陈学书《公社书记》、任启江《鱼水新歌》、漆春生《山乡汽车队》、张显华《公社看水员》等诗69首,有编者《编后》。《编后》说:"在毛主席的革命文艺路线的光辉照耀下,我省广大工农兵群众和诗作者,以极大热情,用战斗的笔,写出了大量优秀诗篇,热烈地歌颂我们伟大领袖毛主席,伟大的党,社会主义革命和社会主义建设。现在,我们从中挑选了部分诗歌,编成了这本诗集,作为对纪念毛主席《在延安文艺座谈会上的讲话》发表三十一周年的献礼。"当时的文章说:"在毛主席无产阶级文艺路线的指引下,一个群众性的革命文艺创作活动正在蓬勃兴起。我省广大工农兵群众和诗作者,怀着对伟大领袖毛主席和中国共产党的无比敬爱,满腔热情地用战斗的笔,写出了大量的诗篇。贵州人民出版社从中挑选了部分诗歌,先后编印了《工农兵诗选》、《苗岭飞颂歌》两本诗集,生动地反映了热火朝天的三大革命斗争生活,受到了工农兵读者的欢迎。这是社会主义文艺百花园中的一朵新花,从一个侧面反映出当前我省群众性革命文艺创作的新面貌。"(林德冠、王佩云《颂歌抒革命豪情 彩笔绘时代英雄——评诗集〈工农兵诗选〉、〈苗岭飞颂歌〉》,1973年8月5日《贵州日报》)

5月 内蒙古革委会五七干校编的《战地黄花——五七战士诗歌选》由内蒙古人民出版社出版。收肖业文《大路朝阳》、苏启发《五七道路越走心越甜》、杨匡汉《红旗底下写青春》、张子春《小梁拿起赶车鞭》等诗60首(组),有编者《前言》。《前言》说:"'五·七'干校,是按照伟大领袖毛主席光辉的《五·七指示》创办的培养、造就无产阶级干部队伍的新型干部学校。""一年多来,自治区直属机关广大干部在重新学习的道路上,取得了可喜的收获,精神面貌发生了深刻的变化。他们——送走多少沸腾的夜晚,迎来多少战斗的清晨;他们——读书、劳动、批判资产阶级,炉火炼纯金;他们——'老茧磨细千锹把',赢得'万顷荒滩展新容'。"当时的评论说:"《战地黄花》是内蒙古五·七干校编的五·七战士诗歌选集。六十首短诗,表达了广大五·七战士的雄心壮志;篇篇首首,热情歌唱毛主席指示的光辉道路;字里行间,闪烁着河套平原的绚彩。这些动人的花朵,是五·七战士们的心血与汗水的洁晶。它生自沃野泥土,经历了风霜雨雪,迎着光辉的太阳,显示出无穷的生命力。这些动人的花朵,有鲜明的政治倾向,饱满的革命激情,浓厚的劳动生活气息。它从不同的侧面,反映了无产阶级文化大革命中产生的新事物——五·七干校,以及它欣欣向荣,蒸蒸日上的面貌。"(贾漫《战地黄花分外香——喜读五·七战士诗歌选〈战地黄花〉》,1973年11月14日《内蒙古日报》)

1973年6月

1日 《解放军文艺》1973年6月号刊出房德文《老护青员》、纪学《骑手》、喻晓《大山情深》、雷抒雁《"老虎班"记事》、莫少云《地道村诗抄》、元辉《欢腾的边疆》、梁上泉《剑门山的路》等诗。

20日 《文汇报》刊出上海民族乐器三厂虞伟民的文章《风流人物入诗来——读"上海文艺丛刊"〈朝霞〉中的两首叙事诗》。

24日 《光明日报》刊出张宝申的诗《锻工之歌》。

24日 《文汇报》刊出上海矽钢片厂史玉新《钢厂大门》等诗。

28日 《光明日报》刊出工人黄声孝的诗《脚踩风浪抒豪情》。

6月 牛汉作诗《华南虎》。此诗初刊《诗刊》1982年2月号;收诗集《温泉》,上海文艺出版社1984年5月出版。牛汉说:"1973年6月,我第一次去桂林时,写了一首《华南虎》,连我自己事先也没有料到竟然写了一首大煞桂林风景的老虎诗。""冷静地想想,1973年的当时,我如在另一个地方,遇到老虎,不见得能写出这首《华南虎》。

桂林动物园的这只虎,给我的灵魂以震惊的是它的那几只血淋淋的破碎的爪子,还有墙上带血的抓痕,一下子把我点爆了起来。当时,我在湖北咸宁文化部干校,绝大部分学员都已回京或分配到别的城市,我是属于少数不能入京的'分子'之一。不待说,情绪是异常沉重的。那天,桂林的天气燠热难当。我和两位同伴坐在几棵夹竹桃树荫下一条石凳上休息。——桂林的夹竹桃不是盆栽,它是高大的树,有三四丈高,满树粉红的花朵,发出了我熟悉的甜甜的气味,否则真难相信它就是夹竹桃。对面是桂林动物园,由于无聊,我们走进园内。炎炎如火的阳光,蒸烤着一个个铁笼,里面大半是蟒、蛇,还有几只猴。在最后一排铁笼里,我们看到了这只华南虎。正如我在诗里写到的那样,它四肢伸开,沉沉地睡着(?)。我看到血淋淋的爪子,破碎的,没有爪尖,最初我还没有悟过来,我记得有人告诉过我,动物园的老虎,牙齿、趾爪都要剪掉或锯掉。这只虎,就用四只破碎的趾爪,愤怒地绝望地把水泥墙壁刨出了一道道深深浅浅的血痕,远远望去像一幅绝命诗似的版画。我立在铁笼外好久好久,我想看看虎的眼睛。人的眼睛是灵魂的窗子;虎的眼睛也应当是灵魂的窗子。但它始终没有转过脸来。这四只虎爪已经足够使我的灵魂感到惭愧。我想,从遥远的长江南岸来桂林,原只是想在大自然无邪的怀抱中解脱一下,现在我居然还作为一个观众,有兴趣来欣赏被囚禁的老虎。我没有老虎那派不驯的气魄,不但自惭形秽,而且觉得心灵卑劣,于是,匆匆离开。""回到干校时,当天就急匆匆写了这首《华南虎》。写得比较长,大约在一百行上下。""1979年,我整理誊清这首诗的时候,我删去枝枝蔓蔓的东西,剩下不到五十行。"(《我与〈华南虎〉》,1985年3月10日《诗刊》1985年3月号)

6月 《广东文艺》1973年第6期刊出黄火兴、李树坚、黄莺谷的诗《笔之歌》和陈绍伟的诗《警钟长鸣》。

6月 《吉林文艺》1973年6月号刊出《红医村歌谣》,有《"六·二六"指示开红花》、《"人民医院"进山来》等。编者按:"这组寄自伊通县永新大队的歌谣,从不同侧面歌颂了伟大领袖毛主席的光辉的'六·二六'指示,它们有的摘自黑板报;有的摘自参观留言簿或来信;有的摘自展览馆的墙报上;有的则是群众上山采药时唱的……"

6月 《辽宁文艺》1973年第6期刊出高广成《新歌唱辽中》、工人王明德《我爱钻头》等诗。

6月 《群众艺术》1973年第6期刊出牧犁《杨柳村歌》、程海《车把式》等诗。

6月 《天津文艺》1973年第3期刊出纪宇《钢》、柴德森《万里征途跨新步》等诗。

6月 济南部队政治部前卫报社编的诗集《军号》由山东人民出版社出版。

6月 乌兰察布盟文化局创作组编的诗集《乌兰察布新歌》由内蒙古人民出版社出版。

6月 李学鳌的诗集《太行炉火》由上海人民出版社出版。收《初访西柏坡》、《革命桥》、《太行炉火》、《五月麦田夜》等诗31首。该书《内容提要》说:"这本短诗集于一九六五年初版。这次再版,作者作了一些修改、增补和调整。现共收抒情短诗和组诗三十一首。前面大部分作品是作者歌唱革命故乡太行山的诗篇。这些诗,以深厚的情意,高亢的音调,朴素的语言,抒发了作者对于红色故乡的崇敬,表达了太行山革命人民的战斗豪情。后面一部分作品反映北京郊区贫下中农当家作主、战天斗地的革命精神。"

6月 王磊的诗集《马背上的歌》由吉林人民出版社出版。当时的评论说:"诗集《马背上的歌》(吉林人民出版社一九七三年出版),是一曲无产阶级文化大革命的赞歌。这本诗集,收集了王磊同志一九七二年和一九七三年两年间创作的三首叙事诗:《马背上的歌》、《红星歌》、《查干芒哈之歌》。这些诗,都是写文化大革命后科尔沁草原火热的斗争生活的。"《马背上的歌》和《红星歌》两首诗,以鲜艳的色彩,反映了教育革命、卫生革命的可喜成果;《查干芒哈之歌》,则以高亢的曲调,歌唱了草原牧区农业学大寨的崭新面貌。""叙事诗集《马背上的歌》是一本好书,但也有不足之处。比如,有的作品还没有完全摆脱只注重叙事不注重写人的旧路子,阶级斗争也表现得不够深刻。像《红星歌》,无论是塑造人物,还是写阶级斗争,都显得不够得力;达格依玛作为一个英雄形象,还不够完美高大。这些问题,有待于作者在今后的创作实践中,通过深入学习'三突出'创作原则,逐步加以解决。"(孙里《无产阶级文化大革命的赞歌——评叙事诗集〈马背上的歌〉》,1974年11月《吉林文艺》1974年11月号)

王磊,1930年生,山东聊城人。1958年北京大学中文系毕业,曾任《草原》杂志与内蒙古人民出版社编辑、吉林省哲里木盟文联党组副书记、哲盟文化处督导员。出版的诗集还有《七月,拒马河》(1957)、《大刀歌》(1978)、《王磊 毕力格太 查干 张之涛诗选》(1987)。

6月 铁道兵政治部编的《大地飞彩虹——铁道兵诗选》由人民文学出版社出版。收李武兵《歌儿向着北京唱》、宋绍明《手握风枪作彩笔》、宋顺亭《汽车兵之歌》、李小雨《采药行》等诗73首(组)。

6月 广东人民出版社编的《火焰般的年华——上山下乡知识青年诗歌集》由该出版社出版。当时的评论说:"这本诗集大部分是抒情诗。这些诗直抒胸臆,感情真挚,语言朴实,刚健清新。其中有几首人物肖像诗(《摆渡老人》、《扎根》等),通过洗炼的画面,人物形象跃然纸上,思想性和艺术性结合得很好,具有较强的感染力。可以看出,作者对生活感受较深,并在此基础上进行了精心的构思。诗集的不足之处,是对当前农村的阶级斗争,和对于上山下乡的两种思想两条路线的斗争,反映得不够充分;在艺术上,有些诗也还缺乏提炼。""这本诗集的作者,都是沿着上山下乡光辉道路前进的知识青年。他们的生活、斗争和由此而产生的诗作,都辉映着'火焰般的年华'。这本新人新作,反映的又大都是新人新事。从它的各方面看,可以说是一本'新生事物集',又堪称之为革命青春的赞歌。我们热情地欢迎并期望这样的新生事物多多出现,同时放射出更加灿烂的光华。"(石木《革命青春的赞歌——读〈火焰般的年华〉》,1974年1月《广东文艺》1974年第1期)

6月 山西人民出版社编的《学大寨战歌——宏道诗选》由该出版社出版。当时的评论说:"最近,我们以欣喜的心情,读了诗选《学大寨战歌》(山西人民出版社出版)。这部诗集共选了三十七首诗,是山西省定襄县宏道公社的贫下中农、基层干部、插队干部和插队知识青年在劳动之余写的。""诗选的二十一位作者，都是一些普通的'庄稼汉'。他们歌颂生活,本身就是生活的主人;他们赞扬英雄,自己就是无产阶级的优秀战士。"(永言《战斗生活就是诗——读诗选〈学大寨战歌〉》,1973年12月12日《光明日报》)"这些诗,既紧密地服务于党的政治任务,又迅速地反映了现实生活;既充满了优美的诗情画意,又洋溢着高昂的战斗热情;既散发着浓郁的乡土气息,又体现了广阔的革命胸怀;既朴实淳厚、自然亲切、清新明快,又气魄宏伟、感情奔放、豪迈挺拔。这些诗,毫不矫揉造作而又不落俗套,别具一格,富有特色。作者运用革命的现实主义和革命的浪漫主义相结合的创作方法,很好地体现了贫下中农的远大理想和英雄气质,体现了工农兵的崭新的审美观点。"(闻震《战地黄花分外香——赞〈学大寨战歌〉》,1973年7月30日《山西日报》)

夏　　牛汉作诗《我去的那个地方》。收诗集《温泉》,上海文艺出版社1984年5月出版。

1973年7月

1日　《光明日报》刊出工人黄声笑(黄声孝)《千山万水歌声壮》、傣族康朗英《赞哈的歌》、仫佬族包玉堂《老支书》等诗。

1日　《文汇报》刊出陈龙海《全凭毛主席定路标》、卞永泉《毛主席健步登庐山》等诗。

1日　《广西文艺》1973年第4期刊出《红水河畔新歌台》新民歌15首和曾宪瑞《江山如此多娇》、于力《山村在欢笑》等诗。

1日　《解放军文艺》1973年7月号以《千歌万曲献给党》为总题刊出傅金城《致红船》、西彤《火炬照征程》、邹雨林《顺着延河走》等诗。

8日　《光明日报》刊出党永庵的诗《我们是红色新一代》。

10日　《北京文艺》1973年第3期刊出赵成《社会主义矿山生活的颂歌——读李学鳌〈放歌长城岭〉》、吴功正《笔蘸浓情谱诗章——评〈放歌长城岭〉的艺术特色》等文和何玉锁等《七月颂歌》、解放军某部宋绍明《战士上北京》、王怀让《扎根农村炼红心》等诗。

15日 《黑龙江日报》刊出胡上舟的文章《放声讴歌新一代——读长诗〈张勇之歌〉》。

15日 《文汇报》刊出钱国梁《船厂迎新人》、张卫东《女教师》等诗。

15日 《河北文艺》1973年第4期刊出唐山四二二水泥厂工人安奎《太阳的光辉多温暖》、葛玄《怀念那难忘的时刻》、驻军某部刘小放《登山歌》等诗。

17日 《体育报》试刊第5期刊出郭小川的诗《万里长江横渡》。1977年9月《湖北文艺》1977年第5期重刊此诗并刊出丁国成、赵云声的文章《搏风击浪反潮流——读郭小川同志〈万里长江横渡〉》。文章说:"这首政治抒情诗写于一九七一年七月十六日,即毛主席在文化大革命中畅游长江五周年。当时,还在湖北咸宁的文化部五七干校锻炼的诗人小川同志,与广大工农兵群众一起,以伟大领袖毛主席为光辉榜样,劈波斩浪,横渡长江。诗人见景生情,挥笔写下了这首气势磅礴,寓意深远的动人诗篇,热情赞扬了伟大领袖毛主席率领我们搏风击浪反潮流的革命斗争,歌颂了毛主席领导全党、全军、全国人民粉碎林彪反党集团的伟大胜利,淋漓酣畅地抒发了敢于斗争,继续革命的壮志豪情。""这样一首革命的政治内容和完美的艺术形式达到了较好统一的优秀诗篇,却被'四人帮'及其亲信无端地打成'毒草'。仅仅因为其初稿'写于一九七一年林彪一伙加紧策划反革命政变的时候',他们就蛮横地断定它'是一份反革命宣言书'。只是由于'两年后'即一九七三年林彪摔死以后发表出来,他们就武断地硬说它'是为林彪反党集团摇幡招魂'的'招魂诗'。""早在这首诗发表之前,即一九七二年,叛徒江青就指令她在文化部的亲信,要搞小川同志的'问题'。一九七三年七月二十八日,江青与姚文元一唱一和,给小川同志扣上一顶'修正主义分子'的大帽子。接着,'四人帮'在文化部的亲信与在体委的亲信串通一气,搜集整理了小川同志的'黑材料',炮制出《修正主义分子郭小川的复辟活动》,于一九七四年六月卅日在文化部的内部刊物上抛出来。而这首长诗就是其中的一条所谓重要'罪状'。迫害狂江青一见大喜,立即批道:'郭小川此人我不认识','从这篇文章看,他是十分猖狂',勒令中央专案组'要认真调查'。从此,小川同志便被长期关押起来,遭到残酷斗争,无情打击。"

20日 《陕西文艺》创刊号刊出徐锁《请给毛主席捎个信》、闻频《延河东去的浪花》、李志清《山乡素描》等诗。

22日 《光明日报》刊出北京大学学员徐刚《七月夜》等诗。

22日 《文汇报》刊出复旦大学学员张丛中的诗《山村女书记》。

30日 《山西日报》刊出闻震的文章《战地黄花分外香——赞〈学大寨战歌〉》。

7月 《广东文艺》1973年第7期刊出谭日超《江山如此多娇》、西彤《火炬照征程》、梵杨《光荣的党旗》等诗和广东师院中文系一年级第三教学班书评小组的文章《战歌嘹亮抒豪情——喜读组诗〈兵团战鼓〉》。

7月 《黑龙江文艺》试刊第4期以《献给党的颂歌》为总题刊出陈国屏《颂歌》、孙侃《延安窑洞》等诗和兵团某部何志云的文章《革命知识青年的光辉榜样——评长诗〈张勇之歌〉》。

7月 《吉林文艺》1973年7月号刊出诗歌专号,刊有蒙族苏赫巴鲁《七月的颂歌》、朝鲜族韩东吾《金达莱呀向阳开》、王方武《长安街上》、王磊《五星红旗在联合国升起》、陈玉坤《老支书开会归来》、宋协龙《军长在哨所》、纪鹏《写在世界屋脊上的诗》、吉林大学中文系学员庞向荣《千仇万恨聚笔端》等诗和毕及文《革命诗歌是无产阶级的宣传工具——学习列宁〈欧仁·鲍狄埃〉一文的启示》、易洪斌《饱满的激情 热烈的颂歌——评本期发表的几首政治抒情诗》等文。

7月 《辽宁文艺》1973年第7期刊出工人高广成《红旗飘扬》、社员霍满生《定给祖国换新装》、滕英《打靶》等诗。

7月 《群众艺术》1973年第7期刊出文铿《红旗进行曲》、红鹰《毛主席思想育新苗》等诗。

7月 《四川文艺》1973年7月号刊出解放军某部里沙《重钢的钢》、唐大同《列车驰过大渡河》、工人王永富《锻工老将》等诗。

7月 《湘江文艺》1973年第4期刊出贺振扬《党的儿子》、解放军某部姚成友《第一次为祖国站岗》、解放军某部瞿琮《井冈山诗抄》、石太瑞《割呀,快快地割》等诗。

7月 宫玺的诗集《银翼闪闪》由江苏人民出版社出版。

7月 内蒙古生产建设部队政治部编的诗集《军垦集》由内蒙古人民出版社出版。

7月 飞雪的叙事诗《水落坡》由山东人民出版社出版。作品共8章,有《序歌》。扉页题:"纪念毛主席'一定要根治海河'题词十周年!"

飞雪,原名高兆萱,1932年2月18日生于山东无棣。1948年入渤海师范学习,1950年在渤海师范附小任教。1953年入山东省中学教师进修学院学习,1954年到山东阳信中学教书。1958年在无棣县委编辑报纸,1960年到惠民地区文联工作。1950年开始发表新诗,出版的诗集还有《春之歌》(与韩青合著,1978)、《拍着黄河的流水》(与林军合著,1989)。

7月 姜金城的诗集《海防线上的歌》由上海人民出版社出版。作品分为《哨所春讯》、《钢铁长城》等3辑,收《哨兵的歌》、《军号声声》、《行军到渡口》、《山丹丹花》等诗47首。该书《内容提要》说:"这本诗集,共收短诗四十三首,叙事诗四首。""多数短诗反映海防前线的战士生活,描绘了雄伟壮丽的海防景色,表现了海防战士热爱党、热爱祖国的精神面貌。叙事诗塑造了宣传队员、游击队员、支前老艄公等英雄形象。""这些诗,大都写得形象生动,有诗情画意。"

姜金城,1936年2月21日生于辽宁抚顺。1951年参军,1974年转业到上海文艺出版社工作。1958年开始发表新诗,出版的诗集还有《遥远的秋色》(1987)、《同题三色抒情诗》(与宫玺、黎焕颐合著,1988)、《昨天的月亮》(1992)。

7月 中共长岭县委宣传部、长岭县文化局编印的《金色的太阳永不落——宋福森诗歌选》印行。作品分为《金光闪闪照咱心》、《大寨红花遍地香》等5辑,收《干部社员学〈毛选〉》、《公社办起发电站》、《红管家》等诗48首,后附新华社通讯员、新华社记者《劳动出诗篇——记吉林省农民诗人宋福森》和宋福森《〈讲话〉光辉照心田 永为革命写诗篇》文2篇,有《前言》。《前言》说:"宋福森同志是我县腰坨子公社腰坨子大队第三生产队的社员。多年来,他在党的培养教育下,认真看书学习,思想觉悟不断提高。他热爱党,热爱伟大领袖毛主席,热爱社会主义,积极参加集体生产劳动。一九六四年以来,宋福森坚持学习毛主席著作,特别是学习了毛主席《在延安文艺座谈会上的讲话》,更加心明眼亮,决心为革命写诗歌。十年来,他遵循《讲话》指引的方向,把亲身参加阶级斗争、生产斗争和科学实验三大革命运动的所感所见,写成一首首诗歌,满腔热情地歌颂伟大领袖毛主席,歌颂伟大的党,歌颂毛主席革命路线的伟大胜利;描绘社会主义新农村的巨大变化和人民公社的一幅幅美好图景;赞美农村的新人新事,新思想、新风貌。他写的诗歌,有很多登在队里的黑板报上和墙报上,及时配合了党的各个时期中心工作,起到了'团结人民、教育人民、打击敌人、消灭敌人'的战斗作用。有一部分诗歌还发表在地区和省的报纸和文艺刊物上。他在诗歌创作上取得了可喜的成绩。"

宋福森,1932年农历3月17日生于吉林长岭。长岭县腰坨子乡农民。1964年开始发表新诗,出版的诗集还有《车老板的歌》(1975)。

7月 《彩虹万里——工程兵诗歌集》由黑龙江人民出版社出版。收喻晓《我们是毛主席的工程兵》、叶文福《我爱祖国万重山》、韩作荣《海岛施工》等诗50首,有中国人民解放军工程兵政治部宣传部《后记》。《后记》说:"在深入进行批修整风的大好形势鼓舞下,工程兵部队为完成国防施工、军事训练和各项任务,正日夜奋战在崇山峻岭、风雪高原和钢铁边防线上。广大指战员,在毛主席革命文艺路线指引下,纷纷拿起笔来,写下了不少热情洋溢的诗篇。《彩虹万里》这本诗集所收入的,就是其中一部分。""诗集的作者多是工程兵各条战线上的战士和基层干部,是文艺创作队伍中的新兵。因此,诗集所选的作品,还很不成熟,一定存在着这样或那样的缺点,热切希望广大读者批评、指正。"

7月 《高原春笛——工农兵诗集》由青海人民出版社出版。收藏族格桑多杰《迎着朝霞颂太阳》、西宁钢厂工人刘建华《炉前放歌情满怀》、社员杨生潜《县委书记到咱庄》、解放军某部汪泾洋《巡逻兵之歌》等诗四十余首，有《后记》。《后记》说："这个集子里的四十六首诗，是我省业余和专业作者一年来的新作。这些诗中一部分曾在报纸上发表过，入集时有所修改。"当时的文章说："选取现实生活中意义重大的、思想的'蕴藏量'较为丰富的题材，从中概括、提炼出革命的主题思想，是《高原春笛》的一个突出特点。尽管每首诗反映生活的角度有所不同，艺术造诣有高有低，但它们大都具有鲜明的主题思想和时代精神，热情地歌颂了毛主席的无产阶级革命路线在我国各条战线上所取得的伟大胜利。"（郭芸《高原春笛奏新曲——读工农兵诗集〈高原春笛〉》，见《金滩战歌》，青海人民出版社1974年9月出版）

1973年8月

1日　《广西文艺》1973年第5期刊出《红水河畔新歌台》新民歌20首和邓家源《高歌上征途》、包玉堂《在天河两岸歌唱》、解放军驻广州某部瞿琮《写在桂林山水间》等诗。

1日　《解放军文艺》1973年8月号刊出韦丘《笛声》、杨星火《雪山儿女》、宫玺《机场诗页》、向明《山和海》等诗和谢冕的文章《战斗前沿的红花——诗集〈红花满山〉读后》。

5日　《贵州日报》刊出林德冠、王佩云的文章《颂歌抒革命豪情彩笔绘时代英雄——评诗集〈工农兵诗选〉、〈苗岭飞颂歌〉》。

5日　《新华日报》刊出解放军某部邹雨善的文章《激动人心的号声——喜读短诗集〈嘹亮的军号〉》。

7日　根据毛泽东指示，《人民日报》发表广州中山大学历史系教授杨荣国的文章《孔子——顽固地维护奴隶制的思想家》。

12日　《光明日报》刊出刘登翰、孙绍振的诗《指点河山重安家——给公社水利专业队》。

12日　《文汇报》刊出黄培德《书记同咱战高温》等诗。

17日　郭小川作诗《向海洋》。此诗初刊《江苏文艺》1977年第

3期。

24—28日 中国共产党第十次全国代表大会在北京召开。

26日 《文汇报》刊出中流《风摇杏树花又开》等诗。

30日 《云南日报》刊出晓雪的诗《光辉的道路——献给党的第十次全国代表大会》。

8月 《福建文艺》1973年第2期刊出福安上山下乡知识青年蓝炯熹《落户》、肖玲《万山红遍》、陈发松《山村文艺兵》等诗。

8月 《河北文艺》编辑部刊出《诗传单》,以《团结胜利的党的第十次全国代表大会万岁》为总题刊出兴隆社员刘章《鲜花朵朵献"十大"》、石家庄工人肖振荣《请检阅吧,亲爱的党》、尧山壁《向叛徒、卖国贼林彪开炮》等诗。

8月 《吉林文艺》1973年8月号刊出《农安县巴吉垒公社诗选》和宋福森《革命路》、苏赫巴鲁《驯马图》等诗。

8月 《辽宁文艺》1973年第8期刊出解放军某部战士王中朝《炮手的歌》、解放军某部战士崔武《水兵之歌》、工人李广泽《架线》等诗。

8月 《群众艺术》1973年第8期刊出解放军某部雷抒雁《军营里的批判栏》、解放军某部谢克强《站好最后一班岗》、沈奇《十万矿石一把抓》等诗。

8月 《四川文艺》1973年8月号刊出尹在勤的文章《新诗要努力向革命样板戏学习》。文章说:"革命样板戏是无产阶级革命文艺的样板,是贯彻执行毛主席革命文艺路线和文艺方针的样板。革命样板戏的创作原则和经验,对于一切形式的社会主义文艺都是适用的,新诗也不例外。新诗向革命样板戏学习,是一个重要的课题。""新诗如何向革命样板戏学习呢?""首先应该学习的,是'三突出'的创作原则。这个原则是江青同志在两条路线的激烈搏斗中,培育革命样板戏,总结出来的一条极其重要的原则,是无产阶级文艺必须遵循的根本原则。这个原则运用于诗歌创作,既适用于叙事诗,也适用于抒情诗。"

8月 《天津文艺》1973年第4期刊出公共汽车一厂工人周永森

《献给火红的七月》、谷正义《女鞭手》、文武斌《胜利进行曲》、高占祥《银纸彩墨绘英雄》等诗。

8月 《云南文艺》创刊号刊出《颂歌飞向北京城》民歌7首和解放军某部高洪波《重温入党志愿书》、李鉴尧《大路歌》、张永权《金沙江放歌》等诗和薛平《热情歌颂无产阶级文化大革命——从朗诵诗〈青春似火〉谈起》、秦瑞康《一曲无产阶级战斗青春的赞歌——喜读朗诵诗〈青春似火〉》等文。

8月 诗集《颂歌向着北京唱》由吉林人民出版社出版。

8月 诗集《太阳颂》由广东人民出版社出版。

8月 广东省文艺创作室、广东人民出版社编辑部编的诗集《天安门礼赞》由广东人民出版社出版。

8月 贾漫的诗集《中流击水》由内蒙古人民出版社出版。收《毛主席住过的地方》、《南京长江大桥》、《巴图大叔》、《治沙颂歌》等诗22首(组)。

贾漫,原名贾光宇,1933年3月15日生于河北黄骅。1949年毕业于天津惠青农职学校,同年参加工作到内蒙,一直从事文学创作工作。出版的诗集还有《春风出塞》(1963)、《云霄壮歌》(与布林贝赫合著,1976)、《贾漫诗选》(1987)等。

8月 宁宇的诗集《红色的道路》由上海人民出版社出版。作品分为《工业之鹰》、《军垦战歌》等4辑,收《鞍钢的云》、《化铁炉顶上放歌》、《浪中练兵》、《进塔里木》等诗54首。该书《内容提要》说:"作者以饱满的政治热情,歌颂了我们这个伟大的时代和时代主人。作品生动的反映了工业战线飞速跃进的沸腾景象,描绘了沙漠变绿洲的壮丽图画,刻画了钢铁工人、造船工人、海岛渔民、军垦战士的形象,抒发了'五·七'战士的壮志豪情。""作品反映的生活绚丽多彩,语言凝炼、含蓄,寓意较深。"

宁宇,原名王宁宇,1935年1月17日生于河南开封。1949年参加中国人民解放军,曾任文工团员、文化教员。1955年复员到上海当工人。1957年调至上海作家协会,历任编辑、编辑组长。1986年任上海文联研究室主任。出版的诗集还有《竹梦》(1985)、《宁宇诗

8月 王致远的长诗《胡桃坡》由人民文学出版社出版。长诗共18章。该书1965年3月由作家出版社出版。当时的广告说:"这部叙事长诗,以两个对阶级敌人有着刻骨仇恨的贫农母女为中心,描写了关中地区人民在第三次国内革命战争时期以及解放后对敌英勇的斗争故事。"(1965年5月10日《文艺报》1965年第4期)此次重版作者进行了修改。

王致远,1925年生,陕西合阳人。1947年入北平华北文法学院学习。后在华北局党校直属队、华北局社会部、南下工作团总团部、新华社四野总分社等单位工作。1950年起,任《新观察》编辑组长、编辑部主任、编委,作家出版社办公室主任,人民文学出版社总编室主任、副总编辑、代理总编辑等职。1982年任文化艺术出版社社长兼总编。1953年开始发表作品,出版有叙事长诗《胡桃坡》(1965)、《长歌行》(1984)。1989年10月29日在北京病逝。1992年诗文集《黄土高坡未了情》出版。

8月 福建人民出版社编的诗集《闽山朝霞红》由该出版社出版。收上杭县古田公社陈志铭《金色的大路》、建阳县营口公社齐国兴《山村迎新人》、厦门林祁《磨出铁肩好接班》、霞浦县俞兆平《赤脚医生赞》等诗43首,有《后记》。《后记》说:"这是一本反映我省上山下乡知识青年生活、劳动、斗争的诗集。共收入四十三首诗作,其中除少数几首外,都是活跃在各地农村插队知识青年的作品。""这些作者,虽然是初露锋芒,作品大都是习作,但十分可喜的是,这些诗歌充满浓厚的生活气息,真挚的劳动感情,闪烁着共产主义理想的火花;意境清新,形象鲜明,语言朴素,生动地反映出我省青年一代的新风貌。"当时的评论说:"诗集《闽山朝霞红》,反映的是知识青年在广阔天地里的战斗生活,诗集的作者又绝大多数是上山下乡的知识青年。读着这些诗歌,我们很自然地就会联想到那些战斗在农业生产第一线的知识青年们,一手拿锄,一手拿笔,把青春贡献给社会主义事业的壮丽图景,因此感到格外亲切。"(陈刚久、师宗平《可喜的收获——读诗歌集〈闽山朝霞红〉》,1973年10月19日《福建日报》)

8月　《上杭民歌》编辑小组编的《上杭民歌》由福建人民出版社出版。收《历史民歌》9首、《中央苏区时期民歌》54首、《全国解放后民歌》95首等民歌,有编者《前言》。

1973年9月

1日　《广西文艺》1973年第6期刊出《红水河畔新歌台》新民歌8首和班汉隆《歌唱金色的大路》、徐刚《井冈红梅》等诗。

1日　《解放军文艺》1973年9月号刊出梁冬《迎新会》、黄亚洲《鹰儿看看我是谁》、陈国屏《插队》、蔡文祥《给爸爸的信》等诗。

3日　《文汇报》刊出中华造船厂钱国梁《战歌越唱越激昂》、东海舰队张秉珏《水兵的心儿向北京》等诗。

6日　《光明日报》刊出安书金《团结胜利的歌》、土家族向远宁《千歌万曲庆十大》、解放军某部时永福《草原的歌》等诗。

10日　《文汇报》刊出上钢一厂谷亨利《十大光辉照炉台》等诗。

10日　《北京文艺》1973年第4期以《满怀豪情颂"十大"》为总题刊出市政机械公司修配厂陶嘉善、化工设备厂何玉锁《满怀豪情颂"十大"》和北京人民印刷厂高占祥《满怀豪情印〈公报〉》、李学鳌《前进,革命的列车》等诗。

15日　《河北文艺》1973年第5期刊出赵兵《战士红心永向党》、驻军某部宏铮《批修战歌》等诗。

17日　《山西日报》刊出文武斌的诗《深山战歌——献给党的第十次代表大会》。

20日　《陕西文艺》1973年第2期以《满怀激情颂十大》为总题刊出解放军某部李欣《放歌延河畔》、徐锁《我们兴旺发达的党》、解放军某部廖代谦《凯歌入云霄》等诗,还刊有刘羽升的文章《陕北人民心里的歌——读诗集〈延安山花〉》。

21日　《宁夏日报》刊出钟平的文章《读诗集〈塞上新歌〉》。

23日　《文汇报》刊出上海市石油煤炭公司袁军《女司机》等诗。

9月　《广东文艺》1973年第8—9期刊出郑南《毛主席登上"十大"主席台》、沈仁康《井冈山峰》、工人纪虹《干打垒》、李士非《雷州歌》等诗。

9月 《黑龙江文艺》试刊第5期刊出陈延宝《林业工人抒情》、何涌泉《书记的日记》、龙彼德《在乌苏里江上》、李风清《月夜上岗》等诗;是期还刊出增刊,以《沿着党的"十大"路线奋勇前进》为总题刊出岳凌云《红心飞向北京城》、兵团某部蒋巍《战鼓声声动地来》等诗。

9月 《吉林文艺》1973年9月号刊出解放军某部孙旭辉《十大代表走进庄严的会场》、曲有源《在大干快变的高潮中》等诗。

9月 《辽宁文艺》1973年第9期刊出社员霍满生《青枝绿叶花盛开》、王守勋《山里的道》、阎墨林《出海》等诗。

9月 《群众艺术》1973年第9期刊出窦树发《红色的勘探者》、韩志宽《放排》、党永庵《欢唱的云》等诗。

9月 《湘江文艺》刊出"热烈庆祝中国共产党第十次全国代表大会胜利闭幕"特刊,刊有未央《团结胜利之歌》、王燕生《请献给心中的太阳》、振扬《胜利的颂歌》等诗。

9月 黎汝清的诗集《战马奔驰》由江苏人民出版社出版。

9月 杨星火的诗集《拉萨的山峰》由西藏人民出版社出版。

9月 《少年朗诵诗集》由上海人民出版社出版。

9月 胡世宗的诗集《北国兵歌》由吉林人民出版社出版。收《满怀深情唱井冈》、《军民读书班》、《吹吧,小号兵》、《守卫在祖国大门口》等诗42首。

胡世宗,1943年生,辽宁营口人。1963年参军,现在沈阳军区政治部创作室工作。出版的诗集还有《战争与和平的咏叹调》(1986)、《胡世宗诗选》(1989)、《永存的雪雕》(1996)等。

9月 诗集《千歌万曲颂十大》由山东人民出版社出版。收解放军某部程步涛《献给你,党的十大》、孙国章《颂歌献给伟大的党》、宋协周《东风,丽日,红旗飘飘》、社员李通昌《春雷一声喜讯传》等诗49首。

9月 龙冬花、姜秀珍等著的《山花吐焰——贵池民歌选》由安徽人民出版社出版。收龙冬花《毛泽东思想像太阳》、姜秀珍《石头缝里也长粮》、姜五四《对敌斗争不放松》等民歌106首,有徐芳《罗城歌手唱新春》代跋。

9月 安徽人民出版社编的诗集《闪光的路》由该出版社出版。当时的评论说:"最近由省人民出版社编辑出版的《闪光的路》,是反映知识青年在农村战斗生活的一本诗歌集,其中部分诗篇,就是下乡知识青年写的。""知识青年上山下乡,是一场伟大的社会主义革命,是培养无产阶级革命事业接班人的一项战略措施。在毛主席的革命路线指引下,在贫下中农的热情教育下,广大知识青年正在农村三大革命斗争的风雨中茁壮成长,成为建设社会主义新农村的生力军。《闪光的路》中大部分篇章,从各个不同的侧面讴歌了知识青年在农村发挥的巨大作用,描绘了他们在斗争中不断成长的情景,从而歌颂了知识青年上山下乡这场伟大的革命运动,热情赞美和支持这一社会主义新生事物,批判了林彪对上山下乡运动的恶毒诬蔑。这就是《闪光的路》的现实战斗意义。"(童本清《一条金光灿烂的革命大道——评诗集〈闪光的路〉》,1973年11月15日《安徽日报》)

秋 牛汉作诗《悼念一棵枫树》。此诗初刊《长安》1981年第1期;收诗集《温泉》,上海文艺出版社1984年5月出版。牛汉说:"从1969年9月末到1974年12月的最后一天,我在湖北咸宁干校一直从事最繁重的劳役,特别是头两三年,我在连队充当着'头号劳力',经常在泥泞的七上八下的山间小路上弓着腰身拉七八百斤重的板车,浑身的骨头(特别是背脊)严重劳损,睡觉翻身都困难。那几年,只要有一点属于自己的时间,我总要到一片没有路的丛林中去倘佯,一座小山丘的顶端立着一棵高大的枫树,我常常背靠它久久地坐着。我的疼痛的背脊贴着它结实而挺拔的躯干,弓形的背脊才得以慢慢地竖直起来。生命得到了支持。""一天清晨,我听见一阵'滋拉滋拉'的声音,一声轰然倒下来的震响,使附近山野抖动了起来,随即闻到了一股浓重的枫香味。我直感地觉得我那棵相依为命的枫树被伐倒了。……我立即飞奔向那片丛林。整个天空变得空荡荡的,小山丘向下沉落,垂下了头颅,枫树直挺挺地躺在丛莽之中。我颓然地坐在深深的树坑边,失声痛哭了起来。村里的一个孩子莫名其妙地问我:'你丢了什么这么伤心?我替你去找。'我回答不上来。我丢掉的谁也无法找回来,那几天我几乎失魂落魄,生命像被连根拔起,过了好些天,我写下了这首诗。"(《一首诗的故乡》,见《萤火集》,中国华侨出版社1994年版)

1973年10月

1日 《文汇报》刊出《十大红旗舞东风——庆祝中华人民共和国成立二十四周年诗歌选》,刊有上海冷轧带钢厂张炜《十大东风吹炉台》、陈晏《车轮滚滚铺春色》等诗。

1日 《广西文艺》1973年第7期刊出《欢唱团结胜利歌》新民歌21首和纪宇《国庆灯火赞》、徐声凯《向荒山野岭进军》等诗。

1日 《解放军文艺》1973年10月号以《战士高歌庆十大》为总题刊出廖代谦《十大公报金灿灿》、王石祥《巡逻道上闻喜讯》等诗。

2日 《光明日报》刊出解放军某部马怀金《瑶寨北京紧相连》等诗。

7日 《文汇报》刊出孙明义《胜利的航程上》、李幼容《军垦颂》等诗。

15日 《文汇报》以《我们时刻准备着》为总题刊出解放军某部宫玺《机场筑在咱心上》等诗。

19日 《福建日报》刊出上山下乡知识青年陈刚久、师宗平的文章《可喜的收获——读诗歌集〈闽山朝霞红〉》。

10月 张建中(林莽)作诗《第五个金秋》。此诗收诗集《我流过这片土地》,新华出版社1994年10月出版。

10月 《广东文艺》1973年第10期刊出梵杨的配画诗《到广阔的天地去》和解放军崔合美《从南海唱到北京》、解放军章明《延安的颂歌》等诗。该刊1974年第1期刊出《对〈到广阔的天地去〉一诗的意见》,广州钢铁厂凌菁说:"读了《到广阔的天地去》一诗(见《广东文艺》一九七三年十月号封二)后,觉得这首诗的调子比较低沉,小资产阶级的'人情味'颇浓,没有时代气息,不能反映我们伟大时代的精神风貌。"中山大学中文系学员杜嗣琨说:"看了《到广阔的天地去》的配诗,觉得诗里有一些小资产阶级的情调。什么'泪'呀,'愁'呀等等,用这些来衬托知识青年奔赴广阔天地的雄心壮志,我觉得不合适。上山下乡,这是毛主席给我们知识青年指引的光辉道路,是无上光荣的。向这条道路迈进的时候,为什么要'哭'、要'愁'、'难舍难离难分手'呢?"该刊编辑部按:"一九七三年十月号本刊封二《到广阔的天地去》一画的配诗,发表后,收到了一些读者来信,对这首诗提出批评意见。这些意见是很有道理的。这里选登的是来稿中有代表性的两则。""《到广阔的天地去》的配诗,有部分句子,格调低沉,语言比较陈旧,作者用意虽企图批判某些人的错误思想和表现,但是过多地渲染这种支流的事物,批判又缺乏足够的力量,就反而给人一种不健康的情绪的感染,这和革命的战斗激情的颂歌是不相称的。"

梵杨,原名梁铭纲,1930年4月6日生于广东四会。1948年到《建国日报》当校对,1949年在佛山地区任农村干部,1956年起先后在广东作家协会、广东人民出版社、广东省文联从事文学编辑工作。1952年开始发表新诗,出版的诗集有《婚事》(1952)、《不落的星辰》(1983)。

10月 《呼和浩特文艺》1973年第4期以《"十大"的光辉照草原》为总题刊出张之涛《胜利的丰碑》、李心如《战斗的号角》等诗。

10月 《辽宁文艺》1973年第10期刊出林啸《胜利向前》、解放军某部张旭东《誓言写在钢枪里》、朱文长《喜讯传山村》等诗。

10月 《山东文艺》第1期刊出诗辑《十大光辉照航程》和李存葆《海疆抒情》、纪鹏《写在世界屋脊上的诗》、郭廓《高潮激浪》等诗。

10月 《天津文艺》1973年第5期刊出王福全《献给中南海书房》、天津警备区李钧《进军放歌》、冶金实验厂冯景元《钢之歌》等诗。

10月 《湘江文艺》1973年第5期刊出长沙市工人弘征《时代的列车飞奔——欢呼十大胜利召开》、王燕生《指挥长》、株洲市工人聂鑫森《战斗的鼓声》、隆回县农民胡光曙《雪峰药农》等诗和范良钧的文章《我们需要战斗的诗篇——喜读诗歌〈在广场上〉》。该刊1974年第2期刊出冷水江市禾青公社胡洛的文章《〈雪峰药农〉是一首坏诗》。文章说:"《湘江文艺》一九七三年第五期刊登的《雪峰药农》,是一首有毒的坏诗。""首先是给劳动人民的脸上抹黑。马克思主义要求革命文艺作品'除了细节的真实以外,还要真实地再现典型环境中的典型性格。'在旧社会,'官府'是劳动人民的死敌,奴隶只有造反,才有自己的活路。'奴隶代代求解放,战鼓连年起四方',正是旧社会被压迫者斗争性格的典型概括。《雪峰药农》却与此相反,它把劳动人民歪曲成奉行孔孟之道的'顺民'。为了寻找'灵药献给官府','于是多少人千百回磨破了手皮脚掌,又千百回遇到虎豹豺狼,只落得千百回望着群山长叹,把希望抛进云海雾洋……'这些'顺民',听命'官府'的摆布,不顾死活,可谓'忠恕'之至。他们除了'长叹',没有任何怨言,更谈不上愤怒和反抗;即使'长叹',也不是叹'官府'的残暴,而是叹自己未能找到'灵芝仙草',不能得到'官府'恩赐的佳运。显然,这种描写是对奴隶们的莫大侮辱!""其次,'灵芝仙草',只存在于神话传说之中,现实生活中是没有的(中药'灵芝草'与诗中所说的'灵芝仙草'无关)。雪峰药农,在旧社会充当'顺民',妄想以'灵芝仙草'博取'官府'的欢心;而到了新社会,他竟然'要找一棵真正的灵芝仙草,敬献到伟大领袖毛主席身旁'。把古代道士采仙药献给皇帝的传说比成劳动人民对伟大领袖的热爱,这是十分错误的。"

胡光曙,1941年5月14日生于湖南隆回。1959年高中毕业长期任乡村中学教师及报刊编辑。1985年调至隆回县文化馆工作。1954年开始新诗写作,1986年印行诗集《七水江,我的家乡》。

10月 《云南文艺》1973年第2期刊出"庆祝十大专刊",刊有工人李松波《上北京》、傣族歌手康朗甩《傣家人欢庆"十大"》、白族张长《革命真理放光芒》等诗。

10月 王文绪的诗集《金泉》由山西人民出版社出版。

10月 铁岭地区文化局、法库县《金玉廷诗选》编选小组编的《金玉廷诗选》由辽宁人民出版社出版。作品分为《您是咱们大救星》、《革命红旗肩头扛》等5辑,收《党是太阳高空照》、《公社是枝幸福花》、《劳动歌声震天地》等诗80首和作者《为革命而学,为革命而歌》文1篇,有编者《前言》。《前言》说:"金玉廷同志仅仅读过二年书,但他敢于打破刘少奇、林彪一类骗子宣扬的反动的'天才论'的束缚,毅然拿起笔来,为革命而歌。在创作上,坚持毛主席的文艺为工农兵、为社会主义革命和建设、为无产阶级政治服务的方向，把诗歌创作作为宣传毛泽东思想、捍卫毛主席革命路线、巩固无产阶级专政的工具。他的诗歌的突出特点，是热情洋溢地歌颂党和毛主席、歌颂毛主席的无产阶级革命路线和社会主义革命、社会主义建设的伟大胜利，满腔愤怒地控诉地主资产阶级统治的旧社会，批判反革命修正主义文艺路线；朴实地表达了贫下中农的思想感情，生动地反映了革命人民朝气蓬勃地建设社会主义新农村的精神面貌。生活气息是浓郁的，艺术形式是广大群众所喜闻乐见的。他的诗歌不仅发表在报刊上，更多地是由他亲自在田间、地头、会场，向群众朗诵和演唱，受到广大贫下中农的热烈欢迎。他的诗歌是'为工农兵而创作，为工农兵所利用'的，发挥了'团结人民、教育人民、打击敌人、消灭敌人'的战斗作用。今天，出版他的诗选，对于刘少奇、林彪一类骗子宣扬的'天才论'、'灵感论'等反革命修正主义文艺观点，也是有力的批判。"

金玉廷，1929年生，辽宁法库人。曾任辽宁省法库县丁家房公社良种场大队贫协主任、法库县人民代表、法库县贫协副主任、辽宁省贫协副主任。1956年开始诗歌写作，1965年出版诗集《我是人民宣传员》。1970年1月23日病逝。

10月 天津人民出版社编的诗集《海河战歌》由该出版社出版。收津湘《"题词"光辉照海河》、严农《知识青年在海河》、王洪涛《擎天柱》、杨畅《老俩口上阵治海河》等诗68首，有编者《后记》。《后记》说："在庆祝伟大领袖毛主席'一定要根治海河'题词十周年之际，我们出版了这本诗集。""诗集的作者，大都是亲身参加根治海河的民工和干部。他们在毛主席'一定要根治海河'的伟大号召下，在战天斗地的劳动中，拿起笔来进行文艺创作，写出了大量歌颂伟大领袖毛主席、歌颂党、歌颂根治海河的英雄人物和根治海河十年取得辉煌胜利的作品。这本诗集所收入的诗歌，就是他们的作品中的一部分。"

10月 诗集《征途万里凯歌高——献给党的十大》由浙江人民出版社出版。收梁雄《征途万里凯歌高》、潘国钧《炼钢炉前颂十大》、吴有华《学了公报情更豪》、田永昌《粉碎林贼复辟梦》等诗29首。

10月 北京大学中文系编印的《诗选》（二集）印行。收红卫兵

《祝毛主席万寿无疆》、徐刚《阳光灿烂照征途》、李学鳌《百里矿区一窗口》、李瑛《想起了一条古老的河》、叶文福《家》等诗45首,有编者《编后》。《编后》说:"为了帮助学员学习创作,去年,我们编选了若干较好的当代作品,分成《诗选》《短篇小说选》《散文特写选》《戏剧曲艺选》四册刊印,供学员阅读、借鉴。""现在,我们继续按照这四类体裁,从无产阶级文化大革命后出现的许多具有崭新面貌的作品中进行编选,分册陆续付印。"

1973年11月

1日 《广西文艺》1973年第8期刊出《红水河畔新歌台》新民歌7首和王一桃《举起战斗的投枪,掷向孔家店!》、陈雨帆《山鹰的琴》、纪鹏《写在世界屋脊上的诗》等诗。

1日 《解放军文艺》1973年11月号刊出尧山壁《海河工地短歌》、任海鹰《紧急出航》、张力生《过险峡》、李瑛《献给火的年代》等诗。

4日 《文汇报》刊出徐刚的诗《北京抒情》。

10日 《北京文艺》1973年第5期刊出牛明通《北京灯火》、永定机械厂工人杨俊青《钢的性格》、房山县周口公社孙玉枝《新苗》等诗。

11日 《文汇报》刊出向群中学萍之《时代的画廊》、罗顺富《夜战荒山岗》等诗。

14日 《内蒙古日报》刊出郭超《热情赞颂新一代——读诗集〈广阔天地进军歌〉》、贾漫《战地黄花分外香——喜读五·七战士诗歌选〈战地黄花〉》等文。

15日 《安徽日报》刊出童本清的文章《一条金光灿烂的革命大道——评诗集〈闪光的路〉》。

15日 《河北文艺》1973年第6期刊出郭宝臣《毛主席一声号令》、武邑社员王雷《海河民工的家》、朱述新《开渠》等诗。

20日 《陕西文艺》1973年第3期刊出小蕾《红旗颂》、李耕文《中南海颂》、解放军某部韩作荣《老书记》等诗。

11月 伍立宪(哑默)作诗《哀离》。此诗收诗文集《乡野的礼物》，贵州民族出版社 1990 年 12 月出版。

11 月　《广东文艺》1973 年第 11 期刊出殷勤《向广阔天地进军》、黄子平《胶林深处》、解放军王桂荣《山花》等诗。

11 月　《辽宁文艺》1973 年第 11 期刊出齐红深《红高粱》、邹德盛《灯标颂》、雁翎《粮山又起三丈高》等诗。

11 月　《湘江文艺》1973 年第 6 期刊出解放军某部瞿琮《向韶山》、解放军某部崔合美《在韶山陈列馆的一尊塑像前》、石太瑞《粉碎孔子的幽灵》、未央《田径短曲》等诗。

11 月　时永福的诗集《哨所抒怀》由陕西人民出版社出版。

11 月　河北省革命委员会出版发行局编的诗集《海河千里战旗红》由河北人民出版社出版。

11 月　四川人民出版社编的《哨所的路——战士诗选》由该出版社出版。

11 月　包玉堂的诗集《在天河两岸》由广西人民出版社出版。收《进京前夕》、《北京的钟声》、《歌唱我的民族》、《天河船家谣》等诗 46 首。

包玉堂，1934 年农历 7 月 15 日生于广西罗城。仫佬族。1949 年后曾任小学校长、县报记者，先后出版诗集《虹》(1956)、《歌唱我的民族》(1958)、《凤凰山下百花开》(1959)。1963 年到自治区文联从事专业创作，后曾任自治区文化局副局长。1980 年任中国作家协会广西分会副主席，又出版诗集《回音壁》(1984)、《清清的泉水》(1987)、《春歌不歇》(1990)、《红水河畔三月三》(1991)等。

11 月　戚积广的诗集《炉火集》由吉林人民出版社出版。收《祝福毛主席万寿无疆》、《红太阳高照汽车城》、《冲天炉之歌》、《锻得全球飞红霞》等诗 32 首。

戚积广，1941 年 4 月 3 日生于山东黄县。1956 年到长春第一汽车制造厂当工人。1966 年吉林函授学院中文系毕业。1979 年到吉林人民出版社工作。1958 年开始发表新诗，出版的诗集还有《加热炉之歌》(1965)、《五彩的年华》(1985)、《帆梦》(1987)等。

11 月　《锤声集——工人诗选》由山西人民出版社出版。当时的评论说:"最近由山西人民出版社出版的诗选《锤声集》,是我省文艺领域批林批孔运动深入发展取得的成果之一。这本诗选的作者绝大部分是战斗在三大革命运动的第一线。他们既不是什么高贵的'圣人',也不是什么超人的'天才'。可就是这些人,却抒写了饱含激情的战歌。《锤声集》的每一首诗像时代的鼓点和号角,似幅幅动人的画卷。铿锵的锤声粉碎了林彪、孔老二鼓吹的'上智下愚'的骗人鬼话,显示了工人阶级不但是阶级斗争、生产斗争的主力军,而且也是文化革命的主力军。"(晋安化工厂工人业余评论组郭金玉、孔繁贵、李文杰《时代的鼓点 战斗的诗篇——喜读诗选〈锤声集〉》,1974年11月10日《山西日报》)

11月 陕西省汉中地区革委会文教局编印的诗集《汉水新歌——汉中地区革命文艺创作选集之一》印行。作品分为《山歌新唱》、《春漫巴山》等5辑,收张俊彪《毛主席和咱心连心》、宋文杰《山花向阳开》、沈奇《炉火正红》等诗131首,有编者《编后记》。《编后记》说:"根据伟大领袖毛主席'希望有更多好作品出世'的号召,为了进一步推动和繁荣汉中地区的革命文艺创作,现将我区近年来创作的小说散文、戏剧、诗歌和革命故事等分别汇编成册,以便内部推广和交流。"

11月 《江山多娇——安徽诗歌选》由安徽人民出版社出版。收张万舒《红旗颂》、女民歌手姜秀珍《心里高兴要唱歌》、煤矿工人卜照元《我们战斗在煤海深处》、孙昌瑞《女突击队》等诗94首。

11月 上海人民出版社编的《上海民歌选》由该出版社出版。作品分为《颂歌》、《工业大跃进歌谣》等5辑,收《听话要听党的话》、《喜报跑在我前头》、《公社是只船》等民歌103首,有《出版说明》。《出版说明》说:"这本民歌集,是从一九五八年的《上海民歌选》、一九五九年的《上海民歌选》和一九六〇年的上海民歌选集《稻花钢水谱新歌》中选出来的。""当年上海人民和全国人民一起,在党的建设社会主义总路线的光辉照耀下,以冲天的革命干劲和排山倒海的英雄气概,在各条战线上掀起了朝气蓬勃的大跃进局面。""这是一个伟大的时代。正如毛主席所指出的:'从来也没有看见人民群众像现在这样精神振奋,斗志昂扬,意气风发.'""这些民歌,就是这一伟大时代的产物。直到今天,我们读着这些诗篇,仍然感到伟大时代跳动的脉搏,从中得到极大的鼓舞和力量。"

11月 黑龙江生产建设部队政治部编的诗集《沃野朝阳》由黑龙江人民出版社出版。收蒋巍《火红的国旗舞东风》、别闽生《南泥湾道路越走越宽》、肖复兴《雨夜》、郭小林《军垦战士爱边疆》等诗47首。当时的评论说:"这本诗集,全部出自年轻的兵团战士的手笔,他们既是兵团生活的主人,又是诗的主人!他们用自己的笔,歌颂党和毛主席,歌颂自己的战斗生活,使人读后感到鼓舞,感到亲切。诗有鲜明的阶级立场,浓郁的生活气息,而没有所谓矫揉、雕琢之感。"(董国柱《新的一代 新的境界——诗集〈沃野朝阳〉读后》,1974年11月10日《黑龙江日报》)。

11月 中国人民解放军辽宁省军区政治部编的诗集《战士歌声》由辽宁人民出版社出版。收郑小林《全球响彻〈国际歌〉》、王选庆《刺刀的性格》、刘丰军《雪里练兵心中暖》、程力《边疆军民肩并肩》等诗49首。

1973年12月

1日 《广西文艺》1973年第9期刊出覃绍宽《壮族人民的心愿》、崔合美《我从海岛到韶山》、柯炽《抱负》等诗。

1日 《解放军文艺》1973年12月号刊出丁云鹏《行军》、邢书第《阵雨过山》、杨牧《葡萄架下一堂课》、向明《我们心中的天安门》、张永枚《井冈新诗》、徐刚《在毛泽东号机车上》、雷抒雁《军训号角》等诗。

6日 《山西日报》刊出该报工农兵通讯员、该报记者的报道《诗满田园歌满庄——昔阳县农村群众文化活动见闻》。

9日 《光明日报》刊出覃中华的诗《上征途》。

9日 《文汇报》刊出上海建筑机械厂张鸿喜《烟囱新歌》等诗。

12日 《光明日报》刊出辛述威《在与工农相结合的道路上前进——读诗集〈军垦新曲〉》、永言《战斗生活就是诗——读诗选〈学大寨战歌〉》等文。

15日 《人民日报》发表初澜的文章《要重视文化艺术领域的阶级斗争》。

16日 《人民日报》发表方耘的文章《要继续搞好文艺革命》。

24日 《文汇报》刊出宁宇《毛主席登过咱船台》、袁文燕《春风万里唱韶山》等诗。

25日 《新疆日报》刊出新疆大学中文系学员周鸿飞的文章《团结战斗的诗篇——读诗歌集〈条条金丝线〉》。

30日 《文汇报》刊出上棉二厂陆萍的诗《花布的歌》。

12月 张建中（林莽）作诗《列车纪行》。此诗收诗集《我流过这片土地》，新华出版社1994年10月出版。

12月 《广东文艺》1973年第12期刊出《星火燎原颂——"毛泽东同志主办广州农民运动讲习所旧址"诗歌专辑》，刊有易征《东耳房》、韦丘《明灯》、工人陈忠干《岗亭》、野曼《课堂》等诗。

12月 《辽宁文艺》1973年第12期刊出解放军空军某部李克白《工厂的"门闩"》、王忠杰《山村新歌》等诗。

12月 《群众艺术》1973年第12期以《铁道兵之歌》为总题刊出李益德《铁路工地歌最多》、宋绍明《车厢——我们的家》等诗。

12月 《山东文艺》第2期刊出柴德新《万里征途跨新步》、李健葆《海岛短歌》、桑恒昌《护林队》等诗。

12月 《天津文艺》1973年第6期刊出天津航务工程局金同悌《快艇，我的战马》、解放军驻津某部颜廷奎《海防线上》、纪鹏《写在世界屋脊上的诗》等诗。

12月 《云南文艺》1973年第3期刊出吴仕龙《访韶山》、梁上泉《边哨散歌》、晓雪《大年初一》、卢云生《公社的田野》等诗。

12月 杨本红的诗集《一代新人在成长》由江苏人民出版社出版。

12月 张昆华的诗集《在祖国边疆》由云南人民出版社出版。

12月 阎一强的诗集《沂蒙赞》由上海人民出版社出版。收《凌空燕》、《抽水站上》、《识字班歌》、《蒙山雨》等诗40首。该书《内容提要》说:"这本诗集,共收短诗三十九首,叙事诗一首。""短诗大都是作者近年来的新作,反映了沂蒙山区改天换地,水渠纵横,花果满山,稻米飘香的新面貌。这些诗,大都写得形象鲜明,语言生动,风格朴素,形式活泼,有浓厚的生活气息。叙事诗是作者1964年的作品,这次作了较大的修改。"

阎一强,1934年生,山东商河人。1949年参加工作,曾任《山东文艺》、《大众日报》编辑。1951年开始发表新诗,出版的诗集还有《第一支歌》(与苗得雨合著,1957)、《布谷鸟》(1959)、《报春集》(与孔林合著,1964)等。1974年4月病逝。

12月 张永枚的长诗《人民的儿子》由人民文学出版社出版。该书《内容说明》说:"这部叙事长诗通过对中国人民志愿军战士杨胜涛,在党的教育和培养下的成长过程的描写,表现了他的高度阶级斗争、路线斗争觉悟和无产阶级国际主义精神,塑造了一代新人的英雄形象。作品也热情歌颂了中朝两国人民在共同抗击美帝国主义侵略的斗争中,用鲜血凝成的战斗友谊。""长诗共三十五章,采用韵文和散文相结合的表现形式。结构严谨,语言朴素活泼。"

12月 《北京的歌——工农兵诗选》由北京人民出版社出版。收石湾《欢呼十大的歌》、北京第一纺织机械配件厂韩忆萍《钢铁的赞歌》、通县尹庄中学陈寓中《温榆河上红霞飞》、工程兵某部叶文福《我爱祖国万重山》、李学鳌《中南海的灯光》等诗106首,有编者《编后》。《编后》说:"经过无产阶级文化大革命,在毛主席革命路线指引下,工农兵革命文艺创作,百花盛开,欣欣向荣。《北京的歌》,正是在这一形势下编辑出版的。""诗歌的作者,以他们在三大革命运动第一线的切身感受,满怀战斗的激情,歌颂了我们伟大的领袖毛主席,歌颂了我们伟大的党,伟大的祖国,伟大的首都;从多方面描绘了工厂、农村、部队波澜壮阔的斗争生活;反映了首都各条战线的大好形势。""诗集付排,欣逢党的第十次全国代表大会,我们无比兴奋,豪情满怀。为了热烈庆祝我们党所取得的伟大胜利,特地增选了两首歌颂十大的诗。"

12月 甘肃人民出版社编的诗集《高原大寨歌》由该出版社出

版。收社员刘志清《满怀激情唱赞歌》、伊丹才让《修梯田》、林染《军垦战士续新篇》、师日新《驼铃新声》等诗62首。该书《内容提要》说："这本诗集,共收集工农兵作者和基层干部、革命知识分子作者近年来创作的短诗六十多首。""这些诗作,从不同的侧面描绘了在毛主席革命路线的指引下,当前我省农村人民公社'农业学大寨'的广阔画面,反映了我省广大贫下中农和社员群众,在阶级斗争、生产斗争和科学实验三大革命斗争中,战天斗地的英雄气概和丰富多彩的斗争生活,刻画了人民公社的各种先进人物的动人形象,展现了当前我省广大农村社会主义革命和建设飞速前进的宏伟图景,歌颂了毛主席革命路线的伟大胜利。"

12月 《韶山颂》编辑小组编的诗集《韶山颂》由湖南人民出版社出版。收罗先明《祝愿毛主席万寿无疆》、未央《抬头仰望毛主席旧居》、杨里昂《闪光的书案》、王燕生《韶山哨兵》等诗67首,有编者《编后》。《编后》说:"湖南是伟大领袖毛主席的家乡,是毛主席早期从事革命活动的地方。广大人民群众不断前来韶山瞻仰、学习,从毛主席的光辉实践中吸取前进的力量。为了表达亿万人民对毛主席深厚的无产阶级感情,进一步激励斗志,坚持无产阶级专政下继续革命,坚持党的团结胜利的路线,夺取新的胜利,我们组织创作和编辑了这本诗歌集《韶山颂》。"

12月 诗集《新芽集——上山下乡知识青年创作选(诗歌)》由江苏人民出版社出版。收马坝青《高粱赞歌》、杨群山《迎春曲》、张志仁《油灯闪闪》、杨本红《春风送我到渔家》等诗50首,有编者《后记》。《后记》说:"为了充分反映广大知识青年在农村这个广阔天地里意气风发,大有作为的精神面貌,歌颂毛主席关于'知识青年到农村去,接受贫下中农的再教育,很有必要'的伟大指示,彻底批判林彪反党集团恶毒攻击知识青年上山下乡的反动谬论,肃清他们的反革命修正主义路线的流毒;坚持知识青年上山下乡的正确方向,去年十月,由本社选编出版了我省上山下乡知识青年创作的短篇小说集《山里红梅》,得到了广大读者的欢迎,并纷纷来信要求继续出版这方面的文艺读物。今年以来,我们根据读者的要求,在省上山下乡办公室的大力支持下,通过进一步发动群众,由广大上山下乡知识青年创作了大批小说、散文、诗歌等文艺作品。并从大量来稿中陆续选出部分较有代表性的作品,分别编成了《终身课题》(小说)、《新芽集》(诗歌)、《东海潮》(散文)等三本上山下乡知识青年文艺创作选。"当时的评论说:"知识青年上山下乡,走毛主席指引的与工农相结合的光辉道路,是蓬勃发展的社会主义新生事物。江苏人民出版社出版的、由我省上山下乡知识青年业余作者创作的诗歌选集《新芽集》,热情歌颂了毛主席关于'知识青年到农村去'的伟大号召,反映了广大知识青年在广阔天地里,在三大革命斗争中,经风雨,见世面,接受贫下中农再教育,战天斗地的火热斗争生活,是对林彪一伙鼓吹'孔孟之道',诬蔑知识青年上山下乡是'变相劳改'的有力批判。我们战斗在农业第一线的知识青年,读后感到分外亲切,鼓舞很大。"(张理勤《知识青年战斗生活的颂歌——喜读诗集〈新芽集〉》,1974年5月12日《新华日报》)

冬 牛汉作诗《巨大的根块》、《鹰形的风筝》。《巨大的根块》初刊《文汇增刊》1980年第7期;均收诗集《温泉》,上海文艺出版社1984年5月出版。

1973年 蔡其矫作诗《落日》、《屠夫》、《候鸟》、《冬夜》、《女声二重唱》、《桐花》、《悼念》、《乌桕树》、《声音》、《地上的光明》。前三首收诗集《祈求》,江苏人民出版社1980年11月出版;第四至八首收诗集《生活的歌》,人民文学出版社1982年7月出版;最后二首收《蔡其矫诗选》,人民文学出版社1997年7月出版。

1973年 姜世伟(芒克)作诗《天空》、《冻土地》、《太阳落了》、《秋天》、《献诗:一九七二——一九七三》、《路上的月亮》、《城市》、《白房子的烟》。《天空》、《冻土地》初刊1978年12月23日《今天》第1期;《太阳落了》初刊1979年4月1日《今天》第3期;《秋天》初刊1979年6月20日《今天》第4期;《献诗:一九七二——一九七三》初刊1979年9月《今天》第5期;《路上的月亮》初刊1979年12月《今天》第6期;《城市》初刊1980年4月《今天》第8期;均收诗集《心事》,《今天》编辑部1980年1月油印发行。

1973年 栗世征(多多)作诗《祝福》、《吉日》、《能够》、《致青年艺术家彭刚》、《在秋天》、《告别》、《悲哀的玛琳娜》、《致情敌》、《梦》、《无题》、《少女波尔卡》、《诱惑》、《女人》、《孩子》、《青春》、《诗人》、《黄昏》、《年代》、《解放》、《海》、《致太阳》、《手艺》。前九首均收《行礼:诗38首》,漓江出版社1988年3月出版;后十三首均收《里程——多多诗选》,1988年12月油印发行。

1973年 牛汉作诗《根》、《蛇蛋》、《温泉》、《汇合》。《根》初刊《北方文学》1980年第7期;《汇合》初刊《文汇月刊》1986年第5期;前三首收诗集《温泉》,上海文艺出版社1984年5月出版;后一首收《牛汉抒情诗选》,青海人民出版社1989年12月出版。

1973年 赵振开(北岛)作诗《微笑？雪花？星星》、《小木房里的歌》、《无题》、《冷酷的希望》。《微笑？雪花？星星》初刊1978年12月23日《今天》第1期;《小木房里的歌》初刊1979年4月1日《今天》第3期;均收诗集《陌生的海滩》,《今天》编辑部1980年4月油印发行。

1973—1975年 郭路生(食指)作诗《红旗渠组歌》。此诗收《诗探索金库·食指卷》,作家出版社1998年6月出版。

1974 年

1974 年 1 月

1 日 《解放军文艺》1974 年 1 月号以《新民歌选》为总题刊出沈奇《十万矿石一把抓》、殷光兰《迎着太阳上讲台》等民歌；以《工农是我们的好老师》为总题刊出张蓬云《光荣榜》、陈官煊《张打铁》等诗。

5 日 《武汉文艺》创刊号刊出诗辑《颂歌献给毛主席》和黄声孝《十大东风送春来》、刘不朽《柳林新苗》、彭仲道《革命妈妈处处有》等诗。

6 日 《文汇报》刊出王荆岩《炼钢炉前》等诗。

8 日 北京大学革命委员会《新北大》报第 32 期刊出毕业班学员徐刚的诗《永不褪色的红花》和毕业班学员刘忠贵的诗《这双草鞋留给你》。

10 日 《北京文艺》1974 年第 1 期刊出市政机械公司修配厂陶嘉善、北京化工设备厂何玉锁《铁人之歌》和北京热电厂顾绍康、北京第一机床厂王恩宇《首都工人民兵赞》等诗。

13 日 《文汇报》刊出吕长河《炉火正旺——记一次批孔会》、上海工程机械厂谢其规《剥削阶级那一套，滚开》等诗。

15 日 《河北文艺》1974 年第 1 期刊出陈茂欣《布厂歌声》、任彦芳《三把大镐》、杨匡满《连队学习室》、孟庆菲《小刘》等诗。该刊 1974 年第 3 期刊出河北省隆尧县陈村大队回乡知识青年米彦周和河南省温县招贤公社辛一大队创作组的来信《革命青年不能当"哑叭"》。米彦周说:《小刘》"这首小诗共四行。头两行写道:'青年小刘外号"哑叭",沉默寡言喜欢画画。'意思是说小刘喜欢埋头劳动,其他什么也不说不管了,什么学习马列主义、毛泽东思想呀,宣传党的政策呀,什么阶级斗争、路线斗争呀,等等,似乎都可不闻不问、沉默寡言,因此大家才给他起了个外号'哑叭'。诗中写的'小刘'这样的青年,很像我们以前批判过的'中庸'的、'中间'式的人物。如果要广大青年都向'小刘'学习,像'小刘'一样,试想我们青年人将成为什么样子,能有什么作为,将走向什么道路,怎样能够接好革命班?"河南省温县招贤公社辛一大队创作组说:"这四句短诗歪曲了我们时代革命青年的形象。""面对着当前国内外一片大好形势,面对着毛主席革命路线战胜刘少奇、林彪反革命修正主义路线的伟大胜利,面对着广大贫下中农以战天斗地的英勇姿态掀起'农业学大寨'的群众运动,每个革命青年都应该感到欢欣鼓舞,高声歌唱,决不应该'沉默寡言'。在批判林彪反革命修正主义路线极右实质的战斗中,在宣传毛主席革命路线的伟大胜利时,在向阶级敌人冲锋陷阵时,在同错误路线进行斗争时,每一个革命青年决不应该当'哑叭'。如果在事关路线、事关大局的大是大非面前'沉默寡言',装'哑叭',那就是对无产阶级革命事业的背叛!作者说什么他'为革命种田爱挑重担',一个对政治运动'沉默寡言'的人,在建设社会主义时决不会出大力,流大汗。仅仅因为他干活卖力,公社就经常表扬他,这不是'劳动好就是政治好'的谬论的形象化说明吗?这不是说在农村只要埋头劳动,不问政治,就可以受到赞扬吗?"编者编后说:"这里选发了两篇读者意见,对本刊今年第一期发表的《小刘》一诗提出了严肃的批评。这首先是对我们编辑部的批评和帮助。现在批林批孔运动正在深入发展,为了认真贯彻毛主席的革命文艺路线,希望广大工农兵读者继续对我们提出批评、帮助。"

17—20日 西沙自卫反击取得胜利。

18日 经毛泽东批准,中共中央转发由北京大学、清华大学大批判组汇编的《林彪与孔孟之道(材料之一)》。之后,全国展开"批林批孔运动"。

20日 《文汇报》刊出解放军某部彭龄《我们的哨棚》等诗。

20日 《陕西文艺》1974年第1期刊出闻频《延安的灯,我心中的灯》、商子秦《要在山区开红花》、雷抒雁《闪闪的琴弦》等诗。

20日 《朝霞》1974年第1期刊出沙白《征帆万里》、朱金晨《不锈钢》、王淼《海港新苗》等诗。

23日 《解放日报》刊出上海基础工程公司朱金晨《建设者的窗口》、东海舰队某部董培伦《把祖国珍藏在心里》等诗。

25日 《黑龙江文艺》1974年第1期刊出蒋巍《祖国赞歌》、鲍雨冰《冬日兴安岭》等诗。

30日 《人民日报》发表评论员文章《恶毒的用心,卑劣的手法——批判安东尼奥尼拍摄的题为〈中国〉的反华影片》。

1月 《福建文艺》1974年第1期刊出季仲《万里春光》、三明纺织厂电工蔡意达《值班室响起电话铃》等诗和刘耘之《战斗的生活产生诗——谈短诗〈值班室里响起电话铃〉的创作》、厦门大学中文系学员路戈《广阔天地任鹰飞——读〈闽山朝霞红〉、〈沃土壮苗〉》等文。

1月 《广东文艺》1974年第1期刊出解放军任海鹰《钢铁海防》、解放军姚成友《钢枪·刺刀·手榴弹》、解放军莫少云《拉练战歌》等诗和石木《革命青春的赞歌——读〈火焰般的年华〉》及凌菁、杜嗣琨《对〈到广阔的天地去〉一诗的意见》等文。

1月 《广西文艺》1974年第1期刊出彭景宏、施国祖《根深叶茂花正红》和丁子红《壮村批判会》、解放军驻广州某部苏方学《海岛晨曲》、金彦华《钢铁篇》等诗。

1月 《湖北文艺》1974年第1期刊出中国人民解放军七四三五工厂工人胡发云《向前!向前!红色革命舰》、管用和《江滨抒怀》、王老黑《赞革命的倡议书》等诗。

1月 《吉林文艺》1974年1月号刊出任彦芳的长诗《钻塔上的青春》和张福庆的诗《火红的年华》。

1月 《江西文艺》1974年第1期刊出杨学贵《红太阳照亮了蓝田坂》、解放军某部邢书第《跃进新春》、陈良运《我们在前进》等诗。

1月 《辽宁文艺》1974年第1期刊出铁路工人田永元《在闪光

的轨道上》、养路工人村人《养路工人之歌》、陆伟然《伐木工的豪情》等诗。

1月 《内蒙古文艺》1974年第1期刊出乌吉斯古冷《银碗奶酒举向北京》、巴·布林贝赫《颂歌》、刘章《山丹花》等诗。

1月 《宁夏文艺》1974年第1期以《山花朵朵献给党》为总题刊出银川棉纺厂回族工人何克俭《心中歌儿献给党》、宁夏大学蒙族工农兵学员纳日苏《贫牧子弟上大学》等诗。

1月 《四川文艺》1974年1月号刊出《巴山蜀水春来早》民歌15首和徐国志的组诗《喧腾的车间》及徐康《丰收短歌》、任耀庭《在长征路上》等诗。该刊1974年7月号刊出工人王长富的文章《工人阶级的战斗形象——读〈喧腾的车间〉》。文章说:"《四川文艺》今年一月号刊登了工人作者徐国志的诗《喧腾的车间》。读后,工厂里热气腾腾的学大庆情景,工人阶级吃大苦、流大汗、创大业的战斗形象,活生生地呈现在眼前。""这是一组反映工厂生活的好诗,也是对孔老二、林彪宣扬的'上智下愚'及'英雄创造历史'等唯心史观的有力批判。"

1月 《天津文艺》1974年第1期以《迎春战歌》为总题刊出石杨《公社春早》、王中朝《野营到海湾》等诗。

1月 东海舰队政治部编的诗集《大海朝阳》由浙江人民出版社出版。

1月 天津人民出版社编的《满怀豪情赛诗来——天津工农兵〈庆十大迎国庆赛诗会〉诗选》由该出版社出版。

1月 诗集《无限春光》由陕西人民出版社出版。

1月 湖北人民出版社编的诗集《献给十大的歌》由该出版社出版。

1月 农安县文化局编的诗集《巴吉垒新歌》由吉林人民出版社出版。作品分为《最亲不过毛主席》、《双手绣得山河美》等5辑,收社员王振海《毛主席指出幸福路》、知识青年王宝兴《灯下批判会》、工人李桂复《支援农业立新功》、女社员王艳琴《公社春来早》等诗70首,有编者《后记》。《后记》说:"无产阶级文化大革命以来,巴吉垒人民公社的诗歌创作活动,在毛主席《在延安文艺座谈会上的讲话》的指引下,认真学习革命样板戏的创作经验,又有了新的发展。广大贫下中农在抓革命,促生产的同时,自觉地拿起笔来战斗,写了大量的诗歌。""这些诗歌充满着无产阶级感情,富有浓厚的生活气息。有力地配合了党的中心工作,发挥了革命文艺'团结人民,教育人民,打击敌人,消灭敌人'的战斗作用,受到广大贫下中农的欢迎。为了进一步推动和繁荣群众性的诗歌创作活动,在县委的直接领导和巴吉垒公社党委的大力支持下,我们编选了《巴吉垒新歌》。"

1974 年 2 月

1 日　《解放军文艺》1974 年 2 月号刊出莫少云《油田会战》、董耀章《大寨水稻》、元辉《沸腾的边疆》、柯原《战士爱听冲锋号》等诗。

3 日　《文汇报》刊出《批林要批孔　刨树要刨根——本市工农兵批林批孔诗歌选》和《批林批孔擂战鼓　高炮昂首卷狂飙——"南京路上好八连"战士的诗》。

10 日　《解放日报》刊出宁宇的朗诵诗《斥"仁义"、"忠恕"》。

10 日　《文汇报》刊出松江县城西公社宛世照、汤炳生《贫下中农齐上阵》和中华造船厂路鸿《"栖身"是为搞复辟》等诗。

10 日　《山东文艺》1974 年第 1 期刊出诗辑《批林批孔炮声隆》,刊有邹平县社员刘光禄《毛主席给俺照妖镜》、济南向阳汽车装配厂工人刘长海《满腔怒火烧林贼》、济南汽车制造厂工人郭廓《风吼雷啸》等诗。

17 日　《解放日报》以《满腔仇恨批林彪》为总题刊出严良华《贫下中农杀声高》、东海舰队某部田永昌《怒火满胸恨满怀》等诗,以《亿万工农擂战鼓　批林批孔斗志昂》为总题刊出上海钢锉二厂李连泰《把林彪、孔丘砸个碎》、上钢一厂谷亨利《轰碎林彪的鬼花招》等诗。

17 日　《文汇报》刊出上棉二厂陆萍、上海钢锉二厂李连泰的诗《革命洪流不可挡——痛斥反华小丑安东尼奥尼》。

20 日　《朝霞》1974 年第 2 期以《工人阶级是批林批孔的主力军》为总题刊出轻工业工人黄持一《怒劈孔老二林彪》、仪表工人冰夫

《工人阶级怒挥铁扫帚》、机械工人谢其规《千军万马,直捣林彪老巢》等诗。

25日 《黑龙江文艺》1974年第2期刊出诗歌专号,刊有黑龙江生产建设兵团某部崔常勇《登上批林批孔台》、满锐《所向无敌的队伍》、龙彼德《读村史》、李世龙《红珍》、韩作荣《绘新图》等诗和吴荣福《让时代战鼓擂得更响》、鲁戈《边疆战士的颂歌》等文。

28日 《人民日报》发表初澜的文章《评晋剧〈三上桃峰〉》。

2月 《北京文艺》刊出"批林批孔诗画增页",刊有北京市慈云寺邮局陈文骐《斗出一个新世界》、北京热电厂顾绍康《炉前批判会》、北京永定机械厂张宝申《戳穿"仁爱"鬼画皮》、首都钢铁公司王德祥《早春的雷鸣》等诗。

2月 《广东文艺》1974年第2期刊出兵团战士洪三泰《寄自黎母山》、蔡宗周《老兵与小将》等诗。

2月 《吉林文艺》1974年2月号刊出《千里雷声万里涛——吉林化工公司工人批林批孔诗歌选》和曲有源《传单诗·墙头诗》、李占学《上夜校去》、程刚《党啊,我们向您宣誓》等诗。

2月 《辽宁文艺》1974年第2期刊出李代生《夜夜窗前灯火明》、王宏文《韶山红灯》、梁臣祥《海岛人物》等诗。

2月 《四川文艺》1974年2月号刊出傅仇《迎春曲》、陈犀《抬钢轨抒情》、张长《边疆巡逻兵》、熊远柱《勘探队诗草》、刘滨《沸腾的工区》等诗。

2月 《湘江文艺》1974年第1期刊出王燕生《在"忆苦窿"里》、于沙《贫下中农代表赞》等诗和《贫下中农战歌高——湖南省第三次贫下中农代表大会代表诗歌选》。

2月 《云南文艺》1974年第1期刊出康平《苏丹茶》、汤世杰《写在深山小站》、陈敏金《一个沸腾的雪夜》等诗。

2月 甘肃人民出版社编的诗集《金色的熔炉》由该出版社出版。

2月 王方武的诗集《锤声集》由吉林人民出版社出版。收《沿着毛主席视察的路线走》、《毛主席坐上咱"红旗"》、《沸腾的锻工厂》、

《装轮工》等诗33首。

王方武,1936年9月生于上海。1956年初中毕业后到长春,在第一汽车制造厂工作,曾任文艺干事、党办副主任、政工理论研究室主任等职。1965年出版诗集《红色的铆钉》。

2月 包头市革命委员会文化局创作研究室编的《钢城飞花——包头工人诗选》由内蒙古人民出版社出版。收郭颂今《千歌万曲献给党》、叶文彬《铁锤颂》、王维章《驯马姑娘跨铁马》、黄耀生《爬山涉水架银线》等诗57首。当时的文章说:"包头工人诗选《钢城飞花》,最近由内蒙古人民出版社出版了。这是群众性诗歌创作活动蓬勃开展的一个可喜收获。""这些诗以饱满的无产阶级革命激情,热情地歌颂了伟大的党和毛主席,歌颂了毛主席的无产阶级革命路线,歌唱火热的斗争生活。它充满浓郁的战斗生活气息,跳动着时代的脉搏,形象地描绘了工人阶级吃大苦、流大汗、创大业的战斗风貌,和身在工地,胸怀世界,为共产主义奋斗终身的远大理想。""当然,在这本诗选里,也难免有一些缺点,比如有的诗开拓不深,反映意识形态斗争方面的生活还不够丰富多彩。我们完全相信,在毛主席革命文艺路线指引下,只要我们认真学习革命样板戏的创作经验,生动地表现无产阶级的共同心声,就一定能够写出更多更好的诗来。"(二冶机电公司工人业余创作组《战斗的诗篇——读包头工人诗选〈钢城飞花〉》,1975年7月25日《内蒙古日报》)。

1974年3月

1日 《解放军文艺》1974年3月号刊出常安《中央首长派人到咱连》、叶文福《端起刺刀去冲锋》、任海鹰《西沙螺号》、崔合美《战斗的西沙》、曲有源《给战友们》等诗。

5日 《武汉文艺》1974年第2期以《批林批孔战鼓擂》为总题刊出沙市柴油机厂郑定友《尝尝咱的大铁锤》、洪洋《斩黑旗》等诗,以《大庆红旗红似火》为总题刊出武昌造船厂黄德斌《欢送老代表》、大桥工程局张良火《老桥工重逢》等诗。

10日 《北京文艺》1974年第2期刊出张永枚《西沙之战》、解放军某部周鹤《把批林批孔的斗争进行到底》、北京热电厂顾绍康《女书记带头批林批孔》、中共密云县委书记何奇珍《伟大号召指征程》、赵日升《金光闪闪的大字》等诗。

15日 《光明日报》刊出张永枚的诗报告《西沙之战》。作品共分《美丽富饶的西沙》、《渔民与敌周旋》、《海战奇观》、《国旗飘扬在西沙群岛》4章,前有序诗1首。当时的评论说:"《西沙之战》是一首壮丽的诗篇,是新诗创作中学习革命样板戏创作经验的成功范例。作者运用革命的现实主义和革命的浪漫主义相结合的创作方法,源于生活又高于生活,塑造了阿沙、钟海、李阿春等无产阶级英雄形象,字里行间都洋溢着昂扬的战斗激情。作者张永枚同志是在毛主席的革命文艺路线指引下,在革命样板戏创作经验的带动下进行创作的。他跋涉南海前线,深入战斗前沿阵地,对英雄的西沙军民进行了深入的访问和学习,所以能用这样火热的诗句典型地反映出西沙之战这一斗争过程。《西沙之战》的创作实践说明:只有革命战士的诗才能打动革命战士的心。只有在革命斗争的漩涡里锤炼出来的诗句,才有激动人心的感召力和强大的生命力。诗歌作者要写出无产阶级的革命诗歌,必须贯彻执行毛主席的革命文艺路线,认真改造世界观,深入斗争生活的第一线,与工农兵同呼吸,共命运。这是一切革命的文艺战士都应走的正确道路。"(任犊《来自南海前线的战歌——读张永枚同志的诗报告〈西沙之战〉》,1974年4月17日《人民日报》)后有文章说:"诗报告《西沙之战》的出笼,不是孤立的现象,是'四人帮'在一九七四年春,妄图转移批林批孔大方向,大搞篡党夺权活动的一个重要组成部分。那年一月,西贡反动当局派出海空军,向我西沙永乐群岛悍然进犯。在国内,'四人帮'违背毛主席的战略部署,大搞'三箭齐发',猖狂向党进攻。""正在这个时候,南海前哨我陆、海、空三军和渔民、民兵,在以毛主席为首的党中央的号令和指挥下,坚决反击了南越反动当局的武装入侵,取得了重大胜利,使甘泉、珊瑚、金银三岛重新回到祖国怀抱。全国齐声欢呼,举世为之注目。'四人帮'这伙政治骗子,一贯善于贪天之功为己功,急忙把手伸到西沙抢桃子。江青明明知道国务院和中央军委一月二十三日颁发了嘉奖令,二十八日她又背着毛主席和党中央,用个人名义给西沙军民写'贺信'。她只字不提毛主席、党中央和中央军委对西沙之战的领导和关怀,却把自己吹嘘成唯一关怀西沙军民的领导人,把自己装扮成批林批孔运动的发动者和主持者。写信还嫌不够,江青又派专人'代表'她到西沙'看望'前线军民。《西沙之战》的作者就是她派去的一个'代表'。临行前,江青面授机宜,'你回来要写作品',这就是说,仅仅到西沙为江青作宣传还不行,还要写出作品向全国宣传江青。""这位'代表'回京后,向江青呈上了他的'诗报告'。江青亲自召开会议讨论,一字一句地进行修改,然后在报纸上用巨大的篇幅和突出的位置发表出来,同发表毛主席诗词的规格不相上下。对这篇《西沙之战》,'四人帮'可谓'呕心沥血''精心培养',光是起名为'诗报告'就挖空了心思。你说它是诗吧,它又是'报告';你说它是报告吧,它又是'诗'。要只叫诗,怕别人看了以为是虚构;要写报告,江青的私货又塞不进去。叫做'诗报告',合二而一,真真假假,两全其美,真是妙不可言! 可算是'别具一格','独出心裁'。他们这样做,说穿了,就是要歪曲事实,以假乱真,以便于他们制造篡党夺权的反革命舆论罢了。"(海南军区大批判组、广州部队理论组《利用文艺反党的又一"发明"——揭露江青授意炮制诗报告〈西沙之战〉的罪恶阴谋》,1977年1月31日《解放军报》)

  15日 《青海日报》刊出江宁的文章《春笛声声奏新歌——喜读工农兵诗集〈高原春笛〉》。

  15日 《河北文艺》1974年第2期刊出《批林批孔战歌》、《半边天赞》等诗辑和贺明广《"在党的阳光照耀下生芽,开花……"——喜读诗集〈映山红〉》、艾思《嘹亮的革命赞歌——读〈新民歌一百首〉》等文。

  16日 《人民日报》转载张永枚的诗报告《西沙之战》。

  17日 《解放日报》转载张永枚的诗报告《西沙之战》。

  17日 《文汇报》转载张永枚的诗报告《西沙之战》。

  20日 郭小川致王榕树信:"十五日后,又读了张永枚同志的《西沙之战》,曾经想写点'读后感',一动笔,思潮汹涌,兴奋得不能睡眠,到昨天才下决心不写了。组织上没有给我写作任务,也就不必写什么了。不过,我确实很喜欢这个作品,在现实斗争中,它是强有力的;在批林批孔中,它有特殊的作用。张永枚同志本人就是样板戏创作的参加者,从这部史诗中,可以看到样板戏的威力,也可以看出毛主席革命文艺路线的威力。看起来,题材是十分重要的,有决定意义,只有重大题材,才能显示出如此重大的政治内容。诗中的几个工农兵英雄形象,也塑造得十分高大,军民关系、官兵关系、中越关系都处理得很恰当。"(《郭小川全集》第7卷,广西师范大学出版社2000年1月出版)

20日 《陕西文艺》1974年第2期刊出徐剑铭、韩贵新《愤怒的吼声——记一位老工人在批林批孔会上的发言》和党永庵《练武谣》、工人王慎行《女瓦工》等诗。

20日 《朝霞》1974年第3期刊出诗辑《批林批孔炮声隆》,刊有陈祖言《批林批孔斗争速写》、陆萍《酣战》等诗。

24日 《文汇报》刊出杨明《春风先暖公社人》、康铮才《春耕晨曲》等诗。

25日 《黑龙江文艺》1974年第3期刊出胡国斌《让批林批孔的排炮更猛》、王忠瑜《油海船队》、宋歌《新渠春水》等诗。

28日 《辽宁日报》刊出辽宁省军区某部杜振永的文章《同唱一曲战歌——〈西沙之战〉(诗报告)读后感》。

31日 《解放日报》刊出长航上海分公司孙明义《女引水员》、东海舰队某部李云良《起飞线上》等诗。

3月 《广东文艺》1974年第3期刊出兵团战士周启光《胶林激浪》、解放军莫少云《哨所怒火》、韦丘《"圣人"门下出"高徒"》等诗。

3月 《广西文艺》1974年第2—3期刊出《批林批孔民歌选》和施彤《把修正主义的毒根铲除掉》、海代泉《我们的方向》、徐刚《前进在北国山水间》等诗。

3月 《湖北文艺》1974年第2期刊出《批林批孔战歌——汉阳县高庙公社独山大队墙报诗选》、武汉制氨厂工人刘文海《仇恨如火出胸来——在批林批孔大会上的发言》、英山县四顾墩大队知识青年熊召政《梨沟春早》、松滋县和平闸公社知识青年田禾《春哥》等诗和华思理《笔卷风浪抒豪情——喜读黄声孝同志的诗歌新作》、晓琉《战斗的诗篇——评汉阳县独山大队批林批孔组诗》等文。

3月　《吉林文艺》1974年3月号刊出《工农兵批林批孔诗歌选》，刊有刘云《工农兵是战斗的主力军》、东丰县知识青年李广军《老队长挥戈上战场》等诗；刊出《女作者诗页》，刊有石丹《我握紧手中枪》、辽源市郊知识青年王淑珍《麦收》等诗。

3月　《江西文艺》1974年第2期刊出徐万明《批林批孔战旗红》、李春林《批林批孔放重炮》、工人熊光炯《炉台怒火》等诗。

3月　《辽宁文艺》1974年第3期刊出沈阳风动工具厂《工人批林批孔墙报诗选》、战士杨胜春等《批林批孔战斗诗传单》和工人高德伟《班前战斗》、解放军空军某部李克白《阵地烈火》等诗。

3月　《内蒙古文艺》1974年第2期刊出工人星琦《主力军颂》、工农兵学员李诤《把林彪、孔老二押上审判台》、火华《戈壁清泉》等诗。

3月　《四川文艺》1974年3月号刊出《批林批孔诗辑》，刊有工人刘滨《讨林贼　批孔丘》、工人王长富《战斗之歌》、解放军任耀庭《万箭齐放》、陈官煊《老奶奶的批判稿》等诗。

3月　《天津文艺》1974年第2期刊出《海河两岸怒潮涌——工农兵批林批孔诗画选》、诗辑《半边天赞》和冶金局冯景元《时间的歌》、尧山壁《下乡来到白洋淀》、解放军某部时永福《边塞短笛》等诗。

3月　张永枚的诗报告《西沙之战》由新疆人民出版社出版。

3月　延边人民出版社编的诗集《红花向阳》由该出版社出版。

3月　诗集《批林批孔战歌》由广东人民出版社出版。

3月　党国栋的长篇叙事诗《青春颂》由吉林人民出版社出版。长诗共12章。该书《内容提要》说："这部叙事长诗，以'优秀的共产主义战士'杨今月的事迹为基础，经过适当的艺术概括、集中，创作而成。作品以饱满的革命激情，较浓的诗意，塑造了一个具有高度阶级斗争和路线斗争觉悟，胸怀广阔，性格刚毅，全心全意为人民服务的商业工作者英雄形象，读来亲切感人。"

党国栋,1936年2月24日生于吉林。1959年吉林大学毕业后在大学、中专任教。1970年到吉林进货站办公室工作。1978年调入吉林市文联。1958年开始发表新诗,出版的还有诗集《北方情思》(1985)和散文诗集《爱帆》(1990)等。

3月 李学鳌的诗集《英雄颂》由北京人民出版社出版。收《张思德的颂歌》、《刘胡兰的颂歌》、《雷锋的颂歌》诗3首,有作者《前言》。《前言》说:"这部《英雄颂》歌颂的三个英雄,在他们牺牲的时候,年纪都很轻。刘胡兰十四岁,雷锋二十二岁,张思德也不到三十岁。但是,他们都是高尚的人,纯粹的人。他们的精神不死。他们的年轻生命永远放射着灿烂的火光。""在党的第十次路线斗争的战场上,我向青年朋友们献上这部《英雄颂》,是想跟同志们一起,更好地向英雄们学习,更好地提高阶级斗争觉悟和路线斗争觉悟,为巩固无产阶级专政而贡献自己的力量。"

3月 束鹿县文化馆编的诗集《公社新曲》由天津人民出版社出版。收县文化工作站长弓《红太阳光辉照千秋》、社员牛力《茧手握笔齐冲杀》、社员辛农《沙岗绽开大寨花》、社员王和合《县委书记来俺队》等诗67首,有编者《后记》。《后记》说:"在毛主席革命文艺路线指引下,束鹿县各级党组织,十分重视群众业余文艺创作。以贫下中农为主体的群众创作大军,无产阶级文化大革命运动以来,认真读马列的书和毛主席著作,提高了阶级斗争和路线斗争觉悟。他们怀着占领社会主义思想、文化阵地的必胜信心,一手拿锄,一手挥笔,批判了林彪一类骗子的修正主义文艺路线和唯心论的先验论,反动的'天才论',创作了大量的文艺作品,热情地宣传马列主义、毛泽东思想,歌颂无产阶级英雄人物和革命生产的大好形势。编入这本诗集的作品,就是他们诗歌创作的一部分。"当时的文章说:"整个《公社新曲》充满着火药的气味,散发着泥土的芬芳,爱憎分明,语言朴实,抒情叙事,生动感人。""《小靳庄诗歌选》出版了,《昔阳新歌谣》出版了,《公社新曲》出版了,这是社会主义新生事物,广大贫下中农为之拍手叫好。"(北京红星公社文学评论组《公社泥土香——读束鹿县诗集〈公社新曲〉》,1975年7月6日《光明日报》)

春 牛汉作诗《兰花》。收诗集《温泉》，上海文艺出版社1984年5月出版。

1974年4月

1日 《解放军文艺》1974年4月号刊有张永枚的诗报告《西沙之战》和抒雁、咏戈的文章《战斗的捷报 英雄的赞歌——喜读诗报告〈西沙之战〉》。

7日 《文汇报》刊出诗歌专辑，刊有谢其规《革命样板戏赞》、宁宇《铸钢——颂新干部》、上海钢窗厂胡明海《工人大学生》等诗。

14日 《解放日报》刊出宁宇的诗《舞台高唱进行曲》。

17日 《人民日报》刊出任犊的文章《来自南海前线的战歌——读张永枚同志的诗报告〈西沙之战〉》和《西沙自卫反击战参加者评〈西沙之战〉》，有二等功荣立者、大队航海参谋张毓清的文章《革命英雄主义的诗篇》。张毓清说："《西沙之战》是无产阶级革命英雄主义的诗篇，是毛主席革命路线的颂歌，是讨伐胆敢来犯的侵略者的战斗檄文。它大长了中国人民的志气，大灭了侵略者的威风，充分发挥了革命文艺为现实的阶级斗争服务，为反对帝、修、反的伟大斗争服务的战斗作用。我们热烈欢迎这样的诗歌，希望今后有更多这样的好作品出世。"

18日 《光明日报》刊出胡天培、姜连明《无产阶级文艺的新收获》，北京永定机械厂工人杨俊青、张宝申《鼓舞人心的战斗号角——谈〈西沙之战〉中英雄人物的塑造》，西沙自卫反击战一等功荣立者、海军某舰炮长刘占云《无产阶级英雄的赞歌——读诗报告〈西沙之战〉》，西沙自卫反击战三等功荣立者、女话务兵尹景荣《提高警惕保卫祖国》等文。胡天培、姜连明说："诗报告学习了革命样板戏的创作经验，着力刻画了老渔民阿沙船长，青年舰长钟海和黎族新战士李阿春三个主要英雄人物的形象，其中又突出地描写了青年指挥员钟海这个最主要的英雄人物的光辉形象。""《西沙之战》的创作成功，再次证明革命样板戏的经验是十分正确的。革命的文艺作品，必须调动一切艺术手段，努力塑造高大的无产阶级英雄形象，否则，就写不出富有感染力、战斗性的好作品。诗报告《西沙之战》就是对一小撮阶级敌人攻击污蔑革命样板戏的叫嚣的当头一棒。"

19日　《解放日报》刊出任犊《来自南海前线的战歌——读张永枚同志的诗报告〈西沙之战〉》、上海警备区某部霍启和《满怀豪情颂英雄》等文。

19日　《文汇报》刊出任犊《来自南海前线的战歌——读张永枚同志的诗报告〈西沙之战〉》、叶伦《中国人民不可侮!》、宁宇《蓝天碧海颂英雄》等文。叶伦说:"《西沙之战》及时、准确、鲜明、形象地反映了我国军民取得的西沙大捷,是一首反侵略战争的壮丽史诗,是一曲'以小打大'、'以弱敌强'的嘹亮凯歌,是一阕革命英雄主义的热情颂歌,大长了中国人民和世界革命人民的志气,大灭了一小撮侵略者的威风。它有力地表明:在毛主席和中国共产党领导下,站起来了的中国人民,是不可侮的!"宁宇说:"张永枚同志的诗报告《西沙之战》,是一曲无产阶级革命英雄人物的颂歌,一篇慷慨激昂、义正辞严的战斗檄文,一颗射向南越西贡傀儡侵略者的炮弹。它以激越的基调,磅礴的气势,革命的激情,真实的描绘,向读者展开了一幅西沙群岛保卫战的画面,抒发了我国军民在伟大领袖毛主席和中国共产党领导下,坚强团结,同仇敌忾,共同捍卫祖国神圣领土不可动摇的决心和钢铁般的意志。"

20日　《新华日报》刊出李志石、陆凤林《饱蘸春风写英雄——读诗报告〈西沙之战〉有感》和李绵善《中国人民不可侮——读诗报告〈西沙之战〉》等文。

20日　《朝霞》1974年第4期刊出瑞甫、晏晨《诗如惊雷卷涛声——喜读诗报告〈西沙之战〉》和陈祖言《万里狂飙落九天——赞革命大字报》等诗。

22日　《光明日报》刊出该报通讯员的报道《革命豪情满胸怀——记天津市宝坻县小靳庄大队政治夜校的诗会》。

26日　《大众日报》刊出思义、凌玲、永毅《饱蘸激情写英雄——读张永枚同志的诗报告〈西沙之战〉》和杨树茂《笔卷惊雷送喜讯——读〈西沙之战〉》、工人进元《鼓舞人心的战斗诗篇》等文。

27日 《南方日报》刊出工人罗铭恩、郑世流的文章《人民战争的壮丽颂歌》和《革命的诗篇 战斗的号角——西沙自卫反击战集体二等功荣立者、某部侦察队干部战士座谈诗报告〈西沙之战〉纪要》,有冯尔光(副指导员)、魏土贵(三等功荣立者、排长)、李春成(三等功荣立者、班长)、周仁民(三等功荣立者、老战士)、占道本(三等功荣立者、新战士)的发言。冯尔光说:"读了张永枚同志的诗报告《西沙之战》,心情十分激动。作者以饱满的政治热情,运用革命的现实主义和革命的浪漫主义相结合的创作方法,生动地反映了西沙自卫反击战这一瞩目世界的'海战奇观',塑造了用马列主义、毛泽东思想武装起来的中国人民解放军和南海渔民的英雄形象,唱出了一曲人民战争的壮丽颂歌。诗报告的发表,是文艺战线的一个新收获。""在当前深入批林批孔运动中,《西沙之战》必将成为我们进行思想和政治路线方面教育的好教材,帮助人民同心同德地同帝、修、反进行斗争,鼓舞人民坚持继续革命,'批林批孔当闯将,粉碎敌人复辟梦!'"

4月 诗人阎一强病逝。

4月 《福建文艺》1974年第2期以《批林批孔战歌昂》为总题刊出南平电线厂工人叶秀英《工人阶级斗志高》、福安范坑大队陈发松《贫下中农一声吼》、解放军某部黄金恳《海防战士怒火燃》、俞兆平《林贼与"敲门砖"》等诗以及黄河浪《神州大地卷狂飙》、上杭上山下乡女知识青年林祁《女石匠》等诗。

4月 《广东文艺》1974年第4期刊出张永枚《西沙之战》、解放军瞿琮《祖国的西沙群岛》、黄焰《斗争,是最有力的回答》等诗。

4月 《广西文艺》1974年第4期刊出张永枚《西沙之战》、解放军驻广州某部崔合美《战斗在西沙》等诗和王一桃的文章《西沙自卫反击战的凯歌——喜读诗报告〈西沙之战〉》。文章说:"《西沙之战》是新诗创作中学习革命样板戏创作经验的范例。作者以党的基本路线为纲,创造性地运用了'诗报告'这种形式,及时地真实地反映了当前重大的阶级斗争,歌颂了毛主席的革命路线及无产阶级文化大革命的伟大胜利,读了使人斗志昂扬,'叫人力量增添'!作者运用革命的现实主义和革命的浪漫主义相结合的创作方法,'三突出'的创作原则,成功塑造了阿沙、钟海、李阿春三个无产阶级英雄形象,抒发了用毛泽东思想武装起来的中国人民'顶天立地,志坚胆壮'的豪迈气概,表达了中国每一寸神圣领土不容侵犯的钢铁意志,作者还遵循'百花齐放,推陈出新'的方针,从内容到形式对新诗作了成功的改革,并适应内容的需要,从结构到语言都有了不少创新,使之既具有鲜明的民族特色,又富于强烈的时代精神。"

4月 《河南文艺》1974年第1期刊出张永枚的诗报告《西沙之战》和青年工人陈爱云、赵振中等的组诗《时代的赞歌——献给无产阶级文化大革命》及继槐的文章《为无产阶级文化大革命放声歌唱——〈时代的赞歌〉读后》。文章说:"努力反映无产阶级文化大革命的战斗生活,热情歌颂无产阶级文化大革命的伟大胜利,迎头痛击国内外一切反动派对无产阶级文化大革命的恶毒攻击,是我们革命文艺战士的光荣任务。陈爱云等七个青年工人的组诗《时代的赞歌》,就是对无产阶级文化大革命的热情颂歌。"

4月 《辽宁文艺》1974年第4期刊出张永枚的诗报告《西沙之战》和《批林批孔当闯将——抚顺石油三厂、沈阳低压开关厂墙报诗选》。

4月 《四川文艺》1974年4月号《社会主义新生事物赞歌》栏刊出王长富《新生事物礼赞》、陆棨《娄山关下》、梁上泉《我们的赤脚医生》等诗。

4月 《湘江文艺》1974年第2期刊出王燕生《争论》、解放军某部瞿琮《在祖国的西沙群岛》、株洲市工人聂鑫森《乐队指挥》等诗和冷水江市禾青公社胡洛的文章《〈雪峰药农〉是一首坏诗》。是期还刊出"批林批孔增刊",刊有解放军某部曾凡华《在同一条壕堑》、陈达光《新的进军》、长沙市工人弘征《乱葬山》等诗。

4月 《云南文艺》1974年第2期刊出工人李兴仁《咱是批林批孔的主力军》、张永权《孔老二在莫斯科》、胡平英《痛斥安东尼奥尼》等诗。

4月 张永枚的诗报告《西沙之战》由吉林人民出版社出版。

4月 凌行正、杨泽明的诗集《高原短歌》由西藏人民出版社出版。收《我们放声歌唱》、《世界屋脊的哨兵》、《边疆的小河》、《草地野营歌》等诗 38 首,有作者《后记》。《后记》说:"这些短诗,是我们战斗在祖国西藏高原时的一部分习作。它和边疆军民的火热斗争生活相比,显得很不相称,使我们感到惭愧和不安。我们决心沿着毛主席的革命文艺路线,深入生活,不断改造世界观,为西藏百万翻身农奴和高原战士们,继续放声歌唱!"

凌行正,1930 年 8 月 21 日生于河南潢川。1949 年参加中国人民解放军,1963 年调到成都军区任创作员,1980 年到解放军文艺社工作。1954 年开始发表新诗,1975 年与沈巧耕、梁秉祥、杨星火合著长诗《洛桑单增颂》。

杨泽明,1940 年 1 月 12 日生于重庆大足。1957 年初中毕业后任乡村小学教师。1959 年参军,历任战士、文书、班长、排长、新闻干事、文化处长、文艺创作专业创作员。1960 年开始发表新诗,出版的诗集还有《雪域,那闪光的星座》(1992)、《唐柳》(2002)。

1974 年 5 月

1 日 《解放军文艺》1974 年 5 月号刊出周鹤《夜,繁星满天》、蔡文祥《山村怒吼》、李武兵《红军路标》、战士李小雨《一副垫肩》、陈敏《该怎样训练》、姚成友《斗风雨》等诗。

5 日 《解放日报》刊出上棉二厂陆萍《五月的纱厂》、上海第七印染厂郑成义《干校向日葵》等诗。

5 日 《人民日报》刊出尹在勤的文章《新诗要向革命样板戏学习》。文章说:"革命样板戏是无产阶级革命文艺的样板,是贯彻执行毛主席革命文艺路线和文艺方针的样板。革命样板戏的创作原则和经验,对于一切社会主义文艺都是普遍适用的。新诗向革命样板戏学习,是一个十分重要的课题,是新诗领域一场深刻的革命。""革命样板戏'三突出'的创作原则,是马克思主义唯物史观和无产阶级党性原则在文艺创作中的体现,是毛主席倡导的革命的现实主义和革命的浪漫主义相结合的创作方法在艺术典型问题上的具体运用。这个原则用于诗歌创作,既适用于叙事诗,也适用于抒情诗。""同革命样板戏一样,社会主义的叙事诗的根本任务,是塑造高大的工农兵英雄形象。叙事诗必须学习革命样板戏,正确地、辩证地处理好英雄人物、正面人物以及反面人物在作品中的关系。叙事诗在提炼生活素材、结构故事情节、塑造人物形象等方面,应该发挥自己的艺术表现特点,但首要的问题是要像革命样板戏那样,充分地运用突出、烘托、陪衬等艺术手段,千方百计地为塑造主要英雄人物服务。革命样板戏中,像杨子荣、李玉和等一系列高大的英雄形象,他们的革命激情、革命理想、革命情操,他们的典型性格的巨大深度,都是叙事诗塑造英雄形象的典范。""社会主义的抒情诗,必须抒无产阶级之情,抒革命人民之情。只有运用'三突出'的创作原则,才能抒写出伟大阶级、伟大人民、伟大时代的最强音,才能把无产阶级的愿望、理想、情操,最凝炼、最鲜明、最响亮地抒写出来,才能以昂扬的基调,高亢的主调,表现出奔腾澎湃的革命气势。抒情诗完全可以发挥自己的特点,运用它特有的抒情手段,突出地表现无产阶级英雄人物的革命激情,展示英雄人物的内心世界,展示英雄人物崇高的共产主义理想。一般来说,抒情诗虽然不具体地描绘人物行动,不可能完整地安排故事情节;但是,却可以通过抒发主人公的革命激情,突出反映伟大阶级、伟大人民、伟大的党、伟大领袖的光辉形象。""即以短小的抒情诗而论,'三突出'原则的精神也同样适用。抒情短诗,并不因为它篇幅的短小而不能突出抒发无产阶级之情,突出抒发伟大时代、伟大人民之情。一个英雄人物可以通过一次长篇报告展示他的思想境界,也可以通过几句豪言壮语迸发出他内心深处的火花。短小的抒情诗,可以在有限的篇幅中,以精炼的语言反映时代精神,反映无产阶级的心声。一些优秀的新民歌,往往是在短小的篇幅中,包含着丰富的革命激情和深刻的政治内容。抒情短诗,应该成为时代的鼓点、阶级的琴弦、战斗的火花。革命样板戏中的许多唱段,不正是一首首优秀的抒情诗么?它们虽然只有短短的若干行,却突出地展示了英雄人物的内心世界。特别是样板戏中的重点核心唱段,更是突出地展示了英雄人物思想的闪光之处。我们的抒情诗,尤其是短小抒情诗,正需要这种闪光之笔。"

5日 《文汇报》刊出张丛中《写在干校的大地上——一个五·七战士的日记》等诗。

5日 《武汉文艺》1974年第3期刊出《批林批孔山歌》6首和洪源《江城五月红烂漫》、七四三五工厂胡发云《广阔天地访战友》等诗及武汉下乡知识青年徐金海、董宏猷的组诗《在广阔的天地里》。

9日 《内蒙古日报》刊出薛鲁青的文章《壮丽的颂歌 英雄的形象——读张永枚同志的诗报告〈西沙之战〉》。

10日 《新疆日报》刊出新疆军区某部陈志海、李慎明的文章《碧波南海传号角——喜读诗报告〈西沙之战〉》。

10日 《北京文艺》1974年第3期刊出永定机械厂杨俊青《展览会上怒火烧》、首钢王德祥《老师傅批"复礼"》、钢卫东《大庆红旗颂》、大庆油田赵铭《油海涛声》、北京热电厂顾绍康《油树赞》等诗。

10日 《天津文艺》1974年第3期刊出王榕树《狂飙颂》、柴德森《尝碱土》、何理《红色女牧工》等诗和陈茂欣《西沙战歌壮 豪气贯长虹——喜读诗报告〈西沙之战〉》等文。

12日 《解放日报》刊出《无产阶级文化大革命就是好》诗歌专页,刊有上海汽轮机厂陈忠国《为无产阶级谱写春秋——赞工人记者》、长宁区房管局徐东达《旗手——赞工宣队员》、国际电影院刘希涛《干校夜读》等诗。

12日 《新华日报》刊出张理勤的文章《知识青年战斗生活的颂歌——喜读诗集〈新芽集〉》。

12日 《云南日报》刊出张衡若的文章《英雄的赞歌 壮丽的诗篇》。文章说:"张永枚同志的诗报告《西沙之战》是一支无产阶级英雄的热情赞歌,是一首充满革命激情的壮丽诗篇,是新诗创作中学习革命样板戏的创作原则和经验的成功范例,是无产阶级文艺革命的新收获。"

15日 《北京日报》刊出陈满平、殷之光的文章《壮丽的诗篇 战斗的檄文——读张永枚同志的诗报告〈西沙之战〉》。

15日 《河北文艺》1974年第3期刊出张永枚《西沙之战》、韦野《壮丽的祖国油港》、于宗信《到农村去!》等诗和诗辑《工农兵是批林批孔的主力军》、《广阔天地歌声高》及驻军某部千柳《战斗豪情化诗篇　文武双全把国保——记一六〇〇部队侦察连一次批林批孔赛诗会》、隆尧县陈村大队回乡知识青年米彦周和河南省温县招贤公社辛一大队创作组《革命青年不能当"哑叭"》等文。

17日　《广西日报》刊出南宁市机床厂工人庞然《无产阶级的战歌——读诗报告〈西沙之战〉》、合浦县石康公社大塘大队插队知识青年赵红雁《充满着战斗激情的诗篇》、解放军驻我区某部战士张燕辉《鲜明的立场　犀利的笔锋》等文。

20日　《光明日报》刊出张志良《工宣队长的手册》、宋协龙《咱队的大学生回来了》等诗。

20日　《文汇报》刊出上海京剧团金勇勤《明灯照征程》、袁军《风雨中的舞台》等诗。

20日　《陕西文艺》1974年第3期刊出工人沈奇《红心飞向中南海》、宋绍明《铁道兵之歌》、叶晓山《写在青山绿水间》等诗。

20日　《四川大学学报》1974年第1期刊出尹在勤的文章《新诗学习革命样板戏的成功范例——评诗报告〈西沙之战〉》。文章说："诗报告《西沙之战》，成功地学习运用了'三突出'的创作原则。这首长诗，源于生活，又高于生活，在西沙之战现实的战斗生活的基础上，从众多的英雄人物中，突出地塑造了阿沙、钟海、阿春三个英雄典型，把他们的英雄创举有机地交融于一体，从而体现了'兵民是胜利之本'这一人民战争思想。《西沙之战》在这三个英雄人物中，着力突出了主要英雄人物钟海。从他身上，展示出在革命路线指引下成长起来的我军年青一代英雄人物的光辉品格。长诗还学习革命样板戏'三突出'经验，成功处理了敌我双方这个对立面。诗作始终让南越伪军处于反面的陪衬地位，而让阿沙、钟海、阿春始终处于主动地位。在这一点上，诗作没有简单化地从外形上丑化敌人，而是充分描写了敌人的阴险、狡诈，从而反衬出英雄人物的机智、勇敢。""作者根据表现革命内容的需要，大胆创造了'诗报告'这种崭新的形式，这是新诗创作中一种敢于反潮流的革命精神。'诗报告'这种新形式，便于及时反映当前的斗争生活，使我们社会主义的新诗，真正能够起到号角和战鼓的作用;从这个意义上说,张永枚同志的这种创造,对于新诗的发展,无疑是一个功绩。"

20日 《朝霞》1974年第5期刊出刘希涛《为革命样板戏擂鼓欢呼!》、田浩《春花怒放——赞革命样板戏》、陈春江《五·七大道》、宁宇《干校灯火》等诗。

22日 《光明日报》刊出鲁枫、肖采的文章《革命诗歌创作的新成就——喜读诗报告〈西沙之战〉》。文章说:"在党的亲切关怀下,在批林批孔运动中,张永枚同志的诗报告《西沙之战》发表了。这首长诗热情澎湃,气势磅礴,是一曲海上人民战争的壮丽颂歌,是无产阶级文化大革命以来,在革命样板戏带动下诞生的一首优秀的革命诗歌。它的发表,有力地证明:新诗创作必须坚持毛主席革命文艺路线指引的方向,必须学习和运用革命样板戏的创作经验,只有这样,才能在诗歌创作上作出新的贡献。"

23日 《湖南日报》刊出工人倪鹰、曾士让的文章《壮丽诗篇传捷报——喜读诗报告〈西沙之战〉》。

24日 《青海日报》刊出景文《新诗学习革命样板戏的成功范例——喜读诗报告〈西沙之战〉》、樊晋贵《豪情绘壮景 彩笔颂英雄——浅谈诗报告〈西沙之战〉中英雄形象的塑造》等文。

25日 《黑龙江文艺》1974年第4—5期以《工农兵是批林批孔的主力军》为总题刊出王忠范《草原怒火》、解放军某部林柏松《火红的哨所》等诗。

5月 《福建文艺》1974年第3期以《批林批孔战歌昂》为总题刊出耘达《愤怒的山村》、漳平煤矿工人许峰《矿山风雷》等诗;以《社会主义新生事物赞》为总题刊出上杭上山下乡知识青年陈志铭《造反楼·长工屋·扎根房》、俞兆平《讲台》等诗。

5月 《广东文艺》1974年第5期刊出钟陶岳《伟大的战役已在纵深打响》、西彤《敌人不投降,就叫它灭亡》、工人桂汉标《咱和西沙军民共战壕》、农民林贤治《石壁诗草》等诗和南哨《高昂的战歌 热情的赞歌——读诗报告〈西沙之战〉》、曦虹《新诗学习革命样板戏的优秀成果——诗报告〈西沙之战〉读后》等文。

5月 《广西文艺》1974年第5期刊出龙胜各族自治县社员黄钟警《呵,崭新的日历》、平南县知识青年曾继能《舞台之春》、东兴各族自治县工人苏虎棠《渔家新医》等诗。

5月 《湖北文艺》1974年第3期刊出诗辑《文化大革命赞歌》、《广阔天地出诗篇》和工人胡发云《工人阶级的脚步》、工人王维洲《鹰》等诗。

5月 《吉林文艺》1974年4—5月号刊出王方武《火线上》、敦化县工人李广义《磨斧歌》、张满隆《我又握起陈永贵的手》、任彦芳《钻塔上的青春》等诗和李玉铭《战斗的诗篇 英雄的颂歌——评〈西沙之战〉》、李改《青春战斗的诗行——读〈钻塔上的青春〉一、二、三章》等文。李改文章说:"任彦芳同志的长篇叙事诗《钻塔上的青春》共有十七章,本期发表的是它的头三章。""这部长诗,以东北某油田一九七〇年的一次石油大会战为背景,通过对一支女子钻井队的成长过程的描写,热情地歌颂了社会主义的新生事物,歌颂了无产阶级文化大革命,写得很有革命激情。""今天,作为无产阶级进行阶级斗争的有力武器,革命的文学艺术必须在党的基本路线的指导下,积极地表现社会主义革命和社会主义建设的火热斗争,热情地歌颂无产阶级文化大革命,大力宣扬社会主义的新生事物,为巩固社会主义经济基础、巩固无产阶级专政服务。认为文化大革命不好写而采取回避态度是不对的。任彦芳同志的这部长诗,接触到了文化大革命,这是很可贵的。但是还不够,还只是侧面接触。我们要努力学习马列主义,学习毛主席著作,特别是要学习毛主席在文化大革命中的一系列指示,提高认识,不断加深对文化大革命的理解,大胆接触,正面接触,以高度的革命责任感,用诗歌、小说、戏剧……等各种文艺形式,积极地反映并努力写好文化大革命及其新生事物。这样,我们的文艺创作就会具有更强烈的时代精神,就会发挥出更大的战斗作用。"

任彦芳,1937年1月12日生于河北容城。1960年北京大学中文系毕业。曾在中国文联曲艺家协会工作。1961年任长春电影制片厂编辑,1978年为吉林省作家协会专业作家。1980年到河北省歌舞剧院工作,1984年任河北省艺术研究所副所长。1989年调至中国评剧院任编剧。出版的诗集有《帆》(1964)、《钻塔上的青春》(1975)、《心声》(1984)、《党魂——焦裕禄之歌》(2001)等。

5月 《江西文艺》1974年第3期刊出《批林批孔战旗红》、《社会主义新生事物赞》、《五·七道路放光芒》等诗辑。

5月 《辽宁文艺》1974年第5期刊出工人王立稷等《写在批林批孔斗争中——诗传单一束》和久来、钟心的文章《豪情如火　浩气如虹——读张永枚同志的诗报告〈西沙之战〉》。

5月 《内蒙古文艺》1974年第3期刊出张永枚的诗报告《西沙之战》和旭宇《黄河战歌》、查干《熠熠灯火》等诗。

5月 《宁夏文艺》1974年第3期刊出《社会主义新生事物赞》，刊有工人常程《春花赞——颂革命样板戏》、竹人《新一辈》、甘晓《五·七道路金光闪》等诗。该刊1974年第5期刊出银川机床修配厂工人肖峡、宁大中文系工农兵学员张建的文章《社会主义新生事物的热情颂歌》。文章说："在批林批孔运动深入发展的大好形势下，我们怀着喜悦的心情读了《宁夏文艺》第三期'社会主义新生事物赞'一栏里刊登的十首新诗。作者们用饱蘸无产阶级战斗激情的诗笔，以火热的诗句、鲜明的形象，热情歌颂了体现伟大时代革命精神的社会主义新生事物，尽情抒写了无产阶级文化大革命的光辉胜利。这组诗生气勃勃，战斗性强，都是对妄图否定和诋毁新生事物的复辟势力的有力回击。我们工农兵就是爱读这样的革命新诗！"

5月 《天津文艺》1974年第3期刊出王榕树《狂飙颂》、何理《红色女牧工》等诗和陈茂欣的文章《西沙战歌壮　豪气贯长虹——喜读诗报告〈西沙之战〉》。文章说："《西沙之战》的发表，是在毛主席革命文艺路线指引下，在革命样板戏的带动下，在诗歌创作上的一个新硕果。今天，我们正处在一个风起云涌的伟大时代，全国人民正斗志昂扬地为巩固和发展无产阶级文化大革命的伟大胜利而奋斗，批林批孔运动的革命形势越来越好。作为最敏感的文艺形式——革命的诗歌，该如何起到战鼓号角，投枪匕首的作用？该怎样才能写出人民的心声，给人民以鼓舞力量？又如何以江青同志亲自培育的革命样板戏为光辉榜样，在诗歌创作中满腔热情地塑造无产阶级英雄形象？

在这些方面,《西沙之战》为我们提供了宝贵的经验。"

5月 李志的诗集《边疆少年之歌》由人民文学出版社出版。

5月 张永枚的诗报告《西沙之战》由云南人民出版社出版。

5月 《愤怒的火焰——工农兵批林批孔诗歌专辑》由陕西人民出版社出版。

5月 张赞廷的诗集《军刀闪闪》由内蒙古人民出版社出版。作品分为《军营号声》、《沙海驼铃》等3辑,收《骑上战马去北京》、《牧马战士》、《沙枣花开了》、《战士宣传队到牧场》等诗56首。该书《内容提要》说:"这本诗集,收作者近年来的作品五十六首。这些诗篇反映了北疆边防战士和民兵的斗争生活,表现了北疆军民热爱党、热爱祖国的精神品质和团结战斗保边疆的钢铁意志,描绘了万里江山万里营的边疆风貌。作品大都写得生动流畅,有草原生活气息。"

张赞廷,1935年生,天津武清人。1961年参军,先后在内蒙古军区政治部、天津警备区政治部宣传处工作。1957年开始发表作品。

5月 大庆油田工人写作组编的《大庆战歌——大庆工人诗选》由人民文学出版社出版。收《铁人诗抄》和杜鸿宾《铁人颂》、卢嘉林《篝火夜读》、孙爱忠《钻塔赞》、安秉全《油田灯火》等诗54首(组)。该书《内容说明》说:"这是一本大庆工人的诗集。收编了自大庆油田会战以来工人业余创作的诗歌六十余首。""这些诗歌,满怀革命激情,热情歌颂了铁人王进喜为代表的大庆工人,以'两论'起家,自力更生、艰苦奋斗开发油田的英雄事迹,歌颂了毛主席革命路线的伟大胜利;表现了大庆工人战天斗地的革命精神和豪情壮志。有强烈的时代气息。"当时的文章说:"这是一本大庆工人的诗集。这些诗歌,具有强烈的时代气息,深刻地反映了我国工人阶级在石油战线上艰苦创业的伟大斗争,生动地表现了大庆工人的革命精神和豪情壮志,是无产阶级向旧世界宣战的檄文,是毛主席革命路线伟大胜利的凯歌。""大庆工人的夺油大战,首先是一场两个阶级、两条路线激烈搏斗的政治仗。伴随着这场伟大斗争产生的《大庆战歌》,突出地反映了这个重大主题。"(北京市化工局工人理论组《时代的战歌——赞诗集〈大庆战歌〉》,1975年1月13日《人民日报》)

5月　延安地区编创组编的诗集《我是延安人》由人民文学出版社出版。收松焰《我是延安人》、刘成章《住一辈子土窑洞》、梅绍静《庄严的时刻在今天》、徐锁《请给毛主席捎个信》等诗 49 首。该书《内容说明》说："这本诗集的作者主要是在延安地区插队的北京等地知识青年。在这些诗里，青年们热情洋溢地歌颂了毛主席的革命路线和永放光芒的延安精神，批判了刘少奇、林彪一类骗子对知识青年上山下乡的污蔑，赞颂了延安人民的高贵品质，表现了知识青年在延安的土地上锻炼成长的火热生活和战斗历程，抒发了一代新人扎根农村，永远和工农相结合，继承光荣革命传统，为建设延安贡献青春的豪情壮志。诗歌充满了青春朝气，感情亲切真挚，语言朴素活泼，具有较强烈的生活气息和战斗精神。"当时的评论说："这本诗集的作品是从知识青年的大量诗作中编选的。作者在各级党组织的关怀下，在贫下中农的帮助下，'白天挥镢战河山，夜晚挥笔写诗篇'，表现出极大的革命积极性。许多作者虽然是第一次写诗，但他们在贫下中农的帮助下，反复修改，克服了经验不足的困难，把诗写了出来。知识青年把这本诗集亲切地称为'我们的诗'。这说明这些诗歌反映了他们的心声。"(延青《走延安路 抒革命情——诗集〈我是延安人〉读后》，1974 年 12 月 12 日《光明日报》）

1974 年 6 月

　　1 日　《解放军文艺》1974 年 6 月号刊出战士朱万春《好教材》、喻晓《筑路战歌》、胡忠军《地主的"仁"》、李武兵《峡谷不站》、程步涛《路上》、李幼容《磨镰》等诗。

　　5 日　《云南文艺》1974 年第 3 期刊出解放军某部郑江涛《批林批孔的好课堂》、邓耀泽《烈火熊熊》、乔嘉瑞《舞台啊！阶级斗争的战场》等诗。

　　9 日　《解放日报》刊出季振邦的诗《在沸腾的工地上》。

　　10 日　《山东文艺》1974 年第 2—3 期刊出崔星尧、王颖等《孔家店前怒火燃》诗 8 首和徐延山、阎阁的文章《战斗的号角　英雄的颂歌——喜读诗报告〈西沙之战〉》。

15日 《人民日报》发表初澜的文章《塑造无产阶级英雄典型是社会主义文艺的根本任务》。

16日 《文汇报》刊出王森的诗《学工第一课》。

25日 《黑龙江文艺》1974年第6期刊出王湘晨《红臂章的赞歌》、爱辉县下乡知识青年杨松涛《赤脚医生姑娘》等诗。

30日 《文化动态》第17期刊登《修正主义分子郭小川的复辟活动》,列四条罪状为:与林彪集团"关系密切";《万里长江横渡》是"反革命宣言书","为林彪反党集团摇幡招魂";"搞起了一个裴多菲俱乐部式的'小团体'"。江青据此批示:"成立专案,进行审查。"(见《郭小川年表》,《郭小川全集》第12卷,广西师范大学出版社2000年1月出版)

6月 姜世伟(芒克)作诗《给》。初刊1980年4月《今天》第8期,收诗集《心事》,《今天》编辑部1980年1月油印发行。

6月 《广东文艺》1974年第6期刊出翔宇《批活靶》、赵铭《油香飘万里》、解放军向明《我赞美祖国的春天》等诗。

6月 《广西文艺》1974年第6期刊出《社会主义新生事物赞》诗11首、《红水河畔新歌台》新民歌10首和于宗信《大庆剪影》、晓雪《水的歌》等诗。

6月 《河南文艺》1974年第2期刊出《新诗必须向革命样板戏学习》专栏,刊有张满飙《学不学样板戏是个路线问题》、程淬《用党的基本路线指导新诗创作》、谷晓庆《走革命样板戏的创作道路》、秦林通《新诗只有向样板戏学习才有出路》、张建民《新诗要学习革命样板戏的创作方法》、李玉先《新诗必须塑造无产阶级英雄典型》、花天文《抒阶级的豪情 抒革命的壮志》、李晓华《以革命的精神学习革命样板戏》文8篇。编者按:"经过无产阶级文化大革命,在革命样板戏的带动下,各种艺术形式的革命正在深入,新诗创作出现了空前活跃的局面。革命样板戏的创作原则和经验,对于一切社会主义文艺,具有普遍的指导意义。诗歌作为一种很锐敏的文艺武器,应该在学习革命样板戏方面,把步子迈得更大一些。为了推动新诗革命,本刊特举办《新诗必须向革命样板戏学习》专题讨论。这一期发表了郑州大学和开封师范学院工农兵学员的一组文章,作为讨论的开始。"

6月　《吉林文艺》1974年6月号刊出解放军学员王霆钧《红卫兵袖章颂》、林啸《革命大字报赞》、武昌《草原新歌》、蒙族苏赫巴鲁《牧马的歌》等诗。

6月　《辽宁文艺》1974年第6期刊出旅顺玻璃厂工人业余创作组《红花朵朵满园春——赞革命样板戏墙报诗选》和抚顺石油二厂李国章《炼塔巍巍》、解放军某部战士关劲潮《红苗》等诗。

6月　《四川文艺》1974年5—6月号《社会主义新生事物赞歌》栏刊出郑宝富等《春花烂熳》、沈国凡《山乡新歌》、熊远柱《赞歌》等诗。

6月　《湘江文艺》1974年第3期刊出白子超的文章《喜读诗报告〈西沙之战〉》和《党撒温暖满人间》民歌10首及汉寿县回乡知识青年杨成杰《投入伟大的斗争》、覃柏林《山村放映〈龙江颂〉》等诗。

6月　《我们都是小闯将——批林批孔儿歌专辑》由人民文学出版社出版。

6月　《批林批孔诗选》三结合编辑小组编的《批林批孔诗选》由上海人民出版社出版。作品分为3辑,收胡明海《毛主席亲手点火种》、林耀辉《看咱工人开头炮》、郑成义《革命人民批"中庸"》、宁宇《舞台高唱前进曲》等诗75首,有编者《写在编后的诗句》。《写在编后的诗句》说:"这是一本战斗的诗集——/在战斗中创作,在战斗中编辑。/首首如檄文,揭露了孔丘丑恶的嘴脸,/句句似匕首,剥开了林彪巧伪的画皮。/从工厂到农村,摆开批林批孔的战场,/处处齐怒吼:'反对倒退,反对复辟!'/从部队到学校,吹响胜利进军的号角,/处处举铁拳:'反修防修,战斗不息!'//这是一本工农兵的诗集——/写工农兵的战斗,言工农兵的心意。/鲜明的爱憎如泾渭,/铿锵的誓言似雷劈!/一双双茧手写出的磅礴诗篇,/给'上智下愚'的鼓吹者以沉重打击!/一个个初试锋芒的年轻战士,/为保卫文化大革命的成果上阵杀敌!"

6月　中国人民解放军总字120部队政治部宣传部编印的诗与歌曲集《批林批孔战歌》印行。收施路《奴隶的颂歌》、战士张树伟《在批林批孔的战场上》、战士张卫东《炕头批判》等诗26首和歌曲9首。

6月 青海民族学院中文系首届工农兵学员编的《工农兵学员诗歌选》油印发行。收谢颖峰《韶山升起红太阳》、华旦《工农兵学员歌唱毛主席》、马英俊《风雷颂》、罗成林《师傅教我写文章》等诗一百四十余首。

夏 牛汉作诗《麂子，不要朝这里跑》。此诗初刊《文汇增刊》1980年第7期；收诗集《温泉》（上海文艺出版社1984年5月出版）改题《麂子》。

1974年7月

1日 《红旗》杂志第7期发表初澜的文章《京剧革命十年》。

1日 《光明日报》刊出《天津市宝坻县小靳庄社员诗歌选》并附《天津日报》编者按。

1日 《解放日报》刊出诗辑《颂歌万首向党唱》和晨音的诗《一块才出炉的"钢"——赞一位年轻的新党员》。

1日 《文汇报》刊出上海市电影工业公司严祥炫的诗《党啊，灿烂的阳光》和宋歌的诗《入党申请》。

1日 《解放军文艺》1974年7月号刊出吴建国《革命航船破浪开》、向明《明灯颂》、郭华兴《班长一双手》、李小雨《架梁》等诗和吴欢章的文章《革命诗歌的样板——学习革命样板戏英雄人物核心唱段札记》。文章说："风雷激荡的革命时代，要求在诗歌中得到强有力的回响。革命诗歌要充分地发挥时代号角的作用，必须向无产阶级革命文艺的光辉典范——革命样板戏学习。革命样板戏所体现的方向路线、创作原则和创作方法，不但对于包括诗歌在内的一切文艺形式都是有普遍指导意义的，而且革命样板戏中英雄人物的唱段特别是核心唱段，本身就是最新最美的无产阶级革命诗篇，直接为诗歌创作提供了学习的榜样。"

3日 《人民日报》刊出《天津市宝坻县小靳庄社员诗歌选》，刊有党支部书记王作山《为革命永拉上坡车》、社员王树青《地头批判会》、一队副队长贫农王新民《批判会上一只斗》等诗。编者按："当前,以革命样板戏为标志的无产阶级文艺革命,正在随着批林批孔运动而不断深入。群众性的文艺创作蓬勃发展,工农兵发表在墙报、黑板报和朗诵会上的大量诗歌,无论内容和形式都显示了崭新的面貌。这是文艺战线上的新成果。""在这里,我们向广大读者推荐天津市宝坻县小靳庄大队社员们的诗歌。他们在批林批孔运动中写了许多革命诗歌,热情歌颂伟大领袖毛主席,歌颂中国共产党,歌颂毛主席的革命路线,歌颂无产阶级文化大革命和社会主义新生事物,并对林彪、孔老二进行了深刻、有力的批判。这些革命诗歌,主题鲜明,语言简练,充满了强烈的无产阶级感情和革命战斗精神,发挥了革命文艺'团结人民、教育人民、打击敌人、消灭敌人'的战斗作用。""我们热烈赞扬这些农民革命诗歌。希望革命的文艺工作者虚心向他们学习,更好地贯彻执行毛主席的革命文艺路线,为繁荣社会主义文艺创作,作出积极的贡献。"14年后王作山说:"我从1969年当大队党支部书记,正赶上全国学大寨。那可是真心诚意要大干一场。小靳庄是平原,没山可搬,就挖河泥肥田,搞了个'河挖三尺、地长一寸'。苦干一冬春,第二年粮食大增产,慢慢地在全县有了名气,成了学大寨的先进典型。小靳庄人从老辈子起,能吃苦也好乐,爱耍影(皮影)唱戏凑热闹,可当时不准唱别的,只好学唱样板戏。大伙干活干累了,常在地头上唱几句散心解解闷;有不好唱的就编几句顺口溜,表扬好人好事啥的,来鼓鼓大伙的干劲儿。""谁想到,就凭这,江青看上了我们小靳庄,跑到村里来,还公开宣布我们村作为她的'点'。当时我是打心里兴奋,人家不光是中央大首长,还是伟大领袖的夫人,进村来还代表毛主席向大家问好。我和乡亲们都觉着这算小靳庄有福分,可算得上是天大的喜事。真是上头叫干啥都高兴,为伟大领袖为党争光呗!有时也觉得自己有劲使不上,让咱庄稼人'评法批儒',真是丈二金刚——摸不着头脑。谁知道两千多年前的什么儒家法家。不知咋的,评来批去地又拉扯上当时主持中央工作的邓小平同志,一串串的大帽子大得吓人。心里虽然也觉着有点怪,可又一想,咱庄稼人知道个啥,中央有文件,上边咋说咱咋办!当时认为'四人帮'就是党中央。这一错开了头,可就铸下了大错,一个庄稼汉,还被请到外地鹦鹉学舌地作'报告',按着人家定准的调门宣传所谓小靳庄'抓意识形态领域革命'的新经验,稀里糊涂地为'四人帮'瞎叫唤。"(《我和小靳庄的"这十年"》,1988年10月10日《瞭望》周刊1988年第41期)

5日 《武汉文艺》1974年第4期刊出叶圣华、李道林等的组诗《明灯照万代——"毛泽东同志举办的中央农民运动讲习所旧址"颂歌》和诗辑《人民军队向前进》。

10日 《北京文艺》1974年第4期刊出《天津市宝坻县小靳庄社员诗歌选》和北京第一机床厂王恩宇《高举党旗阔步走》等诗。

14日 《文汇报》刊出上海冶炼厂徐怀堂《钢钎新歌》、孙友田《井口》、中华造船厂钱国梁《船台酣战》等诗。

15日 《河北文艺》1974年第4期刊出诗辑《各族战士歌颂毛主席》、《驻军某部八连批林批孔诗歌选》、《千军万马战太行》和王石祥《塞上军民》、石家庄工人肖振荣《水乡喜讯》等诗,并刊出增页《天津市宝坻县小靳庄社员诗歌选》。

19日 国务院文化组发出《关于批判〈园丁之歌〉的通知》。8月4日《人民日报》发表初澜的文章《为哪条教育路线唱赞歌?——评湘剧〈园丁之歌〉》。

20日 《陕西文艺》1974年第4期刊出金谷、路遥的长诗《红卫兵之歌》和谷溪《在鲜红的党旗下》、冯福宽《老艄公》等诗。

20日 《朝霞》1974年第7期刊出谢其规《韶溪赞》、徐怀堂《夜填入党志愿书》、居有松《船厂夜读》等诗。

21日 《解放日报》刊出上海汽轮机厂黄世益的诗《工人大学生赞》。

21日 《文汇报》刊出徐刚《大学校》、上海戏剧学院徐景东《开门办学到咱村》等诗。

22日 《光明日报》刊出《天津市宝坻县小靳庄社员诗歌选》。

25日 《黑龙江文艺》1974年第7期刊出乌伊岭下乡知识青年任秀斌《踏遍青山人未老》、宋歌《公社书记》、李凤清《绿野新苗》等诗。

31日 《光明日报》刊出解放军战士金炳连《献给毛主席的颂

歌》等诗。

7月 《福建文艺》1974年第4期刊出黄河浪《万里征途党引路》、解放军某部韩益昌《海防线上》、上杭上山下乡知识青年朱晓《耕山队员》等诗。该刊1975年第2期刊出孙绍振、刘登翰的文章《在革命样板戏的光辉启示下——读〈福建文艺〉一九七四年的诗歌》,文章说:《万里征途党引路》"这首毛主席革命路线的胜利颂歌,用宏大的气魄,豪壮的语言,突出表现了中国共产党、毛主席在中国革命史上的伟大功绩,抒发了实现共产主义理想的坚定信念。在形式上,它把民歌和古典诗歌不同类型诗行熔于一炉,灵活运用。作者在试图运用古典形式驾驭现代汉语时,除了大量采用古风和律绝的五七言诗行外,还采用了不少词曲中常见的三言和四言诗行,同时运用对仗,使这些诗行反复地有规律地交替,在规范中又有变化,来适应感情的起伏。这种尝试,对于探索新诗如何在民歌和古典诗词的基础上发展是有益的。"

7月 《广东文艺》1974年第7期刊出解放军柯原《献给火红的党旗》、解放军任海鹰《韶山松籽》、邓玉贵《批判会后》等诗。

7月 《广西文艺》1974年第7期刊出《颂党歌声响四方》新民歌11首和黄寿才《火红的党旗下》、尧山壁《风雨淬火》、包玉堂《红色的战斗堡垒》等诗。

7月 《河南文艺》1974年第3期刊出工人刘福智《党旗颂》、洛阳风动工具厂工人陈昌华《新一辈》、匡满(杨匡满)《插秧时节》等诗,《新诗必须向革命样板戏学习》栏刊出工人王剑《沿着革命样板戏开辟的道路前进》、郑棉三厂业余文艺创作组《新诗发展的道路》文2篇。

7月 《湖北文艺》1974年第4期刊出诗辑《批林批孔卷狂飙》、《文化大革命赞歌》和圻春县工人盛广前《气象员小传》、解放军某部张雅歌《夜航之歌》等诗及欣秋的文章《诗歌创作要学习革命样板戏》。

7月 《吉林文艺》1974年7月号刊出杨匡满《战斗的颂歌——献给伟大、光荣、正确的党》、顾笑言《长白山的呼唤》、杨子忱《党呵,我们来啦》等诗。

7月 《江西文艺》1974年第4期刊出李春林《庐山赞歌》、解放军某部邢书第《岩泉接水》、公社社员彭霖山《公社批判会》等诗。

7月 《内蒙古文艺》1974年第4期刊出解放军某部张随丑的文章《诗歌创作必须学习革命样板戏》和增页《天津市宝坻县小靳庄社员诗歌选》。

7月 《四川文艺》1974年7月号刊出《万曲颂歌献给党》民歌9首和陆棨《幸福巷》、王昭《致战友》、徐康《落户歌》等诗及尹在勤《新诗学习革命样板戏的成功范例——赞诗报告〈西沙之战〉》、工人王长富《工人阶级的战斗形象——读〈喧腾的车间〉》等文。

7月 《天津文艺》1974年第4期刊出《新天新地新时代 天地新春我们开——小靳庄大队社员诗选》,刊有社员王树青《幸福全靠毛主席》、老贫农魏文中《社会主义道路我们走定了》、一队副队长王新民《批判会上一个斗》等诗。该刊编者按:"天津市宝坻县小靳庄大队的广大社员,批林批孔运动进行得有声有色,推动了农业生产和各项工作。群众诗歌运动也蓬蓬勃勃地开展起来了。他们热气高,干劲大,在田间,在地头,在场院,会前饭后,干部、群众一齐'放声高唱革命歌',创作了许多革命诗歌,真是'诗满田园歌满庄'。这些诗歌,热情歌颂伟大领袖毛主席和中国共产党,歌颂无产阶级文化大革命和社会主义的新生事物,歌颂毛主席革命路线的伟大胜利。同时,以诗歌为武器,对准林彪、孔老二,发出了排排炮弹,狠批他们'克己复礼'的反革命罪行。这些直接来自广大群众的革命诗歌,爱憎分明,语言生动,刚健清新,充满了强烈的阶级感情和高昂的革命战斗精神,在批林批孔斗争中,在'农业学大寨'运动中,发挥了革命文艺'团结人民、教育人民、打击敌人、消灭敌人'的战斗作用。""我们热烈赞扬这些革命的农民诗歌!他们的诗写得多好啊!现在,我们从这些诗歌中选出一部分作品向读者推荐。"

7月 张永枚的诗报告《西沙之战》由人民文学出版社出版。

7月 纪鹏的诗集《荔枝园里》由天津人民出版社出版。作品分为《向阳花朵》、《新松青翠》等4辑,收《我们的校办工厂》、《垦荒小唱》、《给一位坦克手》、《荔枝园里》等诗50首。

7月 上海汽轮机厂工人业余创作组等著的叙事诗集《雏鹰》由上海人民出版社出版。收胡永槐《书记小传》、蒋洪发《风暴之歌》、陈世义《师傅的刮刀》、潘礼和《积粮小曲》等诗15首。该书《内容提要》说:"这一本工业题材的叙事诗集,是'三结合'创作的成果。共收闵行地区上海汽轮机厂、上海电机厂、上海锅炉厂、上海重型机器厂、上海滚动轴承厂工人业余作者创作的十五篇作品。""这些作品,主题鲜明、集中,从不同的角度表现了培养千百万无产阶级革命事业接班人这一重大主题,塑造了一批在无产阶级文化大革命中锻炼成长的青年工人的英雄形象。作品题材内容较丰富,形式较多样,也有较浓厚的生活气息。它为如何创作工业题材的叙事诗,作了一次可喜的尝试。"

7月 天津人民出版社编的诗集《狂飙颂》由该出版社出版。收周永森《革命大批判长廊》、苗绪法《战鼓在车间擂响》、董式明《公社批林批孔会》、颜廷奎《批林批孔掀高潮》等诗26首。

7月 黑龙江人民出版社编的小叙事诗集《汽笛高歌》由该出版社出版。收工人李同都《三访老支书》、工人李义《一炉新钢》、徐贺《三战卧龙潭》、陈国屏《飞奔的骏马》等诗7首。该书《内容提要》说:"本集收入各种题材的小叙事诗七篇。这些作品,运用革命现实主义和革命浪漫主义相结合的创作方法,塑造了各有特点的生动感人的无产阶级英雄形象或革命接班人形象;在诗歌向革命样板戏学习方面,作了一些初步的探索。"

1974年8月

1日 《解放军文艺》1974年8月号刊出郭九林《中央同志到军营》、王建国《批林批孔捷报飞》、辛继才《读书班》、姜金城《哨所的夜晚》、刘小放《风浪里》、谢克强《心愿》、李瑛《钢铁边防》等诗。

4日 《解放日报》以《披着朝霞去站岗》为总题刊出东海舰队某部田永昌《水下日历》、解放军某部杨德祥《海防小岛颂》等诗。

4日 《人民日报》刊出新华社通讯员、新华社记者的文章《小靳庄十件新事》。文章说:"'新天新地新时代,公社社员多豪迈。满手老茧拿起笔,大步登台赛诗来!'在无产阶级文化大革命和批林批孔运动中,小靳庄的贫下中农和社员群众生气勃勃地登上了诗坛,全大队开展起一个有声有势的群众性诗歌创作活动。诗,向来是战斗的武器。一九五八年,在党的建设社会主义总路线指引下,小靳庄的干部、群众意气风发,斗志昂扬,高举三面红旗奋勇前进。那时这里也出现了一次民歌创作热潮。可是不久,就遭到刘少奇反革命的修正主义路线的扼杀。现在小靳庄社员又一次拿起笔写诗了。全村有一百多人经常参加创作,不到一年工夫,就写出了一千余首战斗的诗歌。干部写,社员写,男女老少都写,有的社员全家一起写。社员于哲怀全家七口,人人能诗,经常集在炕头上,互相修改润色。劳动人民登上诗坛,一扫旧诗坛的沉闷空气和靡靡之音,开了一代新诗风。他们有感而发,为战斗而写,鼓舞人民投入火热的三大革命运动。'大寨精神震山河,咱们队里英雄多。大战寒冬不觉苦,遍地红旗遍地歌。'他们满腔热情地歌颂人民群众,而对敌人,诗歌则是射向他们胸膛的子弹。批林批孔运动中,社员们用诗歌作武器,投入了战斗。运动开展以来,大队举办了六次大型赛诗会,当场献诗的有一百七十多人,写出诗歌六百多首。诗歌的锋芒直指'克己复礼'这个反动纲领:'笔似五尺钢枪,墨似子弹上膛,万弹疾发射靶,齐向林孔开仗!'他们还批判了林彪'克己复礼'的反革命理论纲领'天才论',高声宣告:'人民双手创世界,"天命""天才"是粪土!'战斗的诗歌,成了团结人民,教育人民,打击敌人的有力武器。群众赞扬说:'这些诗,字字句句有真情,听了心上火热、浑身是劲。批判会上,一首诗能烧起满胸怒火。干活时,一听那诗,像擂起了战鼓,咚咚催人!'"

5日 《云南文艺》1974年第4期刊出张永枚的诗报告《西沙之战》和邓德礼《变天账——〈论语〉》、李霁宇《成昆线上飞驰的列车啊》、解放军某部高洪波《红军的弹壳》等诗及程地超的文章《蔚为奇观展新篇——读诗报告〈西沙之战〉》。

10日 《山东文艺》1974年第4期刊出《高唐国棉厂工人新诗选》并编者按和解放军某部章亚昕《"五七"战士放筏歌》、纪宇《八·

一八日记》等诗。编者按:"随着批林批孔运动的不断深入,一个群众性的文艺创作高潮正在兴起。这里选发的部分诗歌,是高唐国棉厂工人在批林批孔运动中创作的。这些诗歌,思想鲜明、笔调明快,以革命样板戏为榜样,满腔热情地歌颂伟大领袖毛主席和毛主席的革命路线,歌颂无产阶级文化大革命和社会主义新生事物;并以强烈的无产阶级义愤,对林彪、孔老二进行了批判。这些诗,实际上是在批林批孔运动中,工人同志结合自身斗争实践和经历所写的一篇篇发言稿。作品本身,充分地体现了文艺为社会主义为无产阶级政治服务的方向,我们在这里特地向读者推荐。"

11日 《解放日报》刊出沪东造船厂居有松《船台斗风雨》等诗。

11日 《文汇报》刊出毛炳甫的诗《龙腾虎跃——写在火热的工地上》。

20日 《朝霞》1974年第8期刊出青浦县西岑公社卫生员戴仁毅《千年红》、成莫愁《在图书馆》等诗。

24日 《解放日报》刊出吴欢章的文章《诗贵立革命之意——读诗集〈红色的道路〉》。

24日 《人民日报》刊出张永枚的诗《西沙民兵》。

25日 《光明日报》刊出《北京市西四北小学红小兵诗歌选》。

25日 《黑龙江文艺》1974年第8期刊出赵燎《党啊,工农武装的指路明灯》、荆庆军《致西沙群岛》、管志初《盐的故事》等诗。

8月 《广东文艺》1974年第8期刊出《西沙军民唱战歌——西沙前哨战地诗画选》和西彤《红花曲》、郑南《西沙英雄颂》等诗。

8月 《广西文艺》1974年第8期刊出符启文《"红卫兵日记"续篇》、解放军某部宫玺《飞行员诗抄》、解放军某部时永福《战地快报》、莎红《走在围海长堤上》等诗。

8月 《吉林文艺》1974年8月号刊出解放军学员张宝明《线路图》、解放军某部何友彬《新爆破手》、解放军学员毕长龙《雷达兵之歌》等诗。

8月 《辽宁文艺》1974年第7-8期刊出下乡知识青年蔡华等《朝霞万朵——社会主义新生事物赞》和社员白清桂《我们队里的共

产党员》、战士刘福林《咱姓"斗"》等诗。

8月　《四川文艺》1974年8月号刊出赵长天《为祖国站岗》、凌行正《女民兵》、熊远柱《成昆线之歌》、郑宝富《凉山新姿》等诗。

8月　《湘江文艺》1974年第4期刊出株洲市工人聂鑫森《知青点的灯火》、解放军某部莫少云《老矿工》、长沙市工人周实《剧院里的回忆》等诗。

8月　诗集《彩霞万朵》由宁夏人民出版社出版。收社员翟承恩《山花献给毛主席》、工人肖川《火车头》、吴淮生《红军的女儿进山来》、雷抒雁《阳光灿烂照军营》等诗51首(组)。该书《出版说明》说:"本集收录的诗歌,都是工农兵业余作者创作的。这些诗作,大部分在《宁夏日报》上发表过,还有少部分是业余作者的新作。"

8月　诗集《批林批孔战歌》由人民文学出版社出版。收解放军驻津某部颜廷奎《批林批孔掀高潮》、北京永定机械厂杨俊青《满腔仇恨喷出来》、黄声孝《清算"仁"字血泪账》、北京第一机床厂王恩宇《挥戈冲锋》等诗38首。该书《内容说明》说:"本诗集收编了工农兵批林批孔的诗歌创作近四十首。反映了广大工农兵群众,积极响应党中央和毛主席的伟大号召,以马列主义、毛泽东思想为武器,以党的基本路线为纲,狠批林彪、孔老二'克己复礼'的反动纲领,狠批林彪反革命的修正主义路线的极右实质,誓将批林批孔斗争进行到底的坚强决心和战斗精神。"

8月　《征途号角——工农兵诗选》由山西人民出版社出版。当时的评论说:"在全国人民深入学习无产阶级专政理论的热潮中,我们以喜悦的心情,读了山西人民出版社选编的工农兵诗歌集《征途号角》。它是我省无产阶级文化大革命以来,在革命样板戏带动下,从巩固无产阶级专政的需要出发,继诗集《红霞万里》之后,在诗歌创作方面取得的又一个新成果。它的出现,有力地证明了我省一支新兴的、朝气蓬勃的、具有战斗力的工农兵诗歌创作队伍,正在茁壮地成长起来,成为我省文艺战线的主力军。"(定襄县宏道公社业余文艺创作组、山西大学中文系七三级赴宏道分队《继续革命的战鼓——评我省工农兵诗选〈征途号角〉》,1975年6月12日《山西日报》)

1974年9月

1日 《解放军文艺》1974年9月号刊出《小靳庄民兵诗选》,刊有王廷光《基本路线指方向》、王民《想复辟,办不到》等诗。

5日 《武汉文艺》1974年第5期以《向着太阳放声唱》为总题刊出《千歌万曲颂党恩》山歌4首和解放军谢克强《车队向北京》等诗,以《万里长江战歌响》为总题刊出邹克《川江行》、耿守仁《舵工新一代》等诗。

10日 《北京文艺》1974年第5期刊出《批林批孔儿歌选》。

15日 《解放日报》刊出刘鹏春《心与祖国长相随》、中华造船厂钱国梁《祖国的灯火》等诗。

15日 《文汇报》刊出铭鉴的文章《遍地红旗遍地歌——小靳庄诗歌创作活动随感》。文章说:"小靳庄的社员把诗歌作为战斗的'武器',诗歌创作紧密配合政治斗争。批林批孔以来,大队举办了六次大型赛诗会,写出诗歌六百多首。'笔似五尺钢枪,墨似子弹上膛,万弹疾发射靶,齐向林孔开仗!'诗歌的战斗锋芒直指'克己复礼'的反动政治纲领。社员赞扬说:'这些诗,字字句句有真情,听了心上火热,浑身是劲。'小靳庄的诗歌创作,体现了无产阶级文艺的鲜明的政治倾向和强大的战斗力。"

15日 《河北文艺》1974年第5期刊出张家口工人张春海《"红袖章"歌》、建设兵团某部旭宇《银镰》、何理《贫牧阿妈登讲台》等诗和大名县上马头公社石家寨大队文艺评论组《为工农兵创作 为工农兵利用——读宝坻县小靳庄社员诗歌选》、兴隆社员刘章《短诗学习"三突出"原则的体会》等文。刘章说:"我觉得,对革命样板戏的创作原则,不应该从形式上片面理解,而忽视它的精神实质。我想,诗歌创作要运用革命样板戏的创作原则,决不排斥抒情诗和短诗。无产阶级文艺的根本任务是塑造无产阶级的英雄人物,在这个原则下,用短诗唱无产阶级之志,抒无产阶级之情,歌唱新事物、新生活,为革命造舆论。'三突出'的创作原则对短诗抒情诗是完全适用的。由于在旧学校读书的影响和旧文艺的影响,我在文化革命前,自觉不自觉地写过一些轻飘飘、软绵绵的东西,使作品的思想、语言和工农兵相去甚远。由于学习革命样板戏,纠正了那种倾向。一九七二年,我县遭到空前未有的大旱,面对干旱的威胁,贫下中农不信天,敢斗天,担水抗旱,奋夺丰收。是构思一幅抗旱的图画,追求所谓诗情画意呢?还是抒写贫下中农战天斗地的志气呢?我选择了后者,写了四句民歌:'贫下中农不信天,志在心头水在肩,担走东海万顷浪,敢教燕山变粮山!'这首民歌在报上发表后,许多贫下中农把它写进他们的决心书,有的大队还把它作为抗旱夺丰收的战斗口号。"

20日 《人民日报》刊出首都钢铁公司工人诗歌创作组王金秋的诗《炉前放歌——庆祝中华人民共和国成立二十五周年》。

20日 《陕西文艺》1974年第5期刊出金炎《前进,社会主义祖国》、工人韩志军《钢炉喷彩》、解放军某部谢克强《铺轨》、小蕾《土窑洞住进咱这一辈》、王恩宇《冲天炉前》等诗。

20日 《朝霞》1974年第9期刊出路鸿《列车飞向北京》、钱国梁《炼钢颂歌》、陆萍《银海轻舟——赞巡回坐车》等诗。

22日 《河南日报》刊出该报通讯员的报道《千诗百歌 批林批孔——南阳市糖烟酒公司的群众诗歌创作活动》。报道说:"南阳市糖烟酒公司的广大职工,在批林批孔运动中,人人口诛笔伐,挥戈上阵,写出了不少批判文章和富有战斗性的诗歌,狠批了林彪、孔老二'克己复礼'的反革命罪行。报纸上发表了天津市宝坻县林亭口公社《小靳庄十件新事》的报道以后,在这个公司引起了强烈反响,大家联系前一段的斗争情况,深有体会地说:要对资产阶级实行全面专政,就要像小靳庄贫下中农那样,抓好上层建筑领域的革命,以'千难万险无阻挡'的英雄气概,朝气蓬勃地向思想文化领域进军,一面批林批孔,清除剥削阶级旧思想、旧文化的污泥浊水,一面努力学习和发扬无产阶级的新思想、新文化。职工的革命热情,得到公司党总支的大力支持。党总支的同志还深入糕点、糖果加工厂和各烟酒商店同群众一起进行创作,全公司迅速掀起一个群众性的诗歌创作热潮。"

24日 马科斯总统夫人在江青陪同下访问天津小靳庄并参加

小靳庄社员举行的诗歌朗诵会和文艺演出。新华社天津1974年9月24日电:"菲律宾共和国总统马科斯的夫人伊梅尔达·罗穆亚尔德斯·马科斯等菲律宾贵宾,今天下午访问了天津市宝坻县林亭口公社小靳庄生产大队。""江青同志陪同贵宾们参加了小靳庄社员举行的诗歌朗诵会和文艺演出。""小靳庄生产大队是天津市农业学大寨的先进单位之一。大队革命委员会副主任王杜、周克周,向贵宾们介绍了无产阶级文化大革命特别是批林批孔运动以来,小靳庄大队的社员们认真学习马列和毛主席著作,精神面貌发生的深刻变化。今天,在大队体育场里,社员们热情地为贵宾们朗诵了他们自己创作的歌颂农村社会主义新人新事的诗歌,演唱了革命样板戏选段。""演出结束后,马科斯总统夫人赞扬社员们既勤劳又多才多艺。她说,我在这里不仅看到了大队的好收成,而且了解到社员们在毛主席领导下是怎样自己教育自己的。"(1974年9月25日《人民日报》)

25日 《黑龙江文艺》1974年第9期刊出黑龙江生产建设兵团某部沈祖培《红卫兵新歌》、王忠范《入学》、程刚《松籽》等诗。

26日 《解放日报》刊出《湘黔铁路筑路工人的诗》。

26日 《文汇报》刊出《湘黔铁路工人的诗》。

29日 国务院科教组和财政部联合发出《关于开门办学的通知》。

30日 诗人吕亮耕在湖南衡阳逝世。"解放后,我父亲留在衡阳,在市二中任语文教师,业余撰稿《诗刊》、《文艺月报》等;一九五七年被划右派;一九六六年强行要他退职,离开教师队伍;一九六九年我们下放农村,他一人留衡,过着颠沛流离的生活;一九七四年九月三十日晚含恨离开人世,终年六十岁;当时我们流落异乡,得到噩耗,他老人家已到黄泉数月……一九七九年,父亲的问题纠正。"(吕亮耕之子吕宗林1984年12月16日给笔者的信)

吕亮耕,1914年11月29日生于湖南益阳。1937年在《新诗》等刊物发表新诗。1938年与孙望合编《抗战日报》副刊,不久去贵阳。1940年出版诗集《金筑集》。1942年回湖南,先后在湖南、湖北、江西等地编辑报纸副刊。1950年到衡阳在中学任教。1957年错划为"右派"。1989年《吕亮耕诗选》出版。

30日 《人民日报》刊出张永枚的诗《前进！革命的火车头——中华人民共和国成立二十五周年颂诗》。

9月 姜世伟（芒克）作诗《街》。此诗收诗集《心事》，《今天》编辑部1980年1月油印发行。

9月 《福建文艺》1974年第5期刊出王者诚《北京颂》、陈志泽《故乡的广场》、永安上山下乡知识青年林茂春《红卫兵战旗》等诗。

9月 《广东文艺》1974年第9期刊出工人梁德智《血迹斑斑〈三字经〉》、工人李洁新《战船坞》等诗。

9月 《广西文艺》1974年第9期刊出《扫除孔经反复辟》新民歌13首和《批判林彪资产阶级军事路线诗抄》诗5首。

9月 《湖北文艺》1974年第5期刊出黄声孝《大江奔腾颂国庆》、英山县知识青年熊召政《献给祖国的歌》、随县知识青年李圣强《收工时刻》、解放军某部雷子明《井冈诗草》等诗。

9月 《吉林文艺》1974年9月号刊出李瑛《春满林海》、吴辛《校园新歌》、顾联第《战斗的号角》等诗。

9月 《辽宁文艺》1974年第9期刊出工人徐光荣等《工农兵理论队伍赞》、刘振声等《战斗日历化捷报——抚顺石油二厂工人墙报诗选》、还乡知识青年关键等《上山下乡知识青年诗选》。

9月 《内蒙古文艺》1974年第5期刊出乌吉斯古冷《旗海红歌潮涌》、毕力格太《金色的脚印》、工农兵学员李秋荣《家庭批判会》等诗。

9月 《宁夏文艺》1974年第5期刊出诗歌专号，刊有乐岩《六盘儿女迎国庆》、马士林《军营战火红》、朱体泉《批林批孔增干劲》、尹旭《红卫兵赞》、曹莹《步步走的大庆路》、雷抒雁《戈壁演练》等诗和工农兵业余诗歌作者集体讨论，张养科、崔永庆执笔的《乐为时代创新诗——学习诗报告〈西沙之战〉》等文。

9月 《四川文艺》1974年9月号刊出《抓革命 促生产》民歌41首和唐大同《千山万水》等诗及龚文兵的文章《抒发抓革命促生产的壮志豪情——读部分工人组诗》。

9月　《天津文艺》1974年第5期刊出《为党做出大贡献——天津重型机器厂工人诗选》和缝纫机厂工人唐绍忠《炉火颂》、浪波《崖畔青松》、文苑《春柳》等诗。

9月　《新疆文艺》1974年第5—6期刊出《天山儿女歌唱红太阳——新疆兄弟民族民歌选》和赛福鼎《敬爱的导师》、东虹《毛主席健步登庐山》、章德益《风雷颂》等诗。

9月　诗集《灿烂的星辰》由广东人民出版社出版。

9月　辽宁人民出版社编的诗集《党旗颂》由该出版社出版。

9月　辽宁人民出版社编的《战鼓惊天动地来——批林批孔诗歌集》由该出版社出版。

9月　李学鳌的诗集《凤凰林》由人民文学出版社出版。收叙事诗《凤凰林》、《塔梅的红莲》2篇。

9月　苏兆强的诗集《巡诊的路》由人民文学出版社出版。收《巡诊的路》、《尝药草》、《帐篷医院》、《背篓医生》等诗46首，有编者《前言》。《前言》说："这部诗集的作者，不是什么专门诗人，而是一个工作在基层医院，经常外出参加巡回医疗队，为贫下中农防治疾病的青年医生。他通过自己亲身经历的战斗生活，热情地歌颂了毛主席的革命卫生路线的胜利。诗中描绘了赤脚医生和农村基层医药卫生人员、插队青年和下乡医务工作者们在毛主席革命卫生路线指引下新的精神面貌。有些诗可能在艺术上尚欠完美，但是它展示了这一崭新的生活面，有革命激情。我们觉得这是应当坚决肯定，并且值得向读者推荐的。"

9月　叶晓山、彭龄的诗集《战歌嘹亮》由陕西人民出版社出版。臧克家1974年11月14日致彭龄信说："收到《战歌嘹亮》，把你的诗作读了一遍，极高兴。从初读你的诗到现在，差不多有十年了。看到你越写越好，做出了成绩，印成了书，作为你创作的最早的一个读者，快乐的心情可以想见。这些诗，有的我还有印象，有的是新作。你写得比较细，相当精美。《小岛林荫路》、《潜伏》、《打坑道》、《海岸的炮兵》、《台风来时》、《土》以及《钢铁的阵地》第二节等，我觉得都不错。希望继续努力，写出更多、更雄壮的好诗来。"（《臧克家全集》第11

卷,时代文艺出版社2002年12月出版)

叶晓山,原名叶显谷,1931年生,安徽无为人。1949年参加解放军,历任文书、书记、参谋、宣传干事、秘书等职。曾在铁道兵政治部文化部从事专业创作。1958年开始新诗写作,出版的诗集还有《第一声汽笛》(1976)、《风笛颂》(1977)、《竹笛》(1986)等。

彭龄,情况不详。

9月 河南人民出版社编的诗集《红旗渠之歌》由该出版社出版。收陈有才《毛主席万岁!万万岁!——红旗渠分水闸放水歌》、王怀让《红旗渠颂》、梁金宇《赞农民技术员》、阎豫昌《红旗渠水奔流向前——怒斥安东尼奥尼》等诗36首(组)。该书《内容提要》说:"这是一本歌颂林县红旗渠的诗歌专集。""这些诗以不同的形式、不同的风格描绘了红旗渠雄伟、壮丽的气势,歌颂了林县人民敢于反潮流、敢于重新安排河山的英雄气概和艰苦奋斗、自力更生的革命精神,反映了修建红旗渠中两个阶级、两条路线的斗争,歌颂了毛主席革命路线的伟大胜利。对攻击诬蔑红旗渠的国内外阶级敌人给以有力的回击。"

9月 河南人民出版社编的诗集《红日照桐林》由该出版社出版。收王怀让《毛主席来过这间屋》、黄同甫《焦书记坐过的藤椅》、崔登云《饲养室里滚风雷》等诗三十余首。该书《内容简介》说:"《红日照桐林》是一本歌颂兰考红旗的诗歌专集。计选编了诗歌三十五首。""前两首,歌颂了伟大领袖毛主席视察兰考,对兰考人民的深切关怀和给兰考人民的巨大鼓舞。""其余三十多首,通过对兰考两个阶级、两条路线斗争和兰考人民战天斗地劳动场面的描写,歌颂了毛主席的好学生——焦裕禄同志的光辉事迹和兰考人民继承焦裕禄遗志的革命精神,歌颂了党和毛主席的英明领导以及毛主席革命路线的伟大胜利。""作品富有生活气息,语言朴实,感情真挚动人。"

9月 诗文集《金滩战歌》由青海人民出版社出版。收郭芸的评论《高原春笛奏新曲——读工农兵诗集〈高原春笛〉》和战士李晓伟《哨位上》、工人王大成《选战马》等诗9首及小说、散文等。

9月 诗集《理想之歌》由人民文学出版社出版。收王恩宇《中南海呵，我心中的海》、纪宇《船厂大路》、王怀让《泡桐歌》、北京大学中文系七二级创作班工农兵学员集体创作《理想之歌》等诗43首。后来黎之说："同编辑部商量，杨匡满说他手头有一批诗稿，写得不错，但出一本诗集显得单薄。大家决定再加一个选题，用'三结合'写一篇歌颂上山下乡知青的长诗……诗集（最后定名为《理想之歌》）由杨匡满负责……出版后，反映也很不错。有人曾想以《理想之歌》为参照拍部影片。有位著名老诗人写了评介这本诗集的文章。"(《回忆与思考——筹办刊物、抓创作、批林批孔》，2000年5月22日《新文学史料》2000年第2期)高红十说："除我以外，《理想之歌》尚有三个作者，他们是：""陶正，男，去陕北延川县插队前系清华附中高二学生。现任北京歌舞团一级编剧，中国作家协会会员，全国优秀短篇小说获奖者。""张祥茂，男，去内蒙古丰镇县插队前系北京初中六七届毕业生。现为国内贸易部办公厅干部。""于卓，女，去北大荒兵团前系北京六九届初中生。现在《科技日报》记者部任记者，北京作协会员。""我去延安地区插队前也是北京初中六七届毕业生，同张祥茂一样。""我们都是1972年入学的北大中文系文学专业学员，当时自豪后来鄙薄地被称为'工农兵学员'。""《理想之歌》是我们四人创作的，谢冕老师指点过。""细看全诗，应该说陶正的东西更多些。他是我们中间最年长者，古诗词读得多，上大学前，就和后来成名的路遥、谷溪合编过诗集《延安山花》。凡后来公认的佳句几乎都是他的。""《理想之歌》的题目最初是由张祥茂起的。"(《〈理想之歌〉问世前后》，《现代人》1994年第8期)

9月 诗集《西沙战鼓》由广东人民出版社出版。收向明《西沙，祖国的闪光珠贝！》、郑南《西沙日出》、西彤《立功喜报到黎寨》、任海鹰《春满西沙》等诗40首。

9月 《战犹酣——工农兵诗选》由人民文学出版社出版。收王怀让《毛主席来过这茅屋》、毛震郁《批林批孔炮声隆》、戚积广《铸工的语言》、谢其规《革命样板戏赞》等诗一百四十余首，有北京市美术红灯厂、化工设备厂、市政机械公司工人文学评论组的文章《短诗创作也要反映重大题材》。该书《内容说明》说："这本诗集主要选收近一年多以来发表在全国各地报刊上的部分优秀诗歌。内容包括：歌颂党的'十大'和毛主席的无产阶级革命路线；反映伟大的批林批孔运动；歌颂无产阶级文化大革命和社会主义新生事物，如工人阶级登上上层建筑领域、教育革命、知识青年上山下乡、五七干校、赤脚医生；歌颂工业学大庆，农业学大寨，解放军备战练兵和我国与世界各国人民团结反霸的战斗友谊等题材的短诗一百多首。作者绝大多数都是战斗在三大革命斗争第一线的工农兵。"《短诗创作也要反映重大题材》说："短诗反映重大题材，是工农兵短诗创作的一个显著的特点。工农兵作者战斗在火热的三大革命斗争第一线，看到、想到的首先是阶级斗争、路线斗争的大事，对阶级斗争、路线斗争中的重大事件有切身的感受。他们坚定的无产阶级立场和爱憎分明的感情，使他们表现这一重大主题的自觉性最高，愿望最强烈，正因为他们有三大斗争的深厚的生活基础，再加上在艺术实践上向革命样板戏学习，努力于精益求精，所以创作的反映重大题材的作品，才具有崭新的思想内容，强烈的艺术感染力和饱满的时代精神，因而也才具有强大的生命力。"

秋 流沙河作诗《贝壳》。此诗收《流沙河诗集》，上海文艺出版社1982年12月出版。

秋 牛汉作诗《蒲公英》、《野花》。《蒲公英》初刊《北方文学》1980年第7期；《野花》初刊《海韵》1982年第1期；均收诗集《温泉》，上海文艺出版社1984年5月出版。

1974年10月

1日 《解放日报》刊出诗辑《毛主席亲手绘蓝图》和上海市电影工业公司严祥炫的组诗《电影工业的步伐》。

1日 《文汇报》刊出姜金城的诗《十月的颂歌》。

1日 《解放军文艺》1974年10月号刊出石湾的诗《天安门颂》。

5日 《云南文艺》1974年第5期刊出云南省建筑工程公司安装一处《工人诗选》和晓雪《祖国颂》、张永权《战斗的回忆》等诗。该刊1974年第6期刊出启发、兴仁的文章《喜读工人诗选》。文章说："读了省建安装一处工人同志发表在《云南文艺》第五期上的《工人诗选》,很受教育、很受鼓舞。这组诗满怀强烈的政治热情,歌颂无产阶级文化大革命、歌颂社会主义新生事物,结合当前深入开展的批林批孔运动,以诗歌这种文艺形式,批判林彪、孔老二,发挥了革命文艺'团结人民、教育人民、打击敌人、消灭敌人'的战斗作用。"

6日 《光明日报》刊出大庆油田工人姜荣吉《毛主席革命路线指引我们前进》、解放军某部刘锦庭《海防战士爱北京》等诗。

6日 《解放日报》刊出仇学宝的组诗《千里西沙钢铁铸——西沙纪行》。

10日 《山东文艺》1974年第5期刊出解放军某部王耀东《红岗哨——赞战士批判家》、姜建国《石山嫂》、解放军某部李存葆《油城礼赞》等诗。

13日 《光明日报》刊出凡路的诗《山雨欲来风满楼》。

13日 《文汇报》刊出《"风庆"轮墙报诗歌选》和衰军的朗诵诗《"风庆"轮返航》。

20日 《光明日报》刊出《油海歌潮——大港油田工人诗选》。

20日 《朝霞》1974年第10期刊出于宗信《亮闪闪的煤钻》、徐刚《县委会上》、钱刚《小伙讲大课》等诗。

24日 《辽宁日报》刊出宋新的文章《可贵的实践 可喜的收获——评〈西沙之战组歌〉》。

25日 《黑龙江文艺》1974年第10期刊出佳木斯市工人邢世健《飘扬吧!五星红旗》、李瑛《林海雄鹰》、大庆工人杜显斌《石油勘探队员之歌》等诗。

10月 《广东文艺》1974年第10期刊出郑南《心中的颂歌放声唱》、工人傅金城《锤·尺·砧》和工人李洁新、郑世流、罗铭恩《我们是历史的主人》等诗。

10月 《广西文艺》1974年第10期刊出《伟大祖国金灿灿》新民歌22首和《革命样板戏永放光芒》诗14首。

10月 《河南文艺》1974年第4—5期刊出《狠批反动〈女儿经〉——兰考县农机修造厂赛诗会诗选》和温县辛一大队创作组《公

社新歌》等诗;《新诗必须向革命样板戏学习》栏刊出解放军某部王向阳、赵建立《景物描写必须为塑造无产阶级英雄形象服务》,河南省军区0210部队陈铁山、耿正元《从〈西沙之战〉看"三突出"创作原则在叙事诗中的运用》,张庆明《抒情诗也要塑造工农兵英雄形象》文3篇。

10月 《吉林文艺》1974年10月号刊出姚业涌《第一面五星红旗》、梁谢成《放歌白岩峰上》、解放军某部张万晨《我站在祖国地图前》等诗。

10月 《江西文艺》1974年第5期刊出工人胡平、知识青年巫猛的文章《最新最美的诗篇——赞小靳庄社员的诗》。

10月 《辽宁文艺》1974年第10期刊出陈秀庭《社会主义祖国正年轻》、工人郭廓《钢城的夜》、朱金晨《芦笛》等诗。

10月 《四川文艺》1974年10月号刊出傅仇《高峡出平湖》、王长富《铁人在我们身边》、柯愈勋《节日高产》等诗。

10月 《湘江文艺》1974年第5期刊出莫瑛《老侨胞的歌》、振扬《大学归来》、任光椿《祖国的保卫者》等诗。

10月 霍满生的《霍满生诗选》由辽宁人民出版社出版。

10月 河南人民出版社编的《东风万里春雷动——批林批孔诗集》由该出版社出版。

10月 《进军的号角——工农兵批林批孔诗选》由安徽人民出版社出版。

10月 中国人民解放军7659部队政治部编的诗集《彩练当空》由四川人民出版社出版。当时的评论说:"《彩练当空》是我省工农兵业余诗歌创作的一个可喜的成果。它产生在成昆工地上,就像那铁路两旁火红的攀枝花,有着鲜明的战斗色彩和浓郁的泥土气息。战斗生活是诗歌的沃土。这些植根于战斗生活的诗,大都具有为中国老百姓所喜闻乐见的艺术形式,节奏感强,押韵顺口,易懂易记。可以看得出来,从民歌中吸取了丰富的营养,在古典诗歌中进行了有批判的借鉴,这种努力是值得肯定的。尽管诗集中有的诗提炼不够,挖掘不深,写得平淡;有的写得太实,缺乏浪漫主义色彩,但我们深信,在毛主席革命文艺路线的指引下,在努力学习革命样板戏经验进行创作实践的过程中,这些'踏遍青山架长虹'的开路先锋们,定能在继续革命的征途上,唱出更加激越的战歌,浇出更加鲜艳的战地之花!"(左人《汗水浇出战地花——喜读诗集〈彩练当空〉》,1975年2月19日《四川日报》)还有文章说:"《彩练当空》这本诗集最鲜明的特色,就是学习运用革命样板戏的创作经验,比较充分地描写了铁道兵战士的革命乐观主义和革命英雄主义的豪情壮志。""值得一提的是,《彩练当空》的作者们自觉地学习运用革命样板戏创作经验,对作品认真加工修改。为了加工锤炼这本集子,部队领导专门举办了一个学习毛主席文艺思想和革命样板戏创作经验的学习班。为了把叙事与抒情很好地结合起来,突出抒写英雄人物光彩照人的内心世界,展示出革命的诗意美,作者们还特地对革命样板戏的重点核心唱段进行了反复分析、揣摩。诗集在塑造高大的铁道兵英雄形象方面取得了一定成就,正是作者们努力学习毛主席文艺思想,努力学习革命样板戏的结果。"(尹在勤《谁持彩练当空舞——评铁道兵诗集〈彩练当空〉》,1975年2月27日《光明日报》)

10月 《春笋集——工农兵诗选》由山东人民出版社出版。收锦河《放歌韶山》、纪宇《阵地》、周晓芳《赞开门办学》、桑恒昌《雪中路》等诗131首。

10月 黑龙江人民出版社编的《批林批孔诗选》由该出版社出版。收哈尔滨第一工具厂工人李方元《奔腾呵,革命的浪潮!——写在批林批孔的洪流里》、黑龙江日报印刷厂工人张华《车间批判会》、绥化县工人吕良才《母女合写批判稿》、兵团战士郭小林《批判会开在乌苏里江边》等诗50首。

10月 《山西群众文艺》编辑组编的《山西新民歌选》由山西人民出版社出版。作品分为《颂歌声声飞北京》、《文化革命结硕果》、《批林批孔战旗飘》等5辑,收太原橡胶厂工人马晋乾《中南海书房红彤彤》、赵政民《我在云中收稻谷》、山西大学工农兵学员王家金《一路打冲锋》等民歌128首,有《编者的话》。《编者的话》说:"文化大革命以来,在毛主席革命文艺路线指引下,在革命样板戏的带动下,我省群众性的文艺创作活动呈现出一派生气勃勃的景象。广大工农兵业余文艺工作者写出了不少优秀民歌,满腔热情歌颂毛主席,歌颂共产党,歌颂无产阶级文化大革命,歌颂社会主义新生事物,歌颂工业学大庆、农业学大寨的伟大群众运动;尤其是在当前批林批孔的伟大斗争中,广大工农兵业余文艺工作者拿起笔作刀枪,批林批孔当闯将,写出了大量战斗性很强的新民歌。在纪念毛主席《在延安文艺座谈会上的讲话》光辉著作发表三十二周年之际,我们特选编了这本新民歌选,以表庆贺。"

1974年11月

1日 《解放军文艺》1974年11月号刊出《颂歌向着北京唱——各族民歌选》和李今蒲《炮场上》、苗爱雨《反孔烈火照千秋》、韩作荣《深山潜伏》等诗。

3日 《文汇报》以《豪迈的歌》为总题刊出上棉十厂唐振新《党说大干咱就上》、上海海运局孙祯祥《争报祖国好春光》等诗。

5日 《武汉文艺》1974年第6期刊出诗辑《批林批孔促大干》和张旗《城市民兵之歌》、刘不朽《战地黄花》等诗。

10日 《黑龙江日报》刊出董国柱的文章《新的一代 新的境界——诗集〈沃野朝阳〉读后》。

10日 《解放日报》刊出解放军空军某部宫玺的诗《在向前飞驰的列车上》。

10日 《山西日报》刊出晋安化工厂工人业余评论组郭金玉、孔繁贵、李文杰的文章《时代的鼓点 战斗的诗篇——喜读诗选〈锤声集〉》。

10日 《北京文艺》1974年第6期刊出北京人民机器厂戚万忠、刘宝增《故事会》等诗。

11日 《光明日报》刊出王恩宇《书记跟咱同战斗》等诗。

15日 《河北文艺》1974年第6期刊出诗辑《学习毛主席军事著作 批判林彪资产阶级军事路线》和王洪涛《洪流》、李瑛《日照草原》、尧山壁《大寨田赞》等诗。

17日 《文汇报》刊出中华造船厂钱国梁《炉火熊熊》等诗。

20日 《陕西文艺》1974年第6期刊出工人沈奇《夜巡》、解放军某部彭龄《海疆诗情》等诗和韩望愈的文章《一代新人的歌——喜读诗集〈我是延安人〉》。

20日 《朝霞》1974年第11期刊出宁宇《乘长风,破万里浪——欢呼"风庆"轮首航胜利归来》、袁军《布林的西港的叩门声——摘自一位水手长的笔记》等诗和吴增炎、周土根的文章《希望能看到更多的好诗——评叙事诗〈千年红〉》。

24日 《光明日报》刊出凡路的诗《我们的朋友遍天下》。

24日 《解放日报》刊出徐洪斌的散文诗《大干热潮逐浪高》。

24日 《人民日报》刊出向明《毛主席派我守西沙》、张永枚《西沙姑娘》等诗。

11月 《福建文艺》1974年第6期刊出解放军某部战士吴云进《光荣的连史》、俞兆平《红色巨流》、吴万里《公社新人赞》等诗。

11月 《广东文艺》1974年第11期刊出《胜利全靠毛主席——广州材料试验机厂批判林彪资产阶级军事路线诗选》和解放军王石祥《塞北诗讯》、苏跃《理发工人的歌》等诗。

11月 《湖北文艺》1974年第6期刊出大冶铁矿工人盛茂柏《铁山放歌》、解放军某部姚振起《战地号声》、工人胡发云《我们的红卫兵战友》等诗和杨元生、刘汉民的文章《广阔天地诗篇新——喜读上山下乡知识青年的短诗》。

11月 《吉林文艺》1974年11月号刊出李占学《火红的岁月》、工人朱雷《纪念碑下》、李广义《女子运材队》、蒙族苏赫巴鲁《乌兰少布》等诗和孙里的文章《无产阶级文化大革命的赞歌——评叙事诗集〈马背上的歌〉》。

11月 《辽宁文艺》1974年第11期刊出《学习小靳庄 大寨花更红——五三公社南塔大队社员诗歌选》和抚顺石油二厂工人高照斌《大干花絮》、吴国有《一把镐》等诗。

11月 《内蒙古文艺》1974年第6期刊出工人张树宽《师傅大步登讲台》、郝有富《批判家》等诗。

11月 《四川文艺》1974年11月号刊出《歌飞北京传深情——武胜县义和公社四大队社员诗歌选》和工人李可刚《刘大娘登讲台》、工人张新泉《出勤簿》、彭斯远《农奴的女儿上了大学》等诗。

11月 《天津文艺》1974年第6期刊出冯景元《炉台赞》、解放军某部陈永康《大寨的战士》、化工局创作组王福全《挑战》等诗。

11月 王怀让的诗集《风雷集》由河南人民出版社出版。

11月 甘肃人民出版社编的诗集《青春似火》由该出版社出版。

11月 顾工的诗集《火的喷泉》由山东人民出版社出版。作品分为《工之歌》、《兵之歌》等4辑,收《大庆赞歌》、《年青的队长》、《水下的战斗》、《村外站岗》等诗44首。

顾工,原名顾菊楼,1928年11月11日生于上海。1945年参加新四军,在军部文工团工作。1949年到第二野战军政治部从事专业创作。1951年随军进驻西藏。1955年出版诗集《喜马拉雅山下》,同年到北京,在八一电影制片厂任编剧。1958年调解放军报社任编辑、记者。先后出版诗集《这是成熟的季节啊》(1957)、《寄远方》(1958)、《鲜花乐器和酒杯》(1959)等。1974年到总后勤部政治部从事专业创作。又出版诗集《征战集》(1978)、《战神和爱神》(1980)、《爱情交响诗》(1987)。

11月 张雅歌的诗集《起飞线之歌》由湖北人民出版社出版。作品分为《机场上》、《女飞行员之歌》等3辑,收《起飞线之歌》、《为飞翔的祖国护航》、《我就是爱飞》、《团长来看雷达班》等诗35首。

张雅歌,1942年生,河南洛阳人。1962年参军,先后在空军伞兵、航空兵、高射炮兵部队工作。1978年调到武汉空军政治部创作组从事专业创作。1985年调入广州空军政治部创作室。出版的诗集还有《朱伯儒之歌》(1983)、《把蓝色的旗帜升起》(1985)、《张雅歌诗选》(1992)。

11月 诗集《大寨之歌》由山西人民出版社出版。收郭凤莲《紧跟毛主席向前闯》、董耀章《提高警惕反复辟》、罗继长《堡垒颂》、文武斌《大寨柳传歌》等诗102首。该书《内容提要》说:《大寨之歌》"是为纪念毛主席发出'农业学大寨'号召和歌颂大寨精神而编辑出版的"。

"收入这部诗集的作品,其中将近一半是大寨人在战斗中亲自写下的。大寨人不仅是阶级斗争的闯将,战天斗地的英雄,而且是社会主义的歌手和文艺革命的战士。""这部诗集以阶级斗争和路线斗争为纲,比较全面地反映了大寨的战斗风貌,刻画了大寨人的光辉形象,是一部内容丰富,语言朴实,风格清新的诗集。"

11月 张郁等著的诗集《放歌天安门》由陕西人民出版社出版。收工人张郁《放歌天安门》,工农兵学员平凹、和谷《工农兵学员之歌》,工人锋斌、俊杰、铁山、心民、铁林《吴南之歌》、工人徐剑铭《路之歌》诗4首。该书《出版说明》说:"这本诗集,收集了四篇抒情长诗,作者是工人和工农兵学员。作品以饱满的政治热情,奔放的笔触,放声歌唱我们伟大的党和伟大领袖毛主席,歌唱社会主义祖国;热烈歌颂了无产阶级文化大革命的辉煌胜利和社会主义新生事物,歌颂了在毛泽东思想哺育下成长的新一代英雄。作品感情浓烈,具有鲜明的战斗性。"

11月 天津人民出版社编的诗集《广阔天地新苗壮》由该出版社出版。收中共天津市委书记、宝坻县委副书记、宝坻县大钟庄公社司家庄大队党支部副书记、燕子队队长、回乡知识青年邢燕子《敬祝毛主席万寿无疆》、黑龙江生产建设兵团某部战士、天津知识青年刘宝治《铺开"入党志愿书"》、内蒙古生产建设兵团某部战士、天津知识青年郑欢《春耕图》、河北省威县小里罕大队妇联会委员、天津知识青年周晓英《扎根农村心向党》等诗45首,有编者《后记》。《后记》说:"这部诗集的作者全部是天津市上山下乡知识青年,其中有扎根农村十几年、无产阶级文化大革命后,担任了重要领导职务的知识青年的光辉榜样邢燕子、侯隽;有'横眉冷对帝修反','笑把青春献给党'的革命烈士张勇、孙连华、周春山;有一手拿锄,一手握枪,胸怀朝阳,屯垦边疆的生产建设兵团战士;有遍布在天津郊区(县)、河北、山西、内蒙、黑龙江等地,'革命路线记心上','治山治水不怕难'的新社员……他们以满怀激情,歌颂伟大领袖毛主席和伟大的中国共产党,歌颂毛主席的无产阶级革命路线;他们怀满腔义愤,狠批林彪效法孔老二,妄图'克己复礼',破坏知识青年上山下乡等反革命罪行;他们朝气蓬勃,热情奔放,挥笔抒发了扎根农村、扎根边疆,胸怀祖国,放眼世界的革命雄心壮志。这部诗集反映了天津知识青年在农村这个广阔天地里,在贫下中农(牧)的再教育下,茁壮成长,大有作为的火热斗争生活,有一定的教育意义。"当时的评介说:"在伟大领袖毛主席《青年运动的方向》、'知识青年到农村去,接受贫下中农的再教育,很有必要'等光辉指示指引下,广大知识青年满怀豪情奔赴农村和边疆,在三大革命斗争实践中,创作了大量的诗歌。这个诗集,共选收天津市上山下乡知识青年创作的短诗四十五首。这些诗歌颂了知识青年在广阔天地里茁壮成长的英雄事迹,抒发了知识青年扎根农村和边疆的雄心壮志,具有饱满的革命激情和浓厚的生活气息。"(《今朝》文学丛刊第1辑,天津人民出版社1975年5月出版)

11月 昔阳县文化馆编的《昔阳新歌谣》由人民文学出版社出版。作品分为《新歌谣》、《新谚语》两部分,《新歌谣》收大寨大队党支部书记郭凤莲《毛主席是红太阳》、大寨大队宣传队《大寨步步不离红路线》、大寨大队青年社员贾爱国《虎头春光汗水描》等歌谣一百一十余首,有出版者《前言》。《前言》说:"现在出版的这本《昔阳新歌谣》,是昔阳县文化馆在中共昔阳县委的领导和大寨大队党支部的支持下,从黑板报、墙报、油印小报和群众口头广泛搜集、编选整理的。全书选入革命歌谣一百一十九首、革命谚语近九十条。从这里,我们可以看到经过无产阶级文化大革命锻炼的社会主义新型农民的崭新精神风貌,可以感到伟大时代脉搏的跳动,可以听到英雄的大寨和昔阳人民的战斗心声,可以受到阶级斗争和路线斗争的深刻教育。这对于配合当前普及、深入、持久地开展批林批孔斗争和农业学大寨运动,是有一定作用的。我们以极大的热忱向广大工农兵读者推荐这本书。"

1974年12月

1日 《解放军文艺》1974年12月号刊出王德祥《团结颂歌震长空》、张赞廷《沸腾的货场》、王笠耘《红军的战歌》、宁宇《闯过好望角》、时永福《牧工的话》等诗。

5日 《云南文艺》1974年第6期刊出《保和公社农民诗歌选》和工人李松波《赞农民画家》、解放军某部高洪波《理论小组》等诗及启发、兴仁的文章《喜读工人诗选》。

8日 《解放日报》刊出诗辑《团结战斗凯歌响　跃进潮头逐浪高》。

10日 《山东文艺》1974年第6期以《社会主义新生事物赞》为总题刊出苏文河《青年舵工赞》、济南市工人桑恒昌《碱滩新歌》、姚焕吉《骏马图》等诗。

11日 郭小川"从咸宁被押送至天津团泊洼文化部静海干校,中途在丰台转车,不准进京"(见《郭小川年表》,《郭小川全集》第12卷,广西师范大学出版社2000年1月出版)。

12日 《光明日报》刊出延青的文章《走延安路　抒革命情——诗集〈我是延安人〉读后》。

18日 《人民日报》刊出新华社报道《郑集大队学习小靳庄用社会主义占领农村思想文化阵地　积极开展群众性诗歌创作活动》。报道说:"河南省虞城县稍岗公社郑集大队党支部,学习小靳庄的经验,积极开展群众性的诗歌创作活动。这个大队已开了三次赛诗会,各生产队都办起了赛诗台,有五百多人参加了诗歌创作活动。""'谁说作诗实在难,三大革命是源泉。公社田里尽诗意,诗人就是众社员。'这是邢庄生产队女社员曹艳霞写的一首诗歌,它反映了郑集大队的诗歌创作活动,具有广泛的群众性。在这里,不少七八十岁的老人和七八岁的儿童都投入了诗歌创作活动。"

20日 《朝霞》1974年第12期刊出朱金晨《长安街礼赞》、范峥嵘《集体户的夜》、龙彼德《这小伙,就是倔》等诗。

21—28日 国务院科教组、农林部和中共辽宁省委联合召开学习朝阳农学院教育革命经验现场会。

22日 《文汇报》刊出上棉二厂陆萍《在毛主席走过的大道上》、普陀区诗歌组《韶山泉》等诗。

25日 《黑龙江文艺》1974年第11—12期刊出《长胜大队赛诗会诗抄》和黑龙江生产建设兵团某部莫邦富《老大娘参战》、宋歌《铁大嫂》等诗。该刊1975年第3期刊出工人鲁戈的文章《诗歌学习样板戏的可喜收获——评三首叙事诗》。文章说:小叙事诗《铁大嫂》"结构比较单纯,但在情景交融,抒发人物的感情方面,却有其成功之处。作品的主题是歌颂新生事物,塑造了农村青年妇女干部的典型形象。通过'顶黑潮'、掌权'挑重担'和'与走资派斗争'三个情节,就把铁大嫂的英雄形象表现出来了,这里,抒情起了很大的作用","有些叙事诗写得不够精练,读来拖沓、沉闷,往往是由于作者忽视了诗歌的艺术特点,不善于发挥诗歌的长处,而避其短处。常常把大量的篇幅用在未经加工的人物和情节上,忙于交待和说明,这样自然淹没了作品中革命激情的抒发。《铁大嫂》在这方面的处理是比较妥当的。在她带领乡亲们斗倒阶级敌人后,作者并没有忙于交待他们如何开批判会,如何搞生产。只是通过党支部选他[她]当支部书记这一事件,就直接抒发了共产党人乐于斗争的大无畏革命精神"。

26日 株洲举行盛大赛诗会。《湘江文艺》1976年第1期消息:"一九七五年十二月二十六日,株洲市举行了规模盛大的赛诗会。这次赛诗会是由共青团株洲市委和市文化局联合举办的。赛诗会上,来自全市各条战线的五千多名团员和青年聚集一堂,满怀革命豪情,朗诵了他们在三大革命斗争中创作出来的诗篇八十多首。这些诗篇,热情地歌颂伟大领袖毛主席,歌颂无产阶级文化大革命和批林批孔的伟大胜利,歌颂社会主义新生事物,畅叙了广大青年在毛泽东思想哺育下茁壮成长和为普及大寨县贡献青春的豪情壮志。"

26日 《人民日报》刊出新华社报道《上园大队贫下中农创作许多新诗》。报道说:"辽宁省北票县上园公社上园大队积极开展群众性的诗歌创作活动,以革命诗歌为武器,批判林彪反革命的修正主义路线,批判孔孟之道,宣传社会主义新思想、新风尚。""现在,来到上园大队,到处可以看到:黑板报上,墙报上,登着社员们写的诗歌;夜校里,地头上,许多人也经常朗诵自己创作的新诗。这一派景象正像一首诗歌所写的:'新天新地新时代,大寨田头摆诗台,满手老茧握战笔,群英上阵赛诗来。'""上园大队群众性的诗歌创作活动是从一九七一年开始的。社员们写的诗大都密切配合农村现实的阶级斗争和路线斗争。在批林批孔运动中，干部、社员们把诗歌作为批判林彪反革命的修正主义路线和孔孟之道的战斗武器，先后举办了七十多次专题赛诗会，创作了几千首诗歌。"

29日 《解放日报》刊出刘希涛的诗《"北京，我要北京！"——写在长途电话台前》。

31日 《光明日报》刊出《批林批孔结硕果，革命生产双飞跃——小靳庄诗歌选》和榕树的文章《万紫千红新花香》。

12月 《广东文艺》1974年第12期刊出韦丘、沈仁康、谭朝阳的诗《井冈山歌》和瞿琮的诗《在遵义红楼里》。

12月 《广西文艺》1974年第11—12期刊出桂林地区工人孙如容《胜利的赞歌》、南丹县插队知识青年杨克《红花朵朵》、颜运祯《贫下中农理论队伍赞》、陈忠干《非洲在怒吼》等诗。

12月 《河南文艺》1974年第6期刊出《毛主席指挥咱战斗——洛阳东方红拖拉机厂诗选》和贺文的文章《为工人的诗欢呼》、《千诗万歌赞革命——虞城县诗选》和虞宣的文章《谈虞城县的民歌创作活动》、《火红的岁月——郑州市诗歌创作学习班诗选》和边平的文章《办学习班是个好办法》。

12月 《吉林文艺》1974年12月号刊出程刚《汇报》、金任宏《战友肖像》、张满隆《土技术员》等诗。

12月 《江西文艺》1974年第6期刊出公社社员肖万件等江西新民歌《征途万里飞战马 劈风斩浪向前进》和战士王凯林等的诗辑《社会主义新生事物赞》。

12月 《辽宁文艺》1974年第12期以《韶山颂》为总题刊出岸冈《旧居油灯》、解放军某部崔合美《从毛主席的窗前走过》、解放军某部峭岩《韶山青松》等诗。

12月 《四川文艺》1974年12月号刊出《公社大地升彩虹——广汉县连山公社诗歌选》和任耀庭《边防战歌》、徐康《公社新歌》、胡笳《油海浪花》等诗。

12月 张永枚的诗报告《西沙之战》由广东人民出版社出版。

12月 尚宇的诗集《清泉流万里》由江苏人民出版社出版。

12月 诗集《北疆颂歌》由内蒙古人民出版社出版。收巴·布林贝赫《颂歌》、工人乌吉斯古冷《林贼休想变天》、安米《大青山上插红旗》、解放军张赞廷《歌声》等诗94首。

12月 《批林批孔诗歌选》由北京人民出版社出版。收解放军某部杨作云《批林批孔打头阵》、北京慈云寺邮局陈文骐《斗出一个新世界》、铁道兵某部叶晓山《工地批判会》、北京永定机械厂苏敦华《街道妇女上战场》、石湾《要扫除一切害人虫》等诗42首。

12月 中国人民解放军总字102部队政治部宣传部编印的诗集《春风万里》印行。收战士陈学良《北京的喜讯》、战士马合省《劈山开路工程兵》、指导员陈庆常《祖国在召唤》等诗89首。

12月 大连港务管理局政治部编印的《码头工人诗选》印行。收局党委副书记曹凯《向贫下中农学习》、燃供连油五号轮老工人陶遵显《永远为党唱赞歌》、电讯站工人孟秋芝《评法批儒主正道》、寺儿沟作业区工人毕惠敏《卸油台上是战场》等诗95首,有局党委书记赵勤谋《赞工人诗》代序和编者《编后记》。《编后记》说:"在批林批孔运动普及、深入、持久向前发展的大好形势下,我港广大职工认真学习小靳庄的经验,广泛开展了写诗、赛诗活动,涌现了一大批政治内容和艺术水平都比较高的工人诗歌。""这些诗歌从不同侧面歌颂了党和毛主席的革命路线;讴歌了当前深入开展的批林批孔运动;反映了码头工人抓革命、促生产的斗争实践。这些诗歌,主题鲜明,感情饱满,语言生动,富于感染力,一反旧诗坛的文风,颇有特色,读了使人振奋,受鼓舞。"

12月 石家庄地区革命委员会文化局编的诗集《西柏坡颂》由河北人民出版社出版。当时的评论说:"革命圣地西柏坡,是进行革命传统教育、路线教育、特别是无产阶级专政理论教育的好课堂。""石家庄地区革命委员会文化局编辑、河北人民出版社出版的诗歌集《西柏坡颂》,从各个不同的角度,热情歌颂了毛主席的英明伟大,歌颂了毛主席革命路线的无比正确,歌颂了毛主席无产阶级专政下继续革命思想的光辉壮丽,对我们今天巩固和加强无产阶级专政,将革命进行到底,有着重大的现实教育意义。""总观《西柏坡颂》中的大多数诗篇,在选材、构思和表达方式上,即景抒情,托物寄志是比较突出的特征。但咏物不在物,写景不为景。……作者们撷取现实生活中富有特征性的物件,巧妙的比喻,丰富的联想,把历史的回顾与现实的展望结合起来,使珍贵的历史文物变成了血肉饱满的艺术形象,充分抒发了'发扬革命传统,争取更大光荣'的革命壮志,获得了动人的艺术效果。"(江向东《无产阶级专政的颂歌——读诗集〈西柏坡颂〉》,1975年5月15日《河北文艺》1975年第5期)

12月 天津人民出版社编的《小靳庄诗歌选》由该出版社出版。作品分为《给毛主席唱支丰收歌》、《锄掉毒草化肥料》等4辑,收大队党支部书记王作山《给毛主席唱支丰收歌》、一队副队长王新民《批判会上一只斗》、政治夜校辅导员王栩《理论家》、大队妇代会主任周克周《天地新春我们开》等诗107首,有编者《后记》。《后记》说:"我们在向小靳庄贫下中农学习,向小靳庄诗歌学习的过程中,怀着无比喜悦的心情,编辑了这本《小靳庄诗歌选》。""这些具有鲜明的时代特征和强烈的战斗性的诗歌,正是小靳庄火热斗争生活的真实反映。它再一次证明,劳动人民不仅是社会物质财富的创造者,而且是人类精神财富的创造者。""这些诗歌在政治上和艺术上都达到了一个新的高度。它是无产阶级文化大革命以来,在毛主席无产阶级革命文艺路线的光辉照耀下,开放在诗歌园地上的鲜艳的花朵,是我们广大革命文艺工作者学习的榜样。这生动的事实,是对林彪、孔老二鼓吹的'上智下愚'、'天才论'的有力批判。"当时的评论说:"在批林批孔运动的推动下,《小靳庄诗歌选》出版了。""这不是一本普通的诗选。这个集子的一百零八首诗歌,出自社员之手,这是多么可喜的新收获啊!今天,我们的社员既是批林批孔的闯将,又是种庄稼的能手,也是战斗的歌手;我们的公社革命形势大好,五谷丰收,诗也丰收。""一个五百多人的大队,从十岁上下的红小兵到六十岁内外的男女社员,许多人会唱样板戏,许多人会作革命诗。在批林批孔运动的推动下,不到一年的工夫,就写出一千多首充满革命激情的诗歌,这是一件十分鼓舞人心的事情。"(榕树《万紫千红新花香》,1974年12月31日《光明日报》)后有文章说:"一九七四年六月二十二日,江青以'去农村看看'为借口,以抓上层建筑领域的革命为幌子,第一次窜到小靳庄。她抄了几首吹捧她的诗,非常得意,亲自作了修改,强令在《天津日报》上发表。她抄了几句社员的诗后,立即叫嚷:'给我印出来!'随同前去的黑干将迟群秉承江青的旨意,当即布置:'要把他们的诗编个小册子。'还说什么:'人民出版社就是不到这里来,就是不出这些东西! 他们不出,你们天津出。'第二天,天津人民出版社就接到'四人帮'黑干将迟群转达的江青的黑'指示',即要'把小靳庄的批判文章、诗歌、快板、演唱材料'统统收集起来,迅速'加工'出版。""在出版《小靳庄诗歌选》的过程中,'四人帮'在天津的资产阶级帮派体系中的那个骨干分子、市文教组前主要负责人,大卖力气,煞费苦心。他亲自出马,飞车赶到小靳庄,亲自主持召开了第一部小靳庄出版物——《小靳庄诗歌选》的编选定稿工作会议,并由他一手确定方案,圈定选目;对选入的诗歌,字斟句酌,逐篇修改,直到夜阑更深,才掩卷收场。""敬爱的周总理逝世后,'四人帮'加快了篡党夺权的步伐,'四人帮'在天津的那个死党又伙同'四人帮'在天津的帮派体系中的那个骨干分子、市文教组前主要负责人,秉承江青的旨意,迫使出版社把《小靳庄诗歌选》'作为急件处理,其他工作一律让路'。并且肉麻地吹捧他们'首长'江青抓的这个'点',是什么'屹立在世界东方的崭新时代的崭新农村的崭新典型'。叫嚷:'必须学习好,宣传好。'"

"从一九七四年到'四人帮'彻底垮台以前,由江青授意,经'四人帮'在天津的那个死党和'四人帮'在天津的帮派体系中那个骨干分子、市文教组前主要负责人的直接指挥,先后出版了《小靳庄诗歌选》一、二两集、小靳庄诗歌谱曲选——《天地新春我们开》,以及用那个骨干分子自鸣得意的那篇所谓'诗评'作书名的小靳庄诗歌评论集——《新型的农民 崭新的诗篇》等六本专集,总印数达一百七十万册,发行全国,流毒各地,影响极坏,危害极大。而且,在他们的指令下,《小靳庄诗歌选》第一集,还分平装、半精装、精装、特精装,版本之繁多,装帧之讲究,都大大超过了同时出版的其他读物。尤有甚者,江青还授意'四人帮'在天津的那个死党,指令把《小靳庄诗歌选》(第一集)印成大字线装本,而且要作为'压倒一切的政治任务','用最快的速度'印制出来。印制这种版本,耗资费时,造价昂贵。一函大字线装本的《小靳庄诗歌选》的成本费,相当该书平装本价格的四十五六倍。"(钟贤、钟华《"四人帮"阴谋篡党夺权的铁证——批判叛徒江青授意炮制的〈小靳庄诗歌选〉》,1978年3月3日《学习通讯》1978年第3期)

  冬 牛汉作诗《冻结》。收诗集《温泉》,上海文艺出版社1984年5月出版。

  1974年 蔡其矫作诗《时间的脚步》、《思念》、《也许》、《哀痛》、《橘林》、《木排上》、《致——》。《思念》初刊1978年12月23日《今天》第1期。第一首收诗集《祈求》,江苏人民出版社1980年11月出版;其余收诗集《生活的歌》,人民文学出版社1982年7月出版。

  1974年 姜世伟(芒克)作诗《十月的献诗》。此诗初刊1979年2月26日《今天》第2期,收诗集《心事》,《今天》编辑部1980年1月油印发行。

  1974年 栗世征(多多)作诗《日瓦格医生》、《诗人之死》、《乌鸦》、《玛格丽和我的旅行》。前二首收《行礼:诗38首》,漓江出版社1988年3月出版;后二首收《里程——多多诗选》,1988年12月油印发行。

  1974年 牛汉作诗《蚯蚓的血》、《鹰的归宿》、《把生命化入大地——忆孟超》、《在深夜……》、《伤疤》、《星夜遐想》、《燕子的话》。《蚯蚓的血》初刊《诗刊》1980年5月号;《鹰的归宿》初刊《雪莲》1982年第1期;《把生命化入大地——忆孟超》初刊《战地》1980年第4期;《星夜遐想》初刊《诗林》1989年第3期;《燕子的话》初刊《文汇增刊》1980年第7期;前五首收诗集《温泉》,上海文艺出版社1984年5月出版;《星夜遐想》收《牛汉抒情诗选》,青海人民出版社1989年12月出版;《燕子的话》收《牛汉诗选》(人民文学出版社1998年2月出版)改题《雨燕的话语》。

  1974年 于有泽(江河)作诗《歌》、《站》、《冬》。诗初刊1980年12月《今天文学研究会》内部交流资料之三。

  1974年 张建中(林莽)作诗《二十六个音节的回想》。此诗收入诗集《我流过这片土地》,新华出版社1994年10月出版。诗集代序《心灵的历程》说:"1969年,我和一些朋友一同来到河北水乡白洋淀插队。""白洋淀有一批与我相同命运的抗争者,他们都是自己来到这个地方。他们年轻,他们还没有被生活和命运所压垮,还没有熄灭最后的愿望。他们相互刺激,相互启发,形成了一个小小的文化氛围。一批活跃在当代文坛上的作家、诗人都曾与白洋淀有过密切的联系。那儿交通不便,但朋友们的相互交往却是经常的。在蜿蜒曲折的大堤上,在堆满柴草的院落中,在煤油灯昏黄的光影里,大家倾心相予。也就是那时,我开始接触了现代主义文化艺术思潮。""1974年我开始进入了现代主义的诗歌领域。用大半年的时间写下了《二十六个音节的回想——献给逝去的年岁》。这是一首由二十六首短诗组成的长诗。在诗中我总结了自己的生活与思考(此诗最初叫《纪念碑》)。接着又写下了另一首长诗《悼一九七四年》。从此我找到了自己的诗歌之路。"

1974年 赵振开(北岛)作诗《太阳城札记》、《日子》、《候鸟之歌》。《太阳城札记》初刊1979年4月1日《今天》第3期;《日子》初刊1979年9月《今天》第5期;《候鸟之歌》初刊1979年12月《今天》第6期;均收诗集《陌生的海滩》,《今天》编辑部1980年4月油印发行。

1975 年

1975 年 1 月

1 日　《光明日报》刊出《批林批孔当闯将　大干巧干绘新图——工农兵诗选》，刊有老贫农魏文中《庆新年》、解放军某部马怀金《战士的歌》、工人黄声孝《我们团结在红旗下》等诗。

1 日　《人民日报》刊出《小靳庄社员诗歌选》，刊有女民兵王玉华《毛泽东思想指航程》、大队党支部书记王作山《给毛主席唱支丰收歌》、大队妇代会主任周克周《天地新春我们开》等诗。

1 日　《文汇报》刊出上海市电影工业公司严祥炫《毛主席啊，您给祖国带来了春天——迎接一九七五年》等诗。

1 日　《解放军文艺》1975 年 1 月号刊出卞雪松《山间夜校》、常安《怒火》、张赞廷《浩特，战斗的堡垒》、雷抒雁《风中雨中》、胡笳《装油台放歌》、程步涛《海岛联防会》等诗。

3 日　《天津日报》刊出巴亦的文章《革命的战歌　时代的画卷——喜读〈小靳庄诗歌选〉》。文章说："这次搜集在《小靳庄诗歌选》中的六十多名社员写的一百多首诗歌，就是从全村创作的千余首诗中间挑选出来的。这么多的农民群众跨上诗坛，挥笔抒发革命的豪情，歌颂伟大领袖毛主席，歌颂我们伟大的党，歌颂我们伟大的时代和英雄的人民，使诗坛面貌焕然一新，这是何等激动人心的革命景象！这是诗歌领域中的一场革命。它使诗歌进一步从少数专门家的手中解放出来，成为广大工农兵群众手中的有力武器。文艺战线这一蓬勃兴旺的崭新局面,只有在毛主席领导的新中国,才有可能出现;只有在经过无产阶级文化大革命和批林批孔运动的今天,才能够出现!"

5日 《解放日报》刊出诗辑《神州喜传捷报声》和纪宇《元旦晨景》、路野《公社春早》等诗。

5日 《文汇报》刊出胡笳的诗《油海浪花》。

8—10日 中共十届二中全会在北京举行,选举邓小平为中共中央副主席、中央政治局常委。

9日 龚舒婷(舒婷)作诗《海滨晨曲》。此诗收诗集《双桅船》,上海文艺出版社1982年2月出版。

10日 龚舒婷(舒婷)作诗《珠贝——大海的眼泪》。此诗初刊《福建文艺》1980年第1期;收诗集《双桅船》,上海文艺出版社1982年2月出版。

10日 《北京文艺》1975年第1期刊出《红星公社诗选》和北京永定机械厂杨俊青《人民大会堂的灯火》、李瑛《钢铁边防》等诗。

10日 《天津文艺》1975年第1期刊出《小靳庄特辑》,刊有天津市文化局创作评论组《小靳庄的诗歌创作活动为什么开展得这样好》等文和《小靳庄社员诗歌选》。天津市文化局创作评论组说:"天津市宝坻县林亭口公社小靳庄大队的群众性诗歌创作活动,是在无产阶级文化大革命和批林批孔运动的推动下,在学习、普及革命样板戏的带动下,蓬蓬勃勃地开展起来的。在小靳庄,黑板报上登着诗,批判会上念着诗,赛诗会上朗诵着诗,生产劳动中唱和着诗。全大队二百五十多名男女整半劳力中,经常参加诗歌创作活动的就有一百七十多人,几个月内写了近两千首诗歌,开了八次大型的赛诗会。老贫农在地头场边琢磨着诗句,年轻的夫妻在灯下商量着改诗。有的社员全家写诗,一家人在饭桌上边吃饭边评诗,有的订一本《全家诗歌集》,记录着全家老少的新诗。在小靳庄,写诗评诗蔚然成风。他们的诗歌,热情歌颂伟大领袖毛主席,歌颂中国共产党,歌颂毛主席的革命路线,歌颂无产阶级文化大革命和社会主义新生事物,并对林彪、孔老二进行了深刻有力的批判。他们的诗歌,主题鲜明,语言简练,刚健清新,充满了强烈的无产阶级感情和战斗精神,在三大革命运动中,发挥了革命文艺'团结人民、教育人民、打击敌人、消灭敌人'的战斗作用。他们的诗歌,从内容到形式都显示了崭新的面貌,开了一代新诗风。"

10日 《朝霞》1975年第1期刊出孙绍振、刘登翰的长诗《狂飙颂歌》和毛炳甫《总指挥——老炮手》等诗。

13日 《人民日报》刊出北京市化工局工人理论组《时代的战歌——赞诗集〈大庆战歌〉》、韩望愈《翱翔吧,年轻的海燕——评诗集〈我是延安人〉》等文。

13日 《光明日报》刊出马联玉的文章《时代的战鼓 斗争的颂歌——赞〈小靳庄诗歌选〉》。文章说:"读小靳庄的诗,使人很容易联想起一九五八年的民歌。昂扬的革命精神,宏伟的革命英雄主义气魄,强烈的无产阶级政治内容,生动、新鲜和非常具有表现力的语言,是两者共同的特色。小靳庄的诗歌是一九五八年大跃进时期的民歌的发展。历史毕竟已经前进了十六年;在这不平常的十六年中,经历了伟大的无产阶级文化大革命和批林批孔运动,社会主义革命更加深入,人民群众的斗争生活有了新的内容、新的特点,革命人民的阶级斗争觉悟和路线斗争觉悟也有了新的提高。因此,小靳庄社员的诗歌创作有了更新的特色。如果说,一九五八年的民歌的大部分,是表现革命人民同大自然作斗争的,是表现敢想敢干的共产主义风格的。那么,小靳庄社员的诗歌的大部分,就题材和主题来说,转向了一个新的领域:表现阶级斗争和路线斗争,直接表现上层建筑领域里的社会主义革命。有些诗歌,本身就是投枪、匕首,是掷向敌人的手榴弹。"

13日 《天津日报》刊出天津市文化局创作评论组的文章《小靳庄的诗歌创作活动为什么开展得这样好》。

13—17日 第四届全国人民代表大会在北京召开。大会通过了《中华人民共和国宪法》。

15日 《甘肃文艺》1975年第1期刊出李云鹏《团结战斗谱新歌》、夏羊《学大寨的战旗》、师日新《千军万马垦荒来》等诗和述文《战斗的诗篇——赞礼县何家庄社员的诗歌》等文。

15日 《广西文艺》1975年第1期刊出《热烈欢呼四届人大胜利召开》民歌、诗歌15首和南宁市工人张波《毛主席指引我们胜利远航》、邕宁县工人李湘《我们车间的年青人》等诗。

15日 《河北文艺》1975年第1期刊出张从海《煤海春潮》、工人郭廓《厂报主编》、解放军某部常安《军营来了慰问团》等诗。是期文讯："在批林批孔普及、深入、持久发展的大好形势下，省革委文艺组最近在廊坊地区香河县召开了学习小靳庄群众诗歌活动经验座谈会。参加会的有文化、宣传部门的干部，各地区诗歌活动开展较好的社队、厂矿的代表，部分工农兵业余诗歌作者和专业作者，共计八十余人。""会议以党的基本路线为纲，以批林批孔为动力，认真学习了毛主席有关文艺工作的重要指示，学习了革命样板戏的经验，学习了天津市宝坻县小靳庄大队开展群众诗歌活动的经验，总结、检查了我省群众诗歌活动的开展情况，使全体与会人员受到了一次深刻的路线教育。""会议认为，在大好形势下，我们一定要看到阶级斗争还存在，路线斗争仍在继续，城乡社会主义思想文化阵地占领与反占领的斗争还在尖锐激烈地进行着。因此，我们决不能丧失自己的警惕性，要始终保持清醒的头脑，在意识形态领域里打一场进攻战、持久战。在这方面，宝坻县小靳庄的贫下中农给我们作出了榜样。我们要认真学习小靳庄的经验，鼓足革命干劲，把我省群众性的文艺宣传活动和诗歌创作活动进一步开展起来。""会议认为，开展群众性的诗歌创作活动，是批林批孔、深入进行思想和政治路线方面的教育的一种行之有效的形式，应当大力提倡，认真普及，并且在普及的基础上不断提高。当前，诗歌创作要认真学习革命样板戏'三突出'的创作经验，紧密结合三大革命的实际，努力塑造工农兵高大的英雄形象，抒发革命的豪情壮志，使我们的诗篇成为时代的鼓点、阶级的琴弦、战斗的火花。"

16日 《光明日报》刊出《天地新春人民开　社员阔步登诗坛——天津市工农兵赞〈小靳庄诗歌选〉》，刊有天津市宝坻县石桥公社社员张树桐《诗人就是劳动者　诗歌就是好武器》、天津重型机器厂女工人胡日莹《喜看诗坛放异彩》、天津警备区战士范建军《小靳庄的诗歌就是好》、天津铁路分局天津站女工人聂紫霞《真是扬眉吐气》、大港油田钻井队工人单士航《丰收的歌　战斗的歌》文5篇。聂紫霞说："最近,《小靳庄诗歌选》出版了！'大老粗'写的诗歌编成书出版,历史上哪一朝哪一代有过这样的事？只有在党和毛主席的领导下,在毛主席的革命文艺路线指引下,劳动人民才登上了诗坛,堂堂皇皇地出版自己的作品,真是令人扬眉吐气！"

17日　《人民日报》刊出张继尧的文章《新型的农民　崭新的诗篇——读〈小靳庄诗歌选〉》。文章说："《小靳庄诗歌选》,是开放在我国革命文艺园地中的一簇社会主义新花。小靳庄社员的诗歌创作实践,为我们狠抓意识形态领域里的革命,用马克思主义、列宁主义、毛泽东思想占领上层建筑各个领域,提供了宝贵的经验。《小靳庄诗歌选》的出版,生动地说明了：劳动人民不仅是社会物质财富的创造者,同时也是精神财富的创造者；工农兵不但在政治上是社会主义新中国的主人,而且也是我国社会主义新文化的真正主人。小靳庄贫下中农的诗歌创作,是对林彪、孔老二'上智下愚'、'天才'论等反动谬论的有力批判,也是对攻击、诬蔑无产阶级文化大革命和批林批孔运动的国内外一小撮阶级敌人的有力回击！"

18日　《光明日报》刊出该报记者的报道《举旗抓纲迈大步　红心铁手创未来——小靳庄迎新赛诗会侧记》。

19日　《光明日报》刊出解放军某部李幼容《花毯献给毛主席》、蒙古族特·赛音巴雅尔《奶酒新歌》等诗。

20日　《福建文艺》1975年第1期刊出耘达《东风浩荡》、黄河浪《开山炮》、柯原《才溪诗抄》、上杭上山下乡知识青年刘瑞光《山乡纪事》等诗。是期刊出《热烈欢庆四届人大胜利召开》诗增页,刊有永安维尼纶厂工人于平《喜讯传来》、福建师范大学工农兵学员郭圆盖《红色的电波》、王性初《放声歌颂新宪法》等诗。

20日　《陕西文艺》1975年第1期刊出《跃进歌声漫山川》新民歌23首和徐锁《战斗的脚步》、叶晓山《钉道》等诗。

23日　《河南日报》刊出报道《赛诗会上抒豪情》。报道说："像春风送暖,战鼓催春,红色电波传来了四届人大胜利召开的喜讯。洛阳地区出席省上山下乡知识青年积极分子代表会议的代表们,抑制不住内心的激动,深夜举行了赛诗会。他们满怀激情热烈地歌颂伟大领袖毛主席,歌颂伟大的中国共产党,歌颂我们伟大的祖国。"

23日　《解放日报》刊出诗辑《人大吹响进军号》和上海工程机械厂谢其规《团结胜利的大会——热烈欢呼四届人大胜利召开》、上海玻璃厂王森《炉台——献礼台》等诗。

23日　《文汇报》刊出陈祖言《赞新宪法》、解放军某部凌旗《各族战士庆人大》等诗。

25日　《黑龙江文艺》1975年第1期以《大庆红旗迎风展》、《战天斗地歌声高》、《矿山英雄齐踊跃》为总题刊出大庆工人王学海《毛主席指路咱们走》等新民歌;是期还刊出增刊,刊有王庆斌《欢呼之歌》、李风清《快说说咱们的心里话》等诗。

26日　《解放日报》刊出城建局桥梁场陈传俊《金桥喜向北京架》、徐家汇新华书店钱永林《人大公报化春雨》等诗。

28日　《人民日报》刊出《誓把青春献农村——小靳庄大队下乡知识青年诗歌选》,刊有张小鸽《征途万里不停步》、郝志成《打靶场上》等诗。

1月　张建中(林莽)作诗《悼一九七四年》。此诗收诗集《我流过这片土地》,新华出版社1994年10月出版。

1月　《安徽文艺》1975年1月号刊出严阵《东风不停地吹——文化大革命凯歌之四》、上山下乡知识青年江锡铨《我的歌献给淮北人民》、解放军某部嵇亦工《军营纪事》等诗和刘泽林的文章《嘹亮的时代号角——喜读小靳庄社员诗歌》。

1月　《广东文艺》1975年第1期刊出《铁流奔腾钢花俏——广钢工人欢庆四届人大诗选》和工人吕宇《红心飞向人民大会堂》、公社党委书记刘炳汶《水乡儿女学大寨》等诗及江岚《大干出诗歌　诗歌促大干——顺德县北滘公社的诗歌活动》等文。

1月　《河南文艺》1975年第1期刊出《诗情来自中南海——虞城县诗选》、《新愚公之歌——济源县裴村大队诗歌选》、《万紫千红又添春——郑州市二七路百货商店赛诗会诗选》和中共虞城县委驻郑集大队工作组的文章《诗满田野歌满庄》。

1月 《湖北文艺》1975年第1期刊出工人胡发云《遵义寄情》、黄声笑（黄声孝）《长江号子唱新春》、管用和《公社人》等诗。

1月 《吉林文艺》1975年1月号刊出诗辑《擂鼓集》，刊有公社文化站李柏龙《诗情如水滚滚来》、公社党委书记王彦芳《靠咱双手和双肩》等诗。

1月 《江苏文艺》创刊号刊出《江南春歌红如火——常熟县斜桥大队农民诗十二首》并编者按和孙友田《不灭的火焰》、郭浩《斗石歌》、杨德祥《歌自故乡来》等诗。编者按："随着批林批孔运动的深入发展，在大力普及革命样板戏和小靳庄经验的鼓舞下，我省群众性的文艺创作活动出现了崭新的面貌。在这里，我们怀着十分兴奋的心情，向读者推荐常熟县莫城公社斜桥大队的一束农民诗。这些诗来自三大革命斗争第一线，时代精神强烈，生活气息浓厚，它们是战斗的号角，进军的战鼓。斜桥大队的广大干部、群众写诗赛诗，歌颂毛主席的革命路线，歌颂无产阶级文化大革命，歌颂社会主义新生事物；以诗作武器，向林彪、孔老二所宣扬的剥削阶级的旧思想、旧文化主动进攻。有力地推动了思想文化领域的革命，促进了农业学大寨运动的蓬勃发展。完全可以相信，各地必将会有更多的新人新作品涌现出来。"是期还刊出"热烈欢呼四届人大胜利召开"增页，刊有上山下乡知识青年薛尔康《献给四届人大的歌》等诗。

1月 《江西文艺》1975年第1期刊出江西新民歌《千歌万曲颂"人大" 团结胜利向前进》和解放军某部王耀东《尖刀班》、知识青年巫猛《书记的扁担》、战士钟长鸣《军向井冈山》等诗及胡少春、工人周介龙、战士朱和平的文章《在矛盾和斗争中塑造英雄人物——学习诗报告〈西沙之战〉的体会》。

1月 《辽宁文艺》1975年第1期刊出刘文玉《激战前夜》、工人田永元《运输线上跃进歌》等诗。

1月 《内蒙古文艺》1975年第1期刊出诗辑《各族人民齐歌唱——热烈欢呼"四届人大"的胜利召开》、《千里铁道尽朝晖——工人诗抄》和火华《北京寄来的包裹》等诗。

1月 《宁夏文艺》1975年第1期消息：在批林批孔运动的推动下，银川市地毯厂工人群众，学习小靳庄先进经验，开展了群众性的诗歌创作活动。全厂举行了三次诗歌朗诵会，工人们朗诵了自己创作的二百多首战斗诗篇。这些诗的特点是饱含革命激情，爱憎分明，语言朴素，热情歌颂了毛主席的革命路线，有力地批判了林彪的反革命修正主义路线。在群众文艺创作活动中，全厂已经涌现了一批文艺创作骨干，成立了工人业余创作小组，紧密地配合了批林批孔开展活动。工人的革命精神大发扬，生产积极性高涨，提前四十五天完成了一九七四年的生产计划。

1月 《四川文艺》1975年1月号刊出诗辑《创业之歌》、《阳光灿烂照征途——四川汽车制造厂工人诗歌选》和范国华的文章《风雷激荡战歌壮——谈工人诗歌的战斗特色》。该刊1975年第3期刊出尹在勤的文章《诗应该有那么一股劲——读钢城组诗〈创业之歌〉》。文章说："这组诗，一共八首。它们的作者，都是战斗在钢城建设第一线的创业者。他们都有一股儿创业者的激情和气概。因而，不需做作，不假雕饰，那种无产阶级的自豪感，就在他们的诗中抒写了出来。""读着这组诗，不能不为它们所抒写的钢城创业者那股冲天的革命劲，那种革命加拼命的精神所打动。当前，我们需要大力提倡的，正是这样一种诗。诗歌有了一股浓烈的革命劲，才能真正反映出时代精神，才能真正成为'团结人民、教育人民、打击敌人、消灭敌人的有力武器'。"

1月 《武汉文艺》1975年第1期刊出黄耀晖《报春花》、工人饶惠君《林海歌声》、解放军雷子明《雪里行军情更迫》等诗。

1月 新疆大学中文系工农兵学员编的《天山炮声隆——批林批孔诗歌选》由新疆人民出版社出版。

1月 上海人民出版社编的诗集《一代更比一代强》由该出版社出版。

1月 湖南人民出版社编的《战歌集——批林批孔诗歌选》由该出版社出版。

1月　宋福森的诗集《车老板的歌》由吉林人民出版社出版。作品分为《金光闪闪照咱心》、《车轮滚滚赛春雷》等4辑，收《毛主席著作格外亲》、《地头批判会》、《公社好比幸福泉》、《县委书记来蹲点》等诗40首，有中共长岭县委宣传部的文章《农民诗人宋福森》。该书《内容提要》说："本书收吉林省农民诗人宋福森创作的诗歌四十首。""宋福森同志是生产队的车老板。在毛主席革命文艺路线的指引下，自一九六四年开始为革命写诗，为社会主义歌唱。本书所收的诗，是从他十年来的创作中编选的。这些诗热情地歌颂了党，歌颂了毛主席，赞颂了无产阶级文化大革命的伟大胜利和人民公社在农业学大寨运动中欣欣向荣的新面貌，歌唱了社会主义新生事物的成长；他还以诗歌为武器，向林彪、孔老二猛烈开炮，受到了广大贫下中农的欢迎。书后附有中共长岭县委宣传部所写《农民诗人宋福森》一文，可供读者参考。"

　　1月　《煤海春潮》编写组编的《煤海春潮——开滦矿工诗选》由河北人民出版社出版。收采煤工金涛《端着煤山向党献》、调车员李树生《毛主席登上"十大"主席台》、采矿工葛祥《猛听台上一声吼》、开拓工蔡华《风镐颂》等诗64首。当时的评论说："《煤海春潮》（河北人民出版社出版），是开滦矿工自己编写的一本诗集。工人是国家的主人，也是文艺的主人。他们拿起镐头能采煤，拿起笔来能写诗，能文能武。他们被人称为'窑花子'的时代，一去不复返了。""由于作者们都是战斗在三大革命第一线的战士，写出来的诗生活气息浓，战斗性强，思想感情真挚，人物形象生动，令人可敬可爱。看，这里有'我们的矿党委书记'，有焕发革命青春的老矿长，有年轻的新支书，有锅炉工、电焊工、保育员、炊事员，等等，各条战线的斗争生活和人物都有反映。""在肯定成绩的同时，我觉得这本诗集还有不足之处。颂歌部分比较弱，有些诗一般化，挖掘得不深。"（开滦工人歌今《沸腾的煤海诗潮涌——读诗集〈煤海春潮〉的一点感想》，1975年5月15日《河北文艺》1975年第5期）

　　1月　诗集《团结战斗的歌——热烈庆祝四届人大胜利召开》由上海人民出版社出版。收李家荣《咱跟毛主席闯前程》、史玉新《炼钢炉前读喜报》、陆萍《沸腾的纺织厂》、杨明《筑出万座棉粮库》等诗59首。

1月 洛阳东方红拖拉机厂工人文艺创作组编的诗集《我为祖国造铁牛》由人民文学出版社出版。收李清联《毛主席指挥咱斗争》、李耀扬《革命大字报赞》、边玺中《车间雄鹰》、王庆运《下班来到练兵场》等诗60首，有编者《编后》。当时的评论说："洛阳东方红拖拉机厂工人文艺创作组编的诗集《我为祖国造铁牛》，是业余诗歌创作的新收获。这本诗集，是东方红拖拉机厂大量群众创作中的一部分。这些在火热的斗争生活中产生的诗篇，铿锵有力，激情饱满，展示了经过无产阶级文化大革命和批林批孔运动锻炼的拖拉机厂工人的崭新的精神面貌，生动地表现了拖拉机厂工人坚持无产阶级专政下继续精神革命、大干社会主义，为祖国造铁牛的豪迈气概。""洛阳东方红拖拉机厂的业余作者搞文艺创作，目的很明确，就是为了用马克思主义、列宁主义、毛泽东思想占领思想文化阵地，为了巩固无产阶级专政。他们学习革命样板戏的创作经验，写诗力求反映重大主题，紧密配合现实斗争，因而他们的作品具有强烈的战斗性和时代精神。""这本诗集在艺术上也很有特色。它基调高亢，生活气息浓厚，有着饱满的革命激情，有着清新明快的风格。它的语言，来自拖拉机厂工人多彩的生活，又经过加工提炼，从民歌、曲艺中吸收了营养，又有所创新。不少诗篇朴实洗炼，读来琅琅上口，有着浓厚的民族风格和鲜明的工人特色。这也是值得我们学习的。"（北京第一机床厂王恩宇《喜读诗集〈我为祖国造铁牛〉》，1975年6月25日《人民日报》）

1975年2月

1日 《解放军文艺》1975年2月号刊出马思泰《党的路线放光芒》、战士单志杰《喜送连长上北京》、张金康《革命传统放光辉——喜看革命现代京剧〈红云岗〉》、肖振荣《雨夜》等诗。

2日 《光明日报》刊出北京永定机械厂杨峻青的文章《接过铁人手中旗——读诗集〈大庆战歌〉》和张永枚的诗《空中丝绸之路》。

2日 《文汇报》刊出江迅《扎根派的歌——记一个农场的"扎根

农村"誓师大会》等诗和红雨的文章《"装点祖国好年华"——读欢庆四届人大的几首诗有感》。

3日 《解放日报》刊出《联益大队诗歌选》和该报记者的报道《田头诗坛百花开——记崇明县江口公社联益大队群众性的诗歌创作活动》。

4日 辽宁省营口和海城地区发生强烈地震。

5日 《云南文艺》1975年第1期《热烈欢呼第四届全国人民代表大会胜利召开》栏刊出哈尼族歌手李遮鲁《毛主席的光辉照边疆》、李霁宇《向祖国献上一支歌》等诗。

6日 《人民日报》刊出天津市文化局创作评论组的文章《小靳庄是怎样开展诗歌创作活动的？》。

6日 《天津日报》刊出新华社记者的报道《喜看诗坛开新篇——记小靳庄大队群众性业余诗歌创作活动》。

7日 《解放日报》刊出新华社记者的报道《喜看诗坛开新篇——记小靳庄大队群众性业余诗歌创作活动》。

9日 《人民日报》发表社论《学好无产阶级专政的理论》，首次公布毛泽东1974年12月关于理论问题的指示。

10日 《贵州日报》刊出绥阳县雅泉公社通讯组吴仲华的报道《口颂诗歌心向党——记绥阳县雅泉公社千工大队赛诗会》。

12日 《光明日报》刊出该报通讯员、该报记者的《写革命诗歌　做社会主义新文化的主人！——小靳庄部分诗歌作者座谈会纪要》。王新民（一队副队长）说："写革命诗歌，没有无产阶级感情是不行的。我生在旧社会，长在红旗下，对劳动人民在旧社会所受的苦难，体会不深。在伟大的批林批孔运动中，老贫农的忆苦思甜，有力地批判了林彪效法孔老二'克己复礼'的罪行，激发了我的无产阶级义愤，决心要写诗参加战斗。于是我就开始构思《批判会上一只斗》这首诗。我有几天白天吃不好饭，晚上睡不好觉，一心想着怎么把这首诗写好。要写贫下中农批林批孔的战斗诗篇，就要使用贫下中农充满革命感情的语言。因此，我就经常参加批判会，不断地清除旧思想、旧文化的影响，学习老贫农生动、有力的语言。""写革命诗歌的过程,也是提高阶级斗争和路线斗争觉悟的过程。开始,我只看到我们小靳庄,只想到过去我们这个佃户村光是每年夏季就要给地主交六十四石粮食这个事实。所以,开始时写的是:'一斗麦子千斗泪,六十四石泪河流'。这样写,由于受真人真事限制,就显得不够典型化。经过贫下中农的帮助,我认识到了,在旧社会,普天下穷苦农民都受地主阶级的残酷剥削和压迫,每一只斗,都装满穷人的血和泪。所以我把'六十四石泪河流'改成'旧社会泪河滚滚流'。这样一改,背景就宽阔多了。"王栩(理论辅导员)说:"我是高中毕业以后回乡的知识青年。刚回乡时写诗歌,小知识分子的腔调脱不掉。什么'风云变色冻土开'等空空洞洞的词句经常出现。贫下中农说'听不懂',我还不服气。经过同贫下中农一起参加批林批孔,一起参加生产斗争,一起写诗、赛诗、评诗,慢慢地提高了认识,感情也就逐渐发生了变化。我认识到,贫下中农在诗歌创作上也是我的好老师。我就是在贫下中农的教育下,写出了一些革命诗歌。""我们大队有不少同志,在批林批孔运动中挤时间攻读马列著作和毛主席著作,经常挑灯夜战。一天晚上,我到老贫农魏文中家通知开会。推门一看,魏文中正戴着老花眼镜读书,我非常感动,于是就想写一首诗歌颂贫下中农,反映通过批林批孔,我们大队认真读书的新气象。但是怎么写呢?总不能站在局外吧,须要把自己摆进去,同他们站在一起,才能写好。我写的《理论家》这首诗,后两句,经过反复推敲,改为'嘿,家家户户灯光闪,灯下有多少理论家!'原来想,不用'嘿'字,用'啊'字似乎也可以。但是贫下中农分析说:'啊'字是站在旁观者立场上说话,而'嘿'字是把自己摆进去了,有自豪感,符合咱贫下中农的口气。我同意这个意见,选用了'嘿'字。后来外单位有两位搞写作的同志,建议我把最后一句改成'有多少人攻读马列在灯下',我没有采纳这个意见。因为,我们工农兵就是要做无产阶级的'理论家'。用这个'家'字是表明我们贫下中农当了'家',充满了登上上层建筑舞台、作了主人翁的自豪感,贫下中农喜欢。"

15日 《河北文艺》1975年第2期刊出《献给第四届全国人民代表大会》增刊,刊有田真《手捧公报唱赞歌》、工农兵学员杨林勃《工农兵学员庆人大》、社员刘章《高举红旗在田野上前进》等诗。

16日 《解放日报》刊出诗辑《锦绣神州春常在》和解放军某部周福楼《时刻守卫着祖国的门户》等诗。

16日 《人民日报》刊出解放军某部五连共青团支部的报道《开展写诗赛诗活动　促进批林批孔深入发展》。报道说："一年来，我们召开数十次赛诗会，充分发挥革命诗歌在批林批孔运动中的批判作用、战斗作用。为了提高诗歌的思想性和战斗性，我们主要抓了三点：""一是教育团员认真看书学习，努力掌握马克思主义的立场、观点和方法。开始，个别同志写诗华而不实，片面追求词藻华丽，不重视在提高思想性上下功夫。我们就组织团员反复学习《共产党宣言》、《国家与革命》、《哥达纲领批判》等马列著作，学习毛主席的五篇哲学著作和毛主席的军事著作，不断提高马克思主义理论水平，写出的诗歌有了较高的思想性、战斗性。""二是群众把关，开展评论活动。战士写好诗后，先在本班、本小组征求意见，修改润色。赛诗会前，党、团支部对诗的思想内容和艺术形式提出意见。我们还在黑板报上开辟了《诗歌评论》专栏，重点介绍分析较好的诗歌作品。""三是引导团员学习一点写诗的基本技巧和方法。毛主席指出：'缺乏艺术性的艺术品，无论政治上怎样进步，也是没有力量的。'我们通过实践提高大家的写诗水平，也适当地组织大家学习一点写诗的基本常识。"

18日 中共中央发出关于学习毛泽东对理论问题的指示。22日《人民日报》刊登《马克思、恩格斯、列宁论无产阶级专政》语录33条。由此，全国开展学习"无产阶级专政理论"运动。

19日 《四川日报》刊出左人的文章《汗水浇出战地花——喜读诗集〈彩练当空〉》。

20日 《朝霞》1975年第2期刊出周银宝《擂响进军的战鼓》、宁宇《西柏坡》、郭成汉《夜批〈论语〉》等诗。

23日 《天津日报》刊出冶金局冯景元《开一代新诗风——喜读〈小靳庄诗歌选〉》、第一航务工程局金仝悌《批林批孔的战斗武器》等文和该报记者的报道《战歌豪情壮　革命诗潮涌——本市工农兵赛诗会侧记》。报道说："最近，本市举办了工农兵赛诗会。来自各条战线的工人、农民、解放军战士、干部、文艺工作者、学生代表共二千四百多人兴高采烈地参加了赛诗会。"

23日 《文汇报》刊出居有松《报春战鼓动地来》等诗。

25日 《黑龙江文艺》1975年第2期刊出王荆岩《老爆破队长》、李幼容《青春战歌》、龙门知识青年庞壮国《新征》、谢文利《能文能武的闯将》等诗。

26日 《南方日报》刊出怀集县革委会、武装部报道组的报道《万首诗歌万把剑——访怀集县诗洞公社万诗大队》。报道说："万诗大队的群众历来喜欢作诗。万诗的名字有一段来历：一九五八年，万诗广大干部和群众在大跃进号角的鼓舞下，满怀革命豪情地创作了上千首歌颂大跃进的诗歌。从此，人们把原来的万田大队改叫万诗大队。批林批孔运动开始以后，万诗大队的干部和群众运用马克思主义的立场、观点和方法，研究儒法斗争史和整个阶级斗争史，深入批判林彪修正主义路线和孔孟之道。在批判中，他们除了采取开批判会、写文章等形式外，还运用群众喜闻乐见的诗歌作武器，狠批林彪和孔老二。"

27日 《光明日报》刊出尹在勤的文章《谁持彩练当空舞——评铁道兵诗集〈彩练当空〉》。

28日 焦菊隐逝世。

焦菊隐，1905年12月11日生，浙江绍兴人。1923年与赵景深等组织绿波社，开始发表诗歌小说。1924年入燕京大学学习，1928年毕业后任北平第二中学校长。1926年出版诗集《夜哭》，1929年出版散文诗集《他乡》。1930年创办北平中华戏曲学校，任校长。1935年到巴黎大学研究戏剧，获文学博士。1938年回国，先后在广西大学、广西教育研究所、四川江安国立戏剧专科学校、西北师范学院、北京师范大学任教。1952年调至北京人民艺术剧院任第一副院长。

28日 《陕西日报》刊出华县批林批孔办公室的报道《革命诗歌如潮涌——华县处仁口大队和三溪大队写诗赛诗的调查》。

2月 龚舒婷（舒婷）作诗《初春》。此诗收诗集《双桅船》，上海文艺出版社1982年2月出版。

2月　《安徽文艺》1975年2月号以《热烈欢呼第四届全国人民代表大会胜利召开》为总题刊出工人胡希伦《欢呼四届人大胜利召开》、女民歌手姜秀珍《我唱山歌更添劲》、解放军某部叶晓山《飞车报喜》等诗。

2月　《广东文艺》1975年第2期刊出李长江、陈忠干等《庆祝四届人大诗选》和张永生、张乾等《煤矿工人打硬仗——马安煤矿诗歌选》。

2月　《吉林文艺》1975年2月号刊出泉声《"人民万岁"——欢呼第四届全国人民代表大会》、戚积广《铁匠的歌》、张满隆《人勤春早》、钱璞《战斗风云录》等诗。

2月　《辽宁文艺》1975年第2期刊出驻院工宣队员王文学、农学系教授龚畿道等《朝阳农学院教育革命诗歌选》和下乡知识青年曹阳等《柳河沟公社社员诗歌选》。

2月　《四川文艺》1975年2月号以《我们歌唱四届人大》为总题刊出工人火笛《雄伟的天安门》、公社社员王发秀《红日照心窝》、解放军马安信《写在喜讯传来的时刻》、傅仇《写在我们的心上》等诗。

2月　《湘江文艺》1975年第1期刊出诗辑《献给四届人大的礼花》，有邹善崇《春风报喜到苗家》、王燕生《手捧着新宪法》等诗。

2月　《新疆文艺》1975年第1期以《热烈欢呼四届人大胜利召开》为总题刊出维吾尔族社员阿依木《奔向光辉灿烂的前方》、解放军韩英珊《红日高照暖心窝》等诗，以《战鼓催春迎朝晖》为总题刊出易中天《写在第一线上》、言鸣《水利工地上》等诗。

2月　天津人民出版社编的《放声高唱跃进歌——天津市工农兵1975年春节赛诗会诗选》由该出版社出版。

2月　郑州市工农兵诗歌学习班编的《火红的岁月——郑州市工农兵诗集》由河南人民出版社出版。

2月　章德益、龙彼德的诗集《大汗歌》由上海人民出版社出版，为上山下乡知识青年创作丛书之一。收章德益《老军垦的心愿》、《塔里木抒怀》和龙彼德《上马石》、《红保管》等诗42首，有编者《编后》。《编后》说："《大汗歌》这本诗集的作者都是上山下乡的知识青年（其中一位是插队的青年教师)。他们热情歌颂了知识青年上山下乡运动,也记录了他们自己在广阔的天地里经风雨、见世面,在贫下中农的教育下茁壮成长的历程。"当时的评论说:"不久前,上海人民出版社出版了一本短诗集《大汗歌》。这本诗集不仅在读者面前展现了千年瀚海、万里北疆的雄伟图景,更着力于讴歌社会主义农村如火如荼的斗争生活,抒发一代新人战天斗地的豪情壮志。诗集中的大部分作品,具有比较浓厚热烈的生活气息和昂扬奋发的革命激情。用'大汗歌'三个字作书名,是颇能体现这本诗集的题材、特色和风格的。而且,更为耐人寻味的是,这一书名还反映了诗与生活的辩证关系。"(雷坚《"大汗"与歌——诗歌漫谈之五》,1975年11月23日《解放日报》)

章德益,1946年11月12日生于上海。1964年高中毕业后参加新疆生产建设兵团。1980年调至《新疆文学》工作。1965年开始诗歌创作,出版的诗集还有《绿色的塔里木》(1980)、《西部太阳》(1986)、《黑色戈壁石》(1986)等。

龙彼德,1941年7月13日生于湖南沅陵。1964年南开大学中文系毕业后到杭州工作。1969年去黑龙江同江县劳动锻炼,1978年到浙江省文联工作。1958年开始发表新诗,出版的诗集还有《春华集》(1978)、《爱之海》(1989)、《铜奔马》(1992)、《瀑布鸟》(1996)、《与鹰对视》(1998)、《年轻的海》(2002)等。

1975年3月

1日 《解放军文艺》1975年3月号刊出杨眉《女电工》、叶延滨《女队长的画》、战士黄君相《歌颂领袖毛主席》、张学林《练兵场上杀声高》、叶文福《天山哨兵》、韩作荣《火热的工棚》等诗。

2日 《文汇报》刊出练江牧场马卫平《扎根树》、黄山茶林场四连《扎根山区心更红》等诗。

5日 《天津文艺》1975年第2期刊出该刊评论员《工农兵赛诗会好得很》、张继尧《新型的农民 崭新的诗篇——读〈小靳庄诗歌选〉》等文和《要开新诗风 看我工农兵——天津市工农兵赛诗会诗歌选》等诗。该刊评论员文章说:"春节前夕,由市总工会、农代会、警备区等单位联合举办了以欢庆四届人大胜利召开为主题的全市工农兵赛诗会。诗台上下,战鼓频催,诗浪翻滚,令人心潮澎湃,热血沸腾,按捺不住要立即去投入为实现本世纪的宏伟目标而(的)英勇战斗。真是赛诗赛得心更红,志更壮,劲更足。这样的赛诗会好得很!我们举起双手热烈欢呼她,赞颂她!"

8日 《人民日报》刊出小靳庄大队妇代会主任周克周、生产队妇女队长于芳的诗《我们能顶半边天》。

9日 《大众日报》刊出解放军某部王凤胜的文章《无产阶级的战斗号角——赞〈小靳庄诗歌选〉》。

10日 《北京文艺》1975年第2期刊出《赛诗会诗选》,刊有章宝璋《千歌万诗颂太阳》等诗。

15日 《光明日报》刊出新华社通讯员、新华社记者的报道《一次移风易俗的结婚赛诗会》。报道说:

> 春节前的一个晚上,湖南省沅江县新华公社福安大队第十二生产队的社员们,纷纷朝老贫农贺爹的屋场走来,屋里屋外,挤满了人。在欢笑声中,一个青年妇女向前走了几步,头一仰,高声朗诵道:
>
> 四届人大北京开,
> 举国上下喜开怀。
> 基本路线指方向,
> 豪情满怀向前迈。
> 修正主义连根挖,
> 孔孟之道脚下踩。
> 传统旧俗应破除,
> 破旧立新迎春来。
> 雪光你看怎么样?
> 当着大伙表个态!
>
> 这里开的是个什么会?念诗的是谁呢?这是一个移风易俗的结婚赛诗会,那个念诗的就是新娘苏立彬。

苏立彬今年二十五岁,是生产队的妇女队长。革命、生产样样走在前头。批林批孔运动中,她带头向林彪的修正主义路线和孔孟之道开火,接连写了五、六篇批判文章,狠批了"克己复礼"、"男尊女卑"、《三字经》、《女儿经》等。今年,她和对象贺雪光决定要结婚了,喜事应当怎么办?是按老规矩送彩礼、办酒席,搞铺张浪费,还是破旧立新,勤俭节约,举行一个革命化的婚礼?两人一商量,决定以实际行动来批判孔孟之道,来一个婚事新办:不请客、不送礼、不受人情、不作(做)新衣裳、不请假休息、不搞闹新房⋯⋯反正是一切旧的都不搞,办婚事要反映出新人新面貌。大队党支部积极支持他们婚事新办,并且商定采用赛诗会的形式举行婚礼。两人又约好分头去向亲友做工作。立彬的母亲、老贫农苏妈妈起先想不通。苏立彬针对妈妈的思想,同妈妈一起学习马列著作和毛主席著作,她把《共产党宣言》中关于要同旧的传统观念实行彻底决裂的部分,详详细细地讲给妈妈听,耐心地说服妈妈。苏妈妈终于弄通了思想,积极支持女儿婚事新办,没有要一分钱的彩礼。

15日 《河北日报》刊出香河县张庄大队党支部的文章《充分发挥诗歌的战斗作用》。

15日 《黑龙江日报》刊出关振芳的报道《开展诗歌创作和赛诗活动 搞好意识形态领域的革命——方正县沿江大队积极开展诗歌创作和赛诗活动》。

15日 《解放军报》刊出颜廷奎、赵宝竹的文章《用社会主义占领思想文化阵地的可喜成果——读〈小靳庄诗歌选〉》。文章说:"革命斗争铸新诗,新诗必须唱斗争。共产党的哲学是斗争的哲学,共产党的诗歌也必须是战斗诗歌。在这火一般的诗句面前,一切剥削阶级的靡靡之音,一切修正主义的'娱乐'文学,都将暗淡失色。无产阶级不爱'晓风残月'的闲情,革命人民不要'轻歌曼舞'的逸致。什么'无冲突'论、'娱乐'论、'阶级斗争熄灭'论,都在小靳庄的诗歌面前受到历史给与的无情鞭挞。"

15日 《甘肃文艺》1975年第2期刊出《批林批孔促大干——永

登县金嘴公社富强大队民歌选登》和工农兵学员刘晓东《山村来了演出队》、夏羊《革命故事员》等诗。

15日 《广西文艺》1975年第2期刊出《玉林县沙田公社民歌选》和玉林县沙田公社革委会、玉林县沙田公社业余中心创作组的文章《用文艺武器为巩固无产阶级专政而战斗》,《平果县西兰大队民歌选》和平果县西兰大队党支部的文章《必须战胜资产阶级的腐蚀和影响》。

15日 《河北文艺》1975年第3期以《学习毛主席军事著作　批判林彪资产阶级军事路线》为总题刊出王新弟《一面锦旗》、肖文普《剥下骗子鬼画皮》等诗;《女作者诗页》刊出女战士贺莉《韶山花》、女工孙桂珍《妇女架线队》等诗;还刊有工农兵学员张文祥、郑秀荣的文章《擂起革命的战鼓　高唱时代的颂歌——读一九七四年〈河北文艺〉上刊登的诗歌》。文章说:"一九七四年《河北文艺》上刊登的一些工农兵的诗歌,热情歌颂了共产党、毛主席的英明领导和无产阶级革命路线,热烈地讴歌了无产阶级文化大革命涌现出来的社会主义新生事物,反映了批林批孔运动的蓬勃发展。诗歌创作呈现出一派繁荣兴旺的景象。""一九七四年《河北文艺》在诗歌方面,感到不足的是反映工业题材的诗少些,塑造无产阶级英雄人物,反映阶级斗争和路线斗争的重大题材也不够。希望在新的一年里,我们能读到更多更好的革命诗歌。"

15日 《南开大学学报》1975年第1期刊出中文系学员吕光生的文章《新的人物　新的世界——喜读〈小靳庄诗歌选〉》。

16日 《光明日报》刊出李学鳌《甜水井——小靳庄抒怀》等诗。

16日 《解放日报》刊出徐刚的诗《进军之歌——写在巴黎公社的道路上》。

16日 《青海日报》刊出省群众文化工作站王浩的文章《小靳庄诗歌创作活动给我们的启示》。

20日 《人民日报》刊出新华社通讯员的报道《学习小靳庄　大营变诗乡》。报道说:"河南省安阳市东郊公社大营大队贫下中农,学习小靳庄的经验,向剥削阶级意识形态猛烈进攻,积极开展诗歌创作活动。自去年以来,全大队共创作了诗歌一千五百多首,召开赛诗会一百多次。大家说:'大营快变成诗乡啦!'"

20日 《福建文艺》1975年第2期刊出贻模《献给火红的年代》、陈振奎《驯水女将》、姜金城《蓝色的海防线》等诗和孙绍振、刘登翰《在革命样板戏的光辉启示下——读〈福建文艺〉一九七四年的诗歌》、泉州甘蔗综合厂工人林鼎安《多发表反映工人生活的诗》等文。孙绍振、刘登翰说:"当前,对于许多文艺作者来说,都面临着一个如何把革命样板戏的创作原则和具体的文艺形式特点结合起来的问题。抒情诗也不例外。""一年来,我们从《福建文艺》上看到,许多作者在这方面作了积极的探索,迈出了可喜的一步。直抒胸臆的长歌如《万里征途党引路》、《啊,金色的天安门》,速写式的抒情短章如《毛主席身边留过影》、《造反楼·长工屋·扎根房》、《山乡新货郎》、《海防线上》、《值班室响起电话铃》、《绘图》……等等,都是学习革命样板戏的初步收获。""这些作品的作者,都努力从我们风雷激荡的伟大时代选取重大题材,特别是努力反映无产阶级文化大革命的火热斗争;在阶级斗争、路线斗争中抒发无产阶级的豪情壮志,描绘工农兵英雄形象。这一点具有很深刻的意义。在题材问题上,历来都存在着尖锐的两个阶级、两条路线的斗争。从刘少奇到林彪,都捡起孔老二'温柔敦厚'的'诗教'的破旗,散布'诗——永远是生活的牧歌'之类的谎言,鼓吹诗人的'自我表现','主观战斗'。他们反对诗歌表现阶级斗争、路线斗争的重大题材,反对抒发无产阶级感情、塑造工农兵形象,而把诗变成他们发泄地主资产阶级闲情逸致的点缀,复辟资本主义的工具。今天,广大工农兵作者以自己战斗的作品,批判修正主义的'反题材决定论',使诗歌领域出现崭新的面貌。"林鼎安说:"革命的诗歌,是我们时代的战歌,进军的号角。我们工人爱诗,尤其是爱反映工人斗争生活的诗。我们厂有许多工人喜爱写诗,经常在厂里的黑板报、油印小报上发表诗歌,去年'七一'前夕还出版自己的诗集《工人诗选》。很多工人都说,我们爱读短小精悍的诗,读起来好懂易记,鼓动性大,上班前后还可以朗诵。""可是,在《福建文艺》上,却很少读到反映工人斗争生活的诗。去年《福建文艺》出了六期,发表八十五首诗（据目录计，除一小部分《批林批孔战歌昂》及歌词专辑外），其中反映工人生活的只有七首。我们感到不满足。""我们希望今后能多多发表像《炉前接班》、《工人诗画》（第三期）这样反映我们工人生活的诗。"

20日 《陕西文艺》1975年第2期刊出《小靳庄经验开红花——雷北、烽火大队诗歌选》，该刊编者按："在毛主席革命路线指引下，大荔县雷北大队、礼泉县烽火大队认真学习小靳庄经验，举办政治夜校，坚持学习马列著作和毛主席著作，搞好批林批孔，批判修正主义，批判资本主义，狠抓意识形态领域里的革命，积极开展革命文化活动，用马列主义、毛泽东思想占领农村思想文化阵地，促进了农业学大寨运动的发展。在这一活动中，他们大力开展文艺创作，举办赛诗会，本刊这一期选载了他们的部分诗歌作品。""这些诗歌具有鲜明的时代特点和强烈的战斗精神，语言生动，形式活泼，反映了雷北、烽火两个大队经过无产阶级文化大革命和批林批孔运动的巨大变化，表达了贫下中农对党对毛主席深厚的阶级感情，抒发了他们在三大革命运动中的豪情壮志，展现了我国社会主义新型农民的新思想、新风貌。""雷北、烽火两个大队的做法，我们应该认真学习，大力推广。"

20日 《朝霞》1975年第3期刊出张东辉《在边疆》、常安《辽西母亲》等诗。

23日 《光明日报》刊出《毛主席是红太阳——〈昔阳新歌谣〉选登》和北京仪器厂工人邹文华的文章《大寨精神的颂歌——读〈昔阳新歌谣〉》。

23日 《河北日报》刊出章晨溪的文章《开一代新诗风——读〈小靳庄诗歌选〉》。

23日 《内蒙古日报》刊出报道《战士挥笔写诗篇 豪情满怀促大干——内蒙古生产建设部队某团五连赛诗会纪实》。

25日 《黑龙江文艺》1975年第3期刊出陆伟然《跨向新的光辉世纪》、蔡文祥《女炮手》等诗和工人鲁戈的文章《诗歌学习样板戏的可喜收获——评三首叙事诗》。文章说："叙事诗如何学习样板戏，努力塑造高大的工农兵英雄形象，正确地反映和歌颂我们伟大时代的斗争生活,这是诗歌创作的重要课题之一。读了发表在一九七四年《黑龙江文艺》上的三首小叙事诗:《红珍》、《盐的故事》、《铁大嫂》很受启发。这三首诗之所以写得较好,达到了一定的深度,正是努力学习样板戏的结果,它有力地说明:叙事诗只有学习样板戏,才能充分地发挥它的战斗作用。"

31日 《光明日报》刊出闻哨《学习革命样板戏的丰硕成果——谈小靳庄诗歌创作》、申文钟《天地新春我们开——评〈小靳庄诗歌选〉》等文。申文钟说:"小靳庄社员写诗的目的非常明确,就是为了打击敌人,教育群众,推动革命和生产的发展。他们的诗歌创作能够紧密配合政治形势,迅速地反映现实斗争生活,为抓革命、促生产服务。《小靳庄诗歌选》中的一百多首诗歌,实际上就是小靳庄人民近年来战斗历程的一个缩影,生动地反映了小靳庄人民的前进脚步。这就是诗集的第一个鲜明的时代特征。"

3月 《安徽文艺》1975年3月号刊出女民歌手殷光兰《红芳》、女民歌手姜秀珍《文艺宣传队进山村》、郭瑞年《贫管组长》等诗。

3月 《广东文艺》1975年第3期刊出符启文《莎乌娜上北京》、柯原《女炮班》等诗和《战歌声声震南海——广州部队某部八连兵歌选》。

3月 《河南文艺》1975年第2期刊出王峰山《闪亮的海螺》、李严《喜报先由我们写》等诗,《新诗必须向革命样板戏学习》栏刊出开封市人民武装部通讯组的文章《新诗要努力反映重大题材》。

3月 《湖北文艺》1975年第2期刊出刘益善《高举无产阶级专政的旗帜前进》等诗和诗辑《钢花灿烂——鄂城钢铁厂工人诗选》、《广阔天地出诗篇——女作者专页》及鄂城钢铁厂工人理论组的文章《满厂钢花满厂诗——鄂城钢铁厂开展群众性诗歌创作活动的几点体会》。

3月 《吉林文艺》1975年3月号刊出《公社赛诗会》,刊有党委书记张运福《大斗!大干!快上!》、社员高爱山《社员读了马列书》等诗。该刊1975年4月号刊出国营东光无线电器材厂工人业余文艺创作小组的文章《进军的战鼓 冲锋的号角——谈〈吉林文艺〉发表的两组农民诗歌》。文章说:"《吉林文艺》一、三月号发表的《擂鼓集》和《公社赛诗会》就是选自农村赛诗会的两组以农业学大寨为题材的农民诗歌。这些诗歌,短小精悍,质朴无华,战斗性强,具有浓郁的生活气息,鲜明的时代特色,生动地反映了批林批孔运动给人们精神面貌带来的深刻变化和广大贫下中农在农业学大寨中战天斗地、改造山河的伟大斗争。这些诗歌,篇篇洋溢着豪迈的革命激情,句句迸发着炽烈的战斗火花。"

3月 《江苏文艺》1975年第2期刊出孙结绿《投入摧毁旧世界的斗争》、解放军某部战士嵇亦工《军民齐心筑长城》、如东县上山下乡知识青年冯新民《闯队长》等诗。

3月 《江西文艺》1975年第2期刊出工人陈小平《农村在召唤》、工人熊光炯《高炉颂》等诗。

3月 《辽宁文艺》1975年第3期刊出《"鞍钢宪法"照钢城——鞍山工人诗歌选》、《自力更生绘新图——抗震救灾第一线墙报诗选》。

3月 《内蒙古文艺》1975年第2期刊出毕力格太《山村新一代》、张赞廷《喷绿的芒赫》、查干《红枫之歌》等诗。

3月 《四川文艺》1975年3月号刊出工人余新庆《钢铁短歌》、解放军马安信《写在野营路上》、工人刘滨《翻砂工房听宪法》等诗和尹在勤的文章《诗应该有那么一股劲——读钢城组诗〈创业之歌〉》。

3月 《武汉文艺》1975年第2期刊出工人胡发云的长诗《新的进军》和诗辑《人大东风催春潮》,有工人李声高《列车向着北京开》、工人高伐林《钢厂新人》等诗。

3月 《朝霞丛刊·战地春秋》刊出袁航、余惕君的诗《团结胜利曲》。

3月 马生海的诗集《赤脚医生的歌》由山西人民出版社出版。

3月 鞍山市文艺创作组编的诗集《阳光灿烂照钢城》由辽宁人民出版社出版。

3月 马绪英的诗集《前哨春曲》由江苏人民出版社出版。作品分为《浪拍小岛》、《新唱好八连》等6辑,收《开完批判会》、《战士爱吹冲锋号》、《光荣门》、《天安门前慢步走》等诗64首。

马绪英，1935年3月7日生于江苏泗阳。1956年参军，历任战士、班长、排长、指导员、干事。1978年转业到《青春》编辑部任编辑。1958年开始新诗写作。

3月 任海鹰的诗集《春满西沙》由北京人民出版社出版。作品分为《北京，在西沙战士心上》、《西沙战火》等5辑，收《祖国，你温暖着水兵的心窝》、《西沙灯塔》、《紧急出航》、《海岛荔枝红》等诗46首。

任海鹰，原名任庆泽，1941年5月30日生于天津宝坻。1961年毕业于天津师范专科学校中文系，同年入伍，1984年到海军后勤学院任教。1963年开始发表新诗，出版的诗集还有《大海琴声》(1979)。

1975年4月

1日 《人民日报》和《红旗》杂志1975年第4期发表张春桥的文章《论对资产阶级的全面专政》。

1日 《解放军文艺》1975年4月号刊出纪学《新兵》、王满夷《书记的电话》、元辉《干校春早》、纪鹏《北疆军民团结歌》、杨星火《哨所理论家》等诗。

5日 《云南文艺》1975年第2期刊出解放军某部王贤良《金沙石洞》、西双版纳农垦分局知青业余宣传队集体创作《前进！革命的知识青年》等诗和0271部队供稿的《战士诗选》、昆明铁路分局供稿的《铁路工人诗选》。

6日 《解放日报》刊出中华造船厂路鸿的诗《出征》。

6日 《文汇报》刊出姜金城的诗《冲向斗争的前沿》。

8日 流沙河作诗《唤儿起床》。此诗收《流沙河诗集》，上海文艺出版社1982年12月出版。

13日 《陕西日报》刊出报道《赛诗会上》。报道说："这是春节前的一个夜晚，车站口医药门市部里，灯火明亮，掌声不断。由政治夜校举办的赛诗会开始了。从领导到群众，男女老少，一个个上前高声朗诵。他们用自己创作的诗篇，热情歌颂无产阶级文化大革命和批林批孔运动的伟大成果,赞扬门市部的新人新事新风尚,表达自己的决心和行动。"

14日 《安徽日报》刊出该报通讯员潘卓夫、苗务寅的报道《颂歌献给新时代——蚌埠工人迎春赛诗会活动侧记》。报道说:"最近,蚌埠市总工会、团市委和市文化局,在全市广大职工中,开展了一次规模空前的迎春赛诗活动。全市工业、交通、财贸战线的工人和干部,遵照毛主席关于'无产阶级必须在上层建筑其中包括各个文化领域中对资产阶级实行全面的专政'的伟大教导,以小靳庄为榜样,挥笔言志,登台赛诗,引吭高歌。他们以'篇篇带着机油味'的诗篇,满腔热情地歌颂毛主席,歌颂党,歌颂新生事物,以'句句犹如排炮开'的诗句,愤怒批判林彪反革命的修正主义路线和孔孟之道。用马克思主义、列宁主义、毛泽东思想占领职工业余思想文化阵地。"

15日 《河北文艺》1975年第4期刊出田牧《喜看样板戏》、雪杉《新大学》、逢阳《出诊》、峭岩《战斗前夜》等诗和工农兵学员伍祖平《他们在思想文化阵地上作战——张庄大队学习小靳庄经验运用文艺形式批林批孔的调查》、枣强县肖张公社文艺评论组《公社诗意浓 新曲壮山河——喜读诗集〈公社新曲〉》等文。

17日 《黑龙江日报》刊出吴振芳的报道《家庭赛诗会》。报道说:"一天紧张的劳动结束了。傍晚,人们向屯中的三间房走去,那就是方正县沿江二队妇女队长李跃芹的家。党支部书记和社员群众仨仨俩俩,高高兴兴地去参加李跃芹的'家庭赛诗会'。""不大会儿,李跃芹家里炕上地下,屋里屋外,就挤满了人。""赛诗会开始了,李跃芹首先朗诵了一首:'毛泽东思想传万家,小靳庄经验开红花。家庭举行赛诗会,社会主义新风把根扎。'一阵热烈的掌声过后,识字不多的李跃芹爸爸也朗诵了一首:'无产阶级专政是法宝,时时刻刻离不了,镇压敌人保护人民,铁打的江山万年牢。'接着大哥、大嫂、二哥、二嫂和跃芹的妹妹,都分别朗诵了自己创作的诗歌,六岁的小弟弟也连蹦带跳地跑到屋地中间,朗诵了一首他大哥教给他的新儿歌:'红孩子,心向党,批林批孔上战场,打倒林彪孔老二,红色江山万年长。'他们用诗歌批判林彪'克己复礼'的反动罪行,热情歌颂毛主席无产阶级革命路线的伟大胜利。"

20日 《朝霞》1975年第4期刊出刘希涛《把铁拳攥得更紧！——夜读〈国家与革命〉》、谢其规《光辉的便条》、李瑛《钻石及其他》、郑成义《茶山新歌》等诗。

23日 《福建日报》刊出武平县报道组的报道《贫下中农登诗坛 革命生产干劲添——湘坑大队积极开展群众性诗歌创作活动》。报道说："武平县桃溪公社湘坑大队党支部努力开展群众性诗歌创作活动，运用诗歌这个武器，批判林彪效法孔老二'克己复礼'的反动纲领，批判浸透孔孟之道毒汁的《三字经》、《女儿经》、《增广贤文》。据不完全统计，几个月来全大队共创作诗歌二千二百多首。战斗的诗篇，提高了社员群众对加强无产阶级专政的认识，激励着社员群众大干快上的斗志。去冬以来，这个大队掀起了大搞农田基本建设高潮，干部群众团结战斗，革命生产形势越来越好。"

23日 《文汇报》刊出采罗的诗《大路战歌——写在千里铁道线上》和宁宇的文章《擦亮诗歌的枪刺》。文章说："'"应景"作品太粗糙，没看头！'有一部分人，对配合形势的诗，是这样议论的。也有一部分诗歌作者，不愿意写这类诗。他们刻意追求的，是什么'永恒的题材'，'美丽的语汇'，'深幽的意境'，'优美的抒情'。他们不愿意唱'大江东去'，欣赏的是'小桥流水'。他们看不到广大工农兵读者和现实阶级斗争的需要。他们忘了诗歌创作同一切革命文艺创作一样，是'服从党在一定革命时期内所规定的革命任务'，'作为团结人民、教育人民、打击敌人、消灭敌人的有力的武器'。""无产阶级革命的诗歌，决不是那种镶金嵌银、涂漆挂珠的象牙宝刀，而是刚从炉火中跳出，在铁与砧上锤打出来的枪刺。这样的诗歌，决不会有那种'风花雪月'的公子哥儿们的情调；决不会有那种玩弄词藻，空泛浮浅的诗意；也决不是那种外表虽经过打扮，但骨子里仍然是'小桥流水'的田园诗、牧歌。要知道，象牙宝刀只能挂在墙上供少数人观赏，而不能做进攻的武器，是割不断资产阶级的颈脖的。只有锤打了并且磨快了的枪刺，才有可能致敌人于死命。当然，并不是说，枪刺一出炉，就是很好的武器了。它还要淬火、镗槽、磨砺、擦亮，要经过精心的加工。然后,它的锋芒,才能使敌人胆寒,它的尖刃,在冲杀中才显得犀利无比,所向无敌!"

25日 《黑龙江文艺》1975年第4期刊出兵团某部蒋巍《女推土机手》、程刚《大海来信》、于宗信《征途颂》等诗。

27日 《文汇报》刊出胡笳《车过大庆站》、上海铁路局三工段陈祖言《"铁人"的大军——写在火热的铁道线上》等诗。

29日 《人民日报》刊出长江航运公司码头工人黄声笑(黄声孝)的诗《打开夔门放木排》。

4月 《安徽文艺》1975年4月号刊出万文艺《农民画家》、上山下乡知识青年蒋维扬《"阵阵到"》、解放军某部杨德祥《新绿》等诗。

4月 《广东文艺》1975年第4期刊出广州材料试验机厂陈忠干《工人大学之歌》、解放军纪鹏《高原女民兵》、黄焕新《护林员》等诗和李如伦的文章《抒情、造境、典型化——〈护林员〉读后感》。

4月 《吉林文艺》1975年4月号刊出李占学《珍贵的纪念》、张满隆《故乡行》等诗和国营东光无线电器材厂工人业余文艺创作小组的文章《进军的战鼓 冲锋的号角——谈〈吉林文艺〉发表的两组农民诗歌》。

4月 《辽宁文艺》1975年第4期刊出晓凡的诗报告《在震中地区》和张德振等《人民自有回天力——抗震救灾第一线墙报诗选》。

4月 《四川文艺》1975年4月号刊出吴琪拉达《幸福的光辉》、里沙《飞车过钢城》、冉庄《回山村》等诗和龚文兵《手舞彩练唱颂歌——喜读铁道兵诗集〈彩练当空〉》、前锋无线电仪器厂工人文艺评论组《高唱战歌创新业——读〈创业之歌〉》等文。

4月 《湘江文艺》1975年第2期刊出龙燕怡、黄亚钧等《为巩固无产阶级专政而战》歌词、诗歌9首和聂鑫森《磨刀工之歌》等诗。

4月 《新疆文艺》1975年第2期刊出杨牧《大干号子》、陈浩《咱社的大学生回来啦》、郭维东《钻工之歌》等诗。

4月 秦裕权的长诗《高山顶上一小鹰》由广西人民出版社出版。

4月 湖南人民出版社编的《工农携手战湘黔——湘黔铁路工

地诗歌选》由该出版社出版。

4月 诗集《公社日子万年春》由河北人民出版社出版。

4月 王慎行等著的《山花红似火——工农兵诗集》由陕西人民出版社出版。

4月 甘肃人民出版社编的《战鼓集——批林批孔诗选》由该出版社出版。

4月 刘志清的诗集《红牧歌》由甘肃人民出版社编辑出版。收《满怀激情唱赞歌》、《毛主席发给我一杆枪》、《千年荒滩变绿洲》等诗54首,有编者《出版说明》。《出版说明》说:"这本诗集选编了农民作者刘志清同志的诗歌创作五十四首。作者是放牛娃出身,在旧社会受尽了地主阶级的残酷压迫。解放后,怀着对党和毛主席无限热爱的阶级深情,刻苦学习革命文化,扫了盲,识了字,并在党的关怀、培养下,成为一个革命的文艺战士。一九五五年以来,他在三大革命斗争的实践中,写了一千多首诗歌,以饱满的革命激情,歌颂毛主席和共产党的英明领导,歌颂毛主席革命路线的伟大胜利,歌颂无产阶级文化大革命、批林批孔运动和社会主义的新生事物,抒发了广大贫下中农走社会主义道路的坚强信念,描绘了贫下中农战天斗地改造山河的豪情壮志。这些诗篇充满着无产阶级的革命精神,有鲜明的时代特征和强烈的战斗性,是对林彪、孔老二之流'克己复礼'的反动纲领和'上智下愚'反动谬论的有力批判。作品思想鲜明,感情真挚,有浓郁的生活气息,语言简练朴实。"

刘志清,1938年生于甘肃礼县。

4月 莫少云的诗集《火热的连队》由广西人民出版社出版。作品分为《火热的连队》、《铜墙铁壁》等4辑,收《哨所怒火》、《挖地道》、《会战新油田》、《深山小厂》等诗52首。该书《内容提要》说:"作者以饱满的政治热情,描写了批林批孔的伟大斗争,歌颂了工农兵在毛主席革命路线指引下阔步前进的战斗英姿和英雄业绩。作品大都写得情深意新,形象鲜明,语言质朴,生动上口,具有较浓厚的生活气息。"

莫少云,1942年7月2日生于广西平乐。1962年广西桂林师院毕业后参军,历任文书、班长、报纸编辑,1984年到广州花城出版社工作。1964年开始发表新诗,出版的诗集还有《彩色的小雨》(1986)、《千般情缘》(1990)、《妙龄时光》(1990)、《寂寞滋味》(1991)、《禅味人生》(1994)等。

4月 时永福的诗集《时代的洪流——献给无产阶级文化大革命的歌》由北京人民出版社出版。收《赞歌献给毛主席》、《赞革命造反派的"脾气"》、《大寨山水甲天下》、《白族儿女上大学》等诗47首。

4月 广西人民出版社编的诗集《边防寄语》由该出版社出版。作品分为《明灯颂》、《战斗的前哨》等5辑,收章明《当毛主席出现在主席台的时候》、曾凡华《哨所批判会》、姚成友《团长的背包》、黄子平《红岭割胶班》等诗79首,有《编后》。《编后》说:"在毛主席的革命文艺路线指引下,广州部队的业余作者和专业作者,怀着对党和毛主席的热爱,对祖国和人民的热爱,创作了不少充满生活气息和革命激情的诗篇。这本诗集,共收短诗七十九首。作者努力学习革命样板戏的创作经验,运用革命的现实主义和革命的浪漫主义相结合的创作方法,从不同的角度和生活侧面,热情歌颂了伟大领袖毛主席,歌颂了毛主席革命路线的伟大胜利,反映了无产阶级文化大革命和批林批孔运动给部队带来的新风貌。"

4月 宜昌地区《长阳山歌》编辑组编的《长阳山歌》由湖北人民出版社出版。作品分为《曲曲颂歌飞北京》、《批林批孔铲修根》等4辑,收李建英《幸福全靠毛主席》、姚德进《骗子怎能把我骗》、习久兰《大寨红旗高山插》等山歌100首,有编者《前言》。《前言》说:"长阳县的革命山歌活动是在无产阶级文化大革命运动中发展起来的。不打鼓,不敲锣,边生产,边唱歌,战斗性强,易记易学。有独唱、对唱、合唱、重唱,一人唱众人合。形式多样,生动活泼。曲牌丰富,高亢朴实,优美动听。群众喜闻乐唱,自编互教,蔚然成风。""革命山歌的作者非常广泛,有农民、工人、解放军战士、下乡知识青年、学生、教师以及各级领导干部。他们创作了大量的新山歌。这本山歌集,就是在群众创作的大量作品中选出来的,并附录了四首曲子。"

4月 诗集《春光烂漫》由江苏人民出版社出版。收黎汝清《韶山颂》、冯亦同《接过这把锹》、叶庆瑞《工厂大学》、宫玺《空中小将歌》

等诗90首,有《编后》。《编后》说:"诗集中的大部分作者都是战斗在三大革命运动第一线的工农兵,同时也选用了一些专业作者的作品。他们在斗争中奋发向前,歌唱中斗志昂扬,作品充满了对党和毛主席的浓厚感情,充满了浓郁的时代战斗生活气息,注意表现、刻画人的精神面貌,从题材到内容,诗展新画,蓬勃兴旺。"

4月 上海人民出版社编的《上海新民歌选》由该出版社出版。作品分为《面对太阳唱颂歌》、《敢反潮流敢革命》等5辑,收《毛主席掌舵永向前》、《革命造反歌》、《新生事物赛春笋》、《我盼台湾早解放》等民歌147首。

1975年5月

1日 《解放军文艺》1975年5月号刊出曾凡华《金边啊,回到了人民手中》、石湾《春到金边》、发电司机张志民《友谊暖在心窝里》、范峥嵘《致第三世界战友》、李劲《小靳庄之花连队开》、周鹤《两代雄鹰》等诗。

3日 《解放日报》刊出诗辑《壮志谱出大干曲》和上海石油煤炭公司油轮运输队袁军《寄自大海上的问候》等诗。

5日 《文汇报》刊出何维莹《你好,红色的山村》、上海锅炉厂姚鸿恩《工人技术员》等诗。

10日 《北京文艺》1975年第3期刊出张永枚《工人歌》、胡宗永《政治夜校读马列》等诗和宣武区业余文艺评论组的文章《满腔激情谱诗篇——赞〈红星新歌〉》。

10日 《天津文艺》1975年第3期刊出天津拖拉机厂工人曹东《"铁牛城"的早晨》、陈官煊《劳动登记簿》等诗和五一制本厂工人宋履进《时代精神谱新篇——评冯景元的几首抒情诗》等文。

11日 《光明日报》刊出《毛泽东思想照胸怀——北京新华印刷厂工人诗选》。

15日 《甘肃文艺》1975年第3期刊出解放军某部谢永清《夜读》、工人姚学礼《理论尖兵》、刘志清《贫农女儿登讲台》等诗。

15日 《广西文艺》1975年第3期刊出《南宁市铸造厂诗歌选》、

《红水河畔新歌台》新民歌23首和包玉堂《我又来到北京城》、海代泉《扎根点》等诗。

15日 《河北文艺》1975年第5期刊出刘国良《钢》、于宗信《矿山老将》、姚焕吉《流动红旗》、肖振荣《金凤凰赞》等诗和开滦工人歌今《沸腾的煤海诗潮涌——读诗集〈煤海春潮〉的一点感想》、江向东《无产阶级专政的颂歌——读诗集〈西柏坡颂〉》等文;以《广阔天地歌声高》为总题刊出知识青年杨冬蕲《白杨赞》、女知识青年姜敏《海上女民兵》等诗。该刊1975年第12期刊出知识青年裴雁伶的文章《革命激情涌诗篇——读〈广阔天地歌声高〉》。文章说:"《河北文艺》一九七五年五月号刊登的《广阔天地歌声高》,是一组反映回乡下乡知识青年战斗生活的短诗。诗写的朴实有力,看着带劲,读着上口,觉得亲切。我们知识青年就是爱读这样豪放的诗篇。""读着这些基调高昂、情真意切的诗,使我们认识到:火热的生活激起革命的豪情,革命的豪情又会涌出战斗的诗篇。不热爱广阔天地,不了解我们知识青年的心,是根本写不出这样诗句的。"

18日 《贵州日报》刊出卢惠龙、吴厚炎的文章《诗歌要成为无产阶级专政的武器——学习小靳庄诗歌创作的体会》。

18日 《文汇报》刊出徐如麒《送戏上海岛》等诗。

20日 《云南日报》刊出吴然《新诗创作学习革命样板戏的新成果——喜读〈小靳庄诗歌选〉》、戴文翰《时代的号角　战斗的诗篇——读小靳庄社员的诗歌》等文。吴然说:"小靳庄诗歌创作活动,是在大唱革命样板戏的同时开展起来的。在小靳庄十件新事中,'大唱革命样板戏'和'开展群众性诗歌创作活动',是互为联系的两件事。在小靳庄,田间、场院、饲养棚、摆渡口、菜园、磨房,从早到晚,革命样板戏的歌声不绝。干部唱、社员唱,六七岁的娃娃,七八十岁的老人,都会唱。革命样板戏的大普及,带动了诗歌创作活动的大开展。正是这些大唱革命样板戏的人们,纷纷拿起笔来,成了诗歌创作的积极分子。去年一年中,他们创作了二千多首革命诗歌。田头、路旁,水利工地,林立着他们的诗专栏;炕头、场院、批判会上,都是他们赛诗的场地。群众性诗歌创作的这种动人情景,和大唱革命样板戏的热烈气氛是多么一致啊！它生动地说明了革命样板戏与新诗创作的直接关系。"

20日 《福建文艺》1975年第3期刊出俞兆平《伟大的进军》、邱滨玲《一代新人》、陈文和《工地诗抄》等诗。

20日 《朝霞》1975年第5期刊出仇学宝、宁宇等的诗《把炉火烧得通红》和上海电机厂五一工大文科班的文章《诗歌应是进攻的号角——从〈朝霞〉第三期和第四期的诗歌所想到的》。1977年9月《安徽文艺》1977年第9期刊出安徽师大中文系理论组的文章《张春桥黑"思想"的艺术图解——斥反动帮诗〈把炉火烧得通红〉》。文章说："一九七五年春，'四人帮'的狗头军师、老特务张春桥在全国学习无产阶级专政理论之际，抛出了一篇反党黑文《论对资产阶级的全面专政》，妄图用所谓张春桥'思想'来代替马列主义、毛泽东思想。霎时间，一股鼓吹所谓张春桥'思想'的黑风从'四人帮'及其党羽那里越刮越猛。'四人帮'一面指使人在理论上为它拼凑论据，作注脚；一面又授意炮制文艺作品，把它加以形象化、艺术化。由张春桥唆使心腹窜到上海，授意炮制的黑诗《把炉火烧得通红》（见《朝霞》一九七五年第五期），正是这样一幅张春桥'思想'的艺术图解。"

22日 《宁夏日报》刊出该报通讯员的报道《开展群众性诗歌创作活动——盘河大队党支部注意发挥革命文艺的战斗作用》。

23日 陕西省淳化县委和县革委会有关部门在润镇公社召开"纪念毛主席《讲话》发表三十三周年，进一步推广小靳庄经验"现场会，并举办开展小靳庄活动的实物陈列。其中有十四个大队的诗选十六本，部分生产队的诗选二十余本，个人诗选一百余本，共选诗歌两千多首。（淳化县文教局、团县委、县妇联联合调查组《社会主义思想红花盛开——记淳化县润镇公社展开小靳庄活动情况》，1975年7月1日《群众文化通讯》第9号）

24日 《西藏日报》刊出驻藏空军某部报道组的报道《用毛泽东思想占领连队思想文化阵地——驻藏空军某部指挥连向小靳庄贫下中农学习，开展写诗赛诗活动》。报道说："指挥连的写诗、赛诗活动，是在学习无产阶级专政理论中发展起来的。刚开始时，有些同志对这一活动认识不足，认为'大老粗'不能写诗歌，存在怕写不好别人笑话的思想顾虑。针对这种思想，党支部领导大家深入学习毛主席关于理论问题的重要指示，不断提高大家抓意识形态领域里阶级斗争的自觉性。指战员们狠批'上智下愚'的唯心史观，认识不断提高。干部战士以笔作刀枪，决心用毛泽东思想占领连队思想文化阵地，在意识形态领域对资产阶级实行全面专政。战士李文艺在诗歌中写道：'上智下愚不可信，人民群众是英雄，上层建筑要占领，革命战士打先锋'。共产党员、饲养员冷吉祥，入伍前没上几年学，在学习无产阶级专政理论中，他克服文化低的困难，积极进行创作，写出了热情洋溢的诗篇：'喂猪也是干革命，以苦为乐最光荣，艰苦奋斗为人民，继续革命永向前。'在全连第一次赛诗会上，连长、指导员带头朗诵了自己创作的诗歌，其他同志也不甘落后，赛诗会开成了革命理论的学习会，对林彪、孔老二的批判会。同志们说：'赛诗会就是好，比学赶帮掀高潮。错误思想要斗掉，革命思想树得牢'。"

25日　《解放日报》刊出诗歌专辑，刊有国际电影院刘希涛《红旗鼓角卷惊雷》、朱金晨《工地放映员》、赵丽宏《在入海口》等诗。

25日　《黑龙江文艺》1975年第5期刊出宋歌《农村画展》、王荆岩《浇铸车间访老雷》、范震威《石油的脉搏》等诗。

27日　《青海日报》刊出该报通讯员前进、正策、耀先的报道《新人写新诗　新诗育新人——记五八四七部队十一连群众性诗歌创作活动》。报道说："一走进中国人民解放军五八四七部队十一连，就仿佛来到了诗歌之乡：墙上写着诗，黑板上登着诗，批判会上读着诗，赛诗会上念着诗，施工劳动中唱着诗；战士们施工回来，就三三两两地在一起写诗、咏诗、评诗、改诗。这使得整个连队呈现出一派'团结、紧张、严肃、活泼'的生动景象。""从干部到战士，人人挥笔写诗，这在十一连已经蔚成风气。他们用诗歌当金鼓，满腔热情地歌颂毛主席的无产阶级革命路线，歌颂无产阶级文化大革命和批林批孔运动；他们以诗歌为武器，批判林彪的反革命修正主义路线和孔孟之道，为巩固无产阶级专政英勇奋斗。一年来，他们召开的赛诗会达数十次，创作的战斗诗篇近七百首，其中一些优秀的诗歌已陆续在报刊上发

30日 《光明日报》刊出《光明日报》通讯员的报道《诗篇抒发钢铁志 战士攀登理论山——记驻浙江某部防化连学习无产阶级专政理论赛诗会》。报道说:"最近,人民解放军驻浙江某部防化连举行了一次学习无产阶级专政理论赛诗会。到会的不仅有全连干部、战士,还有部队领导机关的负责同志和兄弟连队的代表。""毛主席关于理论问题的重要指示发表后,防化连立即掀起了学习热潮。每天晚上,俱乐部、课堂、宿舍灯火通明,战士们认真读书,热烈讨论。饭堂里、教室里、大批判专栏里,贴满了学习的心得体会。""现在,革命诗歌已经成了防化连指战员手中的战斗武器。批林批孔的烈火燃起后,防化连的干部、战士曾集体创作了一首《批林批孔当闯将》的歌曲。这首歌已成为全国广大工农兵参加上层建筑领域革命的战歌。一年来,指战员们战歌天天唱,斗志日日长,他们通过学习小靳庄的经验,诗歌创作活动开展得更加活跃。去年,全连创作诗歌五六百首,有几十篇作品被报刊选用。今年,在学习无产阶级专政理论的热潮中,他们又运用诗歌表达了学习毛主席关于理论问题的重要指示的心得体会,表示要坚持在无产阶级专政下继续革命。"

30日 《人民日报》刊出《小靳庄儿童诗画选》。

5月 穆旦作诗《苍蝇》。此诗初刊1980年6月10日香港《新晚报》,收《穆旦诗全集》,中国文学出版社1996年9月出版。全集编者注:"此诗大约写于1975年5月或6月,系诗人在1975年6月25日信中抄寄给诗友杜运燮的。信中写有:'《苍蝇》是戏作……我忽然在一个上午看到苍蝇飞,便写出这篇来。'"

5月 天津人民出版社编辑、出版的《今朝》文学丛刊第1辑刊出鲁沂《今朝颂》、王榕树《数风流人物,还看今朝》等诗和《小靳庄社员谈诗歌创作》、李钧《诗坛新花放异彩——学习〈小靳庄诗歌选〉札记》等文。

5月 《安徽文艺》1975年5月号刊出《钢铁画廊——马鞍山市诗歌小辑》、《煤海诗潮——淮南市诗歌小辑》等诗辑和何炳章的文章《青春颂歌——读江锡铨的〈我的歌献给淮北人民〉》。

5月 《广东文艺》1975年第5期刊出《石油工人听党话——茂名石油公司工地诗选》和韦丘《天连五岭银锄落》、赵元瑜《海上"文化船"》等诗。

5月 《河南文艺》1975年第3期刊出王绶青、李洪程的长篇叙事诗《斗天图》和龚萌的文章《上层建筑领域里扎营盘——读〈我为祖国造铁牛〉》,《新诗必须向革命样板戏学习》栏刊出诗学班的文章《抒情短诗如何运用"三突出"的创作原则》。

5月 《湖北文艺》1975年第3期刊出工农兵学员董宏猷、赵国泰、张永柱《银色的书签——写在学习无产阶级专政理论的热潮中》和张良火《万道金光照舞台——纪念〈在延安文艺座谈会上的讲话〉发表三十三周年》、武汉钢丝绳厂工人高伐林《组长的难题本》等诗及诗辑《大庆红旗舞东风》。

5月 《江苏文艺》1975年第3期刊出《大庆东风催征帆——常州市工人诗辑》和解放军某部贺东久《还要铸刀枪》、徐荣街《狂飙曲》等诗。

5月 《江西文艺》1975年第3期刊出工人胡平《春雷颂——献给伟大的无产阶级文化大革命》、工人曾广瑞《讨孔台前剥画皮》、工人陈安安《喜送江南煤》等诗。

5月 《辽宁文艺》1975年第5期刊出宋烈《战斗的山村》等诗和解放军空军某部李克白等《新的进军——学习无产阶级专政理论诗辑》。

5月 《内蒙古文艺》1975年第3期刊出乌吉斯古冷《上车之前》、戈非《攻读》、于宗信《天车工赞》、纪鹏《北疆前哨》、时家翎《寄自大寨的诗》等诗。

5月 《四川文艺》1975年5月号刊出《进攻的炮声——歌颂无产阶级文化大革命诗选》,刊有胡笳《在中南海门前》、女工徐慧《红卫兵进行曲》、梁上泉《写在长征队的队旗上》、解放军任耀庭《战斗的螺号》等诗。

5月 《武汉文艺》1975年第3期刊出巴兰《煤海新歌》、工人董宏量《寄大庆战友》、彭仲道《大学生回来啦》等诗和洪进的文章《工农兵是文艺的主人——从工人诗作者黄声笑的成长谈起》。文章说:"无产阶级文化大革命以来,在革命样板戏的鼓舞和带动下,广大工农兵业余作者写了许多反映三大革命斗争的文艺作品。可是有的人却认为工农兵写的作品'质量不高'。如何看待工农兵作品的质量,实际上还是一个承认不承认工农兵是文艺的主人的问题。黄声笑同志的成长过程中也发生过这类问题。在文艺黑线占统治地位的时候,有的人认为黄声笑的诗是'政治口号,毫无诗味。'工人们却是高度赞扬他的诗'说的是咱工人的心里话','好得很!'为什么会产生如此截然不同的评价呢? 这是因为文艺作品的质量具有鲜明的阶级性,不同的阶级评论文艺作品有不同的政治标准和艺术标准,并且总是把政治标准放在第一位。黄声笑的诗是工人的诗,诗中确实找不到有些人所追求的'小桥流水'的意境、'吟风弄月'的情趣、华丽深奥的词句、典雅纤细的风格,因而资产阶级以及受文艺黑线毒害很深的人感到'毫无诗味'是不足为奇的。"

5月 陆北威等著的《春花集——工农兵诗选》由广东人民出版社出版。

5月 诗集《校园春色——教育革命诗颂》由上海人民出版社出版。

5月 瞿琮的诗集《可爱的连队》由北京人民出版社出版。收《扎西的批判稿》、《连队的钟》、《七月荔枝红》、《向韶山》等诗61首,有《我爱红旗我爱党》诗1首代序。

瞿琮,1944年7月5日生于四川广安。1962年参军,1965年调入广州军区创作组任专业作家。1970年起,任战士歌舞团创作员、创作组长、创编室主任、艺术指导。1962年开始新诗写作,出版的诗集还有《红樱似火》(1976)、《春满洞庭》(1976)、《霹雳颂》(1977)、《花的情思》(1980)、《十行抒情诗》(1988)、《日月之恋》(1991)等。

5月 《春花烂漫——歌颂社会主义新生事物诗选》由黑龙江人民出版社出版。作品分为《理论队伍势澎湃》、《教育战线红花开》、《广阔天地新一代》等8辑,收哈尔滨伟建机器厂张贵祥《咱工段出了理论家》、鲁丁《杨师傅登上讲台》、李言有《赤脚医生赞》、李风清《红旗代代有人擎》等诗71首。当时的文章说："黑龙江人民出版社最近出版的诗集《春花烂漫》，及时地配合了当前无产阶级专政理论的学习，为扶植和发展新生事物，做出了有益的贡献。""这本诗集共收七十一首短诗，从不同角度、在不同程度上反映了我国无产阶级文化大革命以来出现的社会主义新生事物。作者大多数是战斗在三大革命斗争第一线的工人、社员、兵团战士、干部等。这些作者像他们讴歌的新生事物一样，是文化大革命以来涌现出来的文艺新兵。他们朝气蓬勃、热情洋溢，以革命战士之笔，抒革命战士之情。"（甘雨泽《新生事物之花红烂漫——评诗集〈春花烂漫〉》，1975年9月22日《黑龙江日报》）

5月 大连第二发电厂工会编印的《电厂工人诗歌选》（第一集）印行。收工人丁立文《祖国无限好》、工人李朝章《工人登上赛诗台》、工人张连发《批得林孔臭万年》等诗94首，有编者《前言》。《前言》说："我厂贯彻落实省、市委和厂党委关于学习'小靳庄经验'的指示精神以来，全厂上下积极开展了写诗赛诗等群众活动。""为纪念毛主席的《在延安文艺座谈会上的讲话》发表三十三周年，我们特从各单位群众赛诗会上朗诵的诗歌中选辑了一部分，汇编为《电厂工人诗歌选》，作为献给毛主席的《在延安文艺座谈会上的讲话》发表三十三周年这个光辉日的一件礼物。"

5月 桂林地区桂林文艺编辑组编印的《漓江浪花——工农兵诗选》印行，为桂林文艺丛书之一。收工人孙如容《胜利的赞歌》、黄河清《一步一曲幸福歌》、桂林军分区战士伍家文《操场批判会》等诗74首（组），有编者《内容提要》。《内容提要》说："在毛主席无产阶级革命文艺路线的指引下，我地区一支以工农兵为主体的无产阶级文艺创作队伍正在形成，群众性的文艺创作活动蓬勃开展。为了纪念毛主席《在延安文艺座谈会上的讲话》发表三十三周年，进一步繁荣地区文艺创作活动，推动社会主义革命和社会主义建设向前发展，我们选编了这个诗歌集子。"

5月 中共绥阳县委宣传部编的诗集《喷泉集——工农兵诗集》由贵州人民出版社出版。收李天全《歌潮滚滚迎日升》、赵强《烧窑女工讨林贼》、李发模《演出》、崔笛扬《喷泉》等诗86首,有编者《前言》。《前言》说:"无产阶级文化大革命以来,特别是批林批孔运动以来,我县广大工农兵在毛主席的革命文艺路线指引下,认真学习革命样板戏的创作经验,积极开展无产阶级文艺革命,群众性的诗歌创作活动蓬勃发展。大部分区、社、大队都选编和油印了诗歌专集,还有许多诗歌发表在诗传单、墙报、黑板报和赛诗会、朗诵会上。""为了更好地贯彻执行毛主席的革命文艺路线,努力繁荣社会主义文艺创作,我们在县委的直接领导和贵州人民出版社的具体帮助下,成立了由领导、业余作者和专业人员三结合的编选小组,深入社、队和广大群众一起编选了这本《喷泉集》。诗集里还适当收进了我县在外地工作的部分业余作者的诗歌。"

5月 《永保江山万年红——旅顺玻璃厂工人诗歌选》由辽宁人民出版社出版,为工农兵文学创作丛书之一。作品分为《毛主席万万岁》、《历史车轮永向前》等4辑,收工人荆鸿《毛主席指挥咱唱歌》、厂工会主任高玉石《文化大革命就是好》、工人创作组《炉前新手》等诗86首,有辽宁大学中文系工农兵学员等《战斗的诗篇——旅顺玻璃厂工人诗歌创作的调查》。《调查》说:"在旅顺玻璃厂,一排排革命大批判的板报上写满了玻璃工人创作的诗歌,广播喇叭里,播送的是批林批孔的诗歌,车间、班组的批判会上,也可以听到工人们激昂有力的诗句。这些诗歌充满着战斗激情,它是批林批孔的有力武器,是三大革命运动的战斗诗篇。"

5月 大众日报编辑部编印的诗文集《〈战地〉副刊作品选》印行。收战士徐淙泉《海岛的节日》、纪宇《阵地》、工人郭廓《大干快上谱新篇》等诗27首。书前编者说:"本书收集的是一年多来《大众日报》'战地'副刊发表的较好的短篇小说、散文、特写、报告文学二十四篇,诗歌二十七首。""本书作者,多是无产阶级文化大革命中涌现出来的工农兵业余作者。他们朝气勃勃,激情满怀,认真学习革命样板戏的创作经验,满腔热情地塑造工农兵英雄人物,做出了一些成绩。"

5月 天津市群众歌咏活动办公室、天津群众艺术馆合编的《天地新春我们开——小靳庄社员诗歌谱曲选》由天津人民出版社出版。

收为大队党支部书记王作山《给毛主席唱支丰收歌》、一队副队长王新民《批判会上一只斗》等诗谱曲51首。

1975年6月

1日 《解放军文艺》1975年6月号刊出战士晓波《越南南方的春雷》、喻晓《望南方》、峭岩《战斗的旗》、莫少云《激情如火献诗篇》、战士刘晓滨《战友》、战士邓海南《枪》、战士李小雨《我的阵地》等诗和编者随笔《努力创作反映当前部队生活的战斗诗篇》。编者随笔说："在毛主席《在延安文艺座谈会上的讲话》的光辉照耀下，在革命样板戏创作经验的带动和小靳庄群众诗歌创作活动的鼓舞下，革命诗歌——作为意识形态领域里对资产阶级实行全面专政的战斗武器之一，已越来越为广大指战员所掌握。特别是在毛主席关于理论问题的重要指示发表以后，广大指战员对运用文艺武器占领思想文化阵地的认识更高了，为革命而写作的自觉性更强了，群众性的写诗、赛诗活动，开展得日益普遍和深入。尤其是许多过去接触文艺不多的年轻战士和基层指挥员，也都怀着反修、防修为巩固无产阶级专政而战的壮志豪情，纷纷拿起笔来，利用业余时间，积极钻研，写出了许多诗篇。过去我们曾陆续发表了一些他们所写的诗作，本期我们又集中刊载了他们所写的反映自己战斗生活的短诗。"

5日 《云南文艺》1975年第3期刊出个旧市朝阳木器厂供稿的《工人诗选》和车凯《闪光的岁月》、张永权《革命造反姑娘》等诗和李从宗的文章《为巩固无产阶级专政写好政治抒情诗》。

8日 《光明日报》刊出钱光培的文章《充分发挥诗歌的战斗作用——向欧仁·鲍狄埃学习》。

8日 《文汇报》刊出松江县新五公社戚久芳《战友》、解放军某部童嘉通《司令员的镢头》等诗。

12日 《山西日报》刊出定襄县宏道公社业余文艺创作组、山西大学中文系七三级赴宏道分队的文章《继续革命的战鼓——评我省工农兵诗选〈征途号角〉》。

15日 《文汇报》刊出诗辑《革命要钢我们炼》和纪宇《熔炉颂》

等诗。

15日 《河北文艺》1975年第6期以《上层建筑谱新歌》为总题刊出郭宝臣《公社新歌》、雪杉《流动书店》等诗；以《战天斗地学大寨》为总题刘元章《工地大学》、何理《牵龙歌》等诗。

18日 《解放日报》刊出宝山县刘行公社知识青年蒋红的文章《广阔天地新歌传——诗集〈大汗歌〉读后》。

20日 《朝霞》1975年第6期刊出潘复林《校园广阔天地新——赞函授大学》、胡永槐《炼钢工——大学生》等诗。

20日 《思想战线》1975年第3期刊出孙官生的《马蹄达达一串花——个旧市保和公社群众性诗歌创作活动的调查》和《编后：" 赤脚诗人"万岁！》。编后说："户县农民画，上海、旅大工人画，小靳庄诗歌……的伟大意义，不仅在于它们反映了火热的现实斗争生活，推动了当前的革命，而且更在于通过幼芽看大树，展示了消灭体力劳动和脑力劳动差别的共产主义远景。""本刊《马蹄达达一串花》一文所介绍的个旧市保和公社群众性诗歌创作活动，正属于这种类型的新事物、充满无限生命力的幼芽。无产阶级专政的理论武装了保和公社的劳动群众，三大革命运动的实践孕育了他们的诗歌，文武两条战线的斗争造就了一批具有崭新面貌的诗歌作者——'赤脚诗人'。""这是一批新人。他们虽为'赤脚'，而能诗，虽能诗，而坚持'赤脚'。他们迈开雄健的赤脚，驰骋在创造世界的舞台上，既是物质资料的生产者，又是精神财富的创造者。赤脚，说明他们想都没有想过要把诗歌同劳动对立起来；赤脚，说明他们扎根在最深厚的土壤里。赤脚，使他们同躲在象牙之塔里的旧式诗人划清了界限；赤脚，也使他们同至今仍在相当大程度上与体力劳动相脱离的专业文艺工作者区别开来。"

21日 张光年到留守处看结论。张光年1975年6月19—30日日记："二十一日上午八时半，应邀到留守处看结论。中央专案组一办李某出示结论稿，说明这一批问题的解决，是经过党中央讨论、毛主席批准的。结论是专案组写的，如有意见，合理的可以修改。我细看了两遍，觉得最后一段的总结：'张光年同志的问题属于人民内部矛盾，现在审查结束，应即恢复组织生活，发还扣发的全部工资，工作由原文化部留守处安排.'以及问题的定性'严重路线错误',都反映了党中央的精神。其他文字内容和提法,有些值得商酌,几句话说不清楚;怕再往返周折,拖延时日,使孩子们失望。想了一下,终于签了字,写了'同意结论'四字。同来的另一老军人说了几句有关安排工作之类的话。许翰如同志看了结论(他代表干校领导小组参加),未发表意见。李宣布从现在起审查结束,前后经过半小时,问题总算告一段落了。"(《向阳日记》,上海远东出版社2004年5月出版)

22日 《解放日报》以《钢城锣鼓冬冬敲》为总题刊出陆萍《报喜》、郑成义《老突击队员》等诗。

24日 《人民日报》刊出该报通讯员的报道《冶金部五·七干校举行赛诗会》。报道说:"冶金部五·七干校部分学员,利用劳动和学习的间隙,开展革命诗歌创作活动,举行了赛诗会。在这些战斗的诗篇里,五·七战士们满怀着对党、对伟大领袖毛主席的热爱,热情歌颂光辉的《五·七指示》,抒发坚持五·七道路的战斗豪情。表示要在下放劳动中学好无产阶级专政的理论,深入批林批孔,认真造世界观。这种赛诗会,既是宣传《五·七指示》的文艺宣传会,又是五·七战士们的思想交流会,生动活泼,富有教育意义。"

25日 《人民日报》刊出向明的诗《世上无难事,只要敢登攀——献给登山队的歌》和北京第一机床厂王恩宇的文章《喜读诗集〈我为祖国造铁牛〉》。

25日 《黑龙江文艺》1975年第6期刊出谢文利《炉前风云》、曲有源《写在集体户的墙报上》等诗。

29日 《解放日报》刊出诗辑《是党给咱回天力》和吴辰旭的诗《党旗颂》。

29日 《文汇报》刊出季渺海《我们心中的楼——写在党的"一大"会址纪念馆》等诗。

6月 龚舒婷(舒婷)作诗《船》。此诗初刊《福建文艺》1980年第1期;收诗集《双桅船》,上海文艺出版社1982年2月出版。

6月 《安徽文艺》1975年6月号刊出姜义田《火红的朝霞》、苗振亚《进山第一夜》等诗和童本清的文章《阵阵春风扑面来——喜读新儿歌集《长大接好革命班》》。

6月 《广东文艺》1975年第6期刊出工人郑世流《五指山的歌》、工人桂汉标《老采购员》等诗。

6月 《吉林文艺》1975年5—6月号刊出工人钟起福《我捧起〈鞍钢宪法〉》、于宗信《大庆剪影》、陈玉坤《夜宿杏花村》等诗和陈日朋的文章《战斗的生活战斗的歌——喜读汽车工人的诗》。

6月 《江苏文艺》1975年第4期刊出《银线横空诵新诗——南京电线电缆厂赛诗会诗选》和江浦县红旗大队知识青年周吉士《红花抒怀》等诗。

6月 《辽宁文艺》1975年第6期刊出解放军某部管志初《战士的心，飞向越南南方》、李瑛《反霸战歌》等诗和《千里长堤战旗红——辽河、浑河、太子河大堤工地墙报诗选》。

6月 《四川文艺》1975年6月号刊出马德泰《煤海壮歌》、任正平《写在创业者的日记上》、刘力《老突击队员》等诗。

6月 《湘江文艺》1975年第3期刊出邓存健、左宗华等《为巩固无产阶级专政而战》诗3首和余次安、姚克莲等《工业农业跨骏马》诗7首。

6月 《新疆文艺》1975年第3期刊出工人滨之《万家灯火 万户书声》、解放军宋绍明《风雪战歌》、工人张红军《政治夜校》等诗。

6月 上海人民出版社出版的《朝霞文艺丛刊·序曲》刊出《努力反映文化大革命的斗争生活》征文选，刊有孙绍振、刘登翰的长诗《狂飙颂歌》和路鸿《列车飞向北京》、王亚法《奔腾的火车头》诗2首。

6月 厦门大学中文系七二级工农兵学员编的诗集《繁花满枝》由福建人民出版社出版。

6月 雷抒雁的诗集《沙海军歌》由北京人民出版社出版。作品分为《冲锋号角》、《沙海练兵》等4辑，收《我们这个班》、《激战前夜》、《火热的歌》、《云岭锤声》等诗53首。

雷抒雁，1942年8月14日生于陕西泾阳。1967年毕业于西北大学中文系，之后去宁夏接受再教育。1970年参军，1972年调到解放军文艺社。1982年转业到地方，在工人出版社、鲁迅文学院工作。

出版的诗集还有《小草在歌唱》(1980)、《云雀》(1982)、《父母之河》(1984)、《掌上的心》(1990)、《踏尘而过》(1996)等。

6月 李幼容的诗集《天山野营曲》由新疆人民出版社出版。收《毛主席批示到天山》、《连长达吾提》、《野营来到帕哈太克里》、《雪原练兵》等诗19首,有作者《后记》。《后记》说:"伟大领袖毛主席关于'野营训练'的光辉批示,是毛主席革命路线的重要组成部分,是对林彪推行的资产阶级建军路线的有力批判,是我军建设的指路明灯。""新疆部队某部八连,就是光荣地直接得到毛主席这一伟大批示的其中一个单位。我怀着学习与受教育的决心来到了这里,和这个有着光荣战史的英雄部队生活了一段时间,而后又到其它部队进行了野营拉练。天山巴音沟的营建、伊犁河谷的宿营……那些多彩的战斗生活,常常引起我幸福的追忆。在那野营的征途上,和各族战士、社员一齐学唱《国际歌》、《三大纪律八项注意》歌;一齐愤怒批判卖国贼林彪的反革命罪行……这些激动人心的场景,至今仍旧跃然眼前。英雄的风貌、战斗的豪情,一直激动着我的心,使我的思潮久久难以平息!收在这里的小诗,便是那段生活中的一些不成熟的习作,试图以革命样板戏的创作为榜样,从不同侧面反映新疆部队坚决贯彻执行毛主席光辉批示的战斗形象。"

李幼容,1935年生,山东郯城人。1955年入济南银行学校读书,后转入长春工业计划经济学校学习,毕业后分配到冶金部第八冶金建设公司一公司工作。1961年至1977年在新疆军区生产建设兵团文工团任创作员,以后调任中国人民解放军国防科委文工团创作员。出版的诗集还有《春华初集》(与人合著,1958)、《天山进行曲》(1975)。

6月 刘国良的诗集《海上渔歌》由黑龙江人民出版社出版。作品分为《东风汛》、《渔工曲》等4辑,收《海上渔歌》、《书记上船来》、《贫渔会》、《螺号篇》等诗40首。

刘国良,1938年生,山东昌乐人。1964年郑州大学中文系毕业,在天津人民出版社、百花文艺出版社工作。出版的诗集还有《柳笛》(1978)、《海河诗笺》(1979)等。

6月 刘秀山的诗集《金色的早晨》由内蒙古人民出版社出版。收《歌声飞向天安门》、《脚手架》、《咱为革命来炼焦》等诗51首。该书《内容提要》说:"这本短诗集,是一位文化大革命中涌现的青年工人作者创作的。诗篇以火热的革命激情,从不同侧面歌颂了钢铁新一代在毛泽东思想哺育下锻炼成长;表达了他们誓作无产阶级革命接班人的坚定信念;讴歌了他们丰富多彩的斗争生活。有一定艺术感染力。"

6月 泉声的诗集《十月的公社》由吉林人民出版社出版。作品分为《心中的太阳就是您》、《春光灿烂》等4辑,收《如火的红旗》、《听文件》、《蹲点的老书记》、《铁牛的故事》等诗32首。

泉声,原名吕树昆,1939年1月21日生于吉林德惠。1960年吉林省四平师专中文科毕业后在四平地区戏剧创作室工作,1978年调至吉林省戏剧创作评论室。1957年开始发表新诗。

6月 任彦芳的长诗《钻塔上的青春》由人民文学出版社出版。全诗共17章,有《序诗》1首。当时的评论说:"最近出版的长篇叙事诗《钻塔上的青春》(任彦芳著,人民文学出版社出版)就是在及时反映生活中的重大题材,发挥诗歌战斗作用方面做得较好的一部作品。""《钻塔上的青春》是反映石油战线上一支女子钻井队成长过程和斗争生活的作品。打开诗卷,迎面扑来的是石油会战工地炽热的气浪,是'石油工人一声吼,地球也要抖三抖'的豪壮的音律。那是本世纪七十年代的第一个春天,坚冰初化的北国平原,满载着钻机、钻杆的汽车在烟尘中滚动,无数飞转的钻头呼啸着冲向地心岩层。我们从这个场景听到了祖国坚实的前进的脚步声。长诗通过对女子钻井队这一新生事物诞生和成长的描写,向我们展示了一幅崭新的生活图画。"(谢冕《叙事诗创作的新收获——评〈钻塔上的青春〉》,1975年11月1日《光明日报》)

6月 上海人民出版社编的叙事诗集《焊花朵朵》由该出版社出版。收袁金康《雏鹰展翅》、路鸿《银光闪闪的大轴》、钱国梁《蓝天上的焊花》、袁军《远航的海燕》等诗11首。该书《内容提要》说:"这本诗集编选了造船工业题材的小叙事诗十一篇。""这些作品,以党的基本路线为纲,运用革命现实主义和革命浪漫主义相结合的创作方法,塑造了造船工业战线上无产阶级的英雄形象和革命接班人的形象。在诗歌向革命样板戏学习方面,作了可喜的探索与努力。""作者大部分是造船工人。这些诗,就像他们身边的焊花一样,辉映着祖国战斗的春天!"

6月 红星中朝友好人民公社编的诗集《红星新歌》由人民文学出版社出版。收姚凤鸣《赞歌唱给毛主席》、姜连明《把孔孟之道全埋葬》、长青《赞农民女画家》、高纲铭《犁刀写下诗万篇》等诗七十余首,有《人民日报》短评《一个好经验》代序。短评说:"红星中朝友好人民公社采取多种形式,组织和动员群众,开展批林批孔运动,用社会主义占领农村的思想文化阵地,这件事办得好。他们的经验可供参考。"

6月 贵州人民出版社编的诗集《火红的战旗》由该出版社出版。收郑德明《千里祝福毛主席》、漆春生《漫天红云迎新春》、社员吴仲华《社员登上批判台》、解放军战士谢德明《战士都是批判家》等诗99首。

6月 天津人民出版社编辑的诗集《前进颂歌》由该出版社出版。收宝坻县小靳庄大队老贫农魏文中《歌颂伟大领袖毛主席》、天津站老工人张万山《工人阶级顶天立地》、大港油田女工张华《油田铁姑娘》、李钧《城市民兵》等诗50首,有编者《后记》。《后记》说:"在中华人民共和国国庆二十五周年前夕,我们同天津市工农兵业余作者一起编选了这本诗集。""这个集子所收入的都是天津市工农兵业余作者为纪念国庆二十五周年所创作的作品,他们以满腔革命豪情,歌颂伟大领袖毛主席,歌颂党;歌颂全国人民在毛主席的'团结胜利'路线指引下的大团结;歌颂社会主义祖国在党中央和毛主席的领导下,二十五年来所取得的伟大胜利,歌颂无产阶级文化大革命的伟大胜利和当前所进行的批林批孔运动。"

6月 人民教育出版社编的诗集《天地新春我们开》由该出版社出版。作品分为《毛泽东思想指航程》、《继续革命斗志高》等4辑,收山西省昔阳县大寨大队郭凤莲《毛主席是红太阳》、天津市宝坻县小靳庄大队王民《老贫农怒斥贼林彪》、浙江省吴兴县李苏卿《新书记的床》等诗71首,有编者《编后记》。《编后记》说:"在国内外一派大好形势下,在全国人民认真学习毛主席关于理论问题的重要指示的热潮中,我们怀着非常喜悦的心情,把这本工农兵诗歌选集推荐给各地中小学师生。""让我们共同从中学习工农兵的好思想、好作风,学习为群众喜闻乐见的、生动活泼的语言艺术。希望这个集子的出版,对各地中小学开展儿歌写作活动能起到促进作用。"

6月 乌审召公社编辑组编的《乌审召牧民诗选》由内蒙古人民出版社出版,川之、王进璞译。收齐·哈斯劳《毛主席恩情大无边》、查干呼《戈壁滩上的团结花》、嘎拉桑敖日布《沙海的主人》、哈斯戈壁《红色女民兵》等诗三十余首。该书《内容提要》说:"本书选编乌审召公社牧民创作的诗歌35首。这些诗歌,热情歌颂了伟大领袖毛主席、伟大的中国共产党,讴歌了文化大革命中涌现的新生事物,反映了乌审召人民在毛主席革命路线指引下,改造沙漠取得的光辉胜利。这些革命的诗篇,是对林彪诬蔑少数民族劳动人民的一个有力的回击。"

6月 《友谊的彩虹》编辑小组编的《友谊的彩虹——坦赞铁路工地诗歌选》由人民文学出版社出版。收杨世海《誓言》、宋世新《"红旗"铲运歌》、张志民《友谊暖在心窝里》、刘英林《一根银线连北京》等诗53首,有编者《前言》。《前言》说:"数年以来,我国援建坦赞铁路的职工,满怀无产阶级国际主义的豪情,在劳动之余,挥笔写下大量的诗歌,歌颂了毛主席革命外交路线的伟大胜利,歌颂了中、坦、赞人民团结战斗的革命友谊,歌颂了坦、赞人民勤劳勇敢的优秀品质,反映了铁路工地轰轰烈烈的斗争生活。这本诗歌选集,就是在这个基础上编选出来的。""这些诗歌的作者,大多数是工人。他们在援外的工作岗位上,开展业余诗歌创作活动,再次痛击了刘少奇、林彪所贩卖的'上智下愚'一类反动邪说,为无产阶级占领文艺阵地贡献了力量。"当时的评介说:"如果说,被坦桑尼亚和赞比亚两国人民称誉为'友谊路'的坦赞铁路是中、坦、赞人民友谊的结晶,那么,坦赞铁路工地的诗歌选集《友谊的彩虹》(人民文学出版社出版),就是为这一伟大友谊而唱的一曲动人的赞歌。""这本集子的几十首作品,有抒情,有叙事;有的有民谣风,有的有儿歌味;有的运用'信天游'的式样,有的采取'楼梯式'的排列。但是,在多样的形式中又有着统一的风格,这就是明朗、清新、朴素、自然。没有矫揉造作的雕琢,看不到晦涩古奥的词藻。读起来都还能琅琅上口,音韵和谐。这也许是工农兵业余作者诗风的本色吧。"(洪毅达《国际主义精神的赞歌——读坦赞铁路工地诗歌选集〈友谊的彩虹〉》,1976年7月10日《诗刊》1976年7月号)

1975年7月

1日　《解放军文艺》1975年7月号刊出陈良运《连心桥》、王石祥《光辉的遵义城》、师日新《幸福泉》、郑成义《大干图》、时永福《"登山"歌》、张廓《读〈国家与革命〉》、叶延滨《"实战演习"》等诗。

6日　《光明日报》刊出北京红星公社文学评论组的文章《公社泥土香——读束鹿县诗集〈公社新曲〉》。

6日　《解放日报》刊出上海炼油厂吴永进的诗《写在"争气塔"上》。

7日　《吉林日报》刊出汤景山、王中忱的文章《为工农兵赛诗会叫好》。文章说:"我们为工农兵赛诗会叫好,因为它是工农兵登上文艺舞台,占领思想文化阵地,巩固无产阶级专政的有力措施。""我们为工农兵赛诗会叫好,因为工农兵赛诗会上的诗,横扫了几千年来旧诗坛上的种种陈腔滥调,冲破了旧诗词条条框框的种种束缚,一扫那些地主资产阶级骚人墨客的无病呻吟、矫揉造作和那些什么'风花雪月'、'小桥流水'的软绵绵情调。""我们为工农兵赛诗会叫好,因为工农兵赛诗会上的诗,是身经百战的战士所写出来的。"

10日　《北京文艺》1975年第4期刊出王恩宇《祝捷歌》、李小雨《向你们欢呼胜利——寄柬埔寨战友》、顾城《入伍》、李学鳌《灯火颂》等诗。

10日　《天津文艺》1975年第4期刊出《大干战歌遍车间——天津第一棉纺织厂车间赛诗会诗选》和冯景元《这里是前线》、南开大学解放军学员吕光生《我们的队伍向太阳》等诗。

13 日 《光明日报》刊出《大庆工人诗选》。

13 日 《文汇报》刊出彦之的文章《诗歌要战斗》。

14 日 毛泽东书面谈话:"党的文艺政策应该调整一下,一年、两年、三年,逐步逐步扩大文艺节目。缺少诗歌,缺少小说,缺少散文,缺少文艺评论。""对于作家,要惩前毖后、治病救人,如果不是暗藏的有严重反革命行为的反革命分子,就要帮助。""鲁迅那时被攻击,有胡适、创造社、太阳社、新月社、国民党。鲁迅在的话,不会赞成把周扬这些人长期关起来。脱离群众。""已经有了《红楼梦》、《水浒》,发行了。不能急,一、两年之内逐步活跃起来,三年、四年、五年也好嘛。""我们怕什么?一九五七年右派猖狂进攻,我们把他们骂我们的话登在报上,最后还是被我们打退了。""文艺问题是思想问题,但是不能急,人民不看到材料,就无法评论。"

15 日 《广西文艺》1975 年第 4 期刊出《铁人钢马齐奔腾》诗 15 首、《擎起高炉绘彩虹——河池地区雅脉钢铁厂诗歌选》和莎红《马驮医院》、宜山县插队知识青年聂震宁《警钟长鸣江山红》等诗。

15 日 《河北文艺》1975 年第 7 期刊出《安平县南王庄大队民歌选》和逢阳的诗《伟大的进军》。

17 日 《新疆日报》刊出乌鲁木齐县人民广播站通讯员学习班的报道《火热的斗争 战斗的诗篇——先锋大队群众性业余诗歌创作活动介绍》。

20 日 《贵州日报》刊出中共绥阳县委通讯组崔笛扬、唐兴义的报道《繁荣业余文艺创作 占领农村文化阵地——记绥阳县群众性的业余诗歌创作》和中共铜仁地委宣传部驻茶寨公社宣传组、该报记者的报道《诗歌朗朗情满怀——记江口县茶寨公社黎家寨生产队的一次赛诗会》。崔笛扬、唐兴义的报道说:"无产阶级文化大革命以来,特别是在批林批孔运动中,中共绥阳县委认真学习小靳庄的经验,切实加强党的领导,狠抓意识形态领域里的阶级斗争,大力开展群众性的诗歌创作活动。几年来,广大群众共写出一万多首革命诗歌,其中有二百六十多首被报刊选用。贵州人民出版社还出版了这个县的诗歌专集——《喷泉集》。这些革命诗歌,主题鲜明,富有浓厚的生活气息,发挥了革命文艺'团结人民、教育人民、打击敌人、消灭敌人'的战斗作用。"

20日 《福建文艺》1975年第4期刊出柯原《古田行》、朱金晨《城市民兵赞》、朱谷忠《画廊与戏台》等诗。

20日 《朝霞》1975年第7期刊出柯原《红井》、赵丽宏《胜利的渡口》、路鸿《雨中誓师会》等诗。

25日 毛泽东在电影《创业》编剧张天民的来信上批示:"此片无大错,建议通过发行。不要求全责备,而且罪名有十条之多,太过分了,不利调整党的文艺政策。"毛泽东批示下达后,《创业》得以重新放映。

25日 《内蒙古日报》刊出二冶机电公司工人业余创作组的文章《战斗的诗篇——读包头工人诗选〈钢城飞花〉》。

25日 《黑龙江文艺》1975年第7期刊出丛者征《奋斗之歌——读〈共产党宣言〉》、谢文利《炉旁支委会》、龙彼德《记录牌》、鲍雨冰《战旗》等诗。

26日 《青海日报》刊出报道《用革命诗歌占领思想文化阵地——记某部三机连十年来开展群众性写诗赛诗活动》。

27日 《解放日报》刊出大兴中学曹骥《一杆红旗顶天插——赞工宣队员》等诗。

27日 《文汇报》刊出龚咏燕的诗《熔炉——赞钢厂理论小组》。

31日 《人民日报》刊出北京永定机械厂张宝申《钢钎颂》等诗和报道《热情洋溢的赛诗会》。

7月 张建中(林莽)作诗《盲人》。此诗收诗集《我流过这片土地》,新华出版社1994年10月出版。

7月 《安徽文艺》1975年7月号刊出龙彼德《韶山抒情》、李发模《遵义红旗》、纪宇《一份思想汇报》等诗。

7月 《广东文艺》1975年第7期刊出《红花开遍马安山——煤矿工人的歌声》和工人罗铭恩《"特别矿工"》、谭日超《矿山诗草》、解放军瞿琮《普通党员》等诗。

7月　《河南文艺》1975年第4期刊出郑州市工农兵诗歌创作学习班的组诗《花园口新歌》和施平的文章《新的队伍·新的思想·新的步伐》。文章说:"今年四月,在市委宣传部的直接领导下,郑州市组织了一批以工农兵作者为主的三结合创作小分队,奔赴花园口公社,与贫下中农同吃,同住,同劳动,同学习,同批判。在深入生活的过程中,他们遵照毛主席'学习马克思主义和学习社会'的伟大教导,狠抓创作方向和创作思想,结合农村现实的阶级斗争,认真学习无产阶级专政的理论,努力改造世界观,批判文艺领域里形形色色的资产阶级法权和'创作私有'观念,树立为巩固无产阶级专政而创作的思想;在创作过程中,他们强调在正确路线指导下,经过反复的艺术实践,不断提高工农兵作者认识生活、正确反映生活的能力,而不只着眼于一首诗、一本书的成败。因此,他们能够充分发挥集体的智慧和力量,努力从为无产阶级专政服务的高度来进行提炼、加工和制作。""这样'三结合'的创作小分队,深入火热的斗争生活,用无产阶级专政的理论改造思想,改造文艺队伍,改造自己作品的面貌,努力学习革命样板戏的创作经验,方向是正确的,创作思想是对头的,方法也是好的。这是一支新的革命文艺队伍,从一个新的思想高度、迈出的新的步伐。我们不仅要为他们的作品叫好,更要为他们的成长,为他们的战斗大声叫好。"

7月　《湖北文艺》1975年第4期刊出武钢工人王维洲《颂歌——献给伟大的党》、武钢工人董宏量《宣誓》、工人陈龄《战鼓三通》等诗。

7月　《吉林文艺》1975年7月号刊出沈仁康《井冈山歌》、钱璞《延安精神放光芒》、戚积广《汽笛声声》、程刚《山村灯火》等诗和吉林师大中文系七三级教育革命小分队的文章《运用诗歌武器为巩固无产阶级专政服务——记辽源矿务局西安矿群众性赛诗活动》。

7月　《江苏文艺》1975年第5期刊出《诗情涌如大江潮——海门县中兴大队赛诗会诗选》并编者按和南京化工研究所工人吴野《战斗堡垒》、阎志民《青春的列车飞驰向前——献给党的一支火红战歌》等诗。编者按:"在本刊第一期,我们曾推荐过常熟县斜桥大队的农民诗一束,引起读者强烈反响。这里,我们怀着同样兴奋的心情,向广大读者推荐我省农业学大寨先进单位——海门县中兴大队赛诗会的部分诗作。在无产阶级专政理论指引下,中兴大队的干部、社员'让思想冲破牢笼',用匕首、投枪般的诗句,向资产阶级法权思想挑战!赛诗会期间,出席省诗歌座谈会的业余和专业诗歌作者,专门到中兴大队参观学习并参加了赛诗活动。他们在文艺为工农兵服务的金光大道上,又迈出了可喜的一步,值得提倡,值得推荐。"

7月　《江西文艺》1975年第4期刊出《炉火炼得诗句红——江西手扶拖拉机厂工人诗选》和解放军彭龄《水兵的扁担》、万斌生《铁的手腕——献给无产阶级专政的歌》等诗。

7月　《辽宁文艺》1975年第7期以《在党旗下团结前进》为总题刊出朝鲜族金苍大《党啊,您是灿烂的太阳》、社员霍满生《写诗先唱毛主席》、铁路工人田永元《新书记的"办公楼"》等诗。

7月　《内蒙古文艺》1975年第4期刊出《榆林新歌——呼市郊区榆林公社赛诗会诗选》和木林《草原新曲》、尹军《巴黎公社抒怀》等诗。

7月　《四川文艺》1975年7月号《号角声声——学习无产阶级专政理论诗传单》栏刊出余广《打掉资产阶级的土围子》、徐康《小靳庄的春风》、张新泉《火红的征途》等诗。

7月　《武汉文艺》1975年第4期刊出《钢铁工业要快上——第一冶金建设公司职工赛诗会诗选》和张良火《韶山红日照千秋》、铁道兵谢克强《筑路歌》、解放军张雅歌《炮阵地》等诗。

7月　朱述新、杜志民的诗集《火红的山丹》由人民文学出版社出版。

7月　九江地区文艺站编的诗集《庐山风云》由江西人民出版社出版。

7月　黄声笑(黄声孝)的诗集《挑山担海跟党走》由人民文学出版社出版。收《我亲眼见到毛主席》、《我是一个装卸工》、《码头就是战场》、《劈风斩浪送栋梁》等诗36首,后附《脚踩风浪抒豪情》文1篇。该书《内容说明》说:"这本诗集主要选收黄声笑同志文化大革命以来所写的诗歌共三十六首。其中还包括作者1958年到文化大革命以前所写的一些代表作。作者是码头工人。这些诗,抒发了对伟大领袖毛主席、对中国共产党和对社会主义制度的无比热爱;歌颂了史无前例的无产阶级文化大革命和伟大的批林批孔运动;描绘了长江两岸面貌和码头工人生活的今昔对比。这些诗,气势高亢,格调昂扬,语言精炼,洋溢着工人阶级的壮志豪情。"黄声笑《脚踩风浪抒豪情》说:"党的八届十中全会以后,特别是经过无产阶级文化大革命,我进一步明确了诗歌是阶级斗争、路线斗争的武器。我想把诗变为革命的烈火,将一小撮阶级敌人烧毁;把诗变为锋利的刀剑,把私有制和私有观念的根根须须斩掉;把诗变为千钧雷霆,击垮帝修反的魔鬼宫殿;把诗变为万里春风,迎来共产主义的阳光普照。哪里有激烈复杂的阶级斗争、路线斗争,就在哪里挥笔上阵。"当时的评论说:"一九七五年由人民文学出版社出版的诗集《挑山担海跟党走》选收了黄声笑同志一九五八年到一九七四年的三十六首诗,其中,有长达九百多行的,也有短到四行的。作者用饱含深情的笔触表达了对毛主席、对党、对社会主义的无比热爱,抒发了无产阶级英雄的豪情壮志,歌颂了文化大革命和批林批孔运动的伟大胜利。三十六首诗中,有二十七首是在文化大革命中创作的。正是这场伟大的史无前例的革命,提高了诗人阶级斗争路线斗争的觉悟,丰富了诗人的创作源泉,使他的歌喉更嘹亮了,笔锋更锐利了。'毛主席给我一枝笔,握在手中撑天地,日卷风浪写英雄,夜磨笔尖斩狐狸。'可以说,这正是黄声笑同志诗作的一个总概括。"(刘家林、张金海《峡江战歌逐浪高——喜读黄声笑同志的诗集〈挑山担海跟党走〉》,1976年3月6日《武汉大学学报》1976年第2期)

  7月 纪鹏的诗集《塞上诗笺》由内蒙古人民出版社出版。作品分为《北疆前哨》、《草原朝霞》等3辑,收《边防巡逻》、《雪原飞骑》、《锡林浩特抒情》、《给包钢的炼焦工》等诗59首。

  7月 李健葆的诗集《碧海红哨》由山东人民出版社出版。收《哨所抒情》、《岛上"天安门"》、《我站在浪峰山上》、《夫妻炮手》等诗43首。

李健葆,1935年7月21日生于江苏江阴。1952年参军,1964年到济南军区政治部前卫报社任编辑,1975年任济南军区政治部文化部副处长。1981年到山东省委宣传部工作。1987年调到山东艺术学院,后曾任院长。出版的诗集还有《奔腾的马蹄》(1983)。

7月 李瑛的诗集《北疆红似火》由人民文学出版社出版。作品分为《钢铁边防》、《日照草原》等4辑,收《边境线上》、《亮晶晶光闪闪的小河水》、《林中黎明》、《小摇车》等诗47首。该书《内容说明》说:"这是作者的一本新作。""作者满怀革命激情,集中地歌颂了伟大祖国东北边境地区各族人民和解放军战士,在毛主席革命路线指引下,在无产阶级文化大革命和批林批孔运动中,精神面貌所发生的深刻变化;热情地赞美了他们的新思想、新感情,以及那里所涌现的社会主义新事物、新风貌;诗中倾注了对毛主席、对党、对社会主义祖国的深沉的爱和对苏修社会帝国主义的无比仇恨。""这些诗有强烈的时代色彩和深挚的感情,诗情浓郁,语言生动、形象。"当时的评介说:"我们伟大社会主义祖国的北部边疆,与苏修叛徒集团统治下的土地仅一水之隔,却如同隔着一天、一地。这面是明灿灿的阳光,在马克思主义、列宁主义、毛泽东思想的大旗下,反帝、反修、反霸的边防如铁似钢,各族人民在无产阶级专政下继续革命的战歌嘹亮,草原上、林海中,社会主义新生事物茁壮成长……。他们那面是暗沉沉的乌云。苏修叛徒集团推行修正主义路线,改变了十月革命红旗的颜色,在那里,社会主义和列宁学说被'踏烂在战马的蹄窝'。军马厩、铁丝网代替了村镇的'炊烟、鸡啼、灯火',枪眼和炮口代替了'亲切的笑和欢乐的歌'……。鲜明的对比,强烈的爱憎,用饱蘸无产阶级革命激情的诗笔,触及时事,触及国际国内阶级斗争和路线斗争的大事,抒发革命人民反修防修的战斗情怀,是《北疆红似火》(李瑛著,人民文学出版社出版)这本短诗集的一个特色。"(解放军某部史钟《〈北疆红似火〉》,1976年1月22日《人民日报》)

7月 李幼容的诗集《天山进行曲》由人民文学出版社出版。收《"亚夏",毛主席》、《团结花盛开》、《新书记蹲点》、《天山进行曲》等诗48首,有《天山一曲献给党》诗1首代后记。当时的评论说:"最近,我们读到了人民文学出版社出版的李幼容同志的诗集——《天山进行曲》,感到这是一支为雄伟壮丽的天山,为英雄的边疆儿女奏出的新曲,是无产阶级文化大革命的及时雨在新疆诗坛上浇灌出的一簇新花。""这本诗集,好就好在一个'新'字上。作者以饱满的革命热情,歌颂了波澜壮阔的无产阶级文化大革命和批林批孔运动,赞美了如雨后春笋般涌现的社会主义新生事物,揭示了经过文化大革命战斗洗礼的工农兵崇高的思想境界和革命风貌。读起来,确实使人感到有那么一股劲,那么一股革命热情。"(乌鲁木齐市东风锅炉厂工人评论组《喜看天山奏新曲——读诗集〈天山进行曲〉》,1976年3月《新疆文艺》1976年第2期)

7月 王绥青、李洪程的长诗《斗天图》由人民文学出版社出版。长诗共22章,有《序诗·大渠行》。当时的评论说:"气势磅礴、波澜壮阔的农业学大寨运动为文学艺术提供了丰富的创作源泉,开拓了一个新的广阔天地。长篇叙事诗《斗天图》就是在学大寨的沃土上盛开的一朵光彩照人的鲜花。""《斗天图》通过对太行山区一个小山村望水沟的贫下中农修建愚公渠的描写,概括了我国农业学大寨的历程。作品紧扣着'水'这一中心,写望水沟贫下中农解放前缺水的苦难和斗争,农业社时期无法彻底改变山区缺水面貌的焦虑和希望,人民公社化以后为修建愚公渠所作的艰苦卓绝的斗争,以及他们的坚定信念和斗争欢乐。从而,给我们展示了贫下中农战天斗地、重新安排河山的壮举,记录了无产阶级不断战胜资产阶级反抗、社会主义不断粉碎资本主义复辟的进军步伐。""《斗天图》在艺术上、在诗歌形式的运用上,也有它的独到之处。""在长诗中,表现人物的精神面貌、内心世界,始终是作者全力贯注的中心。诗中把叙事与抒情结合起来,因而形成了塑造人物方面自身的特点。""长诗《斗天图》在艺术上的另一个特色是对诗歌民族化的探索。长诗摒弃了一切洋八股、洋调子,在民歌和古典诗词的基础上形成了自己的新诗风,很有中国气派和中国作风。""长诗三言、四言、五言、七言、九言等错综复杂的组合,形成了一种富有音乐性的韵律和宛转流畅的节奏。""在语言上,长诗作者是下了一番工夫的,因而它集中、凝炼、警辟,往往在极其简短的语句中包容着极为丰富的生活内容。……当然,长诗的某些词句,似过雅了一点,是否可通俗一点呢?"(安国梁《壮志敢教山河移——读长诗〈斗天图〉》,1976年1月《河南文艺》1976年第1期)

王绶青,原名王玉玺,1936年6月12日生于河南汲县。1957年考入内蒙古大学中文系,1962年毕业留校任教。1970年调回家乡,历任县创作组长、县政协副主席、新乡地区文联主席等职。1986年任河南省文联专业作家,1991年任《莽原》杂志主编。1955年开始发表新诗,出版的诗集还有《天涯采英》(1985)、《天野海郊集》(1993)、《天风海韵》(1999)、《天高地广集》(2003)等。

李洪程,1938年生,河南卫辉人。

7月 诗集《春满车间》由人民文学出版社出版。收北京第三棉纺织厂陈满平《赛诗会上》、首钢王德祥《红心飞向中南海》、北京第一机床厂王恩宇《出征曲》、北京美术红灯厂寇宗鄂《特艺工人的歌》等诗24首。该书《内容说明》说:"在毛主席关于理论问题重要指示的指引下,在党的十届二中全会和四届人大提出的战斗任务鼓舞下,首都工人阶级意气风发、斗志昂扬,认真学习马克思列宁主义关于无产阶级专政的理论,抓革命促生产的劲头越来越大。为了抒发战斗豪情,他们创作了大量诗歌,并多次召开赛诗会。北京市劳动人民文化宫编选的这本小册子,选了赛诗会上的二十三首诗作。诗中充满着革命的豪情。"

7月 《洪流集》编创组编的《洪流集——工农兵诗选》由人民文学出版社出版。收解放军某部李武兵《"人大"代表上北京》、解放军某部韩作荣《熊熊的篝火》、绥阳县李发模《演出》、新疆生产建设部队杨牧《大老郭——一团火》等诗59首,有《洪流集》编创组《前言》。《前言》说:"这本诗集就是由中国人民解放军五七六五部队业余文艺创作骨干和人民文学出版社的编辑人员组成的三结合编创组,从全国各地工农兵寄给出版社的稿件中选编的。我们中间大部分同志从来没有做过编辑工作,没有选稿、加工等方面的经验;在毛主席革命文艺路线指引下,我们边学边干,把编创组设在三大革命斗争第一线,得到广大工农兵作者的热情鼓励和帮助,使我们能够在三个月时间内阅读和处理了几百部稿件,从几千首诗中选出这些作品,完成了本书的编选工作。这本诗集全部是从来稿中选编的,从主题的确定,到看、选、编、改、创,每一步都经过集体研究决定,力争做到精益求精。通过编选的实践,我们深刻体会到三结合搞编创工作,是全心全意依靠工农兵搞好出版战线革命、培养工农兵业余文艺队伍、促进编辑人员思想革命化的重要途径,有利于繁荣社会主义文艺创作,落实毛主席的革命文艺路线,用马克思主义占领文艺领域,对资产阶级实行全面专政。"

7月 霞浦县文化馆编的《红日照霞山——霞浦县诗歌创作选》由福建人民出版社出版。当时的评论说:"这是一本颇有生气的诗集,是霞浦县文化馆从他们油印的双周刊《群众创作》中选出来的较好的作品。""选入这个诗集中的作品,其共同特色是能以强烈的政治热情,把握住现实斗争的重大主题。不论是在较长的政治抒情诗或者比较短小的新民歌中,这个特点都表现得比较显著。"(孙绍振《群众诗歌创作的可喜收获——读〈红日照霞山〉》,1976年3月20日《福建文艺》1976年第2期)

7月 《进攻的炮声》三结合编辑组编的诗集《进攻的炮声》由四川人民出版社出版。当时的评论说:"在深入批判邓小平反击右倾翻案风的斗争高潮中,读罢诗集《进攻的炮声》,文化大革命的峥嵘岁月,又重新浮现眼前。四川人民出版社编辑这本诗集,做了一件很有意义的工作。诗集诞生在去年夏季,正是邓小平掀起否定文化大革命的逆流,气焰十分嚣张,显得不可一世之时。《进攻的炮声》也正是顶逆流、战恶风的成果。它生动地告诉我们,歌颂无产阶级文化大革命,保卫文化大革命的胜利成果,不能不经过严峻的斗争。为了保卫毛主席的无产阶级革命路线,需要进攻的炮声!"(李昆、王波《喜读诗集〈进攻的炮声〉》,1976年5月20日《四川大学学报》1976年第2期)

7月 《正是春光——安徽诗歌选》由安徽人民出版社出版。收严成志《祖国大地风光无限好》、下乡知识青年江锡铨《我们的队伍向太阳》、陶保玺《钢浇铁铸的号召》、杨德祥《绿色的行装》等诗108首。

1975年8月

1日 《解放军文艺》1975年8月号刊出沈巧耕、梁秉祥、杨星火、凌行正的长诗《洛桑单增颂》和尹在勤《新时代　新诗风——学习〈小靳庄诗歌选〉札记》、雷火《喜看战友赛诗来——读〈解放军文艺〉今年第六期的八组战士诗》等文。尹在勤说："小靳庄贫下中农的诗歌，短小，精悍；但是，它们所写的都是重大题材，重大主题。在写什么，怎样写，即诗歌要不要及时反映重大的政治斗争，要不要为巩固无产阶级专政服务这样一个重大的原则问题上，给了我们极其宝贵的启示。它们表明：短诗也能反映重大题材，重大主题，也能表现阶级斗争、路线斗争，也能起到对资产阶级全面专政的号角和战鼓的作用。"

3日 《吉林日报》刊出韩久有、任玢声的文章《赛诗与战斗》。文章说："赛诗会是战场，句句诗就是'炸弹和旗帜'。你听：'批林怒火冲天烧，看你林贼往哪逃，学了马列识真假，你有画皮我有刀。'这如投枪、短剑的战歌，是革命战士奋笔批判林贼的战斗檄文。工农兵把诗歌当成阶级斗争的武器，抓革命促生产的号角。他们战斗在三大革命第一线，火热的斗争生活孕育了战斗的诗篇，反过来，战斗的诗歌又激励广大群众为社会主义革命和建设而努力奋战。请看：'云擦汗，花添彩，梯田顶上摆诗台，诗歌一首高一首，驮着梯田上天来。'这首诗，生动地说明了赛诗会的战斗作用。赛诗会之所以感染人、教育人、鼓舞人，就是因为它能迅速地配合党的中心任务，紧跟形势，反映当前的斗争生活。工农兵写诗、赛诗不为名，不为利，他们是为了战斗。他们诗中的高昂气势，迸发的豪情，闪烁着文化大革命和批林批孔的思想光彩，寄托着无产阶级大干社会主义的雄心壮志。赛诗会反映出来的新鲜的思想，新鲜的生活，正是我们激烈跳动的时代脉搏。而这些诗歌刚健、清新、朴实、明快等艺术特点，则一扫资产阶级低吟浅唱、矫揉造作的陈腐诗风，开一代社会主义新诗风，必然给新诗创作以丰富的滋养。"

3日 《解放日报》刊出解放军某部杨德祥《战士的心》、解放军某部于水《夜行军》等诗。

4日　《光明日报》刊出廖代谦《政委当兵到咱班》等诗。

5日　《云南文艺》1975年第4期刊出7585部队、0281部队供稿的《战士诗选》,以《纪念红军过云南四十周年》为总题刊出康平《磨刀石》、高洪波《标语牌前》等诗。

14日　毛泽东在谈论如何评价《水浒传》时说:"《水浒》这部书,好就好在投降。做反面教材,使人民都知道投降派。《水浒》只反贪官,不反皇帝。"同日姚文元就此给毛泽东写信,建议将毛泽东的评论印发政治局在京成员和有关宣传出版部门。经毛泽东批准,中共中央转发了毛泽东的谈话。8月28日《红旗》杂志发表短评《重视对〈水浒〉的评论》;9月4日《人民日报》发表社论《开展对〈水浒〉的评论》。从此,全国开展"评《水浒》运动"。

15日　《河北文艺》1975年第8期以《钢铁长城》为总题刊出解放军某部李钧《连长和他的读书笔记》、驻军某部战士郁葱《山间哨所》、驻军某部刘小放《攀登》等诗。

18日　《人民日报》刊出空军某部周鹤《脚底下的雷声》等诗。

20日　《朝霞》1975年第8期刊出管强生《火红年代出英雄——献给孔宪凤同志》、陈祖言《冲锋歌》、钱国梁《对江播》等诗。

24日　《人民日报》刊出天津市冶金局冯景元的诗《炼钢人》。

24日　《文汇报》刊出陆萍《飞巡的脚步——赞纺织厂的老书记》等诗。

29日　诗人海涛(叶淘)逝世。

海涛,原名颜海涛,笔名海滔、叶淘,1924年生,山东临沂人。1943年考入云南大学。1945年在云南江川中学任教。1947年任北平《新生报》记者,后在北京辅江中学任教。1948年到河北遵化,任《冀东日报》编辑、记者。1949年后到唐山《劳动日报》工作。1957年错划为右派,后曾任唐山文联辅导部部长、《唐山文艺》编辑。1972年到唐山陶瓷公司第一瓷厂工作。出版的诗集有《蚕豆花》(1946)、《自从鞭炮放了后》(1946)、《向民主,进军》(1946)、《饥饿》(1947)、《零下四十度》(1948)、《考验》(1948)。

31 日 《解放日报》以《延安精神传万代》为总题刊出解放军某部杨德祥《边疆呵,战士报到来了!》、解放军某部田永昌《大队长的"习惯"》等诗。

8 月 龚舒婷(舒婷)作诗《啊,母亲》。此诗初刊 1978 年 12 月 23 日《今天》第 1 期;收诗集《双桅船》,上海文艺出版社 1982 年 2 月出版。

8 月 《安徽文艺》1975 年 8 月号刊出工人韩立森《将革命进行到底》、吴晓平《工人阶级登诗台》、解放军某部嵇亦工《第一次站岗》等诗和合钢公司邓飞、王洁的文章《夺钢战斗的号角——读〈钢铁画廊〉等钢铁战线的诗歌》。

8 月 《广东文艺》1975 年第 8 期刊出解放军柯原《红色前哨连》、解放军任海鹰《千里海防布银线》、解放军姚成友《背》等诗。

8 月 《吉林文艺》1975 年 8 月号刊出泉声《东风在迈着大步》、解放军某部韩志晨《老团长》、纪鹏《北疆前哨》、解放军某部叶晓山《第一声汽笛》等诗。

8 月 《江苏文艺》1975 年第 6 期刊出南京矿山机械厂郭浩《战斗的青春》、解放军某部宫玺《碑石辞》、解放军某部马绪英《湖畔赛诗》、沙白《炼钢工》等诗。

8 月 《辽宁文艺》1975 年第 8 期刊出岸冈等《写在令闻粮站的诗》和王荆岩《风火炉前》、解放军空军某部李克白《战士本色》等诗。

8 月 《四川文艺》1975 年 8 月号《号角声声——学习无产阶级专政理论诗传单》栏刊出工人白杨树《我们高唱〈国际歌〉》、解放军宫玺《称呼问题》、陈官煊《打背包》等诗。

8 月 《湘江文艺》1975 年第 4 期刊出高正润等《为巩固无产阶级专政而战》诗 3 首和伍振戈的文章《为巩固无产阶级专政高唱战歌》。文章说:《湘江文艺》今年第二、三、四期,在《为巩固无产阶级专政而战》的总题下分别刊载了三组不同形式的政治抒情诗。读着这些诗,一股强烈的战斗气息扑面而来。我们面前,奔腾着"紧握钢枪、挥舞银锄,为巩固无产阶级专政而战斗"的亿万工农兵革命队伍的"滚滚洪流";我们眼中,闪烁着"遍布峻岭高山"、"洒满城镇河川"的

"夜校灯光","灯下,多少人在看书学习,'对资产阶级专政'响在耳边";我们闻到了"无产阶级专政枪鸣火闪"、"要把旧世界彻底埋葬"的强烈"火药"味;我们听到了"中国大地响彻惊天的战鼓:'万岁,无产阶级专政!'"……这些诗是奋战在三大革命斗争第一线的工农兵业余作者用无产阶级专政理论指导创作的实践成果,他们在如何使诗歌发挥战斗性,为巩固无产阶级专政大喊大叫方面,作出了可喜的努力。

8月 《新疆文艺》1975年第4期刊出东虹、杨牧《中南海的钟声》等诗和《新疆文艺》调查组的《歌满田野诗满墙——鄯善县东风公社二大队三小队开展诗歌创作活动情况调查》。调查说:"'歌满田野诗满墙,贫下中农心欢畅,文化阵地要占领,新人新事处处扬。'这是鄯善县东风公社二大队三小队贫下中农对自己蓬勃向上的精神面貌的真实写照。""这个队在毛主席关于理论问题重要指示的指引下,认真学习小靳庄经验,开展了多种多样的群众性文化活动,特别是诗歌创作活动搞得有声有色,生动活泼。仅三个多月来,就举办各种赛诗会十四次,出诗歌专栏二十五期,写出诗歌三百多首,还自编了油印诗选。诗歌,成为他们'团结人民、教育人民、打击敌人、消灭敌人'的战斗武器,成为他们在文化领域对资产阶级实行全面专政的有力工具。"

8月 路铁的长诗《一代风华》由天津人民出版社出版。长诗共12章,有《序曲》和《尾声》。该书《内容提要》说:"这是一部叙事长诗。作者以'知识青年到农村去,接受贫下中农的再教育,很有必要'为题材,以无产阶级文化大革命为背景,以阶级斗争为主线,着力塑造了知识青年在农村这个广阔天地里茁壮成长的光辉形象,热情歌颂了无产阶级文化大革命和社会主义的新生事物。""作品的故事情节比较曲折生动,语言充满了激情。"

8月 梅绍静的叙事长诗《兰珍子》由陕西人民出版社出版。长诗共7章,有《引歌》和《尾声》。该书《出版说明》说:"这是一篇叙事诗。作品描写的是:下乡知识青年杨兰珍,在农村党组织的教育和培养下,当了'赤脚医生',她坚持毛主席的无产阶级革命路线,全心全意为贫下中农服务,并在与资产阶级思想的斗争和阶级敌人破坏活动的斗争中锻炼成长。"当时的评论说:"陕西人民出版社最近出版的叙事诗《兰珍子》(梅绍静作),虽然只是一位北京到延安插队的女知识青年的习作,但透过那扎实细致的描写和娓娓亲切的叙述,可以清楚地看到在无产阶级文化大革命中成长起来的社会主义新生事物具有多么旺盛的生命力。透过那沾着延河浪花的清秀可爱的诗篇,也可以看到,在毛主席的革命文艺路线的指引下,在革命样板戏的带动下,我国社会主义文苑里,新人、新作不断涌现的繁荣景象。这对那些否定无产阶级文化大革命和文艺革命的伟大功绩,妄图复辟资本主义的右倾翻案风的鼓吹者,是一个迎头痛击。""由于作品描写的女主人公和作者自己有共同的生活经历、共同的生活感受,所以,这篇叙事诗不仅写得清新活泼,而且亲切流畅。作品中许多热烈欢快的诗句,凝聚着北京知识青年对延安山水的热爱,对英雄的延安人民的无限崇敬,抒发了他们的豪情壮志。《兰珍子》在表现形式上采用的是陕北民歌体,在语言的运用和锤炼上,也注意了向民歌学习和从陕北人民革命生活中汲取养料,散发着较浓厚的生活气息。"(韩望愈《一代新人的赞歌——评叙事诗〈兰珍子〉》,1976年3月20日《人民日报》)

  梅绍静,女,1948年9月7日生于重庆。1969年由北京去延安插队,1971年在延安地区无线电厂当工人。1978年入陕西师范大学中文系读书,1982年到延安地区文创室工作。1984年起先后在鲁迅文学院、北京大学中文系学习。1989年到河北秦皇岛输油公司工作。1990年任《诗刊》编辑。出版的诗集还有《唢呐声声》(1983)、《她就是那个梅》(1986)、《女娲的天空》(1990)。

  8月 赛福鼎的诗集《风暴之歌》由新疆人民出版社出版。收《在领袖像前》、《祖国颂》、《阔步前进》等诗10首,有《作者的话》。《作者的话》说:"您手中的这本集子所收的作品,写于伟大的无产阶级文化大革命开始之后。因此,我把它总称为《风暴之歌》。我的这些作品是否完美地歌颂了'风暴',倒不尽然。这是由我的写作水平所决定的。""我不是作家,而是个文学爱好者;我也不是艺术家,而是个艺术的酷爱者。这些话我曾在一九五二年的一次文艺工作者会议上讲过。我现在仍然要重复这些话。"

赛福鼎,维吾尔族,1915年生于新疆阿图什。1935年到苏联学习,1937年回国。1944年参加新疆"三区革命",后任新疆联合政府教育厅厅长。1949年后,曾任新疆维吾尔自治区人民政府主席、新疆文联主席等职。出版的诗集还有《赛福鼎诗选》(1999)。

8月 张永枚的诗集《前进集》由北京人民出版社出版。收《弹药艇上的民兵》、《西沙姑娘》、《井冈泥土》、《前进！革命的火车头》等诗31首。

8月 《春雷集——北京工农兵诗选》由北京人民出版社出版。收房山坨里公社顾梦红《祖国处处响春雷》、首都钢铁公司王德祥《无产阶级专政的卫兵》、大兴红星公社长青《样板戏来到咱乡下》、北京卫戍区某部张学林《练兵场上杀声高》等诗48首。

8月 广西壮族自治区革命委员会文艺创作办公室编的《高歌向太阳——广西各族新民歌选》由人民文学出版社出版。收瑶族盘美英《瑶家心向毛主席》、廖玉桦《文化大革命就是好》、壮族莎红《小向导》、林玉《水库像张大唱片》等民歌200首,有编者《红棉朵朵向阳开》代序。代序说:"这本新民歌,是领导、工农兵、专业人员三结合的产物。当从各地征得部分初稿后,即由工农兵歌手和专业人员组成十多个工作小组,深入到各地、市四十多个县的部分公社、大队、厂矿、学校和部队,一边召开各种类型的座谈会,一边又访问了数以百计的民歌手。收集了上千条的意见,补充了几千首民歌稿。在这个基础上,又举办了各族民歌手学习班,学习了毛主席的《在延安文艺座谈会上的讲话》,探讨新民歌如何'推陈出新',如何学习运用革命样板戏的创作原则和创作经验,对民歌稿进行集体评选。前后历时九个多月,经过五上五下,才完成了编选工作。"当时的评论说:"无产阶级文化大革命以来,在毛主席革命路线的光辉照耀下,祖国诗歌的大海呵,更是春潮澎湃,万泉喷发。新近由人民文学出版社出版的广西各族新民歌选《高歌向太阳》,就是浩瀚歌海里涌起的一束新浪花。""这些歌,时代精神较强烈,生活气息较浓厚,地方特色和民族特点也较鲜明,是我区各族人民献给党和毛主席的一曲大合唱,是在毛主席革命路线指引下,广西各族人民为巩固无产阶级专政团结战斗的一组彩色画。"(尚土《歌海里的新浪花——读广西各族新民歌选〈高歌向太阳〉》,1975年11月15日《广西文艺》1975年第6期)

8月 祁念东等著的诗集《火红的战旗》由陕西人民出版社出版。当时的评论说:"陕西人民出版社出版的我省几位年青业余诗作者的抒情诗集《火红的战旗》,是当年的红卫兵对无产阶级文化大革命唱出的发自内心的赞歌。它以饱满的革命激情,艺术地再现了文化大革命的光辉历史,热情地讴歌了文化大革命的伟大胜利。打开这本诗集,感到一股强烈的战斗气息扑面而来。那一行行热烈激昂的诗句,把我们又带回到文化大革命如火如荼的斗争岁月。"(昝澍、张惠、智奇《"出膛的炮弹"——读诗集〈火红的战旗〉》,1976年8月22日《陕西日报》)

8月 诗集《克拉玛依战歌》由新疆人民出版社出版。收瓦力斯江《我见到了伟大领袖毛主席》、赵天山《油城风光无限好》、秦孟君《采油姑娘的话》、安定一《油田的春天》等诗85首。该书《内容提要》说:"这本诗集,收编了克拉玛依石油工人业余创作的诗歌八十余首。""这些诗歌,反映了石油工人热爱伟大领袖毛主席、热爱党、热爱社会主义革命和建设的深厚阶级感情,抒发了'石油工人硬骨头,誓叫石油滚滚流'的豪迈气概,反映了石油工人在毛主席革命路线指引下,抓革命,促生产,学大庆,坚持自力更生,艰苦奋斗,建设祖国边疆,巩固无产阶级文化大革命成果的战斗生活和精神面貌。""这些诗歌,朴实,奔放,充满战斗的激情,有浓厚的油田生活气息。"

8月 《祖国的早晨——北京工农兵诗选》由北京人民出版社出版。收北京美术红灯厂寇宗鄂《天安门上的红灯》、赵日升《革命样板戏到山村》、杨匡满《向阳堤》、空军某部周鹤《站在机场唱祖国》等诗75首,有李学鳌《让诗歌成为群众手里的尖锐武器——序言》。《序言》说:"我们读到的这本《祖国的早晨》,就是继《北京的歌》之后,北京人民出版社编辑出版的又一本首都工农兵诗歌选。""出这样的诗集,好处的确很多。它不仅可以及时地反映现实革命斗争生活,歌颂工、农、兵、学、商各条战线上的社会主义新生事物,适应现实革命斗争的需要,同时,也是培养工农兵诗歌创作队伍的一种好方法。""近几年来,我们的诗歌创作非常兴旺。诗歌作者当中,文化大革命和批林批孔以来涌现出的新人占很大比重。在毛主席革命文艺路线指引下,他们一拿起笔来,就把诗歌当做巩固无产阶级专政的武器,冲杀在批判刘少奇、林彪和孔老二的激烈的战场上,他们朝气蓬勃地战斗在三大革命实践的第一线,为革命写诗,为战斗写诗,在他们的作品中,充满着火一样的战斗豪情和崇高的无产阶级革命理想。特别是小靳庄的诗歌和西四北小学的儿歌,更为我们的诗歌增添了新的光彩。学习小靳庄大队和西四北小学的经验,运用诗歌这一比较轻便的武器,在意识形态领域里作战,歌颂新生事物,批判资产阶级,用马列主义、毛泽东思想占领城乡的思想文化阵地,已经蔚然成风。"

1975 年 9 月

1 日　《解放军文艺》1975 年 9 月号刊出《"抗震救灾爱民模范连"诗选》和刘秋群、刘福林、宋协龙的诗辑《抗震救灾为人民——写在"抗震救灾爱民模范连"》及李存葆《合围》、崔合美《我为胜利铺大道》、向明《荔枝花开》、任耀庭《南瓜饭》等诗。

6 日　穆旦致郭保卫信:"奥登说他要写他那一代人的历史经验,就是前人所未遇到过的独特经验。我由此引申一下,就是,诗应该写出'发现底惊异'。你对生活有特别的发现,这发现使你大吃一惊(因为不同于一般流行的看法,或出乎自己过去的意料之外),于是你把这种惊异之处写出来,其中或痛苦或喜悦,但写出之后,你心中如释重负,摆脱了生活给你的重压之感,这样,你就写成了一首有血有肉的诗,而不是一首不关痛痒的人云亦云的诗。所以,在搜求诗的内容时,必须追究自己的生活,看其中有什么特别尖锐的感觉,一吐为快的。然后还得给它以适当的形象,不能抽象说出来。当然,这适当的形象往往随着内容成形,但往往诗人也得加把想像力,给它穿上好衣裳。所以,最重要的还是内容。注意:别找那种十年以后看来就会过时的内容。这在现在印出来的诗中很明显,一瞬即逝的内容很多；可是奥登写的中国抗战时期的某些诗（如一个士兵的死），也是有时间性的，但由于除了表面一层意思外，还有深一层的内容，这深一层的内容至今还能感动我们，所以逃过了题材的时间局限性。"（《蛇的诱惑》，珠海出版社1997年4月出版）

穆旦，原名查良铮。祖籍浙江海宁，1918年4月5日生于天津。1929年入南开学校读书。1935年考入清华大学外文系。抗战爆发后，随学校去昆明，并入西南联合大学。1940年毕业，留校任教。1942年曾在缅甸抗日战场任翻译，此后多次变动工作。先后出版诗集《探险队》（1945）、《穆旦诗集》（1947）、《旗》（1948）。1948年去美国留学，在芝加哥大学读英国文学。1953年回国，任南开大学外文系副教授。教学之余，将全部精力用于外国诗歌的翻译，先后出版普希金、拜伦等诗人的作品多种。1958年错定为"历史反革命"，下放到图书馆工作。"文化大革命"中仍坚持诗歌翻译和写作。1977年2月26日在天津病逝。1979年错案平反。1986年出版《穆旦诗选》。1996年《穆旦诗全集》出版。

8日　《文汇报》刊出上钢三厂、文汇报合编的赛诗会专辑《学习理论促大干　诗情如海钢成山》。

9日　穆旦致郭保卫信："你在郁闷中搞自己的文字，这确是不错。如果先给我看，我是很高兴给你提供一些意见的。不过你要首先知道，我搞的那种诗，不是现在能通用的。我用一种非实际的标准来议论优缺点，对你未必是有益的。可是我又不会换口径说话。我喜欢的就是那么一种，你从闻一多集中也可看到，我和老江老杜几个人的诗（此外还有一两个其他人如王佐良等）和其他的一种诗不同。我们这么写成一型，好似另一派，也许有人认为是'象牙之塔'，可是我不认为如此，因为我是特别主张要写出有时代意义的内容。问题是，首先要把自我扩充到时代那么大，然后再写自我，这样写出的作品就成了时代的作品。这作品和恩格斯所批评的'时代的传声筒'不同，因为它是具体的，有血有肉的了。"（《蛇的诱惑》，珠海出版社1997年4月出版）

10日　《北京文艺》1975年第5期刊出王恩宇《战鼓篇》、时永福

《争夺战》等诗。

10日 《天津文艺》1975年第5期刊出南开大学工农兵学员范新安《必须有铁的手腕》、马晋乾《特殊钢》、王洪涛《油花怒放》、火华《公社女主任》等诗。

15日—10月19日 国务院在山西省昔阳县召开全国农业学大寨会议,讨论建设大寨县等问题。

15日 《广西文艺》1975年第5期刊出《大战石海歌——都安瑶族自治县战石海工地诗歌选》和黄家玲《扫街歌》、杨鹤楼《百炼成钢》、灵山县知识青年黄琼柳《民兵的眼睛》等诗。

15日 《河北文艺》1975年第9期刊出社员刘章《战友啊,我们的头脑要时刻清醒》、陈广斌《风雷颂》、时永福《枪声·警钟·号角》、浪波《红高粱歌》等诗。

16日 《解放日报》刊出诗辑《挥舞战笔评〈水浒〉》。

19日 毛泽东同意《诗刊》复刊。"一九七五年七月二十日谢革光给红旗杂志社的信中写到,由于各种文艺书刊相继复刊或创刊,因此《诗刊》的复刊已成为广大群众热切盼望的一件事。九月十九日,中共中央政治局常委张春桥将这封信转报毛泽东。毛泽东在张春桥的报告上批语:'同意。毛泽东 九月十九日'"(《建国以来毛泽东文稿》第13册,中央文献出版社1998年1月出版)。张光年1975年9月23日日记:"傍晚小周明来,谈起主席批准《诗刊》复刊。"(《向阳日记》,上海远东出版社2004年5月出版)

20日 《福建文艺》1975年第5期刊出俞兆平《新的长征》、上杭上山下乡女知识青年林祁《养猪姑娘》和刘登翰、孙绍振《伐木者之歌》等诗。

20日 《朝霞》1975年第9期刊出严忠喜《书记的铲锈刀》、吴永祚《"同志"》等诗。

21日 《文汇报》刊出《登台怒批投降派——青浦县农民评〈水浒〉赛诗会诗选》。

22日 《黑龙江日报》刊出甘雨泽的文章《新生事物之花红烂漫——评诗集〈春花烂漫〉》。

22日　《人民日报》刊出张永枚的诗《井冈风》。

25日　《解放日报》刊出诗辑《毛主席领咱评〈水浒〉》、《狠批宋江投降派》和宁宇《猛挥钢钎捅残渣》、徐刚《翠竹园中评〈水浒〉》等诗及江声、肖波的文章《诗贵在有激情》。文章说:"'满园春色关不住'。这是今天诗歌园地的一个喜人景象。无产阶级文化大革命以后,无数个'小靳庄'开创了一代诗风。多少首激情四溢的好诗诞生于沸腾的车间,丰收的田野,警惕的哨所,真是'不尽诗潮滚滚来'! 这些诗观点鲜明,形象生动,读了叫人精神振奋,斗志昂扬。我们从中感受到时代脉搏的起伏跳跃,战斗形势的风云变幻。捧起它,好像站到了斗争的最前列。但是,我们也发现有些诗不是这样。它政治上没有错,艺术上也有某些特点,然而,一读再读,总觉得不能打动心弦,不能唤起读者内心的激情,这也就在一定程度上削弱了它的战斗作用。究其原因,是多方面的,但其中一个重要原因,恐怕和作者对所写的题材,对宣传的对象缺乏深厚浓烈的无产阶级感情有关。因此,要提高作品,首先要锤炼感情。而感情的孕育和锤炼,决不是在书斋中反复吟咏所能做到的,必须投身到火热的斗争中去。俗话说,中流击水,方知浪花深浅。我们时代的崭新篇章,不正是从砧上、镰下、枪刺里赋就的吗?"

25日　《黑龙江文艺》1975年第8—9期刊出胡国斌、李凤清《攀登》和龙彼德、王贵章《挑战》等诗。

9月　郭小川作诗《团泊洼的秋天》,作者注:初稿的初稿,还需要做多次多次的修改,属于《参考消息》一类,万勿外传。此诗初刊《诗刊》1976年11月号,收《郭小川诗选》,人民文学出版社1977年12月出版。

9月　《安徽文艺》1975年9月号刊出《汽笛欢鸣——合肥市诗歌小辑》和黄东成《"妈妈不当'旁听生'"》等诗和杨匡汉的文章《誓做当代鲍狄埃》。

9月　《广东文艺》1975年第9期刊出《钢花飞溅——广钢工人的诗》和吕雷《让思想冲破牢笼》、王洪涛《篝火之歌》等诗。

9月　《河南文艺》1975年第5期以《满怀豪情迎国庆》为总题刊

出张志玉《红心向北京》等诗,以《战斗的鼓点》为总题刊出杨东明《哨兵》、关劲潮《石花》等诗。

9月 《湖北文艺》1975年第5期刊出黄声笑(黄声孝)《千山万水贺国庆》、工人胡发云《祖国,在这燃烧的岁月里》、社员习久兰《高山寨上老贫农》等诗和诗辑《夺钢战歌——武钢工人诗选》及李华章《为巩固无产阶级专政放歌——喜读黄声笑诗集〈挑山担海跟党走〉》、许光懋《为钢铁大干快上擂鼓助威——读组诗〈战鼓三通〉》、丁永淮《〈公社人〉赞》等文。

9月 《吉林文艺》1975年9月号刊出洪帆、杨晓光等的组诗《擂响进军的战鼓》和杜保平《站在纪念碑前》、吉林师范大学韩志军《工农兵学员之歌》诗2首及驻军某部战士张万晨的文章《把诗坛变成硝烟弥漫的战场——读本期发表的传单诗和政治抒情诗所想到的》。文章说:"本期《吉林文艺》发表的一组传单诗和两首政治抒情诗很好,很值得广大工农兵读者一诵!这一组传单诗和两首政治抒情诗,出自工农兵业余诗作者之手,来自三大革命斗争的第一线,是紧跟时代的步伐,夹着浓郁的'火药酸硝',以崭新的风貌登上诗坛的。它好就好在,紧密配合当前的火热斗争,有着我们时代的强烈的战斗特色。这一组传单诗和两首政治抒情诗,冲破思想牢笼,一扫旧诗坛的颓气,直接表现阶级斗争和路线斗争,表现无产阶级对资产阶级的全面专政,表现我国上层建筑领域的社会主义革命,以火焰般的激情,唱出了无产阶级专政的响亮战歌;以昂扬的笔触,对资产阶级法权观念进行了有力的鞭挞。这些富有战斗性的作品,内容比较丰富,形式不拘一格,笔力相当洗炼,是投枪、匕首,是掷向阶级敌人的手榴弹。尽管它们在某些方面还不甚完善,但是,方向对头,充分发挥了革命诗歌特有的战斗作用。在无产阶级对资产阶级实行全面专政的激烈斗争中,我们迫切需要这样的诗歌!"该刊1976年2月号刊出武培真的文章《新的一代新的歌——读〈工农兵学员之歌〉有感》。文章说:"政治抒情诗《工农兵学员之歌》,为我们展示了我国教育战线的新气象,是一首毛主席革命教育路线的颂歌,是一支社会主义新生事物的赞歌。""这首诗具有强烈的战斗性。它是一支射向旧教育制度的投枪，是一声督促工农兵学员继续革命的冲锋号响。诗中，作者以锋利的语言对旧教育路线进行了猛烈的抨击，控诉旧大学——修正主义的'染缸'对工农子弟的毒害腐蚀，指出旧学校是资产阶级知识分子的乐园，是对无产阶级实行专政的工具。可贵的是，这首诗在满腔热情地为新一代唱赞歌的同时，又用铿锵有力的话语为工农兵学员敲起了阶级斗争的警钟。"

9月　《江苏文艺》1975年第7期刊出南通市工人田抒《永不休战——缅怀鲁迅，回答今天的战斗》、束景南《杏花村歌》、刘希涛《干校学犁》等诗。

9月　《江西文艺》1975年第5期刊出《毛主席指示评〈水浒〉时刻警惕投降派》、《永不休战》、《井冈山颂》等诗辑赵春华《雏鹰》等诗。

9月　《辽宁文艺》1975年第9期刊出大虎山机务段工人田永元《沸腾的钢铁运输线》、抚顺石油二厂工人高照斌《油海热浪》、工人荆鸿《茅屋赞》等诗。

9月　《内蒙古文艺》1975年第5期刊出张之涛《站在无名高地前》、工人王维章《战地新人》、郭超《三代兵》等诗。

9月　《四川文艺》1975年9月号刊出《气壮山河——大办农业诗辑》，刊有工人任正平《贴在人民公社墙上的口号》、解放军童嘉通《山村大干图》、女工徐慧《山村墙头诗》、梁上泉《彝族农民画家》等诗和吴红的文章《为大办农业写赞歌》。该刊1976年第1期刊出杨桦的文章《号角声声战鼓急——读〈大办农业诗辑〉》。文章说："读着《四川文艺》去年九、十两期的《大办农业诗辑》，迎面扑来一股战斗的热浪，面前仿佛展现了一幅幅生龙活虎的斗争图景；耳边仿佛震响着开山的炮声和嘹亮的号子声，把人们带进了农业学大寨的火热斗争中。""这些战斗的诗篇的产生，除了作者饱满的政治热情外，不少作者是生活战斗在大办农业第一线的战士，他们抒发着自己战斗的豪情，没有矫揉造作的词句，空洞浮泛的感叹，而是'写在炮棚'，'写在山乡第一线'，'贴在人民公社墙上的口号'的诗歌；是革命战士的心声，火热斗争的写照。它们带着火药味，泥土味，因而跳动着时代的脉搏。""诗辑也有一些不足之处,比如,有的诗生活内容还不够扎实,显得空泛一些,表面现象的描写多一些;有的节奏感不强,语言较生硬,读起来不大顺口。"

9月 《武汉文艺》1975年第5期刊出武钢工人李声高《钢铁战歌》、武钢工人董宏量《战平炉》、叶圣华《大别山上一竿旗》、社员习久兰《泥腿茧手写新诗》等诗。

9月 孙海浪的长诗《井冈小山鹰》由江西人民出版社出版。

9月 王耀东的诗集《战旗颂》由江西人民出版社出版。

9月 邢书第的诗集《行军集》由江西人民出版社出版。

9月 敦化林业局制材厂编的诗集《锯花飞浪》由延边人民出版社出版。

9月 上园公社《上园农民诗选》编辑组编的《上园农民诗选》由辽宁人民出版社出版。

9月 纪宇的诗集《金色的航线》由山东人民出版社出版。作品分为《韶山颂》、《船台赞》2辑,收《井冈山放歌》、《我在批林批孔会上发言》、《船厂大路》、《金色的航线》等诗31首。

纪宇,原名苏积玉,1948年5月9日生于山东荣成。1968年在青岛卷烟厂参加工作。1973年调入青岛市文化局,后在青岛市文联、青岛市艺术研究所工作。出版的诗集还有《船台涛声》(1979)、《风流歌》(1982)、《山海魂》(1987)、《追求六重奏》(1988)、《'97诗韵》(1997)等。

9月 沈巧耕、梁秉祥、杨星火、凌行正合著的长诗《洛桑单增颂》由解放军文艺社出版。该书《内容提要》说:"这部长诗是歌颂中共中央军委命名的'爱民模范'洛桑单增的英雄事迹的。""作品以饱满的革命热情,反映了洛桑单增在党的培养下,沐浴着马列主义、毛泽东思想的阳光,从一个农奴到有高度政治觉悟的无产阶级战士的成长过程;赞颂了他经过伟大的无产阶级文化大革命和批林批孔运动的锻炼,发扬我军光荣传统,不为名,不为利,不怕苦,不怕死,兢兢业业为党为人民工作的崇高品质,以及多次奋不顾身地抢救战友和人民生命财产,最后为抢救溺水儿童而英勇献身的壮举。"

9月 中央民族学院编的《少数民族诗歌选》由人民文学出版社出版。收有仁钦道尔吉《牧民见到了毛主席》、工农兵学员力提甫·托乎提《反修防修保边疆》、解放军战士廖玉兰《壮家女儿穿上绿军装》、工人南永前《海兰江畔颂歌飞》等诗二百余首，有《编者的话》。《编者的话》说："这本诗选，包括了全国五十四个少数民族的诗歌，这一事实，生动地显示了我国是一个统一的多民族的社会主义国家。值得指出的是，这里选录了台湾省籍高山族作者的诗歌，这些诗歌反映了高山族同胞盼望台湾迅速解放、早日回到祖国怀抱的强烈愿望。所选的诗歌，不少是工人、社员、解放军战士的创作，更多的是工农兵群众在三大革命斗争中集体创作的民歌，专业作者的诗歌也选录了一些。各族工农兵占领诗歌阵地，是无产阶级在文学艺术领域对资产阶级实行全面专政的强有力的表现。"当时的评论说："这本诗集，具有鲜明的时代特征，独特的民族色彩，浓郁的生活气息。这是我国各族人民贯彻执行毛主席革命文艺路线，繁荣文艺创作的新成果。""《少数民族诗歌选》以饱满的热情，感人的笔调，纵情歌颂了伟大的党、伟大的领袖毛主席和毛主席的无产阶级革命路线。……这些出自各族人民心坎的歌，写得热情洋溢，真切感人，唱出了各族人民热爱党和毛主席的共同心声。""这本诗集，反映了各族人民以阶级斗争为纲，坚持党的基本路线，贯彻落实毛主席关于学习理论反修防修、安定团结和把国民经济搞上去等一系列重要指示，自觉为巩固无产阶级专政而战斗的精神面貌和少数民族发生的巨大变化，热情歌颂了各兄弟民族地区蓬勃发展的社会主义新生事物。""这本诗集在艺术上也取得了新的收获，体现了毛主席对新诗发展的指示和鲁迅对新诗形式的要求。它们吸取各民族歌谣的丰富营养，闪烁着民间文学的瑰丽色彩，在艺术风格上，活泼清新，语言优美流畅。"（解放军某部洪信、刘明《喜读〈少数民族诗歌选〉》，1975年12月26日《人民日报》）

1975年10月

1日 《解放日报》刊出刘鹏春的诗《大江抒怀——献给我们伟

大的祖国》。

1日 《文汇报》刊出沪东造船厂袁金康《船厂十月》、尹抗美《钢厂画廊抒情——写在新钢种陈列橱窗前》等诗。

1日 《解放军文艺》1975年10月号刊出《本刊赛诗会》（一），刊有晓波《战士的笔》、纪学《团长的习惯》等诗。该刊1976年1月号刊出朱经通、张春溪的文章《〈本刊赛诗会〉读后》。文章说："这些诗歌，大都出自我军基层干部、战士之手，取材于部队火热的战斗生活，具有鲜明的时代特色，力量孕育其中，激情昂扬于外。它们是绽开在吹拂着文化大革命春风的部队诗坛的束束新花，是激励战士们英勇战斗的'号角'，冲锋的'鼓点'，是火红时代的颂歌，描绘出广大指战员的勃发英姿。"

4日 郭小川作诗《秋歌》。此诗初刊《湘江文艺》1977年第5期。

5日 《解放日报》刊出诗辑《丰收美景绣不尽》、《毛主席挥笔评〈水浒〉》、《铁拳怒砸投降派》和沪东造船厂居有松《血的教训记心上》、上海玻璃厂王森《排排浪拳化诗行》等诗。

5日 《文汇报》刊出徐刚《潮头颂》、上海警备区巫建林《向阳院里花向阳》等诗和石川的文章《琅琅上口——漫谈诗歌创作》。文章说："不要把讲究节调、押韵，仅仅看作是形式上的问题，进而认为是'雕虫小技'而嗤之以鼻。形式与内容相比，自然内容是主要的。但当形式妨碍了内容的表达，革新旧形式，寻找更好的表现形式，就成为十分必要的了。在艺术创作中，内容和形式常常是辩证地统一起来的。光有好的内容而没有尽可能完美的形式，往往是标语口号式的作品；光有好的形式而缺乏革命的政治内容，常常是无病呻吟、苍白无力的东西。两者都是没有艺术生命力的。"

5日 《云南文艺》1975年第5期刊出国营弥勒东风农场供稿的《农垦工人诗选》、云南印染厂供稿的《工人诗选》和汤世杰《这个星期天》、陈官煊《出发》等诗。

6日 中央专案组到团泊洼宣布（对郭小川的）审查结果：问题澄清。（见《郭小川年表》，《郭小川全集》第12卷，广西师范大学出版

社2000年1月出版）

9日 《人民日报》刊出石湾《阳光与葵花》、马鞍山钢铁公司杨旭辉《写在火红的钢锭上》等诗和江天的文章《顺口、有韵、易记、能唱——重读鲁迅有关诗歌的一封信》。文章说："无产阶级文化大革命以来，广大工农兵群众中又涌现了一大批新歌手，他们写了大量的诗歌，热情歌颂我们伟大的时代，为巩固无产阶级专政而战斗，发挥了很好的作用。但是，在修正主义文艺黑线统治时期，诗歌创作发展的步伐并不快。今天，从广大群众对诗歌创作的要求来看，目前内容深刻、能唱、能为人们记住和背诵的好诗还是不多。这种情况说明，如何在批判继承古典诗歌和民歌的基础上，推陈出新，创造能够充分表现革命内容，为中国老百姓喜闻乐见的民族形式，在实践中还有一些问题没有完全解决。""鲁迅要求诗歌顺口、有韵、易记、能唱，这对于我们遵循毛主席指出的方向，进一步发展诗歌创作的问题，很有教益和启发。诗歌是号角，是投枪，如果不顺口，没有韵，不能唱，记不住，那就会局限在一个较小的圈子里，不能为广大群众所掌握。鲁迅当时讲诗歌形式问题的出发点是为了革命，为了战斗。五四以后，一部分以反帝、反封建为内容的诗歌，在当时起了积极的作用，但由于它们在形式上受欧化的影响较多，不能为广大群众所掌握，只能局限在一部分小资产阶级知识分子的圈子里；而形形色色的封建复古势力，则拼命利用内容反动的旧诗为剥削阶级争夺阵地，斗争十分尖锐。鲁迅深深有感于此，因而说，诗歌没有节调，没有韵，唱不来，记不住，'就不能在人们的脑子里将旧诗挤出，占了它的地位。'我们今天提倡顺口、有韵、易记、能唱，也正是为了进一步发挥诗歌的战斗作用，让战斗的号角更嘹亮，更好地为巩固无产阶级专政服务。"

12日 《文汇报》刊出咏燕《必须很好选择形式》、丁火根《诗歌作者要向新民歌学习》、伟敏《诗中要蕴有歌味》等文和时家翎《寄自大寨的诗》等诗。

15日 《福建日报》刊出龙海县革委会沈主英的报道《社员抒豪情　擂鼓学大寨——记石美大队的一次赛诗会》。

15日 《河北文艺》1975年第10期刊出陶嘉善《书房赞》、周申明《国庆颂歌》、王石祥《今日长征路》、童汝劳《清道工的女儿》等诗。该刊1976年第3期刊出石家庄水泵厂工人评论组、河北师大中文系一九七四级工农兵学员的文章《短诗也能塑造人物形象——读〈清道工的女儿〉》。文章说:"我们读了《清道工的女儿》(载《河北文艺》一九七五年第十期)一诗,感到短小精悍,激人斗志。诗中红芳敢于拿起扫帚同旧的传统观念决裂的崭新形象,就像站在了我们的面前。""有人认为'短诗不能塑造形象',这话是不对的。读了《清道工的女儿》,之所以感到印象深刻,就是因为它表现了新人的形象。""总之,这样有形象的短诗,读起来顺口流畅,听起来清新悦耳,感染力强。我们愿意看这样的诗篇。如果说有不足的地方,那就是作者在格律、节调上需再努力,以便使人更容易记些。同时也希望《河北文艺》能够更多地发表一些这样的短诗。"

18日 《光明日报》刊出北京市海淀区文艺评论组的文章《充分发挥无产阶级诗歌的战斗作用——学习鲁迅关于诗歌的论述》。文章说:"无产阶级诗歌充分发挥它的战斗作用,当然首先要具有革命的政治内容,要言无产阶级之志,抒无产阶级之情。但这决非标语、口号所能替代的。正如鲁迅所指出,在诗歌小说中,'填进口号和标语去','实际上并非无产文学'。他说:'我们需要的,不是作品后面添上去的口号和矫作的尾巴,而是那全部作品中的真实的生活,生龙活虎的战斗,跳动着的脉搏,思想和热情,等等。'因此,诗歌的革命激情不是产生在'枯藤老树'下、'小桥流水'边,而是诞生在革命征途上、斗争激流中。只有投入到火热的斗争生活中,去实践,去观察,去体验,才能'不尽诗情滚滚来'。许多革命者原先并不是什么'诗人',但是在斗争烈火中,点燃了他们的诗情,面对敌人的铁牢、屠刀,他们吟出了像'砍头不要紧,只要主义真;杀了夏明翰,自有后来人'那样使敌人震恐而使人民感奋的不朽诗篇。"

19日 《人民日报》刊出石祥(王石祥)《万里长征万里歌》、喻晓《岷山雪》、李小雨《在长征精神鼓舞下——记两个铁道兵战士的话》等诗。

20日 《解放日报》刊出解放军某部宫玺《长征路》、上海警备区钱钢《出征——给一位参加过长征的首长》等诗。

20日 《文汇报》刊出《上海铁路工人赛诗会诗选》和严祥炫《鲁迅，和我们战斗在一起》等诗。

20日 《朝霞》1975年第10期刊出李幼容《壮志伊犁河》、周志俊《扁担剧团》、郑成义《金匾——木枷》、袁军《宋江祭晁盖》等诗。

22日 《文汇报》刊出仇学宝《为开一代诗风而奋斗》、宁宇《锲而不舍 努力实践》等文。仇学宝说："每当我心情激动地坐在台下，听着工农兵歌手高声朗诵他们自己创作的既有饱满的政治热情，又有顺口、易记、有韵、能唱特点的新民歌的时候，我仿佛又回到了一九五八年大跃进的火红年代，又想起了伟大领袖毛主席关于诗歌创作发展道路的一系列指示。那时，在毛主席指示的光辉照耀下，全国人民意气风发，创作了亿万首革命热情洋溢的新民歌，犹如强劲的东风吹遍了万里河山，犹如震天的春雷，惊动了全球。我们伟大的祖国，真的成了诗的国家，中华民族成了诗的民族，毛泽东时代成了诗的时代。""一九五八年新民歌的大量涌现，为开创一代诗风，创造了极好的条件。可是后来不久，刘少奇反革命的修正主义文艺路线，疯狂反对毛主席的革命文艺路线，拼命扼杀群众性新民歌的创作。他们咒骂赛诗会是'发昏会'，污蔑新民歌是'知了叫'；丧心病狂地把轰轰烈烈的群众性诗歌创作运动镇压了下去。更恶毒的是，他们以'提高质量'为名，宣扬封、资、修的创作技巧，引诱工农作者朝故纸堆里钻，向黄色下流的民间糟粕去'吸取养料'。他们又借着反对'机器声'和所谓'拔直喉咙喊'，鼓吹所谓赏心悦目的优美抒情诗，结果让那些毫无时代气息的描写风花雪月、田园风味的坏诗大批出笼。""正是由于修正主义文艺路线的干扰，阻碍了诗歌创作沿着毛主席指引的道路健康发展，使毛主席关于诗歌创作的一系列指示不能得到贯彻落实。直到无产阶级文化大革命，摧毁了修正义文艺路线的统治，才使无产阶级诗歌创作又生气勃勃地繁荣起来。特别是在文化大革命中，广大工农兵用诗歌作刀枪，向修正主义和资产阶级反动路线展开了猛烈的进攻，在批林批孔运动和学习无产阶级专政理论运动的过程中创作了大量战斗性很强的诗歌，发挥极大的战斗作用。因此，以党的基本路线为纲,密切为当前政治斗争服务,为新生事物大喊大叫,就成为文化大革命以来诗歌创作的最显著的特点。"

25日 《黑龙江文艺》1975年第10期刊出鲍雨冰《林海大干歌》、谢文利《捷报频传迎国庆》、陆伟然《满天朝霞是喜报》等诗。

26日 《解放日报》刊出叶凌良的文章《诗与歌——诗歌漫谈之一》。

10月 郭小川作诗《秋歌》。此诗初刊《诗刊》1976年11月号,收《郭小川诗选》,人民文学出版社1977年12月出版;诗刊编者注:此诗未注明写作日期,从诗中的描写来看,大约写于1975年10月初。

10月 《安徽文艺》1975年10月号刊出上山下乡知识青年江锡铨《青春颂》、解放军某部宫玺《长征路》、孙中明《征程万里——献给上山下乡知识青年》等诗。

10月 《甘肃文艺》1975年第4—5期刊出知识青年林染《向阳花开》、解放军某部石武《战士读书阳光下》、解放军某部廖代谦《"特种钢"》等诗。

10月 《广东文艺》1975年第10期刊出柯原《万里东风征帆疾》、吕世豪《喜庆"十·一"》、胡笳《油海浪花》、广州军区瞿琮《赤水河的歌》等诗。

10月 《吉林文艺》1975年10月号刊出范震威《钢铁的喜报》、工人王桂霞《学好理论开心扉》、吴辛《浩荡的东风》和李广义、贾志坚《帐篷啊,绿色的帐篷》等诗。

10月 《江苏文艺》1975年第8期刊出《钢城新曲——南京钢铁厂诗辑》和周长钟《爆破手》、忆明珠《红旗进行曲》、解放军某部程步涛《连队信笺》等诗。

10月 《江西文艺》刊出"纪念红军长征胜利四十周年"增刊,刊有张铁崖《红军大刀》、工人左一兵《火红的进军路》等诗。

10月 《辽宁文艺》1975年第10期刊出战士刘福林等《献给十月的歌》、赵东方等《上山下乡知识青年诗选》和工人高广成《船厂风云》、吴正格《砌灶台》等诗。

10月　《四川文艺》1975年10月号《气壮山河——大办农业诗辑》栏刊出《社员欢唱大干歌——广汉县连山公社社员诗歌选》和工人姜华令《写在山乡第一线》、王敦贤《窝棚歌》、蓝疆《大干歌谣》等诗。

10月　《湘江文艺》1975年第5期刊出方忠宇等《颂歌声声唱祖国》民歌11首和袁伯霖、邓存健等《沿着红军脚印走——纪念中国工农红军长征胜利四十周年》诗15首。

10月　《新疆文艺》1975年第5期刊出王发昌、王存玉《飞翔吧，新疆——献给新疆维吾尔自治区成立二十周年》和夏冠洲《万方乐奏有于阗》、奇台县五玛场公社老阿肯努克塔尔汗《为巩固无产阶级专政歌唱》等诗。

10月　常江的诗集《庐山放歌》由青海人民出版社出版。收《庐山颂》、《光荣的主席台——献给中国共产党第十次全国代表大会》、《社会主义新舞台——赞革命样板戏》、《庐山放歌》等诗19首。

常江，原名成其昌，满族，1943年1月25日生于吉林舒兰。1966年毕业于北京地质学院，1967年分配到青海地质局物探队工作。1984年调回北京，在地质大学任教。1963年开始发表新诗，出版的诗集还有《大山醒来吧》(1979)、《流浪歌》(1993)。

10月　杨德祥的诗集《长江滚滚过哨所》由江苏人民出版社出版。作品分为《战士》、《晨号》等4辑，收《绿色的行装》、《天安门城楼高又高》、《边疆呵，战士报到来了》、《长江滚滚过哨所》等诗五十余首，有《前言》。《前言》说："这本诗集共选诗五十五首，都是文化大革命以来的新作。作者怀着对党和毛主席的深厚无产阶级感情，努力描绘部队丰富多彩的战斗生活，从各种角度表现刻画指战员的革命精神和英雄气概；热情歌颂社会主义革命和建设的大好形势；激情赞美军民团结战斗的动人景象。""这是作者的第一本诗集。大部分作品抒情性强，想象力丰富，语言流畅、清新。全集有较强烈的时代气息和生活气息。是一本具有一定特色的诗集。"

杨德祥，1943年9月21日生于江苏丹徒。1962年中专毕业后参军，历任战士、班长、放映员、宣传队长、排长、师部文化干事。1971

年调至南京军区政治部人民前线报社工作,历任编辑(记者)、副处长、处长。1987年转业,先后在新华日报、江苏工人报、江苏省总工会电视制作中心工作。1966年开始发表新诗,出版的诗集还有《乡音与军号》(1984)、《寻觅》(1998)、《雷锋车传》(1999)、《第八种色彩》(2001)、《杨德祥朗诵诗选》(2002)等。

10月 《春满江河——工农兵诗集》由青海人民出版社出版。收常江《庐山放歌》、工人江河《历史讲坛的主人》、社员李生业《龙江风格是明灯》、李晓伟《战士理论家》等诗45首。

10月 黔南州文艺工作室编的《朝阳歌——黔南新民歌选集》由贵州人民出版社出版。收汛河《伟大要数毛泽东》、张显华《布依山上的赤脚医生》、郭俊《骗子阴谋不得逞》等民歌96首。

10月 上海人民出版社编辑的诗集《炉火正红》由该出版社出版。当时的评论说:"在无产阶级向资产阶级进攻的战场上,人们爱把政治抒情诗的作用,说成'像火焰,像鼓角,像红旗,永远召唤着无产阶级不屈的后裔'去战斗!这就要求政治抒情诗深刻地表现现实生活中阶级斗争和路线斗争的重大题材,对'生活中所发生的一切巨大事件作出反应'(《欧仁·鲍狄埃》,《列宁选集》第2卷第435页)。《炉火正红》(上海人民出版社出版)正是这样一本比较优秀的政治抒情诗集。""《炉火正红》的作者们十分重视反映文化大革命这一重大的政治题材。他们'披着时代风雨','迎着万里东风',以'文化大革命的主人翁'身份,无比自豪地'把这史诗般的革命歌颂'(《狂飙颂》)。然而,《炉火正红》中的大多数作品,并没有停留在对文化大革命的一般的表面的歌颂,而是以阶级斗争为纲,纵观'横扫九天,席卷万里长空,把乱云如落叶卷入海中'的文化大革命的战斗历程,在努力揭示文化大革命斗争实质的同时,有力揭露了党内走资派反对文化大革命,复辟资本主义的反动罪行,深刻表现了社会主义时期无产阶级与走资派斗争的某些规律,使人们受到启发和教育。"(工人周家骏、朱烁渊《把炉火烧得更红——评政治抒情诗集〈炉火正红〉》,1976年7月31日《光明日报》)

1975年11月

1日 《光明日报》刊出谢冕的文章《叙事诗创作的新收获——评〈钻塔上的青春〉》。

1日 《解放军文艺》1975年11月号刊出《本刊赛诗会》（二），刊有王文福《"抢"团长》、邓海南《叮咛》、嵇亦工《报房》等诗。1975年12月7日《解放军报》刊出胡世宗的文章《让战斗的号角吹得更响——〈解放军文艺〉赛诗会读后》。文章说："革命的诗歌，如同武器中的刺刀和手榴弹一样，轻便，快当，历来受到革命人民的重视。在毛主席革命文艺路线的指引下，部队的诗歌创作活动，有着广泛的群众基础和良好的战斗传统。无产阶级文化大革命以来，部队在不断涌现可歌可泣的英雄业绩的同时，创作了大量的热情洋溢的诗篇。近读《解放军文艺》（一九七五年十月号、十一月号）'本刊赛诗会'（一）、（二）上发表的四十七首短诗，就很受鼓舞和启发。""'本刊赛诗会'上发表的这些诗作，来自各军兵种，大部分又是出于战士和基层干部之手，题材新鲜，内容丰富，有着浓厚的生活气息和鲜明的时代特色，从不同的侧面，生动地描画了人民解放军以阶级斗争为纲，坚决贯彻执行毛主席关于学习理论反修防修、安定团结和把国民经济搞上去等一系列重要指示中崭新的战斗风貌。""这些诗作毫无矫揉造作之感，是战士们喜闻乐见的。""'赛诗会'中的大多数作品，紧扣着伟大时代跳动的脉搏，闪射着革命熔炉耀眼的火光，以生动、美好的诗句，表达了战士宽广的胸怀和火热的感情。""相比之下，'赛诗会'上也还有一些不够成熟之作。如有的诗只是录写了生活的表象，对于所写题材本身所含有的本质的东西挖掘得不够深；有的诗构思也精巧，语句也优美，但思想表达得不够清晰、准确；有几首反映训练生活的诗，意境有些雷同，时代感不强；还有的诗，主题思想和句子都提炼得不够，因而显得有些粗糙。"

2日 《解放日报》刊出史良昌的文章《大众化与战斗性——诗歌漫谈之二》。

3日 清华大学党委召开常委扩大会议，传达毛泽东10月下旬对刘冰等人来信的一次讲话。11月下旬，根据毛泽东的指示，中共中央在北京召开"打招呼"会议,宣读了经毛泽东审阅批准的《打招呼的讲话要点》。《要点》说:中央认为,清华大学出现的问题是当前两个阶级、两条道路和两条路线的斗争的反映。这是一股右倾翻案风。从此,"反击右倾翻案风"运动在全国展开。

5日　《文汇报》刊出姜彬的文章《创造民族形式的新诗歌》。文章说:"无产阶级文化大革命摧毁了修正主义文艺路线的统治,在诗歌创作上涌现出了大批的工农兵作者,写了不少好的诗歌,特别是革命样板戏创作的宝贵经验,将对今后的诗歌创作发生重大的影响。但就目前整个的诗歌创作情况看,思想内容比较深刻,形式上做到能唱、能背、能被人记住的作品还不多,我们的诗歌作者,还不能满足于现已达到的成就,还要经过很大的努力,才能从内容和形式上创造出都能适应我们这个雄伟豪壮的时代的诗歌来。"

7日　《文汇报》刊出上海玻璃厂王森的文章《谈诗与歌》。

8日　《光明日报》刊出安徽省肥东县殷光兰的文章《谈谈新民歌创作的一些体会》。

9日　《解放日报》刊出张丛中《创业者的歌——写在山区一个知识青年创业队》等诗和梁祖的文章《诗歌语言的锤炼——诗歌漫谈之三》。

9日　《文汇报》刊出方强《革命自有接班人》、胡永槐《比手——写在一次县委会议上》等诗。

10日　《北京文艺》1975年第6期刊出《农业学大寨民歌》、《工农兵评〈水浒〉歌谣》和刘章《大寨人引路咱紧跟》、武兆强《高举长征的红旗》等诗。

10日　《天津文艺》1975年第6期刊出王石祥《今日长征路》、董耀章《学习大寨唱大寨》、李学鳌《育苗篇》等诗。

15日　《广西文艺》1975年第6期刊出《红水河畔新歌台》新民歌28首、何津《南海"红旗渠"》、苏长仙《货郎船》等诗和王一桃《学习鲁迅　发展新诗》、尚土《歌海里的新浪花——读广西各族新民歌选〈高歌向太阳〉》等文。

15日　《河北文艺》1975年第11期刊出余扬的文章《创作群众

喜闻乐见的新诗歌》，以《一定要根治海河》为总题刊出尧山壁《大闸放歌》、郭宝臣《钢锹颂》等诗。

16日 《解放日报》刊出《墙头诗选》和天山街道纸品加工组魏亦玛的文章《"选材要严，开掘要深"——诗歌漫谈之四》。

20日 《福建文艺》1975年第6期刊出《评论〈水浒〉，反修防修——潘洛铁矿工人赛诗会诗选》和林有霖《评宋江的"替天行道"》、陈文和《"高山红"》等诗及上杭县上山下乡知识青年刘瑞光的文章《写诗必须深入生活——组诗〈山乡纪事〉创作体会》。

20日 《朝霞》1975年第11期刊出诗歌专辑，刊有李瑛《向二〇〇〇进军》，孙绍振、刘登翰《第一线上》，宁宇《水乡大寨》，李小雨《长征新曲》等诗和中共新五公社党委、共青团上海市委团刊编辑组《今日水乡变"诗乡" 公社一派新气象——松江县新五公社民歌创作的调查》，成莫愁《努力战斗化、民族化、群众化——剪评〈朝霞〉几首民歌》等文。当时的评论说："无产阶级的诗歌，应该紧密为现实阶级斗争服务，成为时代的号角、战斗的鼓点。《朝霞》一九七五年第十一期诗歌专辑，在这方面作出了可贵的努力。我们读着这百十篇诗，强烈感受到时代脉搏在跳动，社会主义在前进。""《朝霞》诗歌专辑，展示了发生在我们身边的两个阶级、两条路线尖锐、激烈的斗争。""我们还高兴地看到，诗歌专辑中许多作品对新生事物作了热情的歌颂。""诗歌专辑在反映我国人民以阶级斗争为纲，把国民经济搞上去的伟大斗争方面，也是笔酣墨饱的。""《朝霞》诗歌专辑还较好地体现了党的'百花齐放'方针。在诗歌形式方面，既登载了大量、多样形式（包括'楼梯式'和散文诗）的新诗，体现了以新诗为主体的精神，也发表了一定数量的民歌、儿歌、歌词，以及几首旧体诗词。在作者队伍方面，既有老、中、青，又是来自五湖四海；既有专业的，又有业余的；既有长期从事诗歌创作的，也有新近拿起这一武器的。这对于调动专业和工农兵业余诗歌作者的积极性，促进新诗的发展，都将起着很好的作用。"（江溶《红霞万朵映朝阳——评〈朝霞〉诗歌专辑》，1975年12月13日《光明日报》）

22日 《人民日报》刊出殷之光的文章《进一步发挥无产阶级诗

歌的战斗作用——谈大力开展诗歌朗诵活动》。文章说:"在毛主席无产阶级革命文艺路线的指引下,在学习无产阶级专政理论的运动中,工农兵的群众性诗歌创作,呈现出一片繁荣兴旺的喜人景象。现在,在工厂、农村、部队、商店、学校、街道大院,到处都可以看到革命的战斗的诗篇。诗歌已成为广大劳动人民在三大革命运动中不可缺少的武器和工具。""革命在发展,时代在前进,怎样使革命的诗歌发挥更大的战斗作用以适应形势发展的需要呢?实践证明:通过朗诵是最好的办法之一。诗歌需要朗诵,就像剧本需要表演、歌曲需要演唱一样。诗歌朗诵得好,就会使诗的情节,人物的形象,感情的起伏,语言的节奏,更突出、更鲜明,给人以更深的教育,更大的鼓舞。"

23日 《光明日报》刊出田间的文章《吹起进军号》。文章说:"学大寨要学根本,写诗也要抓生活的本质,抓时代的脉搏。从这个意义上看,'斗'字是诗字的代名,诗字是'斗'字的化身。如果这看法不错,革命的新诗,必然出自一个革命者之手。打铁先得本身硬,要写革命诗,先做革命人。"

23日 《河北日报》刊出滦平县河沿公社三道湾大队通讯组的报道《让诗情化作大寨田——记滦平县河沿公社农田基本建设工地上一次赛诗会》。报道说:"一个深秋的下午,阳光灿烂,在河沿公社农田基本建设工地上,三百多名建设大寨田的大军正在战天斗地。看呀,老年人不服老,银锹挥舞;妇女们'半边天'各不示弱,比个高低;小伙子推起一座山,汗流浃背,争夺红旗。人们正在热火朝天的大干,由谁喊道:'来呀,休息了,赛诗会开始!'大家集在了一起,公社书记韩庆玉大步走上土讲台,高声朗诵,揭开了赛诗会的序幕。"

23日 《解放日报》刊出雷坚的文章《"大汗"与歌——诗歌漫谈之五》。

23日 《文汇报》刊出芦芒、谷亨利《一号炉之歌》等诗。

25日 《文汇报》刊出邢映的文章《让新诗活在群众嘴上》。文章说:"好的诗歌,总是印在群众心里,活在群众嘴上的,富有艺术感染力和战斗力。""让新诗活在群众的嘴上,就是为了让新诗能印入群众的心里。只有能印在心中的诗,才能活在嘴上;而诗歌能够活在嘴上,口口相传,又会更加深入人心,更加发挥它战鼓和号角的作用。同时,新诗只有它不但内容是革命的,而且形式也是力求完美的,容易记得住,才能达到鲁迅所期望的:'在人们的脑子里将旧诗挤出,占了它的地位。'所以,无产阶级要求新诗须有形式,顺口、有韵、易记、能唱,又正是为了让新诗占领诗台!"

25日 《黑龙江文艺》1975年第11期刊出肖冰《红日喷薄云雾开》、宋歌《庄户诗人》、武兆强《回答考卷》等诗。

28日 《北京日报》刊出报道《宣传农业学大寨 赛诗作画演节目——记前焦家务大队的群众文化活动》。

28日 《人民日报》以《学大寨战歌》为总题刊出山西昔阳县文化馆梁拉成《更上一层楼》、蒙古族查干《岱海渔歌》等诗。

30日 《人民日报》刊出白族晓雪《教育革命赞》、壮族莎红《马驮医院——写天津医疗队》等诗。

11月 龚舒婷(舒婷)作诗《赠》、《秋夜送友》、《春夜》。前二首初刊《福建文艺》1980年第1期;均收诗集《双桅船》,上海文艺出版社1982年2月出版。

11月 《安徽文艺》1975年11月号刊出沈仁康《巍巍井冈山》、解放军某部叶晓山《炉火正红》、姜金城《黎明,钻机隆隆地响》等诗。

11月 《广东文艺》1975年第11期刊出杨子忱《边疆的歌》、严玉《值班战鹰》、辛汝忠《风格刀》等诗。

11月 《河南文艺》1975年第6期以《沿着大寨的道路走》为总题刊出贺宝石《书记散会回县来》、李清联《我送铁牛上战场》等诗,以《广阔天地大有作为》为总题刊出郏县广阔天地大有作为人民公社周灵芝《在毛主席的光辉批示指引下》等诗。

11月 《湖北文艺》1975年第6期刊出解放军某部雷子明《韶山,我心中的山》、工人吴作望《钢铁工人评〈水浒〉》、李圣强《相逢》、田禾《一位老贫农的话》等诗和《评〈水浒〉批宋江——浠水县农民诗选》。

11月 《吉林文艺》1975年11月号刊出《守卫祖国满天霞——驻军某部战士短诗选》和韩跃旗《无产阶级专政万岁》、陈玉坤《大会战图》、工人冯景元《天车路》等诗及宋逊风的文章《手摇鞭杆唱颂歌——喜读〈车老板的歌〉》。

11月 《江苏文艺》1975年第9期刊出诗辑《毛主席号召评〈水浒〉》、《体坛盛开革命花》和扬州纱厂工人王慧琪《沸腾的纱厂》、崔汝先《山乡新曲》等诗。

11月 《江西文艺》1975年第6期刊出诗辑《评论〈水浒〉 反修防修》和江西大学中文系工农兵学员曾宜富、辛洪启、刘孟沐的文章《为文化大革命高唱颂歌——长诗〈春雷颂〉读后》。

11月 《辽宁文艺》1975年第11期刊出工人孟宪贵等《学会识破投降派——工农兵评〈水浒〉墙报诗选》和吕乃国《辽化建设者之歌》等诗及梁延学的文章《一把锄头一支笔 战天斗地铸新诗——读〈霍满生诗选〉》。

11月 《内蒙古文艺》1975年第6期刊出贾勋《火红的枫树》、查干《大青山之歌》、文苑《赞工人理论组》等诗。

11月 《四川文艺》1975年11月号刊出叶延滨《钢厂抒情》、朱金晨《工地呵,我回来了》、唐大同《当我们唱起国际歌的时候》、柯愈勋《"加油"》等诗。

11月 《武汉文艺》1975年第6期刊出朱健强《打赢政治思想战》、工人胡发云《不到长城非好汉》、金宏达《干校诗抄》、工人高伐林《工人的后代要出征》等诗和长航工人蔡璧申等的《喜读〈挑山担海跟党走〉——长航工人笔谈会》。

11月 牛广进的诗集《战士爱唱红军歌》由安徽人民出版社出版。收《毛主席掌舵我划船》、《靶场批判会》、《汽车,我的战马》、《军民同学样板戏》等诗52首。

牛广进,1942年生于安徽阜阳。参军曾任安徽省军区政治部副处长、代处长,转业后在安徽日报社工作。出版的诗集还有《这方水土》(1998)。

11月 时永福的诗集《塞上歌》由天津人民出版社出版。作品分为《春满塞北》、《高歌边防》2辑,收《草原儿女歌唱毛主席》、《驼背商店》、《写在哨所的颂歌》等诗43首。该书《内容提要》说:"《春满塞北》反映了塞北草原的新面貌,尤其是文化大革命后工业、农业、牧业的新发展,诗歌赞颂了塞北人民在毛主席、党中央的领导下,团结战斗所取得的伟大胜利和塞北新的风貌。"《高歌边防》是写塞北边防战士生活的诗。作者以饱满的革命激情抒发了边防战士的豪情壮志,反映了他们刻苦学习马列著作、毛主席著作,积极参加批林批孔运动,以及保卫边防、建设边防的战斗生活。""诗歌热情洋溢、笔调清新,富有塞北的草原特色和边防战士的生活气息。"

11月 张永枚的诗体小说《椰岛少年》由广东人民出版社出版。作品共12篇,有《引子》和《尾声》。

11月 海龙县文化馆编的《大柳河上彩霞飞——海龙民歌选》由吉林人民出版社出版。作品分为《祖国江山万年红》、《红公社一步一层天》等3辑,收县委宣传部副部长王守政《万紫千红百花开》、老贫农颜士良《"仁义"是把杀人刀》、女社员刘振芝《巧绣公社四季春》、大队党支部书记孙国栋《山河不变心不甘》等民歌57首,有中共海龙县委宣传部《前言》。《前言》说:"在学习无产阶级专政的理论和农业学大寨的高潮中,在批林批孔的战斗声浪里,海龙县人民积极开展学习小靳庄活动,工农兵登上赛诗台,高声朗读自己创作的诗篇。""这些民歌,写在机台旁,写在田间地头,写在大柳河的治河工地上。尽管艺术上有些还比较粗糙,但大都充满革命激情。我们在较短的时间内搜集上来三千多首,经县文化馆的同志作了一些选择,编成这个小册子。"

11月 周至县文化馆编的《富仁公社诗歌选》由陕西人民出版社出版。当时的文章说:"有'诗乡'之誉的陕西省周至县富仁公社最近出版了一本《富仁公社诗歌选》(陕西人民出版社出版),为我们展现出一幅经过无产阶级文化大革命战斗洗礼的社会主义新农村的生活画卷。"(西安工人郭海水、徐剑鸣、张绍宽《"笔下谱出战斗歌"——读〈富仁公社诗歌选〉》,1976年6月5日《光明日报》)

11月 江苏省贫下中农协会、江苏人民出版社编的《江苏农民诗歌选》由江苏人民出版社出版。作品分为《领航有咱毛主席》、《咱登金梯步步上》等4辑,收东海县李埝公社吴保林《全凭爱党心一片》、海门县国强公社姜国华《丰收全靠一个"斗"》、江都县宗村公社张玉彩《心头有杆大寨旗》等诗150首,有编者《写在前面的话》。《写在前面的话》说:"这本诗选,是在我省各级党组织和有关部门的关怀下,由省贫协征稿,组织来自各地的评审代表,与省出版社共同编选而成的。编成初稿后,又在全省农村十几个基层点上广泛征求贫下中农和农村工作同志的意见,在此基础上又进行了反复的修改、充实。""在选编过程中,我们以毛主席的文艺思想为指针,学习革命样板戏的创作经验,力求编选出政治和艺术结合得较好的作品;形式、表现手法上也试图多样灵活;在批判地吸收古诗词的长处,民歌体与新诗结合,精炼、大体整齐,押韵,能看可诵,'易记,易懂,易唱'等方面作了一些尝试。"当时的评论说:"由省贫协和省人民出版社选编的《江苏农民诗歌选》,以充实的思想内容和崭新的艺术风格,和读者见面了。这本装祯[帧]精美的诗集,比较广泛地搜集了我省贫下中农、社员、农村干部和知识青年的较为优秀的诗作,反映了经过无产阶级文化大革命和批林批孔运动战斗洗礼的广大贫下中农和社员群众斗志昂扬的风姿,对不肯改悔的走资派诬蔑文艺战线'今不如昔'的谬论是个有力的回击,对工农兵占领上层建筑和深入开展农业学大寨的伟大斗争,是很大的鼓舞。"(常熟县练塘公社文艺评论组、阎武《莺歌燕舞谱新篇——读〈江苏农民诗歌选〉》,1976年3月《江苏文艺》1976年第3期)

11月 伊通县文化局编的《山村盛开大寨花——伊通民歌选》由吉林人民出版社出版。作品分为《斗争哲学是个宝》、《茧手挥笔写新篇》等3辑,收贫农大娘尹桂珍《毛主席恩情比海深》、公社党委副书记王彦芳《路线对头要大干》、社员傅民印《扎根柳》等诗与民歌66首,有中共伊通县委宣传部《前言》。《前言》说:"伟大的无产阶级文化大革命和批林批孔运动,使毛主席亲自树立的大寨这面红旗,更加鲜艳夺目。我县人民学大寨赶昔阳,一年上纲要,二年过'黄河'。形势喜人,人人放歌。广大群众、干部以革命样板戏为榜样,用各种文学形式满腔热情地歌颂党,歌颂伟大领袖毛主席,歌颂无产阶级文化大革命以来出现的社会主义新生事物,歌颂农业学大寨,努力把巩固无产阶级专政的根本任务落实到基层。充分显示了人民群众不仅是农业学大寨的闯将,也是文艺阵地上的尖兵。他们积极抓上层建筑领域思想革命,他们积极用社会主义思想占领农村文化阵地。""为了总结我县广大群众、干部在农业学大寨运动和在学习、落实小靳庄经验以来,开展意识形态领域里的革命所取得的收获,由县文化局的同志们从业余创作的三千多件文学作品中,选出民歌、新诗六十余首编成这个民歌集。"

11月 工农兵业余编选小组编的诗集《新花朵朵》由吉林人民出版社出版。收农安县巴吉垒公社社员王振海《见到了毛主席》、通辽市通用机械厂工人黄锦卿《革命委员会好》、长春拖拉机厂工人赵新禄《为革命样板戏喝彩》、解放军某部宋协龙《咱队的大学生回来了》等诗70首,有编者《后记》。《后记》说:"无产阶级文化大革命催开了鲜花朵朵,毛主席的革命路线培育了新芽丛丛。社会主义新生事物,像雨后春笋长遍大地,像春前嫩芽生机无穷。""新生事物不断涌现,歌颂新生事物的诗篇不断涌现,就是《新花朵朵》诗集的编写,也是一个新生事物在初生。我们工农兵来编写啊,捺不住心跳响咚咚。粗手厚茧握战笔,千古以来头一宗!我们殷切地希望广大工农兵群众,像对待新生事物一样,热情地扶持她,使她成长、壮大;像对待新生事物一样,精心地培育她,使她枝茂,叶青。"

1975年12月

1日 《红旗》杂志1975年第12期发表北京大学、清华大学大批判组的文章《教育革命的方向不容篡改》。

1日 《解放日报》刊出晓晨的文章《诗歌与口号——诗歌漫谈之六》。文章说:"诗歌与口号是两码事情,口号不能代替诗歌,这似乎是一个很普通的常识。然而诗歌与口号倒确是有一点相同的地方,那就是都可以用来表达和鼓动人们的感情和意志。吟唱一首革命诗歌,高呼一声战斗口号,都能激励我们更奋发向前。大概也是由于这一点关系吧,有时我们看到的一些诗歌便类似口号,或口号化了。不信,你将有些诗高声念念,甚至差不多句句都可加个感叹号而振臂呼喊呢。""诗歌写作中的这种倾向应该加以改进。""口号,是表达人们为达到奋斗目标而提出的最简练明确的语句,它有鼓动性,是我们政治生活中所不可缺少的;但它本身不是艺术品,是没有文学价值的。而诗歌作为文艺作品,则必须具有强烈的艺术感染力,要有意境,有构思,有生动的形象,要有诗歌特有的艺术形式和技巧等等。这一切,构成了人们常说的'诗味',也就是鲁迅在一封信中提到过的'诗美'。"

1日 《解放军文艺》1975年12月号刊出尧山壁《移山记》、张廓《边界人家》、张朴夫《草原民兵》、姜金城《月夜巡逻》等诗。

2日 《人民日报》刊出陕西延安知识青年吴继宗《接好革命班》、山东滕县知识青年黄强《丰收歌》等诗。

3日 张光年日记:"上午到局办公,得知主席已批准《词二首》交《诗刊》发表,同感庆幸。为此《诗刊》要提前于元旦出版。西民同志要我尽力协助这一期的编辑工作。我到编辑部谈了学习《词二首》体会,表示凡要我办的将全力协助。"(《向阳日记》,上海远东出版社2004年5月出版)

5日 《云南文艺》1975年第6期刊出省建七处供稿的《云天化工地诗选》、35218部队供稿的《连队赛诗会》和昆明市通用机械厂业余文艺评论组的文章《诗歌创作要为工农兵着想》;是期还刊出《诗歌画》增页,刊有范平《干字歌》、李天祥《白族人民学大寨》等诗。

7日 《解放军报》刊出胡世宗的文章《让战斗的号角吹得更响——〈解放军文艺〉赛诗会读后》。

7日 《解放日报》刊出上海矽钢片厂史玉新《新生事物崛地出》、上海石油化工总厂范垦程《工地演出样板戏》、上海量具刃具厂邓秀雄《大学生的试卷——赞"七·二一"工人大学》等诗和吴欢章的文章《需要更多更好的政治抒情诗——诗歌漫谈之七》。文章说:"在各种诗歌样式中,政治抒情诗是很值得大力提倡的。""我们应当根据无产阶级革命斗争的需要,写出更多更好的政治抒情诗来。但从目前政治抒情诗的创作状况来看,数量不多,质量也有待于提高,其中主要问题之一是:必须把政治性和艺术性更好地统一起来。"

7日 《人民日报》刊出张永权《傣家女儿上大学》、石湾《长征路连五七路》、河北兴隆县沟门子公社刘章《土老师管教育》等诗。

8日 《文汇报》刊出《新生事物颂——市工人文化宫赛诗会诗选》、《教育革命之歌——复旦大学赛诗会诗选》和郑成义《泡桐——赞五·七干校》等诗。

11日 《光明日报》刊出报道《一代新人的〈理想之歌〉——北大中文系工农兵学员创作的长诗受到热烈欢迎》。报道说："一封又一封热情洋溢的信，从铁水奔流的十里钢城、从金浪翻滚的人民公社原野、从岿然屹立的边防哨所，……汇集到长诗《理想之歌》的作者——北京大学中文系文学专业七二级工农兵学员的面前。寄信的有工人、人民公社社员、战士和上山下乡知识青年。那一封封来信，用火热的语言，畅谈《理想之歌》给予他们的教育和鼓舞。一位驻守在反修前哨的解放军战士，听到《理想之歌》的广播以后，立即去书店买这本诗集，但书已卖完，只好写信来要求北京大学帮助他找一本。要书的人很多，学员们留的书都送完了，又打印了一批，也很快送光了。""《理想之歌》的作者们，是怎样的人呢？他们并不是书香熏陶的'天才'，也不是什么摇篮里长大的'神童'。他们从中学毕业以后，沿着毛主席指引的光明大道，到农村、边疆插队落户，在革命的道路上进军。在这一段峥嵘的岁月里，是党，是贫下中农帮助他们'校正着"理想"的航线'，使他们下定决心'要做我们鲜红的党旗上一根永不褪色的经纬线'。一九七二年五月，就是这样一批朝气蓬勃的革命青年，肩负着阶级的重托，从宝塔山下的沟沟岔岔，从内蒙古的广阔草原，从黑龙江畔的青年新村，来到毛主席的身边，跨进了社会主义新型大学的大门，成了一代新型的大学生。他们在学校党委的领导下，随着开门办学的热浪，又几次背上背包，奔赴广阔天地，和工农兵一起，与天斗，与地斗，与阶级敌人斗，共同创造无产阶级的物质财富和精神财富。在这些日子里，他们一次又一次地在地畔、炕头，重温《在延安文艺座谈会上的讲话》，批判修正主义文艺路线，改造世界观，端正文艺观，坚持实践毛主席的革命文艺路线。工农兵改天换地的光辉业绩和战斗风貌，以及光彩照人的革命理想，给他们以巨大的教育和鼓舞,使他们产生了歌颂工农兵,歌颂社会主义新生事物的革命激情。一九七三年暑假,这批学生放弃了休息,挥汗谱写诗篇;初稿写成以后,又在开门办学中到云南、山西、河北等地,了解知识青年的先进事迹,和扎根边疆的朱克家等同志一起劳动、交谈,研讨琢磨究竟什么是青年的理想。就在这种沸腾的生活中,他们孕育了战斗的诗篇——《理想之歌》。有个学员谈创作体会的时候这样说:'如果没有上大学前的插队实践,没有上大学当中开门办学的生活体验,而是关在高楼深院里闭门读书,那是绝对创作不出《理想之歌》的;即便写出点什么东西来,也不可能是无产阶级的战歌!'"

12日 《宁夏日报》刊出该报通讯员的报道《革命诗花北洼开——固原县王洼公社北洼大队诗歌创作活动蓬勃开展》。

13日 《光明日报》刊出江溶的文章《红霞万朵映朝阳——评〈朝霞〉诗歌专辑》。

14日 《解放日报》刊出彦之的文章《开掘要深——诗歌漫谈之八》。

14日 《文汇报》刊出上海建筑机械厂郑国强《第一线上的火花——赞一个三结合的领导班子》、谷士林《文化大革命成果要保卫》等诗。

14日 《学习与批判》1975年第12期刊出徐缉熙的文章《读诗漫评》。

15日 《河北文艺》1975年第12期刊出王洪涛《大干歌》、刘兰松《红太阳照亮朝梁子》、武兆强《回答考卷》、郁葱《青春的脚步》等诗和知识青年裴雁伶的文章《革命激情涌诗篇——读〈广阔天地歌声高〉》。

20日 《朝霞》1975年第12期刊出《教育革命颂——复旦大学中文系赛诗会诗选》,刊有叶茂《教育革命春常在》、王勇军《赞社会主义新大学》等诗。

25日 《北京大学学报》1975年第6期刊出柏青的文章《诗歌民族化群众化的正确道路——论新诗必须在批判地继承古典诗歌和民歌的基础上发展》和北京大学中文系七二级创作班工农兵学员集体

创作的长诗《理想之歌》。柏青说:"'五四'以来,以反帝、反封建为内容的革命新诗在各个历史阶段都曾作出过积极的贡献,特别是1942年,毛主席在延安文艺座谈会上发表讲话后,诗歌创作在民族化、群众化方面做了许多有益的尝试,出现了一些受群众欢迎的好诗。但是,就总体看来,新诗存在着很大的弱点。由于'五四'时期许多人没有马克思主义的批判精神,新诗虽然冲破了旧诗词格律的束缚,实现了诗体的解放,但又抛弃了古典诗歌和民歌的优良传统,走上了欧化和散文化的道路。作为新诗主体的'自由诗',不但内容上有许多资产阶级、小资产阶级的情调,而且形式上也往往是满口学生腔,句子很拖沓,缺乏鲜明的节奏和韵律,诗体也十分繁杂零乱,没有建立起中国作风、中国气派的民族形式。这就使它只能局限在知识分子圈子里,供少数人欣赏,无法深入群众之中,发挥诗歌应有的战斗作用。""'五四'以来,新诗的这种既脱离民族传统又脱离群众的根本弱点,决定它不能成为新诗发展的基础。毛主席关于新诗发展道路问题的指示,正是建立在对新诗现状和历史的科学分析基础上的,它本身就是对诗这种弱点的一个批判。至于新诗中的一些好诗,恰恰是或多或少地、自觉不自觉地吸收了民歌和古典诗歌精华的结果。它们值得学习的,也首先是那种在创作实践中批判的继承民族传统,走群众化道路的精神。"

25日　《黑龙江文艺》1975年第12期刊出陈国屏《大寨归来》、王洪涛《油龙放歌》等诗。

26日　《光明日报》刊出臧克家的诗《〈理想之歌〉赞歌》。臧克家1976年1月13日致黎丁信说:"《赞歌》反映强烈,已接得文友来函二十余封(云南的、广东的、茅公、靖华、冰心……)。王瑶同志今早来信说:'《赞歌》在北大反映强烈。领导及学员皆在谈论。除现实意义外,诗的确写得很有感情,反映了老当益壮的面貌。'""我已设法去弄一份香港《文汇报》,以头版六分之一篇幅转刊此诗,标题:'臧克家赋诗赞理想之歌'——套红。群众对我的热情与期望,可感!这首诗的发表,应归功于你的敦促与鼓励,再谢!"(《臧克家全集》第11卷,时代文艺出版社2002年12月出版)

26日 《人民日报》刊出李学鳌的诗《重回太行满眼新》和解放军某部洪信、刘明的文章《喜读〈少数民族诗歌选〉》。

26日 《文汇报》刊出复旦大学中文系学员杜连义《哈达献给毛主席》、上海化工机械厂孙愚《韶山啊，升起金色的太阳》等诗。

26日 三三〇工程局政治部主编的《三三〇文艺丛刊·伟大指示颂》刊出刘志云、杨农恩《伟大指示颂》，三三〇工程局文艺宣传队《红太阳照亮万里长江》，张亨利《我们是工人阶级的理论队伍》等诗。

27日 《光明日报》刊出尹在勤的文章《万紫千红总是春——诗歌风格小议》。

28日 《解放日报》刊出志国、朝华的文章《构思要新——诗歌漫谈之九》。

31日 新华社讯："正当全国人民怀着胜利的喜悦，迎接一九七六年来临的时候，《诗刊》重新出版了。""伟大领袖毛主席一九六五年写的两首词：《水调歌头·重上井冈山》、《念奴娇·鸟儿问答》将在诗刊第一期上发表，这是全国人民政治生活中的大喜事，具有重大的政治意义和现实意义。这两首词的发表，必将鼓舞着亿万人民进一步坚持毛主席的革命路线，发扬革命传统，高举反修大旗，在继续革命的征途上昂首阔步地前进。""重新出版的《诗刊》，以崭新的面貌出现在工农兵读者面前。第一期上发表的许多作品，以阶级斗争为纲，热情歌颂伟大领袖毛主席，歌颂无产阶级文化大革命和社会主义新生事物。其中有长诗选载、政治抒情诗、翻译诗、儿歌和歌词、歌曲，题材丰富，形式多样。""《诗刊》第一期上，老一辈诗人写下了新作，青年一代作者也热情提笔，而更多的作品却是出自战斗在三大革命运动前哨的工农兵之手。这些工农兵的诗歌产生在车间、田头、哨所，新鲜泼辣，富有浓郁的生活气息和强烈的战斗性。工农兵登上社会主义诗坛，是无产阶级文艺革命的胜利成果，也是新出版的这期诗刊一个的鲜明的特色。《诗刊》将于元旦正式出版、发行。"（1976年1月1日《人民日报》）

12月 郭小川作诗《登九山》。此诗初刊《人民文学》1977年1月号，收《郭小川诗选》，人民文学出版社1977年12月出版。

12月 伍立宪（哑默）作诗《彗星》。此诗收诗文集《乡野的礼物》，贵州民族出版社1990年12月出版。

12月 《安徽文艺》1975年12月号刊出工人周志怀《矿工的手》、魏启平《安庆石油化工厂工地速写》等诗。

12月 《广东文艺》1975年第12期刊出《船靠舵盘帆靠风》民歌11首和莫少云《屯昌诗抄》、尧山壁《定向爆破》等诗及陆典的文章《漫谈诗歌创作》。

12月 《江苏文艺》1975年第10期刊出《春苗茁壮——九里荒知青农场诗辑》、《传统歌满跃进路——南京汽车制造厂诗选》和徐州师范学院农民学员周广秀《号角·鼓点——写在农业学大寨的热潮中》、如东县知识青年冯新民《扎根树下》等诗。

12月 《辽宁文艺》1975年第12期刊出王荆岩《十月进钢城》、易仁寰《闪光的画面》、战士胡宏伟《战士在边疆》等诗。

12月 《四川文艺》1975年12月号刊出陈犀《凉山速写》、马安信《干校春光》、任耀庭《红军刀》等诗。

12月 《湘江文艺》1975年第6期刊出瞿军安等《韶山颂》诗6首、瞿琮等《时刻准备上战场》诗7首和长沙市部分工厂文艺学习班集体讨论，刘国辉执笔的文章《把时代的号角吹得更响——兼谈诗歌的形式》。

12月 《新疆文艺》1975年第6期刊出黄秉荣《大寨颂》、刘维钧《赞昔阳》、解放军王也《天山南北红似火》等诗。

12月 唐山市群众艺术馆编的《跃进战歌》诗报第4期刊出开滦煤矿工人蔡华《为普及大寨县同心干》、郊区农机厂工人田丰《老兵不减当年勇》等诗。

12月 吉林省林业局政工处编印的诗集《歌满青山》印行。作品分为《颂歌献给党》、《战鼓声声擂》等6辑，收侯殿有《党的光辉照心田》、贾志坚《林海涛声》、孟繁华《演出之后》、李广义《伐木工人爱青山》等诗103首和豪言壮语九十余条，有《前言》。《前言》说："为了进一步地落实毛主席关于学习理论反修防修，安定团结和把国民经济搞上去的三项重要指示，广泛深入开展'工业学大庆'、'农业学大寨'的群众运动,激发广大群众大干社会主义的积极性,加快林业建设的步伐,我们从各单位推荐的诗稿、豪言壮语和我省林区职工在各级报刊上发表的诗作中,编选了《歌满青山》,作为内部材料,印发全省林业各企事业单位。"

12月 《革命要钢我们炼》编辑组编的诗集《革命要钢我们炼》由人民文学出版社出版。收朱岩《炉台战歌》、陈维翰《我们在毛主席身边炼钢》、王维章《炉台上的广播员》、王德祥《"争气钢"》等诗71首,有编者《前言》。《前言》说:"这本诗集,是由领导、钢铁工人和专业编辑人员组成的三结合编辑组,在生产第一线,用较短的时间,从全国所寄来的大量诗稿中编选出来的。""这是一本反映我国钢铁战线火热斗争生活的诗集。""这些来自斗争第一线的诗歌,带着浓烈的炉火味,抒发了钢铁工人的豪情壮志,有着强烈的时代气息。这些经过炉火冶炼、大锤锻打的诗句,热情奔放,浓墨重彩,塑造出一代新人的高大形象,体现出工人阶级团结一致、一往无前的英雄气概。"

12月 大港油田《油海新歌》编辑组编的诗集《油海新歌》由天津人民出版社出版。收梁开旭《唱给心中的红太阳》、钻宣《石油工人的话》、薛达清《还是当年那股劲》、戈新《大港新话》等诗63首,有编者《编后》。《编后》说:"这本诗集,是在我们大港工人群众诗歌创作和赛诗会的基础上编选的。""在批林批孔运动和学习无产阶级专政理论的热潮中,我们油田也掀起了群众性的写诗、赛诗活动。井场、工地,到处摆起了赛诗的擂台,广大工人以饱满的政治热情,抒发了对伟大领袖毛主席、对党、对社会主义的无比热爱;热情地歌颂了毛主席的无产阶级革命路线;抒发了大港工人'学铁人精神'、'走大庆道路'、自力更生、艰苦奋斗,早日建成大油田的豪情壮志。"

12月 内蒙古人民出版社编辑的诗集《战士的歌》由该出版社出版。收刘小放《西柏坡灯光》、杜志民《军长下连来当兵》、张赞廷《战马,我无言的战友》、王石祥《塞上军民》等诗九十余首,有编者《编后》。《编后》说:"这本诗集,编选了北京部队业余作者近二年来创作的短诗90首。作者绝大多数是无产阶级文化大革命后涌现的文艺新兵。这些作品,从不同的生活侧面,热情歌颂了伟大领袖毛主席,歌颂了毛主席革命路线的伟大胜利,表达了人民战士对党、对祖国和人民的热爱;反映了部队经过无产阶级文化大革命、批林批孔,在看书学习、路线教育、批判资产阶级法权思想、战备训练、部队建设等方面取得的新成果;展现了北疆钢铁长城雄伟壮丽的风貌。"

12月 贵州人民出版社编的诗集《遵义颂》由该出版社出版。收黄邦君《车到遵义站》、叶笛《沐浴在红楼金光里》、李发模《波翻浪滚乌江涛》、张克《愿做快马给革命骑》等诗116首,有《编者的话》。《编者的话》说:"今年,是我党召开的具有历史意义的遵义会议四十周年。遵义会议确立了毛主席在全党全军的领导地位,结束了'左'倾机会主义路线的统治,党才彻底地走上了布尔塞维克化的道路。遵义会议为我党的历史写下了光辉的一页。为了纪念这一重大的节日,我们编辑出版了这本《遵义颂》,借以表达我省各族人民对党和毛主席的崇敬心情和无比热爱。"当时的文章说:"贵州人民出版社为纪念遵义会议四十周年,编辑出版了诗集《遵义颂》。这本诗集编选的一百余首诗歌,多半出自工农兵业余作者之手。作者以饱满的政治激情,明快的战斗风格,从路线斗争高度,热情讴歌遵义会议的光辉胜利,多方面反映了历史名城遵义翻天覆地的变化,热情地赞颂了无产阶级文化大革命的伟大业绩和社会主义新生事物的茁壮成长。"(夏祥镇《革命豪情动地来——喜读诗集〈遵义颂〉》,1976年8月11日《人民日报》)

冬 牛汉作诗《羽毛》。收诗集《温泉》,上海文艺出版社1984年5月出版。

1975年 蔡其矫作诗《玉华洞》、《灯塔》、《悲伤》、《劝》、《崇武半岛》、《尽量发光》、《夕阳和落叶》、《荒凉的海滩》、《悬崖上的百合花》、《答——》、《泪》、《寄——》。前三首收诗集《祈求》,江苏人民出版社1980年11月出版;第四、五首收诗集《生活的歌》,人民文学出版社1982年7月出版;其余收《蔡其矫诗选》,人民文学出版社1997年7月出版。

1975年 姜世伟(芒克)作诗《我是风》、《瘦小的姑娘》。诗均收诗集《心事》,《今天》编辑部1980年1月油印发行。

1975 年　栗世征（多多）作诗《夏》、《秋》。诗均收《里程——多多诗选》，1988 年 12 月油印发行。

1975 年　牛汉作诗《钟声》。此诗初刊《诗林》1989 年第 3 期；收《牛汉抒情诗选》，青海人民出版社 1989 年 12 月出版。

1975 年　张永枚的诗报告《西沙之战》英文版由外文出版社出版。

1975 年　红旗造船厂工人业余哲学社会科学研究所文艺组编印的《造船工人诗选》印行。收铝制品车间刘芳春《师傅灯下写诗篇》、船体车间老工人张修富《戳穿"仁义"的画皮》、铜工车间女工于雪梅《造船工人一双手》等诗 71 首，有《编者的话》。《编者的话》说："在毛主席革命路线光辉照耀下，随着批林批孔运动的普及深入发展，通过学习小靳庄经验的活动，遵照毛主席关于'我们的文学艺术都是为人民大众的，首先是为工农兵的，为工农兵而创作，为工农兵所利用的'的教导，我厂掀起了群众性文艺创作的热潮。今以诗歌联赛为主这里选编了其中的一部分。"

70 年代中期　流沙河作诗《故园九咏》。此诗收《流沙河诗集》，上海文艺出版社 1982 年 12 月出版。

1976 年

1976 年 1 月

　　1 日　《解放日报》刊出普陀区工人诗歌组《毛主席是咱领航人》、汽车配件修配厂陈晏《毛主席指引革命路》等诗。

　　1 日　《文汇报》刊出徐刚的诗《我爱井冈山》。

　　1 日　《诗刊》复刊,诗刊社编辑,人民文学出版社出版。1976 年 1 月号刊出毛泽东《水调歌头·重上井冈山》、《念奴娇·鸟儿问答》词 2 首和首都钢铁公司工人评论组《继续革命 勇攀高峰——读〈水调歌头·重上井冈山〉》、成志伟《为无产阶级文化大革命放声歌唱》等文,还刊有唐运程等《革命高潮滚滚来——农业学大寨民歌选辑》、司徒华枫等《钢铁工人评〈水浒〉——贵州省冶金系统赛诗会作品选》和李松涛《深山创业》、黄声笑(黄声孝)《大江奔腾浪千层》等组诗。《编者的话》说:"《诗刊》要实现它所担负的任务,必须以马克思主义、列宁主义、毛泽东思想为指导,认真贯彻执行党的基本路线,贯彻执行毛主席的无产阶级革命文艺路线。它要在广大工农兵群众和诗歌作者的大力支持下,通过刊登各种体裁、样式的诗歌作品,及时反映我国社会主义革命和社会主义建设不断前进的步伐,反映我国人民在党的领导下进行革命斗争的光荣历史,反映我国人民革命英雄主义的精神面貌;同时也注意反映世界人民的革命斗争。它要充分发挥革命诗歌'团结人民、教育人民、打击敌人、消灭敌人'的战斗作用,为工农兵服务,为社会主义服务,为巩固和加强无产阶级专政服务。"

"《诗刊》要坚持党的'百花齐放,百家争鸣'和'推陈出新'的方针;坚持革命的现实主义和革命的浪漫主义相结合的创作方法;遵照毛主席关于'诗当然应以新诗为主体,旧诗可以写一些,但是不宜在青年中提倡'的指示,和新诗应在批判地继承古典诗歌和民歌的基础上发展的原则,进一步发展诗歌创作,向着'革命的政治内容和尽可能完美的艺术形式的统一'的目标前进。它还要兼登一部分歌曲、歌词(包括某些戏曲曲调的歌词)、新民歌,以促进新诗的民族形式的发展。提倡顺口、易记、有韵、能唱的新诗,也不排斥只能看而不易记和不能唱的诗。还要刊登一些翻译外国的诗。同时也有一点诗配画和插图。刊物力求办得新鲜活泼,丰富多彩,富有战斗力。"黎之说:"既有了毛泽东的支持,又得到直接当权者的认可,《诗刊》终于出版了。封面仍是毛泽东的手迹,标明1976年1月出版,总号为第81号。当拿到这期刊物时,经历了诗刊五十年代创刊到复刊的朋友们心情是很复杂的。当年在毛泽东支持爱护下创刊,毛并'祝它成长发展',1966年又在毛泽东亲自发动的文化大革命中停刊,现在又在毛泽东支持下复刊。怎能不令人感慨万千。但是,不管经历了多少曲折,《诗刊》又同阔别已久的读者见面,当然引起编者与读者久别重逢的欢乐。但是,好景不长,《诗刊》刚出版,就受到当权者的指责,查问为什么印上总期号。责成身处第一线的葛洛检讨。葛洛是个极认真的人,到处请教,大会小会检讨,总算过关。""《诗刊》《编者的话》经李季、葛洛、张光年、石西民等人反复研究、斟酌,写好后又交姚文元审定。姚阅后召见石西民、李季、葛洛,提出了修改意见。《编者的话》中有这样一段话:'对于当前的文学创作,凡是符合毛主席所指示的六条标准并具有一定艺术水平的,就要鼓励,不要求全责备;对其中的缺点和不足,要作科学的分析,以理服人。'姚文元要求删去,他说,'求全责备',是对领导说的,编者的话中不必写。"(《回忆与思考——"周扬一案"……》,2000年8月22日《新文学史料》2000年第3期)张光年日记:1975年12月17日,"上午八时半到局上班,同李季、葛洛一起商酌修改《编者的话》。李同意我的意见,改掉了葛洛加上的'以工农兵业余作者为主体的无产阶级诗歌创作队伍'的提法(修改意见最初是小李提出的)。午前还同到石西民处听取他和许力以的修改意见。"1975年12月18日,"上午到局,同葛洛、孟伟哉一起将《编者的话》初步改定。他们及时发稿了。"1976年3月10日,"上午葛洛告诉我:因《诗刊》印了(文革前的)总期号及一份学习简报暴露的问题,昨天下午受到局领导小组批评。他准备下午在编辑部大会上作检讨"(《向阳日记》,上海远东出版社2004年5月出版)。

1日 《解放军文艺》1976年1月号刊出北京师范大学中文系工农兵学员施达宗《世上无难事　只要肯登攀——学习毛主席〈词二首〉的初步体会》、李元洛《读鲁迅诗论札记》,朱经通、张春溪《〈本刊赛诗会〉读后》等文和莫少云《挖堑壕》、雷抒雁《高高的了望塔》、曲有源《党的干部就要这样》等诗。

2日 河北省召开工农兵诗歌作者学习座谈会。《河北文艺》1976年第2期消息:"新年佳节,伟大领袖毛主席的壮丽诗篇《水调歌头·重上井冈山》和《念奴娇·鸟儿问答》公开发表后,省革委文艺组和石家庄市文艺创作办公室,于一月二日在省会石家庄联合召开了省会广大工农兵业余诗歌作者学习毛主席词二首座谈会。省革委文艺组负责同志主持了会议。参加座谈会的有省革委出版发行局、《河北文艺》编辑部、《河北日报》编辑部、河北人民广播电台、《石家庄日报》编辑部和工厂、农村、部队的专业和业余诗歌作者。""大家还结合诗歌创作方面的问题畅谈了学习体会。同志们一致认为,毛主席词二首,以高超的艺术表现力,反映了重大的政治题材,达到了革命的政治内容和完美的艺术形式的高度统一;毛主席成功地运用了革命现实主义和革命浪漫主义相结合的创作方法,为发展我国诗歌创作树立了光辉的榜样。大家坚定地表示,一定向伟大领袖毛主席学习,发扬'世上无难事,只要肯登攀'的无产阶级革命精神,努力攀登诗歌创作的新高峰,不断加强革命诗歌的战斗性,为巩固无产阶级专政擂鼓吹号。渔民诗人李永鸿最近完成了长诗《红菱传》,在毛主席光辉诗篇的鼓舞下,他决心再接再厉,创作出更多好作品,为发展社会主义文艺创作作出新贡献。"

4日 《解放日报》刊出仇学宝《诗韵浩荡壮东风——欢呼毛主

席光辉诗篇发表》、郭浩《中南海书房》等诗。

4日 《人民日报》刊出北京市红星人民公社姜连明《井冈风雷耳边响》、臧克家《光焰万丈照世界》、田间《伟大历史的新篇》等诗。

7日 《广东文艺》编辑部"召开毛主席《词二首》学习座谈会"。《广东文艺》1976年第2期刊出该刊记者的《毛主席〈词二首〉学习座谈会摘记》,说:"本刊编辑部于一月七日约请在广州市的部分工农兵诗歌作者和专业诗歌工作者举行毛主席《词二首》学习座谈会。到会同志畅谈了对毛主席光辉诗词伟大深刻的政治思想内容和精湛的艺术手法的学习心得,即席诵诗讴歌毛主席这两首激动风雷、气壮山河的词章的发表。"

8日 中共中央副主席、国务院总理、全国政协主席周恩来在北京逝世。

9—13日 郭小川作诗《痛悼敬爱的周总理》。此诗初刊《解放军文艺》1977年第1期,收《郭小川诗选》,人民文学出版社1977年12月出版。

10日 广西自治区文艺创作办公室举行歌颂毛主席词作发表诗歌朗诵会。到会朗诵的部分作品以《试看天地翻覆》为题刊于《广西文艺》1976年第2期。

10日 《北京文艺》1976年第1期刊出石湾《吹响进军的号角》、李瑛《我的祖国》等诗和潘枫的文章《擂时代战鼓 抒革命豪情——读〈北京文艺〉1975年诗歌琐记》。

10日 《天津文艺》1976年第1期刊出《展开斗天图》新民歌16首和《普及大寨县歌词选辑》。

15日 《汾水》1976年第1期刊出王文绪《北京钻天杨礼赞》、董耀章《爆破迷》、孙海生《占领——记一位工宣队长》、马晋乾《校园晨歌》等诗。

15日 《河北文艺》1976年第1期刊出诗辑《新生事物赞》和该刊评论员文章《为社会主义新生事物高唱赞歌》及社员彭辛卯《县委门前的路》、工人孙桂珍《"巡诊"》等诗。

17日 《人民日报》刊出梁上泉《井冈山泉》等诗。

19日 《人民日报》刊出新华社报道《京津沪群众性诗歌创作更繁荣》。报道说："无产阶级文化大革命以来，北京市群众性的诗歌创作蓬勃发展。许多工厂、农村、部队、学校、商店，诗满墙，歌嘹亮，写诗、赛诗、评诗活动成了首都人民经常性的文化活动之一。近几年来，人民文学出版社、北京人民出版社出版的首都工农兵群众和专业作者的诗集就有二十多部。这些诗集生动地反映了首都人民在无产阶级文化大革命中沿着毛主席革命路线奋勇前进的步伐。""紧密配合当前三大革命运动的发展，为现实的阶级斗争和路线斗争服务，是北京市群众性诗歌创作的一个鲜明特色。近三年多来，北京市劳动人民文化宫组织的工人业余诗歌创作组和朗诵组，配合各个时期的战斗任务创作了大量诗歌，到工厂、学校，举行了一百四十多场诗歌朗诵会。最近，他们还举办了歌颂无产阶级文化大革命的诗歌朗诵会，用一首首战斗的诗歌回击教育界的右倾翻案风，保卫无产阶级文化大革命的伟大成果。""批林批孔运动中，天津宝坻县小靳庄的群众性诗歌创作活动广泛深入地开展起来，创作了许多歌颂毛主席，歌颂共产党，歌颂无产阶级文化大革命和批林批孔运动，歌颂社会主义新生事物的诗歌，发挥了革命诗歌的战斗作用。在小靳庄经验的推动下，天津市的诗歌创作活动蓬勃地开展起来。天津市出版部门从去年以来就出版了《小靳庄诗歌选》、《放声高唱跃进歌》、《一代风华》、《我们要当小闯将》等多种诗集。这些在群众性诗歌创作的基础上挑选出来的作品，无论从思想内容还是艺术形式上，都反映了天津工农兵创作的新水平。""目前，天津市的工农兵业余诗歌创作队伍已有六百多人，其中不少人是文化大革命以来才开始写诗的。这些工农兵业余作者在三大革命运动中有着丰富的实践经验，他们在各级党委的领导下，认真看书学习，一边坚持参加生产劳动，一边满腔热情地从事创作，给天津市的诗歌创作带来了新的生气。他们的创作水平不断提高。去年以来，天津市人民出版社先后举办了四期业余作者学习班，组织他们学习无产阶级专政理论，学习毛主席关于文艺创作的论述，批判修正主义文艺路线，交流创作经验和体会，进一步提高了业余作者的理论水平和写作水平。""无产阶级文化大革命以来，上海许多工厂、人民公社、农场、部队、商店、学校,紧密配合现实斗争,举行赛诗会,印发诗传单,编诗集,出诗刊,出现了群众写诗群众唱的生动局面。专业诗歌作者也纷纷深入三大革命运动第一线,努力创作歌颂工农兵英雄形象,反映社会主义革命和社会主义建设的作品。上海多次举行了'歌唱文化大革命新生事物'、'深入学习无产阶级专政理论'、'歌颂教育革命'等专题赛诗会,并且把不少诗作谱成曲子,举办诗歌演唱会演唱。在群众性诗歌创作活动蓬勃开展的基础上,几年来,上海的报刊和出版社发表和出版了不少工农兵群众和专业诗歌作者的作品。仅上海人民出版社就先后出版了十五种诗集。最近《朝霞》文艺月刊出版的一期诗歌专辑,就刊载了七十多位诗歌作者的作品。他们当中,有长期从事诗歌创作的,也有新近拿起这一武器的。他们的作品形式多样,有抒情诗、叙事诗、散文诗,也有民歌、儿歌、歌词,以及一些旧体诗。""上海的业余和专业诗歌作者十分重视诗歌的战斗作用,努力用自己的诗歌创作来为无产阶级政治服务。他们热情地歌颂毛主席,歌颂共产党,歌颂无产阶级文化大革命,歌颂社会主义新生事物,使诗歌成为广大人民在无产阶级专政下继续革命的号角。一九七五年出版的《上海新民歌选》,收集了无产阶级文化大革命和批林批孔运动中涌现的民歌一百多首。这些民歌热情地歌颂了毛主席和共产党,表达了工农兵群众誓把无产阶级革命进行到底的决心。上山下乡知识青年和插队的青年教师创作的诗歌合集《大汗歌》,热情地歌颂知识青年上山下乡运动,也纪录了他们在广阔天地里经风雨、见世面,茁壮成长的战斗历程。一年多前出版的叙事诗集《雏鹰》,努力塑造青年工人和青年干部的英雄形象,有力地批驳了那种'一代不如一代'的谬论。上海师范大学、复旦大学的师生,在深入批判教育界种种奇谈怪论的斗争中,也以诗歌作武器,歌颂教育革命的胜利成果,批判修正主义教育路线,对教育界的右倾翻案风作了有力的回击。"

20日 《福建文艺》1976年第1期刊出贻模《我们的队伍向太阳》、刘永乐《第一线上的草棚》和刘登翰、孙绍振《炉前曲》等诗及黄后楼《诗歌民族化、大众化的关键》、丁华《诗要顺口》等文。黄后楼说:"近日,和一些写诗的朋友交谈诗歌民族化、大众化问题,大家都认为诗歌创作确是应该努力做到'顺口、有韵、易记、能唱'。怎样才能做到这一点呢?有些同志认为只要在创作过程中按照这个要求一字一句地认真推敲就行了。我觉得,这样做是必要的;但是还没有抓住问题的关键。""关键在哪里呢?早在三十多年前,毛主席就明确指出:'许多同志爱说"大众化",但是什么叫做大众化呢?就是我们的文艺工作者的思想感情和工农兵大众的思想感情打成一片。'离开了作者在思想感情上和工农兵大众打成一片,关于诗歌形式问题就找不到正确的答案。"

20日 《人民文学》1976年第1期刊出满锐等《石油浪滚战旗红——大庆诗选》、《征途万里不歇肩——大寨、昔阳民歌选》和李瑛《迎春歌》、黄声笑(黄声孝)《唱了今天唱未来》等诗。

20日 《陕西文艺》1976年第1期刊出《心中要有工农兵——本刊一九七五年十二月邀请部分诗歌作者笔谈诗歌创作问题》,刊有张郁《努力把诗歌写得为群众喜闻乐见》,谷溪、小蕾《向革命民歌学习》,党永庵、张宣强《诗贵能唱》,宝成仪表厂震学《心中要有工农兵》等文。

22日 《人民日报》刊出解放军某部史钟的评介《〈北疆红似火〉》。

25日 石家庄市举行工农兵迎春诗会。《河北文艺》1976年第3期消息:"为了推动群众性诗歌创作活动的广泛开展,充分发挥革命诗歌的战斗作用,石家庄市文艺创作办公室乘毛主席发表光辉诗篇词二首的浩荡东风,于一月二十五日举行了工农兵迎春诗会。参加诗会的有来自工厂、农村、部队的工农兵业余诗歌作者近二百人。""参加迎春诗会的广大工农兵业余诗歌作者,满怀革命激情,首先吟诵了新发表的毛主席光辉诗篇《水调歌头·重上井冈山》和《念奴娇·鸟儿问答》,接着,大家朗诵了新近创作的各类诗歌三十二首。这些诗歌热情歌颂了伟大领袖毛主席,歌颂了无产阶级文化大革命,歌颂了各条战线'到处莺歌燕舞'的大好形势和层出不穷的新生事物,批判了资产阶级和修正主义,回击了教育战线那些右倾翻案的奇谈怪论。"

25日 《人民日报》刊出北京大学中文系七二级创作班工农兵学员集体创作的长诗《理想之歌》。编者按："《理想之歌》是北京大学中文系部分工农兵学员一九七四年集体创作的政治抒情诗。它反映了广大知识青年在上山下乡和教育革命中锻炼成长的精神风貌。在当前教育战线大辩论中，清华、北大等院校的同志一再朗诵、阅读这首朝气蓬勃、激情洋溢的诗。这说明，它符合巩固和发展无产阶级文化大革命和教育革命胜利成果这一斗争的需要。本报刊登这首诗，以供更多的同志阅读，并用以回击教育界右倾翻案风，批驳那种攻击工农兵学员'质量低'之类的奇谈怪论。"

25日 《黑龙江文艺》1976年第1期刊出满锐《大庆的路》、宋歌《铁姑娘》等诗和王贵、宋立人的文章《"咱们管地、管天"——从长胜大队赛诗会想到的》。

25日 《云南文艺》1976年第1期刊出李鉴尧《读毛主席新词》、晓雪《红霞万朵》、李霁宇《深山小学》、张永权《大寨花开边疆红》等诗。

26日 《光明日报》转载北京大学中文系七二级创作班工农兵学员集体创作的长诗《理想之歌》。

27日 《解放日报》转载北京大学中文系七二级创作班工农兵学员集体创作的长诗《理想之歌》。

27日 《文汇报》转载北京大学中文系七二级创作班工农兵学员集体创作的长诗《理想之歌》。

31日 冯雪峰逝世。

冯雪峰，原名冯福春。1903年生，浙江义乌人。1921年考入杭州浙江省立第一师范，参加晨光社，开始新诗创作。1922年与潘漠华等结成湖畔诗社，出版《湖畔》等诗集。1925年到北京，在北京大学旁听。1926年开始翻译日本、苏联的文学作品及文艺理论。1929年底参加左翼作家联盟的筹备工作，1931年任左联党团书记。1933年去江西瑞金，任党校副校长。次年参加长征。1936年到上海，任中共上海办事处副主任。1941年被捕，囚于江西上饶集中营，在狱中写作诗歌，后结集为《真实之歌》1943年出版。1942年出狱后去重庆，从事统战和文化工作。1946年到上海，同年出版诗集《灵山歌》。1949年后历任上海市文学工作者协会主席、中国作家协会副主席、人民文学出版社社长兼总编辑、《文艺报》主编。1957年被错划为"右派"，停止公开文学活动。1979年错案平反。1981年人民文学出版社出版《雪峰文集》4卷。

1月 郭路生（食指）作诗《我不相信这样的讯息》。此诗收《食指的诗》，人民文学出版社2000年12月出版。

1月 牛汉作诗《在哀乐声中诞生》。收诗集《温泉》，上海文艺出版社1984年5月出版。

1月 《安徽文艺》1976年1月号刊出桂兴华《大寨梨》、上山下乡知识青年蒋维扬《风雪歌》、姚焕吉《油田组歌》等诗和黄季耕的文章《充分发挥诗歌的战斗作用——学习鲁迅诗论札记》。

1月 《广东文艺》1976年第1期刊出谭日超《文艺轻骑进山来》、关振东《英雄的队列》、蔡宗周《碧海红灯》等诗和向明的文章《让战斗的号角更嘹亮》。

1月 《广西文艺》1976年第1期刊出《战天斗地歌满山——都安瑶族自治县农业学大寨民歌选》和农冠品《换来瑶山胜江南》、柯炽《雄心征服千条水》等诗。

1月 《河南文艺》1976年第1期刊出诗辑《社会主义新生事物赞》和贺文的文章《为社会主义新生事物鸣锣开道》及安国梁的文章《壮志敢教山河移——读长诗〈斗天图〉》。

1月 《湖北文艺》1976年第1期刊出工农兵学员查代文《社会主义大学抒怀》、管用和《大干歌》、知识青年王庆余《紧紧追上虎头山》等诗和工农兵学员赵国泰、周传普的文章《老歌手唱出新歌声——喜读山歌〈高山寨上老贫农〉》。

1月 《吉林文艺》1976年1月号刊出韩跃旗等《滚滚春潮》和解放军某部单润民《在百里建渠工地上》、李占学《出阵图》等诗。

1月 《江西文艺》1976年第1期刊出诗专号，以《井冈山颂》为总题刊出吕云松《登山路》、陈良运《井冈山上闻炮声》等诗，以《社会主义新生事物赞》为总题刊出王不天《书记讲课》、郭思仪《掌鞭人》等诗，以《让战斗的号角更加嘹亮——诗歌创作笔谈》为总题刊出刘国伟、朱昌勤《以诗歌为武器，捍卫文化大革命胜利成果》和杨学贵《学习无产阶级专政理论，搞好诗歌创作》、解放军钟长鸣《吹响向资产阶级进攻的号角》等文。

1月　《辽宁文艺》1976年第1期《千军万马学大寨》栏刊出解放军空军某部李克白《战地硝烟》、叶晓山《磨秃的镢头》、工人张宝申《车间春潮》等诗。

1月　《内蒙古文艺》1976年第1期刊出张廓《踏场归来》、黄东成《沙漠之春》、工人黄河《剥掉宋江的鬼画皮》、鲁非《工人师傅批〈水浒〉》等诗。

1月　《四川文艺》1976年第1期刊出诗辑《普及大寨县赞歌》和工人徐国志《喜报》、工人鄢家发《雾雨山下钻井队》、张新泉《炸滩》等诗和杨桦的文章《号角声声战鼓急——读〈大办农业诗辑〉》。

1月　《武汉文艺》1976年第1期《战鼓咚咚学大寨》栏刊出工农兵学员董宏猷《站在平原望高山》、刘不朽《女拖拉机手》、解放军谢克强《大寨种》等诗。

1月　《浙江文艺》1976年第1期刊出《歌颂文化大革命、歌颂社会主义新生事物诗传单》，刊有张新《工厂新歌》、龙彼德《女牧工之歌》、李追深《五·七干校一战士》等诗。

1月　牛明通的诗集《在红旗下歌唱》由山东人民出版社出版。

1月　郑明东的诗集《接班人抒怀》由湖北人民出版社出版。

1月　大庆油田文化馆编的《大庆凯歌——大庆工人诗选》由黑龙江人民出版社出版。

1月　诗集《红星闪耀》由湖南人民出版社出版。

1月　新疆军区生产建设兵团政治部宣传部编的诗集《军垦赞歌》由新疆人民出版社出版。

1月　辽宁人民出版社编的《阳光普照——防震抗灾诗选》由该出版社出版。

1月　山东省革命委员会文化局创作组编的《激浪滚滚——工

农兵短诗选》由山东人民出版社出版。收纪宇《毛主席指路万代走》、工人郭廓《钢城汽笛》、陈显荣《开山炮》、栾纪曾《新炮手海燕》等诗一百六十余首。该书《内容提要》说:"本集选编了工农兵作者短诗一百六十六首。有歌颂伟大的党和伟大领袖毛主席的,有学理论批林批孔、评《水浒》的,有赞扬工业学大庆、农业学大寨的,还有备战练兵保卫祖国等方面的。它充满着强烈的时代气息、浓厚的生活气息和火热的阶级感情。它朗朗上口,朴实感人。它以铿锵的节奏、高亢的音调,描绘了社会主义革命和建设的波澜壮阔的景象,读起来确有激浪滚滚之感。"

　　1月　湖南省湘江文艺编辑部、湖南省工农兵文艺编辑部编印的诗论集《诗歌学习》印行。收袁水拍《鼓舞我们战斗的宏伟诗篇——学习毛主席词二首》、江天《顺口、有韵、易记、能唱》、成志伟《为无产阶级文化大革命放声歌唱》、叶凌良《诗与歌》等文33篇。

　　1月　《试看天地翻覆——学习毛主席词二首》由人民文学出版社出版。收毛泽东《水调歌头·重上井冈山》、《念奴娇·鸟儿问答》词2首和《世上无难事　只要肯登攀——〈人民日报〉、〈红旗〉杂志、〈解放军报〉一九七六年元旦社论》、袁水拍《鼓舞我们战斗的宏伟诗篇——学习毛主席词二首》、臧克家《井冈山高望世界——学习毛主席词二首的一点体会》等文17篇。

　　1月　红小兵报社编印的通讯员学习资料《谈诗歌创作》印行。收毛泽东《关于诗的一封信》、江天《顺口、有韵、易记、能唱——重读鲁迅有关诗歌的一封信》、任犊《来自南海前线的战歌——读张永枚同志的诗报告〈西沙之战〉》、李学鳌《喜读〈小靳庄诗歌选〉——在一个诗歌座谈会上的发言》等文并选登张永枚《西沙之战》等诗,后附《诗词基础知识》、《音韵的一般知识》等。

1976年2月

　　1日　《人民日报》刊出张力生的诗《拥军船》。

　　1日　《文汇报》刊出刘火子《新春放歌》、刘国屏《青春闪光——赞一个回山村的工农兵大学生》等诗。

1日 《解放军文艺》1976年2月号刊出霍清安《干校夜读》、宫玺《长空铁拳》、何香久《电影船》、崔汝先《出征》、苗得雨《葡萄山电灌图》等诗和李瑛的长诗《从澜沧江畔寄北京》。

2日 中共中央发出1号文件：根据毛泽东提议，并经中共中央政治局通过，任命华国锋为国务院代总理并主持中央日常工作。

3日 《解放日报》刊出该报通讯员、记者的报道《千歌万曲报春来——上海工交系统赛诗会侧记》。

4日 《解放日报》刊出《激浪滔滔报春来——迎春赛诗会诗选》，刊有上棉十九厂李根宝《一江春潮追巨轮》、上海照相机五厂张志诚《化作钢潮迎春来》等诗。

4日 《文汇报》刊出该报通讯员的报道《莺歌燕舞报新春——上海市机电一局工人诗歌创作活动散记》。

6日 《人民日报》以《学大寨战歌》为总题刊出海军某部柳朗《大寨的种子撒满西沙》、苗族石太瑞《书记的房》等诗。

10日 《人民日报》刊出大连红旗造船厂工人杨庭顺《校门口的搏斗》、山东青岛拖拉机厂刘辉考《新的进军》等诗。

10日 《天津文艺》1976年第2期刊出《教育革命诗抄》和柴德森《大路朝阳进干校》、刘章《走访深山李家铺》、王榕树《草鞋赞》等诗和冯景元的文章《钢与诗——学诗随记》。

15日 《河北文艺》1976年第2期刊出社员刘章《踏遍青山步新图》、申身《看闺女》、韦野《火热的船台》、雷抒雁《哨所春早》等诗和兴隆社员刘章《诗中要有风雷声——学习毛主席词二首》、王黎《诗歌应是革命的战鼓》等文。

17日 《内蒙古日报》刊出兴和县报道组的报道《文化革命结硕果　兴和处处新歌多——记兴和县的一次赛诗会》。报道说："就在这个赛诗会上，人们共写下了一千多首好诗，近一千人登台朗诵。革命的诗歌，吹响了伟大的时代号角，发挥了鼓舞人心的战斗作用。"

17日 《青海日报》刊出青海造纸厂通讯组蒋兆钟的报道《战歌声声抒豪情——青海造纸厂一次生动活泼的赛诗会侧记》。

20日 《贵州文艺》1976年第1期以《洪流滚滚》为总题刊出枕

木《辉煌的岁月——一位红卫兵战士的歌》、胡康《红卫兵照片》、汛河《赞无产阶级文化大革命》等诗。

20日 《朝霞》1976年第2期刊出马开元《高举先烈的旗帜，前进！——写在人民英雄纪念碑前》、复旦大学中文系工农兵学员杜连义《春光赋》等诗。

22日 《解放日报》刊出陆建华的文章《以阶级斗争为纲指导诗歌创作——诗歌漫谈之十》。文章说："经过无产阶级文化大革命和批林批孔运动，特别是学习无产阶级专政理论以来，农业学大寨已经成为农村中最广泛、最深刻的革命群众运动。作为文学的各个品种中最敏锐和最具有强烈鼓动性的诗歌，这几年，以农业学大寨为题材的逐渐多起来了，也出现了不少好作品。这是非常值得欢迎的事情。但是，就目前农业学大寨题材的诗歌看来，不仅数量上远远没有满足广大工农兵读者的要求，就是在内容上也还有不足之处：一是少数诗歌无论从意境、格调、情趣上来说，颇近似过去的'田园诗'。在这些诗中，缺乏火热的农业学大寨的战斗气氛，呈现在人们眼前的是什么柳烟、桃林、谷堆、碧波、轻风、明月……虽然写了些丰收景象、幸福生活，但社会主义的农村却被描绘成超尘脱俗、没有阶级斗争的'世外桃源'。这类诗歌虽然为数甚少，但值得我们警惕。二是不少农业学大寨题材的诗歌，诗的构思、感情等是好的，但内容大都集中在战天斗地、干部带头大干苦干等方面。在这些诗中，常见到的是斗山斗水斗害虫，碱滩洼地绘新图；或是，老支书一马当先，新干部奋发问前，等等。因为诗的反映面狭窄，势必带来诗的立意相似，构思雷同，甚至连诗句也有重复的。上述两方面问题的原因虽然是多种多样的，但是，一个重要的原因，是这些诗歌的作者对大寨的根本经验认识不足。"

25日 《黑龙江文艺》1976年第2期刊出纪嘉圣《样板戏激励着我们向前》、谢文利《争光》、王野《送行曲》等诗。

25日 《云南文艺》1976年第2期刊出诗歌专号，刊有岩峰《依丹上大学》、陈官煊《春花烂漫》、解放军某部高洪波《杀敌手》、晓雪《新起点》等诗和谢冕《时代需要号角》等文。《编后》说："在毛主席壮丽词章的鼓舞下,在我省军民欢呼、学习毛主席诗词的热潮中,我们组织编辑了这期诗歌专号,介绍了我省二十多个民族的革命新民歌;登载了我省各族工农兵、老中青、业余和专业诗歌作者以及省外作者的部分新作。其中绝大多数的作者是无产阶级文化大革命以来涌现出的业余创作新生力量。这些作品从不同的角度,以多种的形式和风格热情歌颂伟大领袖毛主席和中国共产党,热情歌颂无产阶级文化大革命,歌颂社会主义的新生事物,歌颂社会主义革命和建设的大好革命形势,有力地回击了右倾翻案风。"

29日 《解放日报》刊出诗辑《口诛笔伐走资派》和刘希涛《激流之歌——写在痛击右倾翻案风的战斗中》等诗。

29日 《人民日报》刊出《朝阳花迎风斗雪开——朝阳农学院诗选》。

29日 《文汇报》刊出《回击右倾翻案风 战斗号角冲云霄——上海市少年儿童赛诗会诗选》。

2月 《安徽文艺》1976年2月号刊出桂兴华《工农兵学员之歌》、阎志民《来自火热的第一线》等诗。

2月 《广东文艺》1976年第2期刊出黄英晃《机耕路》、冯麟煌《宝岛处处斗天歌》、殷勤《堑壕短歌》等诗。

2月 《吉林文艺》1976年2月号刊出李瑛《站起来的人民》、张廊《闪光的日子》、吴辛《进军的队伍》、张满隆《大寨精神谱新歌》等诗和扶余油田女子钻井队李冬娜、姜英,吉林师范大学陈日朋的文章《钻塔高耸 青春火红——评〈钻塔上的青春〉》及武培真《新的一代新的歌——读〈工农兵学员之歌〉有感》、王德恒《知识青年成长的颂歌》等文。

2月 《江苏文艺》1976年第2期刊出徐荣街《长征精神颂》、马绪英《新苗颂》、阎志民《波澜壮阔的进军》等诗和王长俊《略论诗味》等文。

2月 《辽宁文艺》1976年第2期《社会主义新生事物赞》栏刊出张玉平《遥寄朝阳农学院》、王荆岩《样板戏,我尽情为你欢呼》、西丰社员李维禄《进校老贫农》等诗。

2月 《青海文艺》1976年第1期刊出杜宗荣《韶山松苗》、战士刘立波《红色家信栏》、王泽群《老工人合唱团》等诗和《战歌催春——大通县后子河公社赛诗会特辑》。该刊1976年第4期刊出巨邦佐的文章《一行行诗句红似火——读诗歌特辑〈战歌催春〉》。文章说:"读《战歌催春》中的诗,不仅思想内容具有一定的深度,而且艺术形式也独具特色。其一,统一的风格和多样的诗体相结合。就其形式而论,有歌谣体、自由体、新格律体、'花儿'体,而这些多种诗体都统一在粗犷、刚健、清新的风格里。一读便知,这是劳动人民的佳作,任何没落阶级的文人们的无病呻吟、浅吟低唱是无法比拟的。其二,直抒胸臆,不尚雕饰。语言精炼、明快、铿锵。其三、格调高昂、乐观。诗作的这种特点,是由高原上劳动人民的那种朴实、豪迈的性格,爱憎分明的阶级立场决定的。鲁迅说:'诗须有形式,要易记,易懂,易唱,动听,但格式不要太严。要有韵,但不必依旧诗韵,只要顺口就好。'重温鲁迅对诗歌的中肯论述,再读《战歌催春》,作为治河造田工地赛诗会上的即兴之作,我以为这些社员群众的诗作具备鲁迅对诗歌的要求。"

2月 《四川文艺》1976年第2期刊出彭斯远《工宣队员的记事簿》、童嘉通《新生事物赞》、鄢家发《帐篷车间》等诗。

2月 《湘江文艺》1976年第1期刊出刘勇《毛主席领路我登攀》、湖南师院解放军学员毕长龙《新的一代》、隆回县农民胡光曙《好青年》等诗和《在毛泽东思想哺育下茁壮成长——株洲市青年赛诗会作品选》。

2月 诗集《南海的涛声》由广东人民出版社出版。

2月 辽宁人民出版社编的诗集《石油之歌》由该出版社出版。

2月 樊杨明等著的诗集《专政大旗高高举》由安徽人民出版社出版。

2月 韩作荣的诗集《万山军号鸣》由黑龙江人民出版社出版。作品分为《从边疆到北京》、《大山的主人》等3辑,收《天安门前留影》、《火热的工棚》、《山间小路》、《深山潜伏》等诗45首,有作者《后记》。该书《内容介绍》说:"作者是一位解放军战士。""这是作者从几年来诗作中选编的第一部抒情短诗集,包括各种题材的诗作45首。其中有献给伟大领袖毛主席和中国共产党的颂歌,有表现部队干部战士刻苦攻读马列,为巩固无产阶级专政抓紧军事训练、抓紧战备施工,以及反映军民鱼水关系等的诗篇。大部分作品,曾在报刊上发表过;收入本集时,又有所修改。作品风格明快、刚健,构思刻意求新,洋溢着革命战士继续革命、勇往直前的如火激情。"作者《后记》说:"这些习作,大都是利用施工间隙、学习训练之余,在工地、帐篷和木板房里,伏在腿上和铺上写就的。在翻阅这些诗稿的时候,我面前浮现出工程兵火热战斗生活的壮阔画面,从江南到塞北,从戈壁、海岛到雪山、大河,到处都印满了工程兵的足迹。是毛主席的革命文艺路线指引着我。是工程兵火热的斗争生活触动了我,使我在握紧枪杆的同时,也握紧笔杆,努力抒发革命战士的豪情,为我们的伟大时代歌唱。"

韩作荣,1947年12月16日生于黑龙江海伦。1969年参加中国人民解放军,曾任师政治部干事。1978年转业,到《诗刊》社任编辑。1981年调入《人民文学》杂志社,任该刊副主编、主编。出版的诗集还有《北方抒情诗》(1985)、《静静的白桦林》(1985)、《裸体》(1988)、《雪季·梦与情歌》(1990)、《瞬间的野菊》(1991)、《韩作荣自选诗》(1995)等。

2月 瞿琮的诗集《红缨似火》由广东人民出版社出版,为南方诗丛之一。作品分为《革命故乡》、《海防前哨》等3辑,收《颂歌献给毛主席》、《北京,在战士心中》、《高粱红了的时候》等诗83首。

2月 中共松花江地委宣传部编的《广积粮战歌——松花江地区农村新民歌选》由黑龙江人民出版社出版社。作品分为《颂歌献给毛主席》、《革命理论指航程》等4辑,收木兰县木兰镇公社联丰大队知识青年张喜山《颂歌向着北京唱》、尚志县尚志镇公社中兴大队民兵连长朱永清《贫下中农学理论》、呼兰县西沈公社西沈大队社员张立军《"大老粗"如今拿起笔》等民歌74首。

2月 《火红的年华》编辑组编的《火红的年华——知识青年诗歌选》由吉林人民出版社出版。当时的评介说:"一轮火红的朝阳照亮了广阔的天地,大地上一片勃勃生机……。这是一本知识青年创作的诗歌集《火红的年华》(吉林人民出版社出版)的封面。这个封面形象地概括了这本书的意义:在毛主席革命路线的阳光照耀下,在无产阶级文化大革命的滚滚洪流中,千千万万上山下乡知识青年在与工农相结合的道路上茁壮成长,取得非常可喜的丰收。这本书就是这丰收麦海里的一束麦穗。它对邓小平妄图否定文化大革命的罪行,是一个有力的回击。"(路佳宜《〈火红的年华〉》,1976年6月1日《人民日报》)

　　2月　中国人民解放军北京军区空军政治部宣传部编的诗集《凌云曲》由天津人民出版社出版。收鲁野《幸福的回忆》、陈咏慷《战友》、周鹤《红旗渠从我心上流过》、靳文华《我爱看银鹰起飞》等诗56首,有编者《后记》。《后记》说:"在伟大的批林批孔运动推动下,在学习无产阶级专政理论的热潮中,我区广大干部、战士,掀起了诗歌创作的热潮。以满怀激情,歌颂伟大领袖毛主席,歌颂党,歌颂祖国,反映了我区部队加强战备,准备打仗的沸腾生活。""这里所收入的作品,是从我区广大干部、战士创作的大量诗歌中选出的,作者大都是基层干部和战士。"

　　2月　延安大学中文系编的诗集《延安颂》由陕西人民出版社出版。当时的评论说:"在批邓、反击右倾翻案风的伟大斗争中,由延安大学中文系编选的《延安颂》(陕西人民出版社出版)和读者见面了。诗集中的许多诗篇以饱满的革命激情,抒写了毛主席在延安领导我们的党发展壮大,领导我们的革命事业从胜利走向胜利的光辉史实。""我们的党,我们的人民,我们的革命,在伟大领袖毛主席的领导下,就是这样靠着马列主义、毛泽东思想,胜利地走过来了!诗集《延安颂》的感人之处,正在于形象而深刻地抒写了这种精神,淳朴而真切地讴歌了这种精神。这是一种什么样的巨大精神力量呵——让我们骄傲地回答吧:是延安精神!"(尹在勤《延安精神传万代——读诗集〈延安颂〉》,1976年8月21日《光明日报》)

1976年3月

1日 《红旗》杂志1976年第3期发表初澜的文章《坚持文艺革命,反击右倾翻案风》。

1日 《解放军文艺》1976年3月号刊出《上到笔杆上的刺刀——回击右倾翻案风诗传单》和清华大学工农兵学员李芬荣《抓纲更紧,步伐更齐》、彭龄《跳平台》、田永昌《风里浪里永向前》等诗及闻哨的文章《读诗随笔——兼评〈解放军文艺〉一九七五年部分新诗》。

3日 中共中央发出《关于学习〈毛主席重要指示〉的通知》,转发了毛泽东关于"批邓、反击右倾翻案风"的多次讲话。

6日 《人民日报》发表北京大学、清华大学大批判组的文章《否定文艺革命是为了复辟资本主义》。

6日 《武汉大学学报》1976年第2期刊出刘家林、张金海的文章《峡江战歌逐浪高——喜读黄声笑同志的诗集〈挑山担海跟党走〉》。

7日 《解放日报》刊出《歌颂社会主义新生事物 痛击右倾翻案风——上海妇女赛诗会诗选》。

7日 《人民日报》刊出《小靳庄妇女反击右倾翻案风战歌》,刊有党支部副书记周克周《红旗高举风雷吼》、一队妇女队长于芳《妈妈学唱样板戏》等诗。

7日 《文汇报》刊出《纺织女工上阵来 挥笔痛斥走资派——三八妇女节赛诗会诗选》、《贫下中农登诗台 重炮猛轰走资派——金山县纪念三八妇女节诗选》。

10日 《人民日报》发表社论《翻案不得人心》。

10日 《诗刊》1976年2—3月号刊出纪宇《风雷之歌——献给无产阶级文化大革命》、贺东久《评〈水浒〉,看路线》、王作山等《小靳庄诗抄》、李学鳌《太行访友记》等诗和闻哨《新诗创作要向革命样板戏学习》等文。闻哨说:"塑造无产阶级的英雄典型,这是社会主义文艺的根本任务。我们的新诗创作,应该像革命样板戏那样,满腔热情、千方百计地塑造无产阶级的英雄典型,抒发无产阶级英雄的壮志豪情。叙事诗创作完全可以根据自己的特点,学习革命样板戏源于生活、高于生活的经验;学习它在所有人物中突出正面人物,在正面人物中突出英雄人物,在英雄人物中突出主要英雄人物,同时也写好各个起陪衬作用方面的经验;学习它在阶级斗争、路线斗争的风口浪尖上塑造英雄形象的经验;学习它充分揭示英雄人物崇高的内心世界的经验,等等。即使是那种不去具体地描绘人物的行动,不可能完整地铺排故事情节的抒情诗,也应该用革命样板戏创作经验的精神来指导其创作,运用本身特有的抒情手段,突出地表现无产阶级英雄人物的豪情壮志,展示英雄人物内心世界的共产主义光辉。革命样板戏所塑造的杨子荣、李玉和等一系列英雄形象,他们的革命激情、革命理想、革命情操,都是诗歌创作抒发无产阶级感情的光辉典范。"

10日 《北京文艺》1976年第3期刊出红卫兵杨赞东《方向路线不许扭》、社员汉章《不许翻案搞倒算》、工人耿志勇《毛主席送我上大学》、知识青年郭小聪《我们的家》等诗。

10日 《天津文艺》1976年第3期刊出《贫下中农不信邪——小靳庄大队社员反击右倾翻案风诗歌选》,刊有党支部书记王作山《激情化作无穷力》、老贫农魏文中《贫下中农不信邪》等诗。

13日 北京大学中文系新闻专业举行"诗批判会"。《诗刊》1976年4月号消息:"三月十三日,北大中文系新闻专业七三级工农兵学员、革命教师和工人师傅,举行了'诗批判会'。他们以政治抒情诗、小叙事诗、政治讽刺诗等形式,愤怒批判党内那个不肯改悔的走资派,痛击教育界的奇谈怪论,热情歌颂社会主义新生事物和教育革命的成果。火一样的诗句,洋溢着战斗的激情。这种批判会,形式生动,战斗性强。"

14日 《人民日报》刊出《毛主席指出金光道——上海机床厂七·二一工人大学诗选》,刊有厂党委书记张梅华《谁想翻案办不到》、工人技术员马金荣《毛主席叫我上讲台》等诗。

15日 《安徽劳动大学学报》1976年第1期刊出中文系齐杉、齐武的文章《〈理想之歌〉赞》。

15日 《汾水》1976年第2期以《坚决回击右倾翻案风》为总题刊出钮宇大《新的战斗》、张承信《大辩论赞歌》、梁志宏《金钟长鸣》等诗;以《工农兵赛诗会——新生事物赞》为总题刊出工人徐若琦《迎新曲——记一位年轻书记》、工人石秀英《师徒并肩上大学》等诗。是期消息:"在反击右倾翻案风的斗争深入发展的大好形势下,省文艺工作室于最近召开省城部分工农兵诗歌作者及专业文艺工作者会议,畅谈文艺革命的大好形势,批判党内那个不肯改悔的走资派抛出的'三项指示为纲'的修正主义纲领,批判攻击革命样板戏的种种奇谈怪论,坚决回击右倾翻案风。"

15日　《河北文艺》1976年第3期刊出诗辑《女作者诗页》、《反击右倾翻案风》、《开滦歌谣》和吴士余《钢水稻花谱新歌——谈新民歌中革命现实主义和革命浪漫主义相结合的运用》及石家庄水泵厂工人评论组、河北师大中文系一九七四级工农兵学员《短诗也能塑造人物形象——读〈清道工的女儿〉》等文。

20日　《人民日报》刊出韩望愈《一代新人的赞歌——评叙事诗〈兰珍子〉》、舒浩晴《诗歌是战斗的——学习鲁迅对诗歌创作的论述》等文。

20日　《福建文艺》1976年第2期刊出《惊雷滚滚战旗扬——回击右倾翻案风新民歌、墙头诗选辑》和宋新《开门办学好》、徐如麒《海岛"半边天"》、陈志铭《女子电工班》等诗及孙绍振的文章《群众诗歌创作的可喜收获——读〈红日照霞山〉》。

20日　《人民文学》1976年第2期刊出纪戈的文章《诗歌来自斗争,斗争需要诗歌》和北京大学中文系七三级创作班工农兵学员集体创作《展翅篇》、严阵《擂响反修的战鼓》等诗。纪戈说:"刮右倾翻案风的人说,文化大革命以来这也不好,那也不行了,总之是'今不如昔'。事实给了他们有力的回答。拿诗歌创作来说,现在我们的诗歌不仅数量多,而且质量也越来越高。无产阶级文化大革命和批林批孔运动,以空前的广度和深度激发了我国人民的革命精神。英雄的人民在这场轰轰烈烈的大搏斗中创造了丰功伟绩,新人、新思想、新生事物层出不穷,给了诗歌创作以极大的推动。广大工农兵群众纷纷拿起诗歌这个武器投入战斗。在地头、营房、车间的赛诗会、批判会上,在广播喇叭里,在黑板报、墙报、油印小报上的诗歌,何止成千累万!据统计,自一九七二年以来,不到四年的时间里,全国各地出版的诗集、民歌和儿歌的集子，就有近三百九十种，比文化大革命前每年平均增加一倍多。"

20日 《朝霞》1976年第3期刊出诗辑《新生事物在斗争中成长》，刊有宫玺《叱咤风云》、陈祖言《剪彩的年轻人》等诗。

21日 《解放日报》刊出吴欢章的文章《政治抒情诗的形式——诗歌漫谈之十一》。

21日 《人民日报》刊出田间的诗《送铁牛出征——并记》。记云："河北抚宁县的同志，遵照毛主席的教导，坚持党的基本路线，同洛阳拖拉机研究所以及昔阳、秦皇岛等地兄弟单位的科技人员，学习大寨贫下中农的革命精神，自制十二马力履带拖拉机，适用于山区。去年秋，有一天，我曾到县农具研究所试'骑'之。又一天，我到县农机厂再'骑'之。第一次是'第二代'的，第二次是'第三代'即加工改制的。一代比一代好。这正是在毛主席革命路线的指引下，在普及大寨县运动中的一件新生的事物，是文化大革命的一个丰硕成果。新生事物即使是幼芽，也是不可战胜的力量。工厂是课堂，课堂是工厂，沿着毛主席的革命路线攀，定把高峰上！因作短诗一首。"

25日 《黑龙江文艺》1976年第3期刊出孟宪钧《铁姑娘——总指挥》、龙彼德《上阵》等诗。

25日 《云南文艺》1976年第3期刊出北京大学中文系七二级创作班工农兵学员集体创作的长诗《理想之歌》和《努力反映无产阶级文化大革命斗争生活征文选刊》专栏，专栏刊有岳文治的诗《景颇山的喜讯——首次招收工农兵学员纪事》。

25日 《浙江文艺》1976年第2期以《歌颂新生事物　回击右倾翻案风》为总题刊出谢鲁渤《海上画展》、贺东久《都说她姓"土"》、黄亚洲《深山里的家》等诗。

30日 《邹平文艺》第10期刊出"邹平县诗歌创作学习班作品专辑"，刊有《党吹号角冲上阵——反击右倾翻案风民歌》等。

3月 郭路生（食指）作诗《敬酒》。此诗收《食指的诗》，人民文学出版社2000年12月出版。

3月 穆旦作诗《智慧之歌》、《理智和感情》。《智慧之歌》初刊

《诗刊》1980年2月号,收《穆旦诗选》,人民文学出版社1986年1月出版;《理智和感情》初刊《诗刊》1987年2月号,收《穆旦诗全集》,中国文学出版社1996年9月出版。

3月 《安徽文艺》1976年3月号刊出解放军某部尚宇《虎头山的聚会》、工人范震威《输油管之歌》等诗。

3月 《广东文艺》1976年第3期刊出工农兵学员陈俊年《炸平挡道山》、郑南《我是水乡的赤脚医生》、工人刘居上《新的高峰我们攀》等诗和工人李福谦等《评〈水浒〉诗抄》。

3月 《广西文艺》1976年第2期刊出《回击右倾翻案风诗抄》,有蓝南妮《发起猛烈的反攻》、杨鹤楼《矿山春苗》等诗。

3月 《河南文艺》1976年第2期刊出诗辑《光辉的诗篇 战斗的道路》、《教育革命洪流滚》和《反修防修的战斗诗篇——洛阳东方红拖拉机厂工人业余作者学习毛主席词二首座谈纪要》、王怀让《让诗歌插上翅膀》等文。

3月 《湖北文艺》1976年第2期刊出刘不朽《公社春》、解放军某部谢克强《测量日志》、黄陂县知识青年喻大翔《描春歌》等诗和武汉大学中文系刘家林的文章《为普及大寨县运动擂鼓吹号——读小诗〈紧紧追上虎头山〉有感》。

3月 《吉林文艺》1976年3月号刊出《今日欢呼孙大圣 只缘妖雾又重来——工农兵反击右倾翻案风诗选》和曲有源《撒在校园里的传单》、李中申《北京车站》等诗。

3月 《江苏文艺》1976年第3期刊出《大寨花满江南春——江阴县华西大队农民诗选》和韦兆瑞《写在改山治水工地》、解放军某部宫玺《叱咤风云》和常熟县练塘公社文艺评论组、阎武的文章《莺歌燕舞谱新篇——读〈江苏农民诗歌选〉》。

3月 《江西文艺》1976年第2期刊出邹镇《贫下中农的大学生》、解放军彭龄《茨坪灯火》、朱谷忠《夜话》等诗。

3月 《辽宁文艺》1976年第3期刊出晓凡《火线纪事——写在朝阳农学院》、岸冈《风雷滚滚战旗红——漫步校园大字报棚》、汤炀《上阵》等诗。

3月　《内蒙古文艺》1976年第2期以《词如明灯照征途》为总题刊出工人黄河《进军号和催征鼓——喜读毛主席词二首》、解放军某部火华《在哨所》等诗；以《新生事物赞》为总题刊出战士姜强国《重返哨所守边防》、工农兵学员王晓平《讲台雷声》等诗。

3月　《四川文艺》1976年第3期刊出《挥汗化长江——眉山县群众创作诗选》和解放军杨泽明《征途新歌》、张小敏《战场》、叶延滨《"娘家"的邮包》等诗。

3月　《武汉文艺》1976年第2期刊出《武汉六中教育革命诗选》和铁道兵李武兵《闪光的答卷》、熊召政《老书记》等诗及李菲《小将的回答——喜读武汉六中教育革命诗选》、古远清《反修的战斗檄文——学习毛主席的词〈念奴娇·鸟儿问答〉》、黄声笑（黄声孝）《努力登攀无产阶级文艺高峰》等文。

3月　《新疆文艺》1976年第2期刊出工人滨之《欢迎你，毛主席身边来的新战友》、周涛《毕业战歌》等诗和乌鲁木齐市东风锅炉厂工人评论组的文章《喜看天山奏新曲——读诗集〈天山进行曲〉》。

3月　云南省农垦总局编的《边陲花正红——云南农垦知识青年诗歌集》由云南人民出版社出版。

3月　辽宁省辽化建厂指挥部政治部编的诗集《创业歌》由辽宁人民出版社出版。

3月　井冈山地区群众艺术馆编的诗集《井冈山的春天》由江西人民出版社出版。

3月　内蒙古自治区总工会宣传部《铁流滚滚》编辑组编的《铁流滚滚——工人诗选》由内蒙古人民出版社出版。

3月　《新春战歌——工农兵诗选》由河北人民出版社出版。

3月　李学鳌的诗集《列车行》由人民文学出版社出版。收《出发》、《列车南去》、《致长江大桥上的哨兵》、《绿色的南疆》等诗15首。该书《内容说明》说："这是作者新创作的一本组诗，共收入作品十五首。""作者满怀革命激情，通过列车之行，歌颂了毛主席革命路线，歌颂了欣欣向荣的社会主义祖国，歌颂了社会主义新生事物。透过列车的窗口，可以看到'千里长廊画中画，万里山河艳阳天'。在车厢里可以看到:奋战在各条战线上的英雄人物,听到汽笛的高歌和祖国一日千里的足音。""作品的时代色彩鲜明,感情饱满,语言流畅,适合于朗诵。"

3月 李学鳌的诗集《乡音集》由北京人民出版社出版。收《乡音》、《每当我印好一幅新地图的时候》、《印刷工人之歌》、《回北京》等诗89首,有作者《后记》。《后记》说:"这本《乡村[音]集》就是从一九五二年到一九六七年我在学习写诗的过程中,向同志们递上的一部分试卷。此次编选,基本上以发表时间为序,并对有的作品作了一些适当修改。""在编选这个集子的过程中,我把自己的作品又认真看了一下,我感到很惭愧,我没有把党和工人阶级交给我的任务完成好。但我却珍惜这些作品。因为它们是在火热的斗争生活中产生的,同时又献给了火热的斗争生活;虽然不够成熟,却是党帮助我摘掉'半文盲'帽子之后,同工农战友长期在一起共同战斗的产物,它浸透工农战友们的心血和革命感情,并使我们心连结在一起。我更为珍惜的是,在我创作这些诗歌的过程中,马列主义、毛泽东思想对我的哺育,毛主席革命文艺路线对我的指引,工农战友在政治上对我的帮助,使我增长了抵制资产阶级文艺黑线的能力,增强了改造世界观的自觉性。此外,从我的创作实践中也体会到:文艺创作决不像那些资产阶级及政治骗子们所鼓吹的那么玄虚,什么需要'特殊的天才'啦,什么需要'电光石火'般的'灵感'啦……那统统是骗人的鬼话!我们是国家的主人,我们是物质财富的创造者,也是精神财富的创造者。我们只要遵照毛主席的伟大教导,坚持唯物论的认识论,长期深入在三大革命斗争生活中,努力学习马列主义、毛泽东思想,认真改造世界观,不断进行艺术实践,我们工农兵是可以拿起笔来的,可以写诗,可以画画,可以写小说,可以编电影,可以写戏,也可以搞文艺评论!这方面,许多工农兵业余作者已为我们做出了榜样,我决心在他们的带动下,把前进的步子迈得更坚定、更有力、更迅速些。"

3月 夏羊的诗集《山塬春》由甘肃人民出版社出版。收《书记肩挂黄挎包》、《铁队长》、《春雷曲》、《宣传队员进山来》等诗51首,前有序歌《学大寨的战旗》。该书《内容提要》说:"这本诗集,共收进作者反映'农业学大寨'的短诗五十首。""这些诗篇,以饱满的革命激情,歌颂了在毛主席革命路线的指引下,当前社会主义农村蓬勃发展的大好形势和革命的新生事物,描绘了农村人民公社丰富多彩的斗争生活,生动地刻画了奋战在农村三大革命斗争第一线的贫下中农的英雄形象,多侧面地展现了他们大干社会主义的革命精神和英雄气概。""作品具有甘肃陇塬山区的生活气息,内容比较丰富,在艺术上有一定特色,意境较新,形象生动。"

夏羊,原名张伊三,1922年10月16日生于甘肃定西。1948年毕业于西北师范学院,长期从事中学、师专语文教学工作。1980年兼任定西地区文联副主席,1987年兼任主席。1942年开始发表新诗,出版的诗集还有《唿哨的季风》(1986)、《花串与火石》(散文诗集,1988)、《希望的调色》(1991)等。

3月 郑定友的长篇叙事诗《铁牛传》由湖北人民出版社出版。作品共15章。该书《内容提要》说:"长篇叙事诗《铁牛传》,以一九四六年至解放初期这一段历史为背景,形象地描述了荆江地区劳动人民在党的领导下,与国民党反动派和恶霸地主鱼秤钩英勇斗争的故事。长诗以富有特色的斗争情节,比较饱满的革命激情,简洁朴素的语言,着力刻画了主要英雄人物牛钢的成长,塑造了以牛钢、向政委、金堤、牛爷爷、牛大伯、老渔翁等为代表的无产阶级英雄群像;反复阐明了一条真理:枪杆子里面出政权,劳动人民要翻身,翻江倒海跟党走。"

郑定友,1932年生,湖北沙市人。1950年参军,1970年复员到沙市柴油机厂当工人,后调入长江航运管理局创编室从事专业创作。出版的诗集还有《火龙山》(1979)、《盼龙岭》(1982)、《山与海的相思》(1989)等。

1976年4月

1日 《解放军文艺》1976年4月号刊出工人杨景亮《谁搞复辟咱不依》、江榕《登攀歌》、虞文琴《走向明天》等诗。

3日 《光明日报》刊出工人成莫愁的文章《东风报春莺歌

新——读文化大革命以来的部分新诗歌》。

5日 北京爆发天安门诗歌运动。"1976年4月5日清明节前后,北京数百万群众连续几天汇集于天安门广场,敬献花圈和挽联,张贴、朗诵诗词与祭文,以表示对周总理的深切悼念,对'四人帮'的愤怒斗争。此举当即在全国引起强烈的共鸣。人们冒着政治上获罪的危险,进行写作、张贴、朗诵、记录和传抄。许多作品不胫而走,被辗转抄阅和秘密收藏,用以鼓舞自己为争取真理与光明而斗争。人们习惯称这些作品为天安门革命诗歌。"(《中国大百科全书·中国文学》,中国大百科全书出版社1986年11月出版)

6日 《人民日报》刊出石祥(王石祥)《井冈三月杜鹃红》、徐刚《鲁迅的网篮》等诗。

7日 中共中央政治局通过《中共中央关于华国锋同志任中共中央第一副主席、国务院总理的决议》和《中共中央关于撤销邓小平党内外一切职务的决议》。

8日 《人民日报》发表该报工农兵通讯员、该报记者的报道《天安门广场的反革命政治事件》。

8日 黄翔作诗《不 你没有死去》。此诗收诗集《狂饮不醉的兽形》,1986年7月油印。

10日 《诗刊》1976年4月号刊出小靳庄大队党支部《文艺革命不容否定》、冯至《"今不如昔"——复辟倒退的滥调》、尹在勤《试谈抒情诗学习革命样板戏》等文和寇宗鄂《好呵,天翻地覆的大舞台》、药汀《山花造反》、梁上泉《歌飞大凉山》、雷抒雁《写在反修前哨》等诗。尹在勤说:"抒时代之情,还是抒个人之情?抒无产阶级之情,还是抒资产阶级之情?这历来是抒情诗领域里无产阶级同资产阶级斗争的一个焦点。抒情诗领域,不是仙山琼阁,而是硝烟弥漫的战场。即使吟咏的是一山一水,一草一木,也必然折射出抒情诗作者的阶级属性、阶级感情。我们强调抒情诗学样板戏的创作经验,正是强调诗歌作者要深入工农兵群众,积极投身现实的阶级斗争,努力改造世界观,理解工农兵,熟悉工农兵,用无产阶级的思想感情占领抒情诗这个阵地,从而根除形形色色的封资修的艺术观念和艺术情趣,真正让社会主义的抒情诗开出新生面。样板戏的许多唱段,特别是重点核心唱段,为我们的抒情诗展示无产阶级的崇高精神境界提供了丰富的经验,我们要很好地学习这些经验,在抒情诗里把无产阶级的思想感情抒得高,抒得深,抒得美,让这种壮美的无产阶级情怀,去强烈地激起广大工农兵群众的共鸣。"是期诗讯:清华大学印刷厂全体职工和半工半读的工农兵学员一百五十多人,近日召开了诗批判会,怒斥党内那个不肯改悔的走资派,狠批"三项指示为纲"的修正主义黑纲领。会上群情激愤,斗志昂扬,连从来没有作过诗的六十岁的老工人,也即席作诗,投入战斗,他高声朗读:"阶级斗争是总纲,主席教导永不忘,狠揭猛批走资派,红色江山万年长。"工人和工农兵学员们的一首首诗歌,像一发发炮弹,对准党内那个不肯改悔的走资派猛烈轰击,充分表现了工人阶级和工农兵学员坚决回击右倾翻案风的战斗意志和革命精神。

10日　《北京文艺》1976年第4期刊出北京大学工农兵学员李兴昌《向不肯改悔的走资派开战》、吴伯雄《大批判的声浪震山崖》等诗。

10日　《天津文艺》1976年第4期刊出邓店大队社员陈子如《两个决议好处很》、冯景元《席墙——钢铁的阵地》、马晋乾《这场斗争发人省》、贺东久《脚印》等诗。

11日　《人民日报》刊出张劲草《天安门广场放歌》、解放军某部韩作荣《铁壁铜墙——写给战斗在天安门广场的首都工人民兵》等诗。

14日　《人民日报》刊出北京二七机车车辆工厂白世钧《铁拳赞》、首都钢铁公司郭天民《工人的回答》等诗。

15日　《河北文艺》1976年第4期以《热烈欢呼毛主席革命路线的伟大胜利》刊出康泽礼《铁壁铜墙颂——致首都工人民兵》等诗;以《反击右倾翻案风》为总题刊出田间《反击——批判邓小平的"三项指示为纲"》等诗;以《新生事物赞》为总题刊出韩静霆《三结合领导班子赞》、戴砚田《喜讯》等诗。

16日　《文汇报》刊出徐刚《天安门广场颂》、袁军《敬礼,英雄的首都工人民兵》等诗和《钢枪永远手中握——"南京路上好八连"指战员欢呼中共中央两项决议诗选》。

18日 《解放日报》刊出上海石油化工总厂民兵金洪远、上海自来水公司民兵毛裕俭《首都的工人民兵战友,向你们致敬》和东海舰队董培伦《水兵紧跟毛主席》、马国征《红星永照天安门——欢呼粉碎天安门广场反革命事件的胜利》等诗。

18日 《文汇报》刊出人民解放军某部贺东久《寄给首都的诗》、上海汽轮机厂王树滨《向首都民兵致敬》等诗。

19日 《人民日报》刊出宝鸡铁路分局宝鸡机务段制动民兵班《天安门红旗飘扬在人民心头》、苗族石太瑞《你们心里闪耀着中南海的红灯》等诗。

20日 《贵州文艺》1976年第2期以《坚决拥护毛主席和党中央的英明决策》为总题刊出公安战士培贵《英明的决议》、解放军某部杨松杰《高原哨所春雷鸣》、工人夏志彬《伟大首都更娇娆》等诗;以《钢铁大军反复辟》为总题刊出《水城钢铁厂赛诗会诗选》;还刊出贵州水城钢铁厂政治部的文章《充分发挥诗歌的战斗作用》。文章说:"在当前回击右倾翻案风的伟大斗争中,我厂广大职工和诗歌作者在各级党委领导下,用诗歌作武器,以阶级斗争为纲,狠批不肯改悔的走资派邓小平抛出的'三项指示为纲'修正主义纲领。两个月来,全厂已创作了三百多首革命诗歌,举办了两次大型赛诗会,热情歌颂无产阶级文化大革命和社会主义新生事物,回击右倾翻案风。"

20日 《朝霞》1976年第4期刊出申卫《"中央决议"最英明》、纺织工业局葛元兴《不许你邓小平开倒车》、杨槐《峥嵘岁月放歌》、吴永祚《参战》等诗。

25日 《解放日报》刊出宁宇《红太阳光辉照耀天安门广场》、静安区锦都食品店何国庆《处处声讨邓小平》、刘希涛《灯下奋书批判稿》等诗。

25日 《人民日报》刊出张永枚的诗《金沙激浪——长征路上寄北京》。

25日 《文汇报》刊出胡永槐《决议说出咱心里话》、谢其规《造谣者必严惩——严正警告一小撮反革命造谣家》等诗。

25日　《黑龙江文艺》1976年第4期刊出王野《汽锤》、刘爱萍《战斗的报房》等诗。

25日　《云南文艺》1976年第4期刊出任兆胜的文章《为无产阶级文化大革命谱写壮丽诗篇——谈政治抒情诗〈理想之歌〉》和邓耀泽《高歌挺进》、李霁宇《红卫兵日记》等诗。

30日　《人民日报》刊出北京第一机床厂王恩宇《首都工人民兵战歌》、上海基础工程公司朱金晨《工地号子》、江苏冶金机修厂工人蔡克霖《"特殊钢"》等诗。

30日　《浙江师院》1976年第2期刊出《斗争不息　战歌不止——文化大革命初期我院红卫兵战斗诗选》，刊有《心中想念毛泽东》、《血战歌》、《不胜刘邓誓不还》、《大旗歌》等诗。

30日—5月13日　承德地区文化局创作组举办诗歌学习班。《河北文艺》1976年第7期消息："为了歌颂无产阶级文化大革命和社会主义新生事物，反击右倾翻案风，承德地区文化局创作组于一九七六年四月三十日到五月十三日，举办了诗歌、民歌创作学习班，共有专业、业余作者十八人参加。大家认真学习了毛主席关于文化大革命、反击右倾翻案风的一系列重要指示，狠批了邓小平反革命的修正主义路线，畅谈了文艺革命的大好形势，以铁的事实回击了邓小平'今不如昔'的谬论。参加这次学习班的作者，多数是来自工农业第一线的工农兵业余作者，多数是青年，有些本人就是当年的红卫兵。他们说：'这是一次反击右倾翻案风的战斗会，使我们进一步懂得了大造革命舆论的重要性。我们要像首都工人民兵那样战斗冲锋。'在创作中，他们以阶级斗争为纲，努力学习革命样板戏的宝贵经验，把反映无产阶级同党内走资派的斗争作为一个重要课题，发扬革命的'牛'劲，发挥集体智慧，互相帮助，创作了一批较好的诗歌和民歌作品。"

4月　龚舒婷（舒婷）作诗《当你从我的窗下走过》。此诗收诗集《双桅船》，上海文艺出版社1982年2月出版。

4月　穆旦作诗《演出》、《城市的街心》、《诗》、《理想》、《听说我老了》。《演出》初刊《诗刊》1980年2月号;《诗》、《理想》、《听说我老了》初刊《诗刊》1987年2月号。前二首收《穆旦诗选》,人民文学出版社1986年1月出版;后三首收《穆旦诗全集》,中国文学出版社1996年9月出版。

4月　赵振开(北岛)作诗《回答》。此诗初刊1978年12月23日《今天》第1期,收诗集《陌生的海滩》,《今天》编辑部1980年4月油印发行。

4月　《安徽文艺》1976年4月号以《春风杨柳万千条——社会主义新生事物赞》为总题刊出工人邢开山《炉前朗诵会》、阎志民《战斗的堡垒》等诗。

4月　《广东文艺》1976年第4期刊出诗画辑《坚决拥护党中央的决议　愤怒声讨邓小平的罪行》,刊有农民樊积龄《党中央决议鼓斗志》、工农兵学员文捷《致敬!英雄的首都工人民兵》、陈绍伟《天安门上红旗永高飘》等诗。

4月　《吉林文艺》1976年4月号刊出任彦芳《颂天安门广场》、汽车工人赵长鸣《寄首都工人民兵战友》、顾笑言《山村科学院》、雷抒雁《在北疆密林里》等诗和《宜将剩勇追穷寇——工农兵反击右倾翻案风诗选》。

4月　《江苏文艺》1976年第4期刊出诗辑《歌颂革命样板戏回击右倾翻案风》、《教育革命惊雷滚》和解放军某部杨德祥《剪彩》、工人冯景元《大轴》等诗。是期刊出增刊,刊有邹国平、路桦、李寿生《胜利篇——诗传单》和常州市工人赵翼如《铁拳》等诗。

4月　《辽宁文艺》1976年第4期刊出《工人提笔上阵来——沈阳机床一厂、抚顺石油二厂墙报诗选》、王金图等《上山下乡知识青年诗选》和王永葆的文章《在阶级斗争的火线上放声歌唱——读组诗〈火线纪事〉》。

4月　《青海文艺》1976年第2期刊出北京大学中文系七二级创作班工农兵学员集体创作《理想之歌》、社员胡明显《坚决把修正主义埋葬》、工农兵学员范新安《一代新驭手》、俞文达《坚决支持新生事物》等诗。

4月　《四川文艺》1976年第4期刊出《冲锋的号声——反击右倾翻案风诗辑》，刊有工人柯愈勋《战鼓隆隆》、工人刘滨《寄自工宣队的报告》、下乡知识青年吴晓燕《政治夜校响春雷》等诗。

4月　《湘江文艺》1976年第2期刊出"歌颂无产阶级文化大革命　反击右倾翻案风专辑"，以《伟大的胜利》为总题刊出工人弘征《乘胜进军》、石太瑞《致英雄的首都工人民兵》等诗，以《进军的号角》为总题刊出岳立功《盛大的节日》、于沙《战歌嘹亮》等诗。该刊1976年第3期刊出楚里的文章《文化大革命的胜利凯歌——喜读诗辑〈进军的号角〉》。文章说："热情歌颂无产阶级文化大革命，努力反映无产阶级专政下和党内走资派的斗争，是我们伟大时代赋予社会主义文艺创作的重要课题。诗辑《进军的号角》，以饱满的热情，激越的音调，多样的形式，明朗的色彩，讴歌了文化大革命如火如荼的斗争生活，展现了向走资派斗争的风雷激荡的壮丽画面，抒发了无产阶级坚持革命、反对复辟的壮志豪情，颂扬了这场政治大革命在人类历史上的伟大意义与深远影响，使我们感受到跳动着时代的脉搏和阶级的心声。"《湘江文艺》1976年第2期消息："最近，本刊与湖南人民出版社、《工农兵文艺》编辑部联合举办了诗歌创作学习班。""参加学习班的作者三十余人，多数是年轻的工农兵、是无产阶级文化大革命和批林批孔斗争中涌现的新生力量。他们认真学习了毛主席关于无产阶级文化大革命、反击右倾翻案风的一系列重要指示，学习了毛主席的光辉诗篇《词二首》和鲁迅关于诗歌的重要论述，深刻认识到：诗歌应该成为宣传马列主义、毛泽东思想的号角，巩固无产阶级专政的工具。大家以高昂的政治热情、战斗的姿态，在二十天时间里，写出了一批歌颂无产阶级文化大革命、歌颂社会主义新生事物、回击右倾翻案风的作品，作为献给无产阶级文化大革命十周年的礼物。"

4月　诗集《风雷颂》由山西人民出版社出版。

4月　昔阳县文化馆编的《昔阳群众诗歌选》由山西人民出版社出版。

4月　诗集《校园战歌》由山西人民出版社出版。

4月　宝坻县诗歌编辑组的诗集《展开公社新画卷》由天津人民

出版社出版。

4月 诗集《战鼓集》由山东人民出版社出版。

4月 董耀章的诗集《虎头山放歌》由上海人民出版社出版。作品分为《虎头山赞》、《松溪河的歌》2辑,收《大寨水稻》、《大寨石坝》、《县委书记的决心书》等诗50首。该书《内容提要》说:"这本诗集共收抒情短诗五十首。第一辑《虎头山赞》,从各个侧面展现了我国农业战线上的一面红旗——大寨,在毛主席革命路线指引下,学马列主义,批修正主义,斗资本主义,干社会主义,想共产主义的壮丽图景;第二辑《松溪河的歌》,从不同角度描绘了昔阳和太行山地区广大贫下中农在党的领导下,学大寨,大办农业,为建设大寨县、普及大寨县而奋斗的战斗风貌。""饱满的政治热情,强烈的时代精神,朴素明快的笔调,浓郁的生活气息,是这本诗集的特点。"当时的出版消息说:"我省作者董耀章同志的诗集《虎头山放歌》已由上海人民出版社出版。诗集以阶级斗争为纲,歌颂了大寨、昔阳及太行山区人民大批修正主义,大干社会主义,大办农业的壮丽图景和战斗风貌。"(1976年9月15日《汾水》1976年第5期)

董耀章,1937年2月17日生于山西忻州。1957年太原师范中专毕业后在忻县师范任教,1959年到晋北人民出版社任编辑,1961年在太原新华印刷厂做工会干事,1963年后历任《晋阳文艺》、《火花》杂志编辑、副主编、主编。1959年开始发表新诗,出版的诗集还有《金色的山川》(1979)、《彩色的原野》(1982)、《爱的星空》(1995)等。

4月 贾漫、布林贝赫的长诗《云霄壮歌》由内蒙古人民出版社出版。长诗共10章,有《纪念碑》诗代序。该书《内容提要》说:"孟克达来同志,生前是内蒙古自治区达茂旗白灵庙镇公社武装部长,一九七四年×月在一次民兵军事演习中,为抢救一位汉族民兵,英勇地献出了生命。这部长诗,以饱满的革命激情,歌颂了孟克达来,在党的培养教育下,继承发扬光荣的革命传统,不为名,不为利,不怕苦,不怕死,兢兢业业为党和人民工作的崇高品质;赞扬了他为巩固无产阶级专政,永不停步、永不下鞍的革命精神。"

巴·布林贝赫，蒙古族，1928年2月生于内蒙古巴林右旗。1948年入冀察热辽联合大学鲁迅文学艺术院学习，翌年结业参加中国人民解放军。1958年转业到内蒙古大学蒙语系任教，后曾任中国作家协会内蒙古分会副主席。出版的汉译诗集有《生命的礼花》（1962）、《星群》（1977）、《命运之马》（1983）、《巴·布林贝赫诗选》（1983）等。

4月 李瑛的诗集《站起来的人民》由北京人民出版社出版。作品分为3辑，收《致英雄的阿尔巴尼亚》、《献给越南南方的黎明》、《警惕，战争在迫近》、《古莲新歌》等诗43首，有作者《代序》诗1首。该书《内容说明》说："这是一本国际题材的抒情短诗集"。"作者以饱满的政治热情，反映了当前国际上的大好形势，反映了全世界人民、特别是第三世界人民反对美苏两个超级大国的斗争，和反帝、反殖以及反对各国反动派的斗争；热情歌颂了毛主席关于世界革命、人民战争等的伟大思想和对国际形势的英明论断；热情歌颂了毛主席革命外交路线的胜利和我国同第三世界各国人民的友谊和团结。"

4月 峭岩的诗集《放歌井冈山》由江西人民出版社出版。收《光辉诗篇传井冈》、《黄洋界小路》、《井冈茶》、《夜访"老房东"》等诗55首。该书《内容提要》说："本诗集共有诗歌五十余首。作者通过对井冈山革命旧址和革命遗物的描写，通过对井冈山人和井冈山的今天的赞颂，满腔热情地歌颂了毛主席亲自创建的井冈山革命根据地，歌颂了毛主席革命路线的伟大胜利。这些诗歌感情充沛，朴素清新，琅琅上口，富有革命战斗性。"

峭岩，原名李进生，1941年12月26日生于河北唐山。1959年入伍，1965年到北京军区工程兵任宣传干事。1971年到解放军画报社，任编辑、副社长。1990年任解放军艺术学院文学系主任。1960年开始发表新诗，出版的诗集还有《高尚的人》（1977）、《红星与黑浪》（1980）、《星星，母亲的眼睛》（1984）、《绿色的情诗》（1987）、《爱的双桅帆》（1989）、《浪漫军旅》（1995）、《一个士兵和一个时代的歌》（1999）等。

4月 王群生的长诗《火凤》由人民文学出版社出版。该书《内容说明》说:"这是一部反映抗日战争和解放战争时期的长篇叙事诗。""长诗通过减租反霸、土地改革、参军支前等一系列的斗争故事,反映了革命战争年代中国农村尖锐复杂的阶级斗争和路线斗争。作品着重刻画了女主人公火凤的成长、壮大和为革命事业奋战牺牲的英雄形象。""长诗共十九章。结构谨严,语言流畅、有民族形式的特点。作品富有浓厚的革命浪漫主义色彩。"

4月 辽宁人民出版社编的诗集《风雷颂——献给无产阶级文化大革命十年》由该出版社出版。收荆鸿《毛主席登上天安门》、田永元《一月风暴的赞歌》、刘秋群《家庭批判会》、王鸣久《万紫千红新舞台》等诗一百余首。当时的评论说:"翻开献给无产阶级文化大革命十周年的诗集《风雷颂》(辽宁人民出版社出版),一股浓烈的战斗气息扑面而来。读着诗集中的百余篇诗,耳畔仿佛震响着炮打资产阶级司令部的隆隆炮声,眼前好似奔涌着反击右倾翻案风的滚滚怒涛。""诗集展现了文化大革命的斗争历程,热情地歌颂了文化大革命的伟大历史功绩,高度赞美了社会主义的新生事物。""《风雷颂》的不足之处,是有的篇章,构思不新;有的诗作,句子过长,太散文化;同鲁迅提出的新诗要押韵、易记、顺口、能唱的要求相比,距离较远。"(宋绪连《为无产阶级文化大革命高唱赞歌——读诗集〈风雷颂〉》,1976年7月《辽宁文艺》1976年第7期)

4月 中国人民解放军工程兵政治部宣传部编的诗集《开山集》由广东人民出版社出版。作品分为《向北京》、《作战地图》、《钻机声声》等6辑,收喻晓《长安大街》、韩仁长《工地批判会》、韩作荣《熊熊的篝火》、叶文福《北疆巡哨》、杨振江《再映〈智取威虎山〉》等诗77首。

4月 《十二级台风刮不倒——小靳庄诗歌选》由人民文学出版社出版。作品分为《老茧手笔下火力猛 举战旗反击翻案风》、《文化大革命开新花 十件新事物放光华》等4辑,收王作山《毛主席说出咱心里话》、王杜《十二级台风刮不倒》、周福祥《猛轰邓小平复辟迷》、魏文中《绣得江山红万年》等诗一百五十余首和歌曲4首,有编者《后记》。《后记》说:"《十二级台风刮不倒》这本小靳庄诗歌选,是在宝坻县委、小靳庄大队党支部领导下，采用三结合的方式编辑而成的。全书共收诗歌作品159首，分四部分，以反击右倾翻案风的近期作品为主，其中包括四首由作曲者谱成的歌曲，同时也选收了一九七五年以来的部分优秀作品。这些作品都是对邓小平反革命修正主义路线的有力批判和愤怒声讨，是对文化大革命以来的新生事物的热烈歌颂。"

4月 天津人民出版社编的《小靳庄诗歌选》（第二集）由该出版社出版。作品分为《真理在胸枪在手》、《反修防修战旗红》、《红花硕果满河山》、《红旗指路再闯关》4辑，收党支部书记王作山《喜读毛主席词二首》、铁姑娘突击队队长王育芳《田间批判会》、红大嫂郭淑敏《革命理论放光芒》、贫协主任魏文中《学大寨一步一层天》等诗150首，有编者《后记》。《后记》说："编选入本集的诗歌，是小靳庄贫下中农学习无产阶级理论以来，特别是在反击右倾翻案风这场伟大斗争中的新作。这些革命诗歌，充分抒发了小靳庄广大贫下中农对马列主义、毛泽东思想的深厚无产阶级感情；充分抒发了他们对党内最大的不肯改悔的走资派邓小平及其反革命修正主义路线的强烈阶级义愤。充分表达了他们誓死捍卫以毛主席为首的党中央，誓死捍卫毛主席革命路线的坚定信念；充分表达了他们'十二级台风刮不倒'、'和修正主义专开对头车'的大无畏的反潮流革命精神。它热情歌颂了在毛主席革命路线光辉照耀下，经过无产阶级文化大革命，在广大农村普遍涌现并在斗争中茁壮成长的社会主义新生事物；真实反映了他们'举旗抓纲学大寨'，大批资本主义，大干社会主义的火热斗争生活。""这些作品不仅感情真挚，旗帜鲜明，刚健有力，具有鲜明的时代特征和强烈的战斗性，而且语言生动，格调清新，形象鲜明，具有浓厚的生活气息和民族特色。它不愧是在毛主席革命文艺路线的光辉照耀下，开放在我国诗歌园地上，并在斗争中日益显示出强大生命力和时代光彩的鲜艳新花。它为我们广大业余和专业文艺工作者树立了光辉的榜样。"

4月 北京齿轮厂工人理论组、哲学社会科学部文学研究所当代文学组编的《无产阶级文化大革命胜利万岁——诗选（1966—

1976)》征求意见本油印发行。该书《编选说明》说："今年是伟大领袖毛主席亲自发动和领导的无产阶级文化大革命十周年。为了庆祝文化大革命的伟大胜利，回击否定文化大革命和社会主义新生事物的右倾翻案风，反映文化大革命十年来诗歌创作在以革命样板戏为标志的文艺革命推动下所取得的可喜收获，我们从十年来全国省级以上报刊、出版物上选编了这个诗集。""编选过程中，我们努力遵照毛主席的教导，以阶级斗争为纲，贯彻政治标准第一，艺术标准第二的原则，力求体现毛主席新诗应在民歌和古典诗歌基础上向前发展的指示，尽量多选能够体现这个发展方向的优秀作品；在题材方面，注重选取歌颂无产阶级文化大革命和歌颂社会主义新生事物的作品，兼顾历史题材和其他作品；在作者队伍方面，优先选取广大工农兵业余作者的作品，兼顾专业作者的作品；在时间的连续性、地区的广泛性、艺术风格的多样性等方面，也都作了相应的考虑。个别思想和艺术上都好，但有些句子还需要斟酌的作品，先行收录，待定稿时请作者修改。""所选作品，以短篇抒情诗为主，少量选用了长篇政治抒情诗和叙事诗，按题材分类编排二册，约三百首。部分备选作品，一并附上，供参考。"

4月　天津人民出版社编辑的《新型的农民　崭新的诗篇——〈小靳庄诗歌选〉评论集》由该出版社出版。收张继尧《新型的农民　崭新的诗篇——读〈小靳庄诗歌选〉》、闻哨《学习革命样板戏的丰硕成果——谈小靳庄诗歌创作》、天津市宝坻县石桥公社社员张树桐《诗人就是劳动者　诗歌就是好武器》、新华社记者《喜看诗坛开新篇——记小靳庄大队群众性业余诗歌创作活动》等文19篇。

4月　山东师院中文系写作教研组编印的诗论集《诗歌创作学习》印行。文章分为《让革命诗歌占领阵地》、《充分发挥无产阶级诗歌的战斗作用》等4辑，收江天《顺口、有韵、易记、能唱——重读鲁迅有关诗歌的一封信》、北京市海淀区文艺评论组《充分发挥无产阶级诗歌的战斗作用——学习鲁迅关于诗歌的论述》、陆建华《以阶级斗争为纲指导诗歌创作》、仇学宝《为开一代诗风而奋斗》等文31篇，附录《诗歌的基本特点》等3篇，有编者《编选说明》。《编选说明》说：

"在毛主席革命文艺路线指引下,在毛主席《词二首》公开发表的巨大鼓舞下,广大工农兵写诗、赛诗、评诗的新高潮,更加波澜壮阔地向前发展。无产阶级的革命新诗歌,如何以阶级斗争为纲,开一代新诗风,进一步实现战斗化、民族化、群众化,充分发挥巩固无产阶级专政的战斗武器作用,是伟大时代所提出的重要课题。《诗歌创作学习》就是根据新形势下的这一学习需要而编选的参考资料。""编选的内容,包括诗歌专题论述、诗歌作品评介、工农兵诗歌创作情况与经验体会等方面;而且大多数选自一九七五年以来报刊书籍上新发表的文章。为了便于集中思考问题,选文分四组编排,每组以一篇选文的题目作为总标题,以表明本组的内容重点。最后附录部分,是几篇介绍诗歌基础知识的参考材料。"

4—6月　蔡其矫作诗《丙辰清明》。此诗初刊《长春》文学月刊1979年4月号,收诗集《祈求》,江苏人民出版社1980年11月出版。

1976年5月

1日　《解放日报》刊出苏位东《为了共产主义,永远冲锋——重读〈炮打司令部〉》等诗。

1日　《文汇报》刊出上海市电影工业公司严祥炫《十年,辉煌的十年——献给火红的五月》等诗。

1日　《解放军文艺》1976年5月号刊出时永福《战斗的誓言》、雷抒雁《敬礼！天安门广场的红旗》、吴辛《毛主席接见红卫兵》、战士张全明《走资派的"敢"》、王荆岩《天车工》、张雪杉《炼钢炉长》等诗和尹在勤的文章《刺刀与诗情——读诗笔记》。尹在勤说:"反击右倾翻案风,这是一场关系到党和国家命运的伟大的斗争。革命的战斗诗歌,应该冲上前沿,短兵相接;革命的战斗的歌手,应该从革命大批判的硝烟中,汲取战斗的诗情。"

6日　孟超逝世。"干校终于解散了。我和孟超都回了家。孟超只有一个人,只好请了一个胡同里的老大娘给他做饭。我有时去看看他,他就是一个人在读'毛选'。他的书全抄光了,就算留下了这一本。有时他拄着拐杖上我家来借小说看,我问:'孟超,你的事有消息么?'他撇着嘴,摇了摇头,我也不好再问了。几天前刚从我那里借去一本果戈理的短篇集,突然听到孟超死了。没有说他犯了什么大病。胡同里那位给他做饭的老大娘,一清早敲他的门,敲不开,只好开了门进去,一看,孟超躺在床上,鼻子流血,死了。那会儿还是'四人帮'当权,几个朋友只好把他的遗体扛去火化了,他终于见不到'四人帮'倒台,戴着帽子去见马克思了。"(楼适夷《忆干校,怀孟超》,李城外编《向阳情结——文化名人与咸宁(上)》,人民文学出版社1997年12月出版)

9日 《南方日报》刊出陈忠干的文章《颂歌献给毛主席——读〈农讲所颂诗〉》。

10日 《诗刊》1976年5月号《热烈欢呼毛主席党中央的英明决策,誓把反击右倾翻案风的斗争进行到底》栏刊出王作山等《小靳庄贫下中农的欢呼》、臧克家《八亿人民齐怒吼》、田间《写在金水桥旁》等诗;《无产阶级文化大革命万岁》栏刊出时永福《好呵,红色的风暴》、王燕生《凯歌飞向毛主席》、韩作荣《狂飙曲》等诗;刊出的文章有辽宁省文化局评论组《坚持社会主义文艺的根本方向》、闻哨《努力表现新的人物新的世界》等。臧克家说:"1976年'天安门事件'刚发生时,我接到由诗刊社转来的一封反革命信件,我马上面交葛洛同志(下午下班时接到,次早8时前交出)。过了不几日,葛洛同志来电话,约我写'批邓'诗。在这种形势下,我不写不行,就写了。因为是应付,乱写一通,写得甚坏。后来光年告我('四人帮'专横时):'我不赞成发你这首诗,我愿意发你的《忆向阳》,但结果编辑部还是发了这首诗,说:你的影响大。''四人帮'倒了之后(半年前了),我两次在《诗刊》的座谈会上批评《诗刊》'批邓'不对,同时,我批判了自己。"(臧克家1977年11月28日致冯牧信,《臧克家全集》第11卷,时代文艺出版社2002年12月出版)

10日 《北京文艺》1976年第5期《坚决拥护中共中央两个决议!誓把反击右倾翻案风的伟大斗争进行到底!》栏刊出北京特殊钢厂工人韩胜勋《欢庆的海——欢庆党中央的两项决议》、李武兵《英明的决议 战斗的号角》等诗。

10日　《天津文艺》1976年第5期刊出工人台宝奎《斗争颂》、李鹏青《讲台风云》等诗和冯景元、颜廷奎、唐绍忠、王榕树的诗剧《烈火不熄》。

12日　《人民日报》刊出臧克家《向阳湖啊,我深深怀念你》、解放军某部叶晓山《干校好》等诗。

14日　河北省束鹿县举行工农兵赛诗会。《河北文艺》1976年第7期消息:"河北省束鹿县于一九七六年五月十四日,举行了一次有一千多人参加的大规模的工农兵赛诗会。在会上朗诵诗的有县委领导干部、工人、社员、战士和革命师生,他们朗诵了自己创作的战斗诗篇六十多首。这些诗歌,大都是在批邓和反击右倾翻案风的斗争中写的,具有强烈的战斗性。这些诗,热情歌颂毛主席和毛主席的无产阶级革命路线,歌颂无产阶级文化大革命,歌颂社会主义新生事物。它们像匕首、利剑,狠批了邓小平,回击了右倾翻案风。""对这次赛诗会,县委领导同志十分重视,亲自主持赛诗会,亲自登台朗诵诗作。他们说:赛诗会群众性广泛,简便易行,战斗性强,是发动广大群众制造革命舆论的有效形式,是阶级斗争的有力工具。他们决定每年春秋开两次全县性大型赛诗会。平时发动广大工农兵,利用田间、地头、车间院落等场合,广泛深入开展赛诗活动,占领一切思想文化阵地,用革命舆论粉碎反革命舆论,为巩固无产阶级专政而战斗。"

15日　小靳庄举行热烈庆祝文化大革命十周年赛诗会。《天津文艺》1976年第6期消息:"在批判邓小平、反击右倾翻案风深入发展的大好形势下,小靳庄大队于五月十五日晚举行了'热烈庆祝文化大革命十周年赛诗会'。会上,从七八岁的小娃娃,到七十多岁的贫农老大爷、老大娘,一百多人争相朗诵了新创作的诗歌,群情激昂,意气风发。他们用小靳庄旧貌变新颜的有力事实,热情歌颂了文化大革命的伟大胜利;愤怒声讨了党内不肯改悔的走资派邓小平搞翻案复辟、开历史倒车的罪行。他们的诗歌,象一枚枚手雷、一发发炮弹,击中了党内走资派的要害,充满了无产阶级彻底革命精神和昂扬的战斗气息,使人增斗志,添力量。"

15日　《汾水》1976年第3期刊出张天定《反击战》、张不代《愤怒的声讨》、郑宝生《文化大革命就是好》、周所同《进深山》等诗和杜书瀛的文章《沿着毛主席指引的方向前进——学习毛主席关于诗歌创作指示的体会》。文章说："对于诗歌创作,毛主席历来十分关心。毛主席不但创作出几十首光辉诗篇,为我们提供了学习的典范,而且对诗歌创作作过多次指示,为诗歌发展指明了前进方向,在《关于诗的一封信》中,毛主席说:'诗当然应以新诗为主体,旧诗可以写一些,但是不宜在青年中提倡,因为这种体裁束缚思想,又不易学。'在一次关于诗歌的谈话中,毛主席还进一步指出,新诗创作要'精炼、大体整齐、押韵'。这就为在批判继承民歌和古典诗歌的基础上发展新诗,提出了具体要求。毛主席这些指示,与鲁迅先生关于新诗要顺口、有韵、易记、能唱的意见,是完全一致的。我们必须遵循毛主席指引的方向,学习鲁迅先生的重要论述,发展和繁荣社会主义诗歌创作。"

15日 《河北文艺》1976年第5期以《歌颂文化大革命 反击右倾翻案风》为总题刊出郁葱《五月十六日的早晨》、杨恩华《红卫兵赞》等诗和黄东成《进攻,战斗的无产阶级》、田间《"穷棒子"山歌》等诗。

15日 《郑州大学学报》1976年第2期刊出宗鲁、钟敏的诗《狂飙颂——歌颂无产阶级文化大革命胜利十年》。

16日 《人民日报》发表《人民日报》、《红旗》杂志、《解放军报》编辑部的文章《文化大革命永放光芒——纪念中共中央一九六六年五月十六日〈通知〉十周年》。

16日 北京举办诗歌朗诵演唱会。《诗刊》1976年6月号消息:"为庆祝无产阶级文化大革命十年的伟大胜利,深入批判邓小平反革命的修正主义路线、反击右倾翻案风,《人民文学》、《北京文艺》和本刊编辑部于五月十六日在北京联合举办了'歌颂文化大革命,反击右倾翻案风'诗歌朗诵演唱会。""会上,首先演唱了伟大领袖毛主席的光辉诗篇《水调歌头·重上井冈山》和《念奴娇·鸟儿问答》。接着朗诵和演唱了北京广播学院工农兵学员创作的《〈通知〉颂》、北京大学工农兵学员创作的《展翅篇》、清华大学工农兵学员创作的《北京高原同战壕》、北京齿轮厂创作的《为保卫毛主席保卫党中央而战斗》、红星公社社员创作的《文化大革命好》、西四北小学红小兵创作的《向右倾翻案风猛开炮》、解放军某部战士创作的《保卫天安门》等二十多个节目,热情歌颂了文化大革命的辉煌胜利和社会主义新生事物,表达了全国人民誓把批判邓小平、反击右倾翻案风的斗争进行到底的坚强意志。""首都工农兵和业余、专业文艺工作者千余人参加了大会。工人、公社社员、解放军战士、工农兵学员、红卫兵、红小兵以及首都话剧、电影演员和音乐工作者在会上作了朗诵或演唱。""朗诵演唱会始终洋溢着热烈战斗的气氛。"

16日 《人民日报》刊出河北宣化造纸厂工人桑原的诗《迅雷歌——重读五月十六日〈通知〉》。

16日 《文汇报》刊出谢其规、陈祖言的诗《春雷第一声——纪念〈通知〉十周年》。

17日 《解放日报》刊出章清的诗《写在火红的日历上——纪念中共中央五·一六〈通知〉十周年》。

18日 天津市举行工农兵赛诗演唱会。《天津文艺》1976年第6期消息:"在隆重纪念中共中央一九六六年五月十六日《通知》十周年,热烈庆祝文化大革命取得伟大胜利,批判邓小平、反击右倾翻案风的新高潮中,我市于五月十八日举办了一次工农兵赛诗演唱会。来自全市各条战线的工人、公社社员、解放军战士、干部、街道妇女、红卫兵、红小兵、工农兵学员代表和文艺工作者共二千四百多人参加了这次赛诗演唱会。""会上,坚持毛主席革命路线、'十二级台风刮不倒'的农业学大寨先进单位小靳庄贫下中农的代表、天津站、城市民兵、天津驻军的代表,以及专业和业余文艺工作者相继登台朗诵了自己创作的诗篇。他们热情洋溢地歌颂了社会主义新生事物,愤怒声讨了党内最大的不肯改悔的走资派邓小平的翻案复辟活动,和以邓小平为总后台的一小撮阶级敌人制造天安门广场反革命政治事件的罪行,热情歌颂了英雄的首都工人民兵、人民警察、警卫战士的光辉事迹。会场内,台上台下相互呼应,充满了团结战斗的热烈气氛。""赛诗演唱会最后,由天津市话剧团试验演出了业余作者新创作的反映无产阶级带领广大人民群众同走资派斗争的诗剧《烈火不熄》,受到与会群众的热烈欢迎。"

18日 《人民日报》刊出《为毛主席的革命路线来站岗——解放军某部防化连诗选》。

20日 《福建文艺》1976年第3期以《献给天安门的歌》为总题刊出张祥康《致首都军民》等诗；以《文化大革命赞》为总题刊出贻模《盛大节日》、柯原《冲锋不止》等诗。

20日 《人民文学》1976年第3期以《天安门广场战旗红》为总题刊出天津小靳庄大队党支部王杜《斗争更觉毛主席亲》、解放军某部李小雨《保卫天安门》等诗和《万炮齐轰走资派——上海工人赛诗会诗选》。

20日 《四川大学学报》1976年第2期刊出李昆、王波《喜读诗集〈进攻的炮声〉》、尹在勤《政治抒情诗及其它——新诗话三则》等文。尹在勤说："政治抒情诗，是诗与政论的结晶。""广义而论，所有的抒情诗，都是政治抒情诗；人们之所以特别标明这个称号，是因为这种诗歌，往往更强烈地触及时事，抒写重大的政治题材，反映重大的政治主题。它有犀利的政论锋芒，有鲜明的政治色彩。它为巩固无产阶级专政、为革命的新生事物，大喊大叫。然而，它又是诗。它须有诗的激情，诗的意境，诗的语言，诗的节奏。它须有哲理与诗意的水乳交融。所以，这就要求政治抒情诗的作法，在立意的时候，构思的时候，善于掌握这个辩证法。""政治抒情诗，是诗歌中一支特别能战斗的队伍。""在这支队伍中，有野战军，也有游击队，有民兵。使用的武器，有大炮，有机关枪，也有步枪，有手榴弹。出动哪支队伍，使用什么武器，要因时、因势、因条件而定。要机智灵活，出奇制胜。野战军、大炮、机关枪，有它特有的威力；也绝不可轻视游击队、民兵、步枪、手榴弹的作用。须知：'兵民是胜利之本'。所以，这就要求政治抒情诗的作法，既要写一些放歌式的作品，也要写一些街头诗、传单诗、枪杆诗……""在当前批邓、反击右倾翻案风、追查反革命的新高潮中，让我们政治抒情诗这支特别能战斗的队伍中的野战军、游击队、民兵，大炮、机关枪、步枪、手榴弹，都一同冲上战斗的前沿吧！"

20日 《朝霞》1976年第5期刊出长江五金厂陈贤德《批邓卷起千重浪》、红小兵龚翔《首都民兵斗志昂》、钟志《写在革命历史博物馆门前》、毛炳甫《战报》等诗。

22、24日 成都市举行诗歌朗诵演唱会。《诗刊》1976年7月号消息："为纪念毛主席《在延安文艺座谈会上的讲话》发表三十四周年，欢呼无产阶级文化大革命的伟大胜利，成都市于五月二十二日和二十四日举行了'文化大革命万岁'诗歌朗诵演唱会。会上首先吟诵和演唱了毛主席的《水调歌头·重上井冈山》和《念奴娇·鸟儿问答》，接着演唱了革命样板戏选段，朗诵了歌颂无产阶级文化大革命，反击右倾翻案风的革命诗歌。登台朗诵、演唱的，有劳动模范、工农兵学员、红小兵，有业余和专业演员、歌手、诗人。中共四川省委、省革委，中共成都市委、市革委的负责同志出席了大会。"

22、25、26日 西宁地区职工举行歌咏赛诗大会。《青海文艺》1976年第3期消息："为纪念中共中央一九六六年五月十六日《通知》十周年和毛主席《在延安文艺座谈会上的讲话》发表三十四周年，省总工会、市总工会、团省委和《青海文艺》编辑部联合举办西宁地区工矿企业职工'反击右倾翻案风、歌颂无产阶级文化大革命歌咏赛诗大会'。""这次大会，于五月二十二日、二十五日、二十六日在工人文化宫、建工俱乐部连续举行。来自各个工矿企业的职工六千余人踊跃参加大会，不少单位的领导同志亲自带队并参加演出。广大职工通过大合唱、大联唱、独唱、歌舞、诗朗诵、对口词等多种文艺形式，热情歌颂无产阶级文化大革命，歌颂反击右倾翻案风斗争的伟大胜利，歌颂毛主席革命路线的伟大胜利。"

25日 《文汇报》刊出居有松的诗《文艺舞台百花开——赞革命样板戏》。

25日 《黑龙江文艺》1976年第5期刊出范以群《回击》、工农兵学员马合省《不许扭》等诗。

25日 《云南文艺》1976年第5期刊出"纪念无产阶级文化大革命十周年、纪念《在延安文艺座谈会上的讲话》发表三十四周年特刊"，刊有知识青年宁海留《啊！春苗》、昆明铁路局汤世杰《车站风云》、康平《峥嵘岁月》等诗。是期诗讯二则："为了隆重纪念毛主席《在延安文艺座谈会上的讲话》发表三十四周年，热情歌颂伟大领袖毛主席,歌颂毛主席的革命路线,歌颂伟大、光荣、正确的中国共产党,歌颂无产阶级文化大革命和反击右倾翻案风的伟大胜利,昆明海口水泥厂于五月下旬举办了'歌颂文化大革命、反击右倾翻案风'的诗歌创作学习班。参加学习班的有该厂工人理论小组成员、业余诗歌作者、各车间的宣传骨干共三十余人。其中女同志占三分之一。""最近,昆明二中高二年级举办了一次'愤怒声讨邓小平罪行,反击右倾翻案风'赛诗会。参加赛诗会的有驻该校工宣队同志和高中二年级的革命师生。""赛诗会上,大家以诗歌为武器,满怀革命激情,歌颂了社会主义的新生事物,歌颂了文化大革命和反击右倾翻案风的伟大胜利,愤怒声讨了党内不肯改悔的走资派邓小平制造天安门反革命政治事件,复辟资本主义的罪行。"

25日 《浙江文艺》1976年第3期刊出诗辑《战笔怒伐邓小平奋勇反击翻案风》和陈军、嵇亦工的长诗《红卫兵战旗颂》及黄亚洲《那些难忘的夜晚》等诗。

5月 穆旦作诗《春》、《冥想》。《春》收入《穆旦诗选》,人民文学出版社1986年1月出版;《冥想》初刊《诗刊》1987年2月号,收《穆旦诗全集》,中国文学出版社1996年9月出版。

5月 《安徽文艺》1976年5月号刊出严阵《向新的高峰登攀》和孙中明、蒋维扬、孔祥梁、刘祖慈《狂飙为我从天落——无产阶级文化大革命颂歌》等诗。

5月 《广东文艺》1976年第5期以《纪念无产阶级文化大革命十周年》为总题刊出解放军叶知秋《风雷颂》、陈绍伟《伟大的号令》等诗。

5月 《广西文艺》1976年第3期刊出杨鹤楼、何达成等《热烈欢呼毛主席、党中央英明决策诗抄》7首和包玉堂《东风浩荡——献给无产阶级文化大革命十周年》、柳州市工人林玉《工宣队的大旗》等诗。

5月 《河南文艺》1976年第3期刊出诗辑《坚决反击右倾翻案风》和洛阳东方红拖拉机厂工人王天奇、王庆运等的组诗《风雷颂——献给无产阶级文化大革命》。

5月 《湖北文艺》1976年第3期刊出工人胡发云《致首都战友》、华中师范学院中文系七四级工农兵学员集体创作《教育革命进行曲——写在反击右倾翻案风的火线上》、雷子明《手握红缨鞭》、高伐林《一块犁铁》等诗。该刊1976年第4期刊出纪之的文章《高歌猛进——赞〈教育革命进行曲〉》。文章说:"华中师院中文系七四级工农兵学员集体创作的政治抒情诗《教育革命进行曲》(载《湖北文艺》七六年第三期),热情地歌颂了文化大革命的伟大胜利,表现了广大工农兵学员对旧的教育制度和对右倾翻案风的鼓吹者邓小平极大的无产阶级义愤,也表现了他们对伟大领袖毛主席、对毛主席革命路线无限热爱之情。诗作文笔雄浑流利,感情激越酣畅。它是掷向邓小平的投枪和炸弹,又是教育革命的一曲响亮赞歌。"

5月 《吉林文艺》1976年5月号刊出海南《火红的岁月》、万捷《重读红卫兵日记》、吴辛《反击右倾翻案风诗抄》等诗。

5月 《江苏文艺》1976年第5期刊出"歌颂无产阶级文化大革命专号",刊有诗辑《斗妖驱雾镇逆流　笑看神州旗更红》、《峥嵘岁月诗钞》和杨槐《十年放歌——献给无产阶级文化大革命》等诗。该刊1976年第8期刊出南京师范学院工农兵学员徐宝成、张中源、黄毓仁的文章《文化大革命的热情赞歌——读长篇政治抒情诗〈十年放歌〉》。文章说:"《十年放歌》这首政治抒情诗,不仅理所当然地带有政论色彩,而且抒发了作者的无产阶级革命激情,读之令人心潮起伏、感情激荡,从而受到鼓舞,激励我们'为新世纪的历史',再写壮丽的篇章。末了,要说明的是,如果长诗在文化大革命十年历史的典型画面的选择上更准确些,并更鲜明地更集中地注重落笔在无产阶级革命派和走资派的斗争这一重大课题上,那么,一定会使诗歌发挥更有力的战斗作用,相信作者在今后的创作上,会作出新的努力。"

5月 《江西文艺》1976年第3期以《反击右倾翻案风　歌颂文化大革命》为总题刊出奉新县渣村中学七六届高中毕业生集体创作《峥嵘岁月——唱给共大的歌》、江西大学中文系工农兵学员李志强《教育革命的春天》、工人左一兵《革命造反精神赞》等诗。

5月 《辽宁文艺》1976年第5期刊出胡工《伟大的动员令——

〈5·16通知〉十周年颂》、岸冈《好啊,烈火燃烧的大街》、李秀忠《我站在大字报前》等诗。

5月 《内蒙古文艺》1976年第3期刊出诗辑《欢呼伟大的胜利》、《怒涛集——内蒙古新华印刷厂愤怒声讨右倾翻案风诗集选登》和时永福《草原娘子军》、郭超《乌兰牧骑之歌》等诗。

5月 《四川文艺》1976年第5期以《文化大革命赞歌》为总题刊出傅仇《革命,在炮声中前进！——重读毛主席〈炮打司令部(我的一张大字报)〉》、申重《一声通知传天下——纪念五·一六〈通知〉十周年》等诗。

5月 《武汉文艺》1976年第3期刊出七四三五厂工人胡发云《写在天安门广场上》、江少川《风雪夜》、武汉支边青年李瑜《红卫兵驰骋天山下》等诗和刘明恒、江上春的诗辑《造反歌——文化大革命中的诗传单》。

5月 《新疆文艺》1976年第3期刊出维吾尔族阿不都吉里力·吐尔逊《誓死保卫毛主席》、维吾尔族阿布里克里木·肉孜《向邓小平宣战》、章德益《红卫兵的怀念》等诗。

5月 万里浪的诗集《党的颂歌》由江西人民出版社出版。

5月 朱昌勤的长诗《落户之歌》由江西人民出版社出版。

5月 陈国屏等著的诗集《把炉火烧得通红》由黑龙江人民出版社出版。

5月 中国人民解放军89202部队政治部编的诗集《彩虹曲》由陕西人民出版社出版。

5月 山东新华印刷厂编的《车间飞彩虹——山东新华印刷厂工人诗歌选》由山东人民出版社出版。

5月 《上海少年》编的《进攻的号角——赞社会主义新生事物少年朗诵诗》由上海人民出版社出版。

5月 湖南人民出版社编的诗集《伟大的进军》由该出版社出版。

5月 李学鳌的诗集《回太行》由北京人民出版社出版。收《重回太行满眼新》、《为咱们的大学生唱支歌》、《眼见女兵天上来》、《战斗的太行山》等诗20首,有作者《献给火红的五月——代序》。《代序》说:"从北京回到太行山四个月了,我的心无时无刻不是处在激动之中。""四个月来,我在火热的故乡草成的这二十首诗稿,没来得及做更充分的推敲。但它们都是产生于新的人物,新的世界中的,可以闻到一点火药味儿,看到一些英雄人物的影子。在诗的形式上,也想做点试验,从民歌、唱词和古典诗词中吸收一些有益的东西;在顺口、有韵、易记、能唱等方面做些努力。但这一切,都只是刚刚开始。总的来说,这个集子中的作品,基本上都是'急就'而成的。有些篇章,就像建国初期,我在北京的工厂里初次学写革命标语和黑板报那样,为了战斗,刚刚草成,就拿给贫下中农在地头上朗诵了,拿给县社广播站广播了,拿给报刊发表了。当地的工农兵战友们给了我不少鼓励。现在,把它拿出来,献给火红的五月,献给无产阶级文化大革命十年纪念,献给《在延安文艺座谈会上的讲话》发表三十四周年,是为了更好地参加当前正在进行着的反击右倾翻案风的斗争,参加对于修正主义和资产阶级的批判!"

  5月 梁上泉的诗集《歌飞大凉山》由人民文学出版社出版。作品分为《凉山新曲》、《长征路上》等4辑,收《火把节之夜》、《我们的赤脚医生》、《金沙江的浪花》、《阿妹子穿上新工装》等诗63首。该书《内容说明》说:"这是文化大革命以后作者的一部短诗集。它以充沛的革命热情,歌唱了我国大、小凉山彝族地区由奴隶社会飞跃进入社会主义社会的新面貌;颂扬了红军长征的光荣革命传统和今天长征路上的新气象;描画了这一地区工业建设朝气蓬勃向前发展的新图景。这些诗,笔调清新,语言精炼,富有民族特点和地方特色。"当时的评介说:《歌飞大凉山》"是写凉山彝族地区革命人民的战斗生活的,作者并不片面追求少数民族的风土习俗,而是以阶级斗争为纲,饱含革命激情,热忱歌颂'新的人物,新的世界',欢呼毛主席革命路线的伟大胜利。《歌飞大凉山》支支歌儿翻新调,声声歌唱社会主义凉山的新面貌、新气象、新人物、新风尚。它是一曲文化大革命的激情赞歌"(左人《千里凉山分外娇——读新诗集〈歌飞大凉山〉》,1976年9月10日《诗刊》1976年9月号)。

梁上泉,1931年6月28日生于四川达县。1950年参加中国人民解放军,1956年出版诗集《喧腾的高原》。1957年转业到重庆市歌舞剧团任编剧,出版诗集《云南的云》(1957)、《寄在巴山蜀水间》(1958)、《山泉集》(1963)等。1982年调重庆市文联从事专业创作。又出版诗集《多姿多彩多情》(1986)、《梁上泉诗选》(1993)、《六弦琴》(1993)等。

5月 上海市建筑工程局工会《建设者的脚印》三结合创作组著的诗集《建设者的脚印》由上海人民出版社出版。收吴泾砖瓦厂洪中斌《八月潮》、基础工程公司朱金晨《大江赋》等诗8首,有《编后记》。《编后记》说:"革命是千百万人民的盛大节日。""伟大的无产阶级文化大革命,使建筑工业战线发生了翻天覆地的变化。从东海之滨到岭南塞北,到处行进着建设者认真学习无产阶级专政理论,大批修正主义,大干社会主义的战斗步伐。千万支夯歌向阳飞,千万张喜报铺征途。从这本诗集里,可以看出建设者前进的脚印。""这本诗集的作者,是战斗在建筑工地上的青年工人,也是无产阶级文化大革命中涌现出来的新人。在本书的'三结合'创作过程中,作者以阶级斗争为纲,学习革命样板戏的创作经验,努力描写重大题材,力求在阶级斗争和路线斗争的矛盾冲突中塑造英雄人物的形象,提示英雄人物的崇高思想境界。此外,在语言和形式上,也做了一些新的尝试。"

5月 毛泽东同志主办农民运动讲习所旧址纪念馆、广东人民出版社编辑部编的诗集《农讲所颂诗——纪念毛泽东同志主办农民运动讲习所五十周年》由广东人民出版社出版。收向明《革命大学农讲所》、韦丘《明灯》、李士非《毛主席和学员在一起》等诗45首。当时的评论说:"五十年前毛主席在广州主办的农民运动讲习所,一直成为革命人民接受阶级斗争、路线斗争和革命传统教育的课堂。多少人从这里'带去真理的光辉、战斗的力量!'多少人把瞻仰的心得写成激情横溢的诗篇,献给红色的农讲所,献给伟大领袖毛主席!最近,由毛泽东同志主办农民运动讲习所旧址纪念馆、广东人民出版社编辑部合编的、即将出版的《农讲所颂诗》里的四十五首诗歌,就是从各个角度,以深厚的无产阶级感情歌颂伟大领袖毛主席,歌颂毛泽东思

想,歌颂毛主席的革命路线的。"(陈忠干《颂歌献给毛主席——读〈农讲所颂诗〉》,1976年5月9日《南方日报》)

5月 王怀让等著的诗集《文化大革命颂》由人民文学出版社出版。收王怀让《毛主席万岁》、龚益明《红色暴风雨之歌》、徐真柏《战斗的号角》、北京大学中文系七三级创作班工农兵学员集体创作《展翅篇》等诗9首。书前《内容说明》说:"今年,是伟大领袖毛主席亲自发动和领导的无产阶级文化大革命十周年。为了歌颂这场伟大的革命,我们编辑出版这本诗集,集中共收政治抒情诗九首。这些诗,以磅礴的气势、澎湃的激情歌颂了伟大的无产阶级文化大革命。这些诗的作者,是文化大革命的积极参加者,是战斗在三大革命第一线的工农兵和正在大学里学习、战斗的工农兵学员,他们对无产阶级文化大革命有着较深的感受和体会。这些诗作生活气息浓,时代感强烈,具有较强的感染力。"

5月 怀德县二十家子公社知识青年、四平师范学院中文系三结合编写组编写的《怎样写诗歌》由吉林人民出版社出版。

5月 天津人民出版社编辑的诗论集《诗歌漫谈》由该出版社出版,为工农兵文艺学习丛书之一。收江天《顺口、有韵、易记、能唱——重读鲁迅有关诗歌的一封信》、殷光兰《谈谈新民歌创作的一些体会》、仇学宝《为开一代诗风而奋斗》、天津市文化局创评组闻欣《写诗要想到工农兵》等文17篇。

1976年6月

1日 《人民日报》刊出路佳宜的书评《〈火红的年华〉》。

1日 《解放军文艺》1976年6月号刊出石顺义《送连长》、宁宇《一张大字报》、叶延滨《山村喜事》、纪鹏《干校诗简》等诗。

5日 《光明日报》刊出西安工人郭海水、徐剑鸣、张绍宽的文章《"笔下谱出战斗歌"——读〈富仁公社诗歌选〉》。

6日 《解放日报》刊出季振邦《运动场剪影》、上海市第七建筑工程公司张志标《新支书》等诗。

10日 《诗刊》1976年6月号刊出郭沫若《水调歌头·庆祝无产

阶级文化大革命十周年》、苏虎棠《火妹子》、狄畔《巍巍赛诗台》、李松涛《深山创业》等诗。该刊1976年9月号刊出志宏的文章《可喜的收获——读叙事诗〈火妹子〉〈巍巍赛诗台〉》。文章说:"《诗刊》第六期刊登的《火妹子》《巍巍赛诗台》是两首比较好的叙事诗。它紧密配合了当前批邓、反击右倾翻案风的伟大斗争,描写了无产阶级革命派与党内走资派的斗争,读后使人受到教育和鼓舞。""两首叙事诗主题鲜明,思想比较深刻。它们选取了无产阶级革命派与党内走资派斗争这一重大题材,热情歌颂了无产阶级文化大革命和社会主义新生事物;揭露了走资派的反动实质和丑恶面目;塑造了火妹子、老洪师傅这样的敢于反潮流、敢于和修正主义路线对着干的无产阶级英雄人物。因而具有鲜明的时代感和强烈的战斗性。"

10日 《北京文艺》1976年第6期刊出常安《医疗队》、胡平开《水上医生》等诗。

10日 《天津文艺》1976年第6期以《战斗的号角 时代的颂歌——赞〈小靳庄诗歌选〉第二集》为总题刊出子干《在战斗中怒放的鲜艳新花》,西郊区社员陈子如《贫下中农的心里话》,驻津某部张秋华、刘志芳《革命激情从何来》,石格竹《文艺革命的丰硕成果》文4篇。子干说"正当全国人民热烈欢呼中共中央两个决议的发表,掀起批判邓小平、反击右倾翻案风、追查反革命运动高潮的时候,《小靳庄诗歌选》第二集出版了。这部诗集,是广大贫下中农向以邓小平为总代表的资产阶级复辟势力猛烈反击的战歌,是抓革命促生产的凯歌,是社会主义诗歌创作的又一丰硕成果。"

11日 《文汇报》刊出胡永槐《炉长——赞一位工宣队员》等诗。

12日 《光明日报》刊出李学鳌的文章《胜利都从斗争来——喜读新出版的两本小靳庄诗歌选》。文章说:"这些诗,不是用普通语言写成的,而是从贫下中农的心窝里喷射出来的。""这些诗,不是蘸着墨水写成的,而是用火红的钢水铁液熔铸成的。""这些诗,带给我们的不是一般的音响和韵律,而是战场上一排排重炮的轰鸣。""这些诗,是欢呼伟大胜利的赞歌,更是鼓动革命战士继续进军的战斗号角。""让我们以小靳庄贫下中农为榜样,投身到批邓、反击右倾翻案风斗争的新高潮中去,为夺取更大的胜利而放声歌唱吧!"

13日 《解放日报》刊出上海长风电机厂朱弘强《板车剧团》、上海基础工程公司朱金晨《电影船》等诗。

14日 《人民日报》刊出郑成义的诗《厂史展览馆》。

14日 《天津日报》刊出天津警备区战士信侦《火热的斗争 沸腾的生活——喜读〈小靳庄诗歌选〉第二集》、冶金局冯景元《烈火炼真金 战斗出新诗》、刘国喜《战斗的诗风更光彩》等文。信侦说:"读着这部诗集,我们欣喜地看到,在无产阶级文化大革命中兴起,在伟大的批林批孔运动中得以更加广泛、更加深入开展的小靳庄群众性的诗歌创作活动,经过深入学习无产阶级专政理论和评论《水浒》、批判投降派的伟大群众运动,特别是反击右倾翻案风的伟大斗争,不但进一步得到普及,而且在作品的思想性、艺术性方面也有了提高。这些诗'语言似钢炮,激情冲九霄',它已是小靳庄贫下中农,男女老少普遍掌握的武器,发挥了革命文艺'团结人民、教育人民、打击敌人、消灭敌人'的战斗作用。这本集子中选编的九十多名作者的一百五十首诗歌,感情真挚,旗帜鲜明,刚健有力,具有鲜明的时代特征和强烈的战斗性,具有浓厚的生活气息和独特的民族特色。"

15日 《河北文艺》1976年第6期刊出工人肖振荣的诗《讲坛——革命大批判礼赞》和诗辑《文化大革命赞歌》、《春苗迎着风雨长》。

20日 《人民日报》刊出蒙古族查干的诗《难忘会师延河边——写给当年的红卫兵战友》。

20日 《贵州文艺》1976年第3期以《文化大革命赞歌》为总题刊出尹在勤《写在"一月革命"的故乡》、吴正国《赞五·一六〈通知〉》、黄志一《写在革委会成立大会上》等诗。

20日 《朝霞》1976年第6期刊出刘鹏春《明天》、钱钢《献给十年的诗篇》等诗。

23日 《人民日报》刊出谢冕的文章《同党内走资派作斗争的战歌——读小靳庄大队的两本新诗》。文章说:"小靳庄大队两本新的诗集《十二级台风刮不倒》(人民文学出版社)、《小靳庄诗歌选》第二集(天津人民出版社),不久前同时出版,及时地配合了深入批判邓小平、反击右倾翻案风的斗争,为诗歌紧密服务于无产阶级政治,在阶级斗争、路线斗争中发挥它号角与战鼓的作用,提供了生动的范例。""这两部诗集的作者,都是战斗在农业第一线的小靳庄的共产党员,共青团员和贫下中农,包括支部书记、生产队长、社员、民兵、电工、赤脚医生等。这些铿锵有力的诗,出现在批判会上,场院里,政治夜校,公社的水渠边。它是诗,但不是刻意'做'出来的,是应革命斗争的需要而诞生的。它朴实,不事雕琢,却有劲,也闪光。作者们是这样形容自己的诗作的:'一行字迹一把剑','一篇诗歌一团火'。这些诗,是捍卫无产阶级专政、同走资派作斗争的剑与火。""小靳庄的诗,都是政治诗,是用诗歌形式声讨邓小平的反动罪行、批判修正主义路线的战斗檄文。革命战争年代,有枪杆诗,以短小精悍的灵活形式,及时地鼓舞战士的战斗意志。小靳庄的这些诗,是在听不见枪炮声的战场上、不贴在枪杆上的新时代的'枪杆诗'。这类'枪杆诗',除了有强烈的鼓动性,还有锐利的批判性,是代表无产阶级及广大革命人民向党内走资派进行革命大批判的利剑。在两本诗集中,除了集中地揭露和批判走资派之外,大量的篇幅是用以抒发革命人民与走资派斗争的壮志豪情。诗集里,革命人民的豪言壮语比比皆是,有的则是富有哲理的十分精粹的警句,成为富有鼓动力量的战斗口号。"

27日 《人民日报》刊出李松涛《战地重逢》、北京永定机械厂张宝申《党旗下站起新一代》等诗。

30日 《文汇报》刊出《"七一"赛诗会诗选》和时永福的诗《唱给红船的歌》。

6月 穆旦作诗《友谊》、《夏》、《有别》。《友谊》初刊《诗刊》1980年2月号;三首均收入《穆旦诗选》,人民文学出版社1986年1月出版。杜运燮说:"每次重读穆旦谢世前半年多写的《友谊》一诗,心里总要涌起一股加深我哀思的暖流。我永远忘不了当时在山西窑洞里收阅他抄寄的此诗时的激动心情。""他在1976年6月28日给我寄来包括《友谊》在内的几首新作,并在信中解释说:'《友谊》的第二段着重想到陈蕴珍,第一段着重想到你们。所以可以看到,前者情调是喜,后者是悲.'""陈蕴珍,即巴金夫人肖珊,她是在昆明西南联大时和穆旦认识的……穆旦回国后的译诗工作,受到肖珊的有力支持和帮助。为此,穆旦一直对她的这份友情特别珍惜。可以想象,肖珊的过早离世,会使他多么悲痛。"(《穆旦著译的背后》,见《一个民族已经起来——怀念诗人、翻译家穆旦》,江苏人民出版社 1987 年 11 月出版)

6月 《安徽文艺》1976 年 6 月号以《八亿神州旌旗奋——掀起深入批邓、反击右倾翻案风、追查反革命的新高潮》为总题刊出解放军某部王树国《擂起深入批邓的战鼓》、工人徐志华《新书记的发言》等诗。

6月 《广东文艺》1976 年第 6 期刊出工人罗云飞、战士石金录等《掀起批邓斗争新高潮》诗 10 首和乔屹《红卫兵之歌》、工农兵学员徐如麒《气象哨》等诗。

6月 《吉林文艺》1976 年 6 月号刊出戚积广《春燕歌》、常安《亲人进山村》、陈国屏《出诊》等诗。

6月 《江苏文艺》1976 年第 6 期刊出《青春的火花——沛县上山下乡知识青年诗钞》和冯新民、李莫森《火的岁月——写在红卫兵运动中》等诗。

6月 《辽宁文艺》1976 年第 6 期以《醒着的炮口》为总题刊出关键《写在墙上的标语》、大连化物所第三研究室《中流击水》、解放军某部刘秋群《节目栏上》等诗。

6月 《青海文艺》1976 年第 3 期刊出常江《十年战歌——献给伟大的无产阶级文化大革命》、工人江河《阶级的歌手》、邢秀玲《耳畔犹闻惊雷吼》、李玉林《炮声隆隆——纪念〈炮打司令部〉发表十周年》等诗和《青海造纸厂赛诗会选辑》。

6月 《四川文艺》1976 年第 6 期以《文化大革命赞歌》为总题刊出工人冯骏《工人委员》、刘震《彝家爱唱样板戏》、工人刘成东《长征路上红卫兵》、沈重《这是第十个年头》等诗。

6月 《湘江文艺》1976 年第 3 期刊出诗辑《红心紧连天安门》、《春风催得新苗壮——文化大革命、社会主义新生事物赞歌》、《阳光洒满五·七道——省网岭五七干校学员诗歌选》和楚里的文章《文化大革命的胜利凯歌——喜读诗辑〈进军的号角〉》。

6月 傅金城的诗集《冲锋号》由甘肃人民出版社出版。

6月 纪鹏的诗集《写在世界屋脊上的诗》由西藏人民出版社出版。

6月 翟葆艺的诗集《列宁——光辉的榜样》由河南人民出版社出版。

6月 山东新华印刷厂编的诗集《阵地战歌》由山东人民出版社出版。

6月 徐刚的诗集《潮满大江》由上海人民出版社出版。作品分为《哨所归来》、《我的大学》等4辑,收《战刀歌》、《校园连着大庆路》、《司机长的路徽》、《别韶山》等诗48首。该书《内容提要》说:"这本诗集,共收短诗和政治抒情诗四十八首。""短诗部分,作者以深切的感受,朴素的笔调,热情赞颂了工农兵上大学这一社会主义新生事物,描绘了部队、农村和铁路抓革命、促生产、促工作、促战备的斗争风貌。""政治抒情诗部分,作者满怀革命激情,以深刻的寓意,有力的笔触,集中歌颂了毛主席无产阶级革命路线的伟大胜利,展现了'战斗——才能前进,革命——方有未来'的壮丽图景,从中可以听到时代脉搏的跳动,可以看到革命潮头的奔流。"

徐刚,1945年生,上海崇明人。1962年参军,1965年复员。1970年入北京大学中文系学习,毕业后回崇明任县委写作组组长。1976年到《人民日报》文艺部工作。出版的诗集还有《鲁迅》(1977)、《毛泽东之歌》(1978)、《遥远歌》(1981)、《徐刚九行抒情诗》(1986)等。

6月 喻晓的诗集《台胞的心声》由人民文学出版社出版。收《想念毛主席》、《参观人民大会堂台湾厅》、《老台胞的回忆》、《再见吧,骨肉亲人》等诗33首。该书《内容说明》说:"这本诗集反映了台湾同胞盼望解放、盼望祖国统一的炽烈心情;反映了台湾同胞热爱社会主义祖国、热爱党、热爱毛主席的深厚情感;也反映了台湾同胞为解放台湾、为祖国统一决心斗争到底的革命精神。""作品感情真挚,语言流畅,有较浓郁的抒情色彩。"

喻晓,原名喻元吉,1941年生于湖南娄底。1961年入工程兵技术学校学习。曾任工程兵某部技术员、《工程兵报》编辑、《解放军报》文化处副主编。1965年开始发表作品,出版的诗集还有《青春与海》(1986)、《翠绿的星》(1989)、《灵之烛》(1992)等。

6月 普陀区工人文化宫诗歌组编的诗集《新花怒放》由上海人民出版社出版。收郑成义《文化大革命颂》、陆萍《纱厂来的工宣队员》、赵丽宏《贫下中农管理学校就是好》、季渺海《阳光照亮五·七道》等诗62首,有《为新生事物放歌》诗代序和《编后》。《编后》说:"本书共选编诗歌六十二首。它们从各个侧面歌颂了无产阶级文化大革命和批林批孔运动,以饱满的政治热情为社会主义新生事物高唱赞歌,有力地痛击了右倾翻案风,充分反映了我国社会主义革命和社会主义建设蓬勃发展、欣欣向荣的壮美图景。选诗大多主题鲜明,激情洋溢,通俗易懂,有较浓厚的民歌风味。""我区诗歌组是上海工人业余创作队伍中的一支新兵,这次编辑诗集对我们是一个极好的学习机会,广大工农业余作者为巩固无产阶级专政而努力创作的精神,使我们深受教育。"

6月 诗集《战地黄花》由上海人民出版社出版。收朱金晨《写在千山万水间》、陆伟《深情的怀念》、徐如麒《工地短曲》、袁峻《电子工人的歌》等诗19组。书前《内容提要》说:"这是本组诗集。作者都是无产阶级文化大革命以来,战斗在诗歌阵地上的'儿童团'。这些诗,来自火热的生活,较迅速地反映了学理论、抓路线的斗争风貌;展现了工业学大庆,大干快上的沸腾景象;抒发了工人、战士、干校学员、知识青年等团结战斗,破除资产阶级法权思想,缩小三大差别的豪情壮志。作品大都写得朴素、清新,诗意较浓,像战地黄花一样,充满了朝气。"

夏 牛汉作诗《贝多芬的晚年》。此诗初刊《长安》1984年第7期;收诗集《蚯蚓和羽毛》,人民文学出版社1986年4月出版。

1976年7月

1日 《解放军文艺》1976年7月号刊出朱谷忠《颂毛主席的大字报》、王慧骐《万炮齐轰邓小平》、瞿琮《渡海演练》、董培伦《潜航之歌》、纪学《拂晓擒敌》、马林帆《情满延安》、桑原《中流击水》、王石祥《前哨新歌》等诗。

2日 《解放日报》刊出东方涛《敬礼,火红的战旗!》、长江农场陈齐《胜利全靠党指挥》等诗。

4日 《文汇报》刊出杨牧的叙事诗《锤》。

10日 《诗刊》1976年7月号刊出牛明通《水击千里》、章德益《塔里木人》、杨匡满《登山队的帐篷》等诗和陆贵山《努力表现无产阶级同走资派的斗争》等文。陆贵山说:"写无产阶级同走资派的斗争,是社会主义文艺创作的重大课题。革命诗歌要发挥战鼓和号角的作用,也必须把反映无产阶级同走资派的斗争,作为十分重要的任务。""写不写无产阶级同走资派的斗争,从政治上说,是关系到要不要坚持阶级斗争,坚持两条道路、两条路线的斗争,坚持反修防修,把社会主义革命进行到底的问题;从认识论上说,是关系到要不要坚持马克思主义的反映论的问题;同时也是关系到遵循还是背离文艺创作根本规律的问题。"

10日 《北京文艺》1976年第7期刊出诗歌专号,刊有时永福《击水颂》、峭岩《寄自边防哨所》、张学义等《工农兵批邓大字报诗抄》、李小雨《红卫兵颂》、臧克家《走在光辉的五·七大道上》、杨炼《知青科研站》等诗和钱光培《谈新诗学习革命样板戏》等文及诗讯《诗歌做刀枪　杀向复辟狂——清华大学诗歌创作如雨后春笋》、《北京卫戍区某部红五连积极开展写诗赛诗活动》。《诗刊》1976年7月号诗讯:"《北京文艺》专号的作品编为四辑:歌颂伟大领袖毛主席,歌颂伟大、光荣、正确的中国共产党;深入批邓、反击右倾翻案风,歌颂无产阶级文化大革命;歌颂社会主义新生事物,反映莺歌燕舞的大好形势;歌颂在毛主席革命路线指引下,工、农业战线抓革命、促生产的辉煌成果。共发表七十多名新、老作者的八十多首诗歌以及有关诗歌的评论文章。绝大多数作者是战斗在各条战线的工农兵。"

10日 《天津文艺》1976年第7期刊出台宝奎《劈风斩浪向前

进》、王树田《红梅管天》等诗和《烈火锤炼八亿兵——小靳庄庆祝文化大革命十周年赛诗会诗歌选》。

15日 《文汇报》刊出赵丽宏的诗《到中流击水》。

15日 《汾水》1976年第4期刊出《歌颂无产阶级文化大革命征文》，刊有吴长生《激流之歌》、赵展舒《红卫兵袖章颂》等诗和朱捷的文章《为革命创作更多更好的诗歌——学习鲁迅关于诗歌的论述》。

15日 《河北文艺》1976年第7期刊出诗歌专号，刊有《颂歌集》、《风雷篇》、《春苗赞》、《新民歌》等栏目，有逢阳《警钟篇》、驻军某部刘小放《暴风雨颂》、申身《理论大军战犹酣》等诗。《编后》说："这期诗歌专号，是和修正主义文艺黑线对着干的产物，是开门办刊物的一个新的尝试。参加诗歌专号编辑学习班的二十多名工农兵作者，不仅从组稿、选稿、改稿到定稿的全部编辑过程都亲自参加了，有些稿件，还集体进行了创作。不仅专号的计划设想征求了工农兵群众的意见，稿子编出后，一些重点稿件还召开工农兵群众座谈讨论，反复进行了修改。民歌的初选编辑工作是委托各地区的主管部门代我们做的。所以，这个诗歌专号，是工农兵作者和作者、编辑、群众'三结合'的成果。"是期诗讯：河北省香河县刘宋公社张庄大队，以小靳庄为榜样，积极开展写诗、赛诗活动。两年来，他们结合现实阶级斗争和路线斗争，紧密配合党的中心工作，共写出诗歌三万多首。上至七八十岁的老人，下至七八岁的儿童，都来写诗，还出现了父子、婆媳、妯娌之间的赛诗活动。他们以阶级斗争为纲，充分发挥诗歌的战斗作用。在批林批孔斗争中，他们用诗歌批判林彪、孔老二的罪行，批判腐朽没落的意识形态，赞扬社会主义新生事物；在农业学大寨、普及大寨县的群众运动中，他们用诗歌批判资本主义，歌颂社会主义；在反击右倾翻案风斗争中，他们写下了大量批判邓小平、反击右倾翻案风的诗歌。他们的诗，充分表达了广大干部和群众反对复辟倒退的革命激情，表达了他们巩固和发展文化大革命的胜利成果，热情支持社会主义新生事物，永远跟着毛主席干革命的决心。

17日 《人民日报》刊出严阵的诗《击水篇——纪念毛主席畅游长江十周年》。

18日　《解放日报》刊出空军部队宫玺《毛主席率领我们斗风浪》、东海舰队田永昌《挺进在革命激流中》等诗。

20日　《福建文艺》1976年第4期刊出《歌颂无产阶级文化大革命、歌颂社会主义新生事物征文专辑》，刊有上杭知识青年陈志铭《最幸福的时刻》、解放军战士朱向前《为文化大革命站岗》、徐如麒《造反派的战报》、谢春池《函授学员》、解放军某部杨德祥《礁岩颂》、龙彼德《磨刀辞》等诗。

20日　《人民文学》1976年第4期刊出于沙《韶山陈列馆》、冯景元《炮声隆》等诗和艾克恩的文章《一首诗歌一团火——喜读两本新出版的小靳庄诗歌选》。

20日　《朝霞》1976年第7期刊出徐刚《在历史的火车头上——献给我们伟大的党》、崔合美《钟》、元辉《青春的火花》等诗。

25日　《黑龙江文艺》1976年第7期刊出张廓《冲锋——献给文化大革命十周年》、邢海珍《深情》、王忠范《草原红鹰》等诗。

25日　《云南文艺》1976年第6—7期刊出倪金奎《好啊，革命的大字报》、工人陈学书《炮声隆隆》等诗。

25日　《浙江文艺》1976年第4期以《火红的年代　火红的歌》为总题刊出文松《写在火红的年代》、阙维杭《燃起造反的烈焰——回顾十年前革命大串连的火红岁月》等诗；以《军营诗抄》为总题刊出战士孙中明《哨所的红卫兵》、马绪英《新指导员》等诗。

27日　《人民日报》刊出北京永定机械厂杨俊青《书记的办公室》等诗。

28日　河北省唐山、丰南一带发生强烈地震。

31日　《光明日报》刊出工人周家骏、朱烁渊的文章《把炉火烧得更红——评政治抒情诗集〈炉火正红〉》。

7月　龚舒婷（舒婷）作诗《相会》。此诗收诗集《双桅船》，上海文艺出版社1982年2月出版。

7月　穆旦作诗《自己》。此诗初刊《诗刊》1980年2月号，收《穆旦诗全集》，中国文学出版社1996年9月出版。

7月　伍立宪（哑默）作诗《他和我》。此诗收诗文集《乡野的礼物》，贵州民族出版社1990年12月出版。

7月 《安徽文艺》1976年7月号以《让思想冲破牢笼——限制资产阶级法权战歌》为总题刊出工人武澎《一份申请报告》、刘来云《老政委务农》等诗。

7月 《广东文艺》1976年第7期刊出解放军杜佐祥《进军曲》、工人吕宇《新委员》等诗。

7月 《广西文艺》1976年第4期刊出肇隆、名涛、少华《瑶山新户》和柳州市郊区赤脚医生韦国华《军号歌》等诗。

7月 《河南文艺》1976年第4期刊出刘福智《红船颂——献给党的五十五周年》、阎豫昌《大道上的歌》等诗和诗辑《战歌声声庆胜利》、《社会主义新生事物赞》。

7月 《湖北文艺》1976年第4期刊出熊召政《献给七一的歌》、黄声笑（黄声孝）《文化革命换新天》、工人吴礼祯《红旗村里战旗红》、龙彼德《赞油印机》等诗和纪之的文章《高歌猛进——赞〈教育革命进行曲〉》。是期消息："在纪念'五·一六'通知发表十周年的日子里，武昌造船厂举办了'高歌文化大革命，回击右倾翻案风'诗歌朗诵会。领导干部带头写诗，广大职工争先恐后登台朗诵自己创作的诗歌，斗志昂扬，群情振奋。各分厂、车间也都相继举行了诗歌朗诵会，群众性的诗歌创作活动蓬勃开展。全厂职工创作诗歌在千首以上。广大职工的诗歌，热情歌颂了毛主席的革命路线，歌颂了当前莺歌燕舞的大好形势，歌颂了文化大革命的伟大成果，愤怒批判了党内不肯改悔的走资派邓小平妄图颠覆无产阶级专政，复辟资本主义的滔天罪行，坚决回击了右倾翻案风。有的老工人文化低，为了写好诗，利用休息时间，连续几昼夜写作，抒发工人阶级的壮志豪情。同志们说：'雄伟船台战旗红，阶级斗争烈火熊，造船工人齐怒吼，反击右倾翻案风。'充满战斗激情的诗歌，激励着船厂职工在批邓斗争中乘胜前进！"

7月 《吉林文艺》1976年7月号刊出蒙族仁钦道尔吉《天安门的灯》、王磊《奔韶山》、胡世宗《在遵义》等诗。

7月 《江苏文艺》1976年第7期刊出邹国平《一月风暴前夜》、王明贵《当我迈进革委会大门》、龙彼德《韶山车站》等诗。

7月　《江西文艺》1976年第4期刊出全省诗歌创作学习班集体创作的长诗《炮声颂——献给无产阶级文化大革命十周年》、组诗《春雨新苗——社会主义新生事物赞》和施平《诗歌作者要为文化大革命高唱赞歌》、江中《火红岁月的颂歌——长诗〈炮声颂〉、组诗〈春雨新苗〉读后》等文。江中的文章说:"在全国人民隆重纪念无产阶级文化大革命十周年的前夕,参加全省诗歌创作学习班的工农兵作者,挥洒战笔,饱蘸革命激情,写出了一批歌颂无产阶级文化大革命和社会主义新生事物的新诗。这些作品主题鲜明,构思新颖,感情炽烈,语言清新,是近年来我省诗歌创作的可喜收获。本期发表的政治抒情长诗《炮声颂》和组诗《春雨新苗》,就是其中的一部分。""长诗《炮声颂》以阶级斗争为纲,集中笔墨,着力表现了无产阶级与党内走资派的斗争,无情鞭挞了刘少奇、林彪、邓小平这些资产阶级代表人物,反映了这场'无产阶级反对资产阶级和一切剥削阶级的政治大革命'的本质。""《春雨新苗》是歌颂社会主义新生事物的组诗。近年来,随着社会主义新生事物在斗争中茁壮成长,反映新生事物的诗歌作品也在不断涌现。在《江西文艺》发表过的这类作品中,大部分是从正面表现新生事物的,其中不少作品是写得比较好的。但也有一些作品,由于作者对新生事物的本质意义缺乏深刻的理解,因而发掘不深,表现不新。组诗《春雨新苗》的作者们,亲身参加了火热的三大革命斗争,对文化大革命有着深厚的感情,对工农兵在文化大革命中的战斗生活比较熟悉,所以作品在构思上比较新颖,生活气息较浓。"

7月　《辽宁文艺》1976年第7期刊出诗歌专号,刊有《千歌万曲向党唱　如今诗人我们当》新民歌100首和高晓天《大潮歌》、刘文玉《社会主义大集好》等诗。

7月　《内蒙古文艺》1976年第4期《歌颂文化大革命　反击右倾翻案风》栏刊出尹军《朝阳花开香万里》、解放军某部郭毅《山村喜看样板戏》、峭岩《歌唱红卫兵》等诗。

7月　《四川文艺》1976年第7期以《文化大革命赞歌》为总题刊出昆华《幸福的回忆》、刘彻东《红色的袖章》、再耕《红卫兵名册》等诗。

7月 《武汉文艺》1976年第4期刊出洪源《大江东去——献给中国共产党诞生五十五周年纪念日》、解放军雷子明《在金色的航道上》、刘不朽《纵情放歌大堤口》等诗。

7月 凡路的诗集《山雨欲来风满楼》由人民文学出版社出版。收《山雨欲来风满楼》、《古国换新天》、《风波浪里斗霸王》等诗6首。该书《内容说明》说:"在这些诗中,作者满怀革命豪情,歌颂了世界上革命在前进的大好形势;揭露了苏美两霸争夺世界的野心。特别是对于第三世界人民的反帝、反殖、反霸斗争,给予了热烈的赞颂。""作品感情充沛,战斗性强。"

7月 胡笳的诗集《油海浪花》由四川人民出版社出版,为四川诗丛之一。作品分为《大庆歌》、《油花赋》等3辑,收《车过大庆站》、《北京喜迎大庆油》、《井场风雷》、《油海喷香》等诗50首。

胡笳,1940年生于四川成都。1960年肄业于四川财经学院,同年到成都市歌舞剧团任创作员。1981年任《青年作家》杂志诗歌组组长。出版的诗集还有《淌泪的琴弦》(与戴安常合著,1980)、《绿水红帆》(1983)、《彩色的情绪》(1989)等。

7月 李瑛的诗集《进军集》由人民文学出版社出版。收《向二〇〇〇年进军》、《迎春歌》、《一个纯粹的人的颂歌》、《从澜沧江畔寄北京》长诗4首。书前《内容说明》说:"这是一本政治抒情诗集。在这四首诗中,作者以饱满的革命热情,歌颂了我们伟大的祖国、伟大的时代;歌颂了中国人民在中国共产党和毛主席的英明领导下,勇于攀登世界高峰的英雄气概;歌颂了知识青年上山下乡的伟大胸怀;歌颂了云南各族人民的幸福生活以及对党、对毛主席的深厚感情;还热情地歌颂了县委书记的榜样——焦裕禄同志。""诗情澎湃,具有强烈的时代气息;节奏鲜明、语言铿锵,适宜朗诵。"

7月 瞿琮的诗集《春满洞庭》由湖南人民出版社出版。收《标语墙》、《宽广的机耕道》、《访君山茶园》、《师长的歌》等诗49首,有《洞庭歌》诗1首代序。

7月 石祥(王石祥)、刘薇的《战斗的歌——歌词集》由上海人民出版社出版。收《毛主席是咱领路人》、《文化大革命十年颂歌》、

《战士想的是什么》等歌词75首,后附《歌词创作学习札记》。该书《内容提要》说:"这是一本歌词专集。共收入作者近年来创作的歌词七十五首。从不同的角度反映了作者对毛主席、对党、对祖国的热爱,抒发了革命战士建设祖国、保卫祖国的豪情壮志。主题鲜明,形象生动,形式多样,富有强烈的时代气息。附文《歌词创作学习札记》,作者从歌词的选材、构思、语言等方面,介绍了自己创作歌词的体会,可供歌词写作者参考借鉴。"

7月 尧山壁、王洪涛、聪聪合著的诗集《山水新歌》由天津人民出版社出版。收尧山壁《大寨田》、王洪涛《平原上的进军》、聪聪《喜讯飞遍平原》等诗35首。

7月 章明、瞿琮、郭兆甄合著的《节日的祖国——歌词一百首》由广东人民出版社出版,为南方诗丛之一。收瞿琮《颂歌献给毛主席》、郭兆甄《毛主席关怀咱山里人》、章明《千里路上凯歌高》等歌词100首。

7月 振扬的诗集《唱给韶山的歌》由湖南人民出版社出版。作品分为《唱给韶山的歌》、《新人新事满矿山》等3辑,收《颂韶山》、《工宣队员》、《风钻呵,快快地转》等诗57首,有作者《后记》。《后记》说:"十年呵,在历史的长河中,只是短暂的一瞬。而我们伟大的祖国,却是经历文化大革命的十年,是天地翻覆的十年。""十年来,我这个在红旗下长大的青年工人,沐浴着毛泽东思想的阳光雨露,迎着文化大革命的浩荡东风,走上了文学创作的道路,成了一名文艺新兵。党给了我一支战斗的笔,文化革命的烈火点燃了我炽热的创作激情。我是多么渴望能生出十万双臂膀,举起百万束鲜花,欢呼文化大革命的伟大胜利,歌唱紧跟毛主席在继续革命的大道上勇往直前、冲锋陷阵的工农兵英雄形象呵!"

振扬,原名贺振扬,1941年生于湖南双丰。1962年铀矿地质勘探专业学校毕业到衡阳矿山当工人,同时开始文学创作。1968年借调到湖南日报文艺组当编辑,1973年调入湖南省文学艺术工作室从事诗歌创作,后在湖南省文联工作。

7月 郑州市文化馆创作组编的叙事诗集《黄河柳》由河南人民

出版社出版。收黄同甫《九女冈》、宋余三《梧桐寨》、王复兴《黄河柳》、陈铁山《耿勇河的故事》等诗10首。

7月 广西人民出版社编的叙事诗集《笙歌阵阵》由该出版社出版。收李荣贞《笙歌阵阵》、杨军《阿岩回来了》和彭景宏、黄勇刹、柯炽《根深叶茂》等诗5首。

7月 诗集《新绿集》由上海人民出版社出版，为上山下乡知识青年创作丛书之一。收上海杨代藩《列车前方到达站》、黑龙江龙彼德《书记的劳动手册》、新疆东虹《大漠春讯》、新疆章德益《塔里木畅想》等诗21首(组)。该书《内容提要》说："这本上山下乡知识青年的诗集，是从一九七五年的来稿中选编的。""这些作品，热情地歌颂了知识青年上山下乡这一社会主义新生事物，纪录了知识青年在农村激烈的阶级斗争和路线斗争的风口浪尖茁壮成长的历程，展现出农业学大寨、普及大寨县的壮丽画卷，抒发了在广阔天地里的一代新人为巩固无产阶级专政、缩小三大差别而战斗的崇高革命理想和豪情壮志。""这些诗，感情淳朴，有着比较强烈的时代精神和火热的生活气息。"

7月 天津人民出版社编的《展翅篇——天津青年工人诗选》由该出版社出版。收冯景元《炉火熊熊》、唐绍忠《冲天炉》、田宗友《农药车间书记的话》、杨玉波《友谊歌传四海水》等诗46首。该书《内容提要》说："这本抒情短诗集子是新人新作：作者是无产阶级文化大革命以来和批林批孔运动以来，开始拿起笔杆，用诗歌作为武器，积极投入在文化领域中对资产阶级实行全面专政战斗的青年工人；作品充分反映了无产阶级文化大革命以来，天津市工业战线所产生的巨大变化，热情歌颂了学习无产阶级专政理论，深入开展'工业学大庆'运动的大好形势，热情歌颂了茁壮成长的社会主义新生事物和新人新事新思想。""大部分作品具有鲜明的时代特征和浓厚的生活气息；格调清新刚健，语言琅琅上口。"

1976年8月

1日 《解放军文艺》1976年8月号刊出战士钱巍《冲》、曾凡华

《战报编辑》、瞿琮《坦克手和红领巾》、英戈《〈炮打司令部〉礼赞》、孟伟哉《新沙皇的"和平"进行曲》等诗。

2日 《人民日报》刊出《战士短歌》,刊有广州部队某部叶知秋《西沙抗风桐》、铁道兵某部李小雨《青年指挥员》等诗。

5日 《人民日报》刊出《地震何足惧,人民定胜天——唐山人民抗震战救灾战歌》和时永福的诗《号炮轰鸣,光照千秋——纪念毛主席〈炮打司令部——我的一张大字报〉发表十周年》。

8日 《解放日报》刊出杨牧《火种》、叶庆瑞《"炮轰队长"》、解放军某部杨德祥《哨所有架收音机》等诗。

8日 《文汇报》刊出周嘉俊的诗《大地,你颤抖吧,我们将征服你!》。

10日 《诗刊》1976年8月号刊出李小雨等《抗震救灾诗传单》、王鸣久《火红的战表——颂〈炮打司令部(我的一张大字报)〉》、嵇亦工《"八·一八"颂歌》、纪宇《千帆过后评沉舟》等诗和金学迅《充分发挥叙事诗的战斗作用》等文。金学迅说:"叙事诗的优点和特点,就是可以通过精炼的诗歌语言,描述故事情节,设置矛盾冲突,刻画人物形象。这些特点,正好有利于表现无产阶级同走资派的尖锐复杂的阶级斗争和路线斗争,有利于精心塑造高大完美、光彩照人的无产阶级英雄典型。从而在现实的革命斗争中,充分发挥'团结人民、教育人民、打击敌人、消灭敌人'的战斗作用。"

10日 《北京文艺》1976年第8期《英雄人民战震灾》栏刊出李学鳌《英雄的人民定胜天》、张寿山《毛主席恩情似海洋》等诗。

10日 《天津文艺》1976年第8期刊出王榕树《伟大的号炮》、冯景元《风暴中纪事》等诗和石格竹的文章《评诗剧〈烈火不熄〉》。

11日 《人民日报》刊出夏祥镇的文章《革命豪情动地来——喜读诗集〈遵义颂〉》。

14日 《人民日报》刊出《英雄的人民不可战胜——抗震救灾诗歌选》。

15日 《河北文艺》1976年第8期刊出张从海《给书记记工》、宫玺《高原机场》等诗。

17日 《人民日报》刊出成莫愁《军包传》、李道林《金灿灿的日历》等诗。

20日 《人民文学》1976年第5期以《抗震战歌冲云霄》为总题刊出蔡文祥《车向唐山飞》、李炳天《冲向抗震战场》等诗和石湾的诗《战斗的节日——纪念毛主席接见红卫兵十周年》。

20日 《朝霞》1976年第8期刊出诗辑《我们是毛主席的红卫兵》，刊有成莫愁《战歌壮》、周涛《送报的姑娘》、李曙白《你好！山村》等诗。

21日 《光明日报》刊出尹在勤的文章《延安精神传万代——读诗集〈延安颂〉》。

21日 《四川日报》刊出陈家贵、胜杰的报道《一首诗歌一门炮　万炮齐轰邓小平——记金堂县玉虹公社永久大队政治夜校的一次赛诗会》。

22日 《解放日报》刊出恒通路小学戚泉木《人定胜天伏灾魔》、锦都食品店何国庆《浦江唐山手携手》等诗。

22日 《陕西日报》刊出昝澍、张惠、智奇的文章《"出膛的炮弹"——读诗集〈火红的战旗〉》。

22日 《天津日报》刊出新华社记者的报道《诗歌表达凌云志　满怀豪情歌颂党——记劝业场街明德里一次居民抗震救灾赛诗会》。

25日 《黑龙江文艺》1976年第8期刊出车帅仁《在油印机旁——记一九六六年红卫兵最难忘的一个夜晚》、蔡文祥《埋地雷》、解放军某部冉晓光《本色》等诗。

27日 《人民日报》刊出壮族蓝阳春《瑶山马铃》、郑成义《小将要大干》、寇宗鄂《工人民兵歌》等诗。

28日 诗人牧丁在河南郑州逝世。

牧丁，原名顾竹漪，1916年3月16日生于江苏涟水。1940年在成都编辑《诗星》，并出版诗集《未穗集》。1941年起主要在中学、大学从事教育工作，1949年后在北京中央戏剧学院、天津南开大学任教，1957年任教于郑州大学中文系。

29日 《光明日报》刊出报道《抒战斗豪情　诵革命壮志——唐

山街头的一次军民赛诗会》。报道说:"盛夏八月的一天,在唐山市四眼井街道抗震救灾领导小组的帐篷前,一群男女青年和解放军战士聚集一起,高声朗诵自己的诗作,抒发为夺取抗震救灾斗争全面胜利而英勇战斗的豪情壮志。这是人民解放军某部八连团支部和四眼井街道团支部联合召开的一次赛诗会。"

8月 《安徽文艺》1976年8月号刊出解放军某部宫玺《干校第一夜》、阎世伟《红卫兵新歌》等诗和丁鸿元、朱大可的文章《支持新事物 歌唱新一代——读一九七五年以来〈安徽文艺〉诗歌有感》。

8月 《广东文艺》1976年第8期刊出蔡宗周《为革命委员会站岗》、解放军石祥(王石祥)《战斗的海防》、解放军瞿琮《寄自城下之城》等诗。

8月 《吉林文艺》1976年8月号刊出诗歌专号,以《歌唱文化大革命 反击右倾翻案风》为总题刊出程远《文化大革命卷巨澜》、赵同伦《斗倒当代黑宋江》等新民歌,以《跟着毛主席在大风大浪中前进》为总题刊出王小妮《"八·一八"抒怀》、邓万鹏《从集体户寄向天安门》等诗,以《对准邓小平开炮》为总题刊出樊发稼《对准邓小平,开炮》、王磊《红小兵》等诗,还刊有范峥嵘、韩跃旗、李树森的诗报告《劲松之歌》和韩志军《占领颂》等诗及陈日朋《号角、响箭及其它——政治抒情诗杂谈》等文。

8月 《江苏文艺》1976年第8期刊出纪红《前进!红卫兵战旗》、解放军某部葛逊《红卫兵在海疆》、阎志民《难忘的日子》等诗和南京师范学院工农兵学员徐宝成、张中源、黄毓仁的文章《文化大革命的热情赞歌——读长篇政治抒情诗〈十年放歌〉》。

8月 《辽宁文艺》1976年第8期刊出龙彼德《庆祝"八·一八"》、战士刘福林《"八·一八"日记》等诗。

8月 《青海文艺》1976年第4期刊出江源《革命方知北京近》、盛沛林《高举党旗阔步前进》、工人江河《写在红卫兵袖标上的诗篇》、张祥康《咱们的理论讨论会》等诗和巨邦佐的文章《一行行诗句红似火——读诗歌特辑〈战歌催春〉》。

8月 《湘江文艺》1976年第4期刊出《敢与走资派对着干》诗

歌、民歌10首和颜家文《"我坚决支持你们"》、解放军元辉《海啸》、解放军里沙《警惕树》等诗。

  8月 中国人民解放军济南部队政治部文化部编的诗集《歌漫征途》由山东人民出版社出版。

  8月 诗集《新颜歌》由河南人民出版社出版。

  8月 诗集《征途新歌》由甘肃人民出版社出版。

  8月 任耀庭的诗集《歌从雪山来》由四川人民出版社出版,为四川诗丛之一。作品分为《开花的种子》、《最美的诗行》等3辑,收《过泸定桥》、《红军坟上的鲜花》、《巡逻兵与红柳》、《牧场秋色》等诗52首。

  任耀庭,1922年12月8日生于山东曹县。1939年参加八路军。1956年入解放军南京军事学院学习,1959年到成都军区工作。出版的诗集还有《梁山奔来的骏马》(1985)、《三代剑》(1989)、《马上岁月》(1993)、《岁月回响》(1997)等。

  8月 童嘉通的诗集《边疆山月》由四川人民出版社出版,为四川诗丛之一。作品分为《征程万里》、《边疆的山》等3辑,收《长征路》、《毛主席挥笔走惊雷》、《海防哨所》、《山村大字报》等诗56首。

  童嘉通,1937年生于江苏扬州。出版的诗集还有《金色的岩鹰》(1977)、《回望》(1991)。

  8月 人民文学出版社编辑室编的《学大寨民歌选》由该出版社出版。收李居鹏《万朵红花迎春天》、吴碧文《马列战刀握手中》、刘志清《燕子河畔批宋江》、郑克级《誓将山河重安排》等民歌三百八十余首,有编者《编后记》。《编后记》说:"在党中央发出'全党动员,大办农业,为普及大寨县奋斗'的伟大号召后,一个声势浩大的'农业学大寨'、普及大寨县的革命群众运动正在祖国大地上蓬勃兴起。为了配合普及大寨县运动的深入开展,把坚持以阶级斗争为纲,大批修正主义,大批资本主义,大干社会主义中涌现出来的新人、新事、新思想、新面貌及时加以反映,我们编辑出版了这部《学大寨民歌选》。""这部民歌,是由一百廿六个学大寨先进县收集后推荐给我们的。我们在这个基础上进行了选编。"

8月　巴马瑶族自治县革委会文化局编印的《瑶山红烂漫——巴马诗歌选》印行。收民安附中创作组《瑶族人民离不开共产党》、周厚斌《百里瑶乡不夜天》、谭宗辉《月夜练兵忙》等诗 100 首,有《编后记》。《编后记》说:"三大革命运动,促进了我县文艺创作的蓬勃发展,经常给《巴马文艺》来稿的业余作者,达四百多人。他们都生活、工作在斗争第一线,其作品基本上反映了我县的面貌。""为使文艺创作能更好地起到'团结人民、教育人民、打击敌人、消灭敌人',促进三大革命的作用,我们召开了业余作者座谈会,对历年发表在《巴马文艺》上的诗歌,进行评选,再经集体讨论,有关领导审查,选出一百篇,分为七类,编成《瑶山红烂漫——巴马诗歌选》,出版单行本,作为我县各族人民战斗历程的一个纪录。"

1976 年 9 月

1 日　《解放军文艺》1976 年 9 月号刊出《南京路上好八连战士诗选》、《小靳庄社员抗震歌》、《抗震火线战士墙报诗抄》。

5 日　《解放日报》刊出姜金城的诗《寄自抗震救灾前线的诗》。

5 日　《人民日报》刊出钱启贤的诗《大别山新歌》。

9 日　中共中央主席、中共中央军委主席、全国政协名誉主席毛泽东在北京逝世。

10 日　《诗刊》1976 年 9 月号刊出董存清等《英雄矿工定胜天——开滦煤矿工人抗震战歌辑录》、王作山等《地震震不倒革命人——小靳庄抗震斗争诗抄》、时永福《抗震英雄谱》、李小雨《震不倒的红旗》等诗和吕进《需要更多好诗评》、兰棣之《重视政治鼓动诗的创作》等文。兰棣之说:"为了充分发挥诗歌的战斗作用,我们应当重视政治鼓动诗的创作。""政治鼓动诗的特点,就是以当前重大的政治斗争、政治事件和迫切的政治任务为题材,以富于号召力和鼓动性的形式,鼓舞人们投身于现实的阶级斗争,从而发挥革命诗歌迅速、及时、有力地为无产阶级政治服务的作用。""政治鼓动诗本身的特点,要求政治鼓动诗要饱和着无产阶级的革命激情,跳动着强烈的时代脉搏。要气势磅礴,气吞山河,豪情似火,动人心弦。面对敌人,它尖锐锋利,击中要害;为了加强鼓动力量,有时可以出以漫画手法。而对人民,则满腔热忱,温暖如火。只有这样,它才能富于号召力和鼓动性,才能振奋群众的革命精神,动员和激励人民投入当前的政治斗争。"是期还刊出悼念毛泽东增刊,刊有郭沫若《毛主席永在》、吕玉兰《我永远做毛主席的忠诚女儿》等诗。是期诗讯:山西省定襄县宏道公社是全省闻名的"诗歌之乡"。在批邓、反击右倾翻案风的斗争中,公社民兵认真学习毛主席的重要指示,带头写诗批邓。他们说:一个民兵战士,不仅要学会用枪杆子打击敌人,还要学会用笔杆子同党内走资派作斗争。全公社以民兵作者为骨干,以政治夜校、批判专栏为阵地,掀起了写诗批邓的热潮。几个月来,宏道镇十字街心的"宏道民兵诗画"栏,办得诗画并茂,刊登了三百多首批判邓小平和抒发民兵革命豪情的诗篇。全公社民兵营、连召开批邓赛诗会五百多次。十八个民兵连的三百三十七块壁报、专栏共发表诗歌、歌谣、快板诗等五千一百多首。这些诗像锋利的鸣镝,集中射向邓小平;像革命的火炬,燃起了批邓的熊熊烈火。

10日 《北京文艺》1976年第9期《批邓火线谱新篇》栏刊出首钢电修厂郭天民《批邓火力增千度》、艾成玉《重槌猛敲批邓鼓》、时永福《昂首挺立》等诗。

15日 《汾水》1976年第5期刊出向阳《大寨人怀念毛主席》、王东满《毛主席永远和我们在一起》等诗。

15日 《河北文艺》1976年第9期刊出《抗震救灾特辑》,刊有尧山壁《不倒的红旗》、韦野《唐山在前进》、刘章《写封信儿寄开滦》等诗。

20日 《人民文学》1976年第6期刊出《抗震诗画》,刊有开滦煤矿马家沟矿《发扬咱光荣传统》、申身《开滦呵,我回来了!》、田间《柱石》等诗。

25日 《黑龙江文艺》1976年第9期刊出王绍德《英雄战歌》、曲有源《写在峥嵘岁月里》、宋歌《红卫兵日记》等诗;是期还刊出特刊,刊有胡国斌《工人阶级的誓言》、宋歌《向毛主席庄严宣誓》等诗。

25日 《浙江文艺》1976年第5期刊出梁雄《毛主席呀毛主席

……》、嵇亦工《毛主席啊,您永远活在我们心中!》等诗和徐刚的长诗选载《鲁迅》。

9月 龚舒婷(舒婷)作诗《中秋夜》。此诗初刊1979年4月1日《今天》第3期;收诗集《双桅船》,上海文艺出版社1982年2月出版。

9月 郭小川作诗《痛悼伟大的领袖和导师》。此诗初收《郭小川诗选》,人民文学出版社1977年12月出版。该书编者注:这首诗,是作者生前最后一首诗作,还没有写完,作者就不幸逝世了。作者为无产阶级讴歌,直到生命的最后一息。

9月 穆旦作诗《秋》。此诗初刊《诗刊》1980年2月号,收《穆旦诗选》,人民文学出版社1986年1月出版。

9月 《安徽文艺》1976年9月号刊出工人于鹏《沸腾的油海》、解放军某部纪鹏《干校诗简》等诗。

9月 《福建文艺》1976年第5期刊出宁德地区冶炼厂工人黄平生《我们在吊唁大厅宣誓》、工农兵学员徐如麒《毛主席送我上大学》等诗。

9月 《广东文艺》1976年第9期刊出中山大学工农兵学员陈朝行《敬礼!英雄的唐山人民》等诗和中山大学中文系七三级工农兵学员集体创作,庄志霞、权德毅执笔的长诗《毕业之歌》及童丹的文章《批判资产阶级法权的战歌——喜读〈毕业之歌〉》。文章说:"《毕业之歌》是中山大学中文系工农兵学员集体创作,由庄志霞、权德毅同志执笔的一首长篇政治抒情诗。作者用火热的语言,浓烈的感情,朝气蓬勃的人物形象,'倾诉着对党的无限忠诚'。在反击右倾翻案风斗争的广阔历史背景上,在同邓小平修正主义路线对着干的战逆流斗争中,描绘了工农兵学员在教育革命中锻炼成长的战斗风貌,他们胸怀共产主义理想,勇当批判资产阶级法权的尖兵。长诗集中地表达了广大工农兵学员来自工农、不忘工农,'与工农划等号,做普通劳动者'的崇高心愿,和把青春献给伟大共产主义事业的宽阔胸怀,展示了'革命自有后来人,一代更比一代红'的社会发展图景,批判了资产阶级法权观念,驳斥了教育界的修正主义奇谈怪论,有力地回击了邓小平掀起的右倾翻案风,热情洋溢地歌颂了毛主席教育革命路线的胜利。我们读后,心情激动,受到了巨大的鼓舞和深刻的教育。"

9月 《广西文艺》1976年第5期刊出张化声《毛主席呵,永生的舵手》、农冠品《继承领袖志》等诗。

9月 《贵州文艺》刊出增刊,刊有张克《永远怀念毛主席》、李发模《我站在毛主席的遗像前》、陶文鹏《红楼,我们和你一起宣誓》等诗。

9月 《吉林文艺》1976年9月号刊出曲有源的诗《我们这样纪念》,以《知识青年诗歌选》为总题刊出程刚《大道朝阳》、马丽《集体户的大批判专栏》等诗。

9月 《江苏文艺》1976年第9期刊出《深入批邓炮声隆——江宁县周岗公社批邓诗选》和南京无线电厂孙龙《毛主席握过咱的手》、何晴波等《十年战歌歌不断》等诗。

9月 《江西文艺》1976年第5期刊出《井冈山儿女怀念大救星》、《红太阳永远照安源》、《毛主席,余江人民怀念您》等诗辑。

9月 《辽宁文艺》1976年第9期刊出晓凡《火线纪事》、工人刘立春《咱为革命铸铁牛》等诗。

9月 《内蒙古文艺》1976年第5期刊出内蒙古军区火华《继志篇》、查干《永远记住这一天》、战士姜强国《毛主席活在战士的心窝里》等诗。

9月 《四川文艺》1976年第8—9期以《文化大革命赞歌》为总题刊出许传之《毛主席挥手我前进——写在一九六六年八月接受毛主席检阅的时候》、徐康《斗争颂》、杨星火《高原红卫兵》等诗;以《抗震救灾 人定胜天》为总题刊出江瑞成《在平武地震灾区》、张新泉《震区帐篷的窗口》等诗。

9月 《天津文艺》特刊刊出宝坻县窦家桥大队下乡知识青年侯隽《毛主席永远活在我们心上》、冯景元《毛主席活在咱心窝窝》等诗。

9月 《武汉文艺》1976年第5期刊出武钢工人董宏量《快把那炉火烧得通红》、工人黄声笑(黄声孝)《毛主席颂歌唱万代》、陆耀东《心中的太阳永不落》等诗。

9月 《新疆文艺》1976年第5期刊出赛福鼎《毛泽东思想永放光芒》、帕哈太克里贫下中农《世世代代铭记毛主席的恩情》和杨牧、杨树、滨之《毛泽东,永远不落的红太阳》等诗。

9月 冯景元的诗集《钢之歌》由天津人民出版社出版。

9月 三明钢铁厂工人创作、三明钢铁厂宣传科编的诗集《金瀑飞红》由福建人民出版社出版。

9月 谭日超的诗集《大沙田放歌》由广东人民出版社出版,为南方诗丛之一。作品分为《山水奇观》、《竹寮新事》等3辑,收《突击队进行曲》、《登讲台》、《民兵营长》、《红色的档案》等诗48首。

谭日超,三人合用笔名。谭学良,1940年生;陈日生,1939年生;陈启超,1938年生;均生于广东台山。出版的诗集还有《望香港》(1986)。1985年谭学良逝世,陈日生、陈启超改署"日超",出版诗集《金翅》(1990)。此外,陈日生还出有诗集《远航》(1995)、《赞美和怀念》(1998)。

1976年10月

1日 《人民日报》刊出孙友田《毛主席永远在掌舵》、天津宝坻县小靳庄大队社员魏文中《毛主席遗志永继承》等诗。

1日 《解放军文艺》1976年10月号刊出诗辑《无尽的怀念 钢铁的誓言》,刊有南京路上好八连易天宝《红旗树在我心里》、武汉警备区战士李偓清《战士怀念毛主席》等诗。

2—3日 北京举行"毛主席永远活在我们心中"诗歌朗诵演唱会。《诗刊》1976年10月号消息:在举国上下沉痛悼念伟大领袖和导师毛主席的日子里,本刊编辑部于十月二、三日在北京首都剧场举行了"毛主席永远活在我们心中"诗歌朗诵演唱会。会上演唱了毛主席的光辉诗篇《水调歌头·重上井冈山》、《念奴娇·鸟儿问答》、《忆秦娥·娄山关》、《清平乐·六盘山》;首都工人、社员、战士、少数民族同志以及话剧、电影演员朗诵了韶山、井冈山、遵义、延安等革命纪念地以及大庆、大寨和各地工农兵写的诗。同志们怀着对毛主席深厚的无产阶级感情朗诵演唱的这些诗歌,反映了各族人民对毛主席的无限热爱和无比崇敬,赞颂了毛主席在中国革命和世界革命中的丰功伟绩,表达了广大工农兵群众继承毛主席遗志,团结在党中央周围,把无产阶级革命事业进行到底的决心。会上还朗诵了外国同志和朋友悼念毛主席的诗。

3日 《解放日报》刊出诗辑《毛主席功绩千秋唱》。

6日 王洪文、江青、张春桥、姚文元等人被"隔离审查"。

7日 中共中央政治局通过关于华国锋出任中共中央主席和中共中央军委主席的决定。

8日 中共中央、全国人大常委会、国务院和中央军委决定,在北京建立毛泽东主席纪念堂。

10日 《人民日报》刊出北京化工设备厂工人何玉锁《手捧金芒果,怀念毛主席》、李幼容《天山儿女永远怀念毛主席》诗2首。

10日 《诗刊》1976年10月号刊出纪学《紧密团结在以华国锋同志为首的党中央周围》、雷抒雁《幸福的权利》、李瑛《献诗——敬献给伟大的领袖和导师毛主席》、查干《毛主席的遗志我们来继承》等诗。

10日 《北京文艺》1976年第10期刊出工人张策《响起来,悲壮的汽笛!——沉痛悼念伟大的领袖和导师毛主席》、叶晓山《把无产阶级革命事业进行到底》、李学鳌《毛主席给我一支笔》、陈咏慷《把红卫兵的战歌唱得更响》等诗。

10日 《湖北文艺》1976年第5期刊出徐迟《诗言志》等文和工人陈龄《光辉永照》、工人黄声笑(黄声孝)《永远歌唱毛主席》等诗。

15日 《河北文艺》1976年第10期刊出田间《抗震救灾诗传单》、旭宇《火红的开滦》、肖振荣《钢铁的回击》等诗。

15日 《天津文艺》1976年第9—10期刊出佟有为《毛泽东思想指引我们走向胜利》、方波涛《手捧党中央两项英明决定》等诗和《大震显英雄——抗震救灾诗歌选》。

18日 中共中央发出《关于王洪文、张春桥、江青、姚文元反党集团事件的通知》。

18日 诗人郭小川在安阳去世。郭小川"10月12日赴安阳求治眼疾"。"月中获知'四人帮'倒台消息,兴奋难以抑制,对亲戚表示要回京参加战斗。""10月18日凌晨因吸烟失火窒息,于安阳地委第一招待所去世。""11月初遗体在河南安阳火化,11月8日骨灰被接回京"(见《郭小川年表》,《郭小川全集》第12卷,广西师范大学出版社2000年1月出版)。

20日 《人民文学》1976年第7期以《八亿神州齐欢呼——坚决拥护华国锋同志为首的党中央两项英明决定》为总题刊出首钢工人王德祥《八亿神州齐喊好!》、文武斌《党的声音传四方》等诗;以《毛主席永远是我们心中的红太阳》为总题刊出郭沫若《悼念毛主席》、魏巍《沉痛悼念毛主席》、张志民《毛主席永远和我们在一起》等诗。

21日 北京150万军民举行庆祝游行,庆祝华国锋任中共中央主席、中央军委主席,庆祝粉碎"四人帮"反党集团篡党夺权阴谋的伟大胜利。

22日 《人民日报》刊出徐刚《祖国,在前进!——写在天安门前的游行队伍中》、沈阳部队某部胡世宗《今天,人民大众开心》等诗和诗辑《根除"四害"心欢畅,祖国处处凯歌扬》。

24日 北京百万军民在天安门广场集会庆祝伟大胜利,华国锋、叶剑英等出席。

24日 《解放日报》刊出诗辑《人民和华主席心连心》、《万炮齐轰"四人帮"》。

24日 《文汇报》以《纵情歌唱吧,八亿人民的心愿实现了!》为总题刊出上海汽轮机厂戴巴棣《坚决拥护华主席》、上无二十一厂张东方《一举打烂"四人帮"》等诗。

25日 《人民日报》发表《人民日报》、《红旗》杂志、《解放军报》社论《伟大的历史性胜利》。

29日 《解放军报》发表编辑部文章《华国锋同志是我们党当之无愧的领袖》。

31日 《人民日报》刊出蒙古族查干《党胜利了,人民胜利了!》等诗。

10月 龚舒婷(舒婷)作诗《心愿》。此诗收诗集《双桅船》,上海文艺出版社 1982 年 2 月出版。

  10 月 张建中（林莽）作诗《生命的对话》。此诗收诗集《我流过这片土地》，新华出版社 1994 年 10 月出版。

  10 月 《安徽文艺》1976 年 10 月号《毛主席永远活在我们心中》栏刊出女民歌手殷光兰《永远高唱红太阳》等诗文。

  10 月 《广东文艺》1976 年第 10 期刊出谭朝阳《革命的盛大节日》、陈登贵《誓继领袖凌云志》、上山下乡知识青年黄子平《红卫兵的誓言》等诗。

  10 月 《河南文艺》1976 年第 5 期刊出诗辑《毛主席的批示永远指引我们前进》和王鸿生《红卫兵想念毛主席》等诗。

  10 月 《吉林文艺》1976 年 10 月号刊出戚积广《白玉基石旁的誓言》、张天民《毛主席，文艺战士永远怀念您》、蒙族苏赫巴鲁《牧民悼念毛主席》等诗；是期还刊出增刊，刊有工人孙白桦《愤怒声讨"四人帮"》、工人柏建华《胜利了，我们的党》等诗。

  10 月 《江苏文艺》1976 年第 10 期刊出诗辑《红日永在心头照》和徐荣街《伟大导师的足迹》、沙白《鲁迅墓前》等诗及陆建华的文章《可喜的第一步——评青年业余作者邹国平同志的诗作》。

  10 月 《青海文艺》1976 年第 5 期刊出青海省造纸厂工人蒋兆钟《毛主席永远活在我们心中》、格桑多杰《毛主席啊不落的红太阳》、蔡西林《重返杏元村》等诗和杰夫的文章《一代新人的赞歌——读〈青海文艺〉赞知识青年的诗》；是期还刊出"热烈庆祝华国锋同志任中共中央主席、中央军委主席！愤怒声讨'四人帮'阴谋篡党夺权的滔天罪行"诗传单，刊有青海造纸厂李成安《纸工心向华主席》、李振《对准"四人帮"猛开炮》等诗。

  10 月 《四川文艺》1976 年第 10 期刊出《各族人民歌颂毛主席》民歌 100 首和胡笳《红太阳光辉照耀着我们》、解放军杨星火《挑担歌》、吴琪拉达《记在心上》等诗。

  10 月 《湘江文艺》1976 年第 5 期刊出株洲市工人聂鑫森《在毛主席遗容旁》、王燕生《英明的决定》、长沙市工人骆晓戈《胜利的锣鼓》等诗。

10月　乌兰齐日格的儿童诗集《驯马少年》由上海人民出版社出版。

10月　诗集《毛主席啊,我们永远怀念您》由山东人民出版社出版。

10月　里沙的诗集《金沙云霞》由四川人民出版社出版,为四川诗丛之一。作品分为《凉山飞花》、《高原喷绿》2辑,收《胸怀百万兵》、《矿山新书记》、《天安门抒怀》、《帐篷小学》等诗50首。

10月　韦丘的诗集《瀑声》由广东人民出版社出版,为南方诗丛之一。收《万岁!毛主席的革命路线!》、《峥嵘岁月,浩荡春风》、《一道峡谷三条河》、《回茶山》等诗39首。

韦丘,原名黎思强,1923年2月生于广东广州。早年从事地下工作,1945年加入东江纵队。1950年调到省军区文化部文艺科工作。1955年转业到广东省作家协会,历任《作品》杂志编辑、编辑部主任、副主编,作协副秘书长、副主席。1942年开始新诗写作,出版的诗集还有《红花集》(1959)、《青春和爱情的故事》(1984)、《迈出窗口》(1987)、《丹枫绿梦》(1991)、《粤北关山现代风》(1994)、《解不开的情结》(1997)、《生命树》(2000)等。

10月　叶晓山的诗集《第一声汽笛》由天津人民出版社出版。作品分为《瑰丽的蓝图》、《喷彩的画笔》2辑,收《进山第一站》、《桥头夜哨》、《铁道兵的家》、《高山的鹰》等诗53首。该书《内容提要》说:"这是一部抒情短诗集。""作者以饱满的激情,生动的笔调,形象地描绘了铁道兵战士转战南北,为建设祖国,加强战备,修筑铁路的火热斗争生活;热情地抒发了铁道兵战士胸怀朝阳,敢于登高攀险和移山填谷的豪情壮志。""作品激情饱满,格调清新;语言凝炼而流畅,具有浓厚的生活气息。"

10月　《红太阳永放光辉》三结合编创小组编的诗集《红太阳永放光辉》由广东人民出版社出版。收西彤《多造好纸印雄文》、沈仁康《南海日出》、海南师专中文科工农兵学员集体创作《高举红旗向明天》、赵元瑜《垦荒战歌代代唱》等诗21首,有编者《写在前面》。《写在前面》说:"我们怀着极其悲痛的心情,悼念伟大的领袖和导师毛主席！""我们用发自肺腑的诗篇，歌颂伟大的领袖和导师毛主席！""在沉痛悼念毛主席的日子里，为了歌颂毛主席伟大的革命实践，反映毛主席在广东工作过、视察过，以及他作过批示、指示的一些单位，广大群众当年在伟大领袖的亲切关怀和鼓舞下高歌猛进，如今又化悲痛为力量，去夺取新的胜利，我们以工农兵业余作者、领导、编辑人员三结合的方式，创作、编辑成这本诗集。千言万语，也表达不完我们对伟大领袖毛主席深切的怀念和幸福的回忆。"

10月 铁道部第三工程局政治部业余创作组编的诗集《放歌山水间》由山西人民出版社出版。收路坷《毛主席，您永远活在我们心中》、张含保《老赵今天离干校》、刘超伦《咱为革命住茅屋》等诗64首，有铁道部第三工程局工人创作组《后记》。《后记》说："正当我们准备发排这本短诗集，歌颂文化大革命和社会主义新生事物，反映筑路工人的战斗生活，纪念毛主席《在延安文艺座谈会上的讲话》光辉著作发表三十四周年的时候，突然传来了我们最敬爱的伟大领袖和导师毛泽东主席与我们永别的噩耗，使我们无比悲痛。""天大地大不如毛主席的恩情大，河深海深不如毛主席的恩情深。毛主席是我们的大救星，我们的一切都是毛主席给的，毛主席的革命路线是我们的生命线、胜利线、幸福线。我们筑路工人就是靠毛主席革命路线的指引，南征北战，取得新线铁路建设的一项又一项胜利。《放歌山水间》，就是一本新线铁路建设工地的诗选，一本毛主席革命路线的颂歌。"

1976年11月

1日 《解放日报》刊出诗辑《举国拥护华主席》和仇学宝《华主席，千山万水团结在您的身旁》、上钢二厂工人刘希涛《跟着华主席前进》等诗。

1日 《文汇报》刊出刘火子《好！——盛大节日即景》、驻沪海军王家林《华主席、党中央指挥我们战斗》等诗。

1日 《解放军文艺》1976年11月号刊出张力生《敬礼，以华主席为首的党中央》、西彤《党的旗帜放光辉》、喻晓《欢呼打烂"四人帮"》、赵政民《永远进击的伟大战士——献给鲁迅》等诗。

7日 《人民日报》刊出刘章《毛主席啊,您放心吧!》、光未然(张光年)《革命人民的盛大节日》等诗。当时的评论说:"多年没有听到光未然同志歌唱了。真使人高兴,前不久,我们在天安门广场欢乐的人流中,终于发现了他。他给我们高唱了一首《革命人民的盛大节日》(《人民日报》1976年11月7日):……粉碎'四人帮'的伟大胜利,带给人们不可名状的欢欣鼓舞,显然使老诗人骤然年青了。这两节诗,把诗人发自心灵深处的欢悦,写得多么平易、真切。'花发'算得什么,在'反帝反修反复辟的大进军'中,人更青春,诗更青春。诗人高唱:'感谢毛主席,感谢文化大革命';诗人'欢呼全党爱戴的领袖华国锋';诗人回忆五·七道路上的斗争生活,深情地说:'长记同志们热情的帮助,落队时扶我一把,迷途时大喝一声。'这种继续革命的精神可贵得很。可是,'四人帮'却对一大批经过文化大革命锻炼的老作家、老诗人,进行残酷的排挤、打击和迫害!光未然同志这篇《革命人民的盛大节日》,就是对'四人帮'反党集团罪行的愤怒控诉和有力批判!'我要重新磨炼我的诗笔,歌颂我们伟大的党,伟大的人民!'"(曾淑《战鼓动地来——歌颂华主席、声讨"四人帮"诗歌一瞥》,《广东文艺》1976年第12期)

7日 《文汇报》刊出谢其规、江迅《我们心向华主席》和芦芒《欢呼劲风扫落叶》等诗。

9日 北京航空学院召开诗歌批判会。《诗刊》1976年11月号消息:十一月九日,北京航空学院五系五〇五专业全体学员,满怀无产阶级义愤,以诗歌为武器,对"四人帮"进行了猛烈的批判。会上,全体学员豪情满怀,争先恐后,登台朗诵,愤怒声讨"四人帮"反党集团。"诗歌如匕首,怒劈'四人帮'。剥去红画皮,豺狼显本相!"一首首烈焰飞腾的诗篇,像一把把锃亮的匕首,挑去了王张江姚的马列主义伪装,露出了他们反革命的真面目;一句句炽热发烫的诗句,犹如一枚枚呼啸出膛的炮弹,炸坍了"四人帮"的"土围子",击穿了王张江姚的黑心肝,大长了革命人民的志气,大灭了"四人帮"的威风。学员们一致表示:要"紧跟领袖华主席,继续革命志不移!"

10 日 《诗刊》1976 年 11 月号刊出贺敬之《中国的十月》、张志民《华主席为我们撑大旗》、郭小川《团泊洼的秋天》等诗和石侃《让诗的烈火燃烧起来》、燕枫《彻底清算"四人帮"在文艺界的罪行》等文。该刊 1976 年 12 月号刊出钱光培的文章《好呵,中国的十月!——喜读贺敬之同志的新作》。文章说:《中国的十月》"这首诗是贺敬之同志用诗歌的形式对于一九七六年十月发生在中国的震撼世界的'历史事件'所做出的迅速而深刻的'反应'。它深刻地揭示了这一伟大历史事件的性质、意义和它的斗争进程。清楚地告诉人们:一九七六年十月在中国所出现的这场'阶级大搏斗',是'无产阶级继续革命的又一重大战役',是'文化大革命新的光辉一页';斗争的实质,就是:要不要继承毛主席'生前的遗志',把无产阶级革命进行到底?能不能听任'四人帮'反党集团这群害人的蛇蝎去毁灭'我们党的千秋大业'?斗争的结果,是:'我们的党胜利了!''毛主席的革命路线胜利了!'中国无产阶级'革命的航船',在经历了十月的战斗之后,由华国锋同志掌舵,又继续沿着毛主席的革命路线'扬帆飞跃'了,而且中国的无产阶级和革命人民完全有决心,一定要把中国革命的航船一直开到共产主义。"

10 日 《北京文艺》1976 年第 11 期刊出管桦《华主席 我们衷心地向您致敬》、刘章《华主席指引着胜利的航向》等诗。

10 日 《天津文艺》1976 年第 11 期以"旗海歌潮庆胜利"为总题刊出第二毛纺织厂老工人刘景瑛《华主席,咱们一百个信得过您》、天津师院中文系七四级工农兵学员《四海齐欢唱》等诗。

14 日 《人民日报》刊出解放军某部许国泰、王晓廉《华主席,请接受三军战士的敬礼!》等诗。

15 日 《汾水》1976 年第 6 期刊出罗继长《毛泽东思想照航程》、蔡润田《导师颂》、周涛《盛大的节日》、陈广斌《华主席登上虎头山》等诗。

15 日 《河北文艺》1976 年第 11 期刊出韦森《欢呼的声浪》、驻军某部刘小放《欢庆的锣鼓》、王玉民《红太阳光辉照海河》、郁葱《塞北集体户》等诗。是期诗讯:承德地区文化局创作组,最近在承德县举办了诗歌创作学习班。参加学习班的有部分县的工农业余作者二十七人。学习班开始,全体同志到承德县朝梁子大队参加劳动,同干部和群众一起学习伟大领袖毛主席一九五五年所写的朝梁子合作化材料《所谓落后乡并非一切都落后》一文的光辉按语,并听了朝梁子大队村史和两条路线斗争史介绍。全体同志以毛主席光辉按语为指导思想,大赞毛主席的丰功伟绩,歌颂毛主席革命路线的伟大胜利。十月二十一日,当大家听到华国锋同志任中共中央主席、中央军委主席的喜讯和以华国锋主席为首的党中央采取果断措施,一举粉碎了王洪文、张春桥、江青、姚文元"四人帮"篡党夺权的阴谋时,无不欢欣鼓舞,立即进行学习和座谈,迅速进行文艺创作,欢庆胜利,声讨"四人帮"。革命斗争的胜利,极大地激发了大家的创作热情,许多同志通宵达旦,热情进行创作。他们在一天时间,就写出诗歌、散文、杂文等文艺作品三十余件。大家一致表示:一定要最紧密地团结在以华国锋主席为首的党中央周围,紧握笔杆子,坚持以阶级斗争为纲,坚持党的基本路线,坚持无产阶级专政下的继续革命,深入揭发批判"四人帮"反党集团的滔天罪行,为巩固无产阶级专政而战斗。

20日 《人民文学》1976年第8期刊出陈其通《毛泽东思想万万年》、北京邮局工人写作组《送喜报》等诗。

21日 《解放日报》刊出诗辑《颂歌献给华主席》。

21日 《文汇报》刊出报道《华主席领导除"四害" 千秋万代飘红旗——本报编辑部在上钢三厂举行"上海工农兵赛诗会",各条战线代表涌上诗台,吟诗作歌,热情表达对华主席为我党领袖我军统帅的无比幸福心情,热情欢呼粉碎"四人帮"的伟大胜利》和《上海工农兵赛诗会诗选》。

25日 《浙江文艺》1976年第6期刊出时永福的长诗选载《毛泽东颂》和姜金城《欢庆之歌》、王英志《人民的火山》等诗。

25—26日 北京文艺界举行大型诗歌朗诵演唱会。《诗刊》1976年12月号消息:"为热烈庆祝华国锋同志任中共中央主席、中央军委主席,热烈庆祝粉碎'四人帮'篡党夺权阴谋的伟大胜利,首都文艺界于十一月二十五、二十六日举行了大型诗歌朗诵演唱会。会上,一首首政治抒情诗、叙事诗、儿歌、锣鼓词和一曲曲独唱、合唱,热情赞颂英明领袖华主席,愤怒声讨恶贯满盈的'四人帮'。我们听到大庆工人决心继承毛主席遗志的有力誓言,听到大寨人对新胜利的纵情欢呼,感受到三军战士对华主席的崇高敬意,也听到向阳院里老人、儿童批判'四人帮'的朴素、生动的发言。特别是我们还听到了郭沫若、光未然、贺敬之、赵朴初等老诗人发自内心的欢呼和继续革命的心声。观众和演员一起笑,一起恨,一起为我们党取得这次伟大的历史性胜利而自豪;台上台下,情感交融,斗志昂扬,气氛格外活跃。""这次诗歌朗诵演唱会是由中央广播电台文艺部和本刊编辑部联合主办的,参加演出的有总政话剧团、歌舞团、二炮文工团,北京部队歌舞团,中国话剧团,全总文工团,煤矿文工团,铁路文工团,北京话剧团,中央广播文工团,中央五·七艺大戏剧学院,北京电视台少年电视演出队等文艺团体。"

28日 《解放日报》刊出诗辑《穷追猛打"四人帮"》。

28日 《人民日报》刊出何其芳《献给伟大的领袖毛主席》、北京机械施工公司第五施工处工人《华主席到工地》等诗。

11月 龚舒婷(舒婷)作诗《悼》。此诗收诗集《双桅船》,上海文艺出版社1982年2月出版。

11月 穆旦作诗《退稿信》、《黑笔杆颂——赠别"大批判组"》。均收《穆旦诗全集》,中国文学出版社1996年9月出版。《黑笔杆颂》有编者注:"此诗系作者家属提供的未发表稿,未注明写作时间,推测为1976年11月,即与前一首诗《退稿信》同期。"

11月 《安徽文艺》1976年11月号刊出工人邓飞《华主席挥手除"四害"》、严阵《人民胜利了》、刘祖慈《太阳,正在向我们微笑》等诗。

11月 《福建文艺》1976年第6期刊出《红心永向华主席,万炮齐轰"四人帮"》民歌15首和俞兆平《神圣的纪念堂》、洪中《华主席登上天安门》、邱滨玲《激战前夜》及刘登翰、孙绍振《忽报人间曾伏虎——写在历史性胜利的日子里》等诗。

11月 《广东文艺》1976年第11期刊出韦丘、欧阳翎、梵杨、韦之、陈迅、西彤的朗诵诗《胜利之歌》和解放军雷锋《难忘的时刻》、解放军姚成友《农讲所战士的怀念》等诗。

11月　《广西文艺》1976年第6期刊出莎红《我们欢呼，我们歌唱》、覃建真《壮家想念毛主席》等诗。

11月　《湖北文艺》1976年第6期刊出黄声笑（黄声孝）《奋力猛砸"四人帮"》、管用和《擂鼓曲》、刘不朽《讴歌伟大的历史性胜利》、熊召政《红歌台》、武汉部队雷子明《欢乐的节日》等诗。

11月　《江苏文艺》1976年第11期刊出樊永生《毛主席——我们心中的红太阳》、孙友田《十月的矿山》等诗。

11月　《江西文艺》1976年第6期刊出诗辑《纵情歌唱华主席愤怒批判"四人帮"》、《学习鲁迅　永远进击》。

11月　《辽宁文艺》1976年第10—11期刊出解放军空军某部李克白《我们胜利了，伟大的无产阶级》、战士王鸣久《永远保卫毛主席的革命路线》等诗。

11月　《内蒙古文艺》1976年第6期以《英明的决策　伟大的胜利》为总题刊出云照光《热烈欢呼伟大的胜利》、刘世远《紧跟华主席向前冲》等诗。

11月　《四川文艺》1976年第11期刊出工人刘滨《胜利的进军》、方敬《凯歌一曲献给党》、解放军杨泽明《哈达献给华主席》、工人王长富《讲台前的怀念》等诗和诗辑《周总理永远和我们在一起》并编者《前言》。《前言》说："我们衷心敬爱的周总理，于一九七六年一月八日九时五十七分心脏停止了跳动，和我们永别了！当严冬凌晨凛冽的寒风把这巨大的悲恸吹向四面八方时，全国各族同胞和全世界革命人民的心一下子凝冻了，热泪奔涌而出，哭声和着寒风呼啸。成都市所有机关、工厂、学校、大院……马上升起半旗，装点着松柏、素花；大街小巷，到处贴出悼念的诗词和决心书，越贴越多，铺满了墙壁，真是诗山词海，一片雪白。如此自发而广泛的群众创作运动，如此真情倾泻、悲壮激越的诗歌，使我们深受感动。本刊编辑部也纷纷收到这样的悼念诗词。为什么会这样？那只能用党心民心党员之心来解释了。但奇怪的是，人民悼念敬爱的亲人却是有罪的，许多写诗的人不敢写上自己的名字。我刊当时抄录编选了这些诗词,也不能登载;珍藏起来,也像'捏着一团火'一样。这又是为什么?因为反革命的'四人帮',他们对我们敬爱的总理恨之入骨。……感谢以华国锋为首的党中央,继承伟大领袖毛主席遗志,英明果断,一举为我们除了'四害',……现在我们把珍重保存的广大群众悼念周总理的诗词选择一部分发表,表示我省人民对敬爱的周总理的永恒怀念!表示对'四人帮'的无限仇恨!"

11月 《武汉文艺》1976年第6期刊出罗维扬《世代高唱〈东方红〉》、叶圣华《华主席登上天安门》、解放军谢克强《红旗进行曲》等诗。

11月 管用和的诗集《公社大地》由湖北人民出版社出版。收《韶山行》、《山村医生》、《铁镐在叫》、《现场批判会》等诗46首。

管用和,1937年11月1日生于湖北孝感。1954年毕业于孝感县师范。1955年至1978年在汉阳县先后任小学、中学教师,县文化馆馆员,县剧团创作员。1979年调至武汉市文联工作。1958年开始新诗写作,出版的诗集还有《欢乐的农村》(与国翰合著,1960)、《山寨水乡集》(与刘不朽合著,1963)、《水乡风采》(1985)、《露珠集》(1988)等。

11月 王主玉的长篇叙事诗《雁回岭》由人民文学出版社出版。长诗共15章,有《序诗》和《尾声》。该书《内容说明》说:"这部长篇叙事诗,写的是1958年军垦战士开发北大荒雁回岭的故事。""长诗通过开发雁回岭沼泽地的斗争描写,反映了在大跃进的进程中,两个阶级、两条路线的斗争。歌颂了主人公保持和发扬革命战争年代的光荣传统和在毛主席革命路线指引下继续革命的精神,以及自力更生,艰苦创业的优秀品质。""长诗着重刻画了佟政委、牛大勇、何胜男等英雄人物形象。作品时代气息浓郁,语言朴实、通俗。"

王主玉,1930年生,安徽宿县人。1950年入南京军事学院教导团学习,后调中央军委总参谋部工作。1958年转业,曾任《中国农垦》、《红旗》杂志、中国少年儿童出版社编辑。1975年后调北京市社会科学研究所工作。

11月 文武斌的诗集《大寨战歌》由中国青年出版社出版。收《毛主席接见大寨人》、《支委会》、《老贫农的话》、《扁担队》等诗61首,有《"四人帮"越恨咱越爱》序诗1首。

文武斌,原名文步彪,1942年6月29日生于山西文水。1967年北京大学毕业,1969年到太原大众机械厂工作。1977年调入山西省文联。出版的诗集还有《春天从远方归来》(1983)。

11月 吴珹的长诗《登天颂》由人民体育出版社出版。该书《内容提示》说:"一九七五年五月二十七日,中国登山队从北坡胜利地登上世界最高峰——珠穆朗玛峰,再次创造了人类征服大自然的光辉业绩。《登山颂》就是反映这一历史性活动的一部长诗。作者通过生动细致的描写和热烈奔放的抒情,不仅为我们再现了攀登珠穆朗玛峰的基本过程,并且塑造了一个坚决执行党的路线,胸怀革命大目标,不为名,不为利,不怕苦,不怕死,敢于斗争,敢于胜利的无产阶级战斗集体的形象。全诗如同一幅绚丽的画卷,展示了经过无产阶级文化大革命锻炼的中国人民的崭新容颜和大无畏的英雄气概。"

吴珹,1936年2月25日生于上海崇明。1960年复旦大学毕业,分配到北京新华社工作。后到河北省安国县锻炼留下任职,1976年后从事文化工作,曾任河北省文化厅副厅长。1957年开始发表新诗,出版的还有散文诗集《荷叶上的露珠》(1988)等。

11月 晓雪的诗集《祖国的春天》由云南人民出版社出版。作品分为3辑,收《光辉的道路——献给党的第十次全国人民代表大会》、《田间诗歌赛》、《边疆民兵颂》、《景颇人的歌》等诗86首。

晓雪,原名杨文翰,白族,1935年1月1日生于云南大理。1952年考入武汉大学中文系,1956年毕业到云南省文联工作。1957年出版《生活的牧歌——论艾青的诗》。1979年后,历任云南省委宣传部文艺处处长、省文联党组副书记、省作协主席、省文联副主席。出版的诗集还有《采花节》(1979)、《晓雪诗选》(1983)、《爱》(1991)、《绿叶之歌》(1994)等。

11月 哲里木盟文化局编的《金色的琴弦——哲里木盟民歌选》由吉林人民出版社出版,为农业学大寨文艺丛书之一。作品分为

《拉起心爱的马头琴》、《飞奔的骏马》等 3 辑,收王磊《拉响我的银弦和金弦》、布仁巴雅尔《大寨之路》、黄锦卿《冲天炉前评〈水浒〉》等民歌 65 首,有编者《后记》。《后记》说:"'到处莺歌燕舞'。哲里木盟和祖国各地一样,形势大好,无产阶级文化大革命给科尔沁草原带来了深刻的变化。我们从数千首民歌中选编出这本《金色的琴弦》,就是力图反映和歌颂这个'天地翻覆'的深刻变化。让金色的琴弦以高亢、激越而又深情的旋律,弹奏出边疆草原的时代新乐章。"

1976 年 12 月

1 日　《文汇报》刊出《颂歌献给华主席——织毯工人诗选》。

1 日　《解放军文艺》1976 年 12 月号刊出陈羽彤《韶山行》,沤阳、海笑《欢呼华主席掌大舵》,马士林《跟着华主席再长征》等诗。

2 日　《解放日报》刊出新华社通讯员的报道《欢呼革命又有了掌舵人——记井冈山军民的一次赛诗会》。报道说:"华国锋同志任中共中央主席、中央军委主席和以华主席为首的党中央一举粉碎'四人帮'的特大喜讯传到井冈山,人人喜心头,个个笑开颜。井冈山军民特意在茨坪毛主席旧居前,举行了一个歌颂英明领袖华国锋主席的赛诗会。"

6 日　《诗刊》编辑部邀请部分在京的专业和工农兵业余诗歌作者召开纪念毛主席《关于诗的一封信》发表二十周年座谈会。会议由副主编葛洛主持,臧克家、赵朴初、冯至、贺敬之、李瑛、刘章、张宝申、王恩宇、李学鳌、纪学、胡世宗、谢冕、李小雨等发言。座谈会纪要刊于《诗刊》1977 年 1 月号。

8 日　《宁夏日报》消息:在举国上下热烈庆祝华国锋同志任中共中央主席、中央军委主席,热烈欢呼粉碎"四人帮"反党集团篡党夺权阴谋的伟大胜利的大喜日子里,部分工农兵诗歌业余作者、专业文艺工作者和红卫兵代表共二百多人,最近举行"热烈庆祝华国锋同志任中共中央主席、中央军委主席,热烈庆祝粉碎'四人帮'反党集团篡党夺权阴谋的伟大胜利诗歌朗诵演唱会",热烈欢庆我们党又有了自己的英明领袖华主席,热烈赞颂以华主席为首的党中央粉碎"四人帮"篡党夺权阴谋的伟大历史功绩,决心在以华主席为首的党中央领导下,彻底揭批"四人帮"的滔天罪行,夺取革命和生产的新胜利。

10日 《诗刊》1976年12月号刊出严阵《问苍茫大地,谁主沉浮?》、陈松叶《伟大的奠基礼》、魏巍《新的长征》等诗和钱光培《好呵,中国的十月!——喜读贺敬之同志的新作》等文。是期消息:"为热烈庆祝华国锋同志任中共中央主席、中央军委主席,热烈庆祝粉碎'四人帮'篡党夺权阴谋的伟大历史性胜利,首都文艺界继十一月二十五、六两日举行诗歌朗诵演唱会之后,最近又连续举行了七场大型诗歌朗诵音乐会。会上,由总政话剧团、歌舞团和中国话剧团、北京话剧团、海政文工团、中央乐团等十五个单位的文艺工作者,演唱了伟大领袖和导师毛主席的光辉诗词,朗诵了贺敬之等专业和业余作者的一系列热情洋溢、战斗性强烈的诗篇。这些诗篇,深情颂扬了伟大导师毛主席的丰功伟绩,纵情歌颂了华国锋主席的英明领导,深切地缅怀了敬爱的周总理,愤怒地声讨了'四人帮'的滔天大罪。会上,还演唱了一系列紧密配合当前斗争的歌曲,并朗诵了诗人郭小川的遗作。这些诗篇和歌曲,都引起了观众的强烈共鸣和热烈欢迎。观看演出的工、农、兵等各方面观众,总计达三万余人。一些过去受到'四人帮'排斥和打击的作者的作品和演员的演出,都受到了观众的热情欢迎。""此次大型诗歌朗诵音乐会,是在各有关团体大力支持下,由本刊编辑部主办的。"

10日 《北京文艺》1976年第12期《纵情歌颂华主席 愤怒声讨"四人帮"》栏刊出寇宗鄂《华主席率领我们前进》、田间《短歌行——愤怒声讨"四人帮"反党集团》等诗。

10日 《黑龙江文艺》1976年第10期刊出王野《坚决拥护以华国锋主席为首的党中央》、解放军战士霍林宽《边防哨所的欢呼》等诗。

10日 《天津文艺》1976年第12期刊出战士康为兵《华主席画像捧在手》、子干《接过鲁迅的战笔》、田间《寄红笺》等诗。

10—27日 第二次全国农业学大寨会议在北京召开。

12日 《人民日报》刊出孟伟哉的诗《领袖》。

13日 石家庄市举办诗歌朗诵演唱会。《河北文艺》1976年第12期消息：为热烈庆祝华国锋同志任中共中央主席、中央军委主席，热烈庆祝粉碎"四人帮"篡党夺权阴谋的伟大胜利，河北省革命委员会文艺组、河北省革命委员会文化局、石家庄地区革命委员会文化局、石家庄市革命委员会文化局和石家庄市文艺创作办公室，于十二月十三日晚在石家庄市工人文化宫大礼堂，联合举办了诗歌朗诵演唱会。到会的同志纵情歌颂华主席，愤怒声讨"四人帮"，充满着团结战斗的气氛。

14日 郭小川追悼会举行。新华社一九七六年十二月十四日讯："前中国作家协会党组副书记、中国作家协会秘书长郭小川同志，于一九七六年十月十八不幸逝世，终年五十八岁。""郭小川同志的追悼会今天下午在北京八宝山革命公墓礼堂举行。""国务院副总理王震参加了追悼会。""追悼会由中共中央组织部负责人王常柏主持，中央组织部负责人高淑兰致悼词。悼词中说：郭小川同志一九三七年九月参加革命工作，同年十一月加入中国共产党。他热爱党、热爱伟大的领袖和导师毛主席，在长期的革命斗争中，认真学习马列著作和毛主席著作，积极参加三大革命运动，为党做了不少有益的工作。他在文艺战线工作多年，写了不少歌颂党、歌颂革命的好作品。他积极参加无产阶级文化大革命。他曾同'四人帮'作过斗争，'四人帮'以莫须有的罪名对他进行排斥的打击。他热烈拥护华国锋同志任中共中央主席、中央军委主席，热烈欢呼以华主席为首的党中央粉碎王张江姚'四人帮'篡党夺权阴谋的伟大胜利。""参加追悼会的还有，中央组织部、文化部、人民日报、光明日报、诗刊社的负责人和群众代表，以及郭小川同志的生前友好和亲属。"（1976年12月15日《人民日报》）韦君宜说："'四人帮'垮台之后，我碰见的第一件别扭的事，是诗人郭小川之死。""小川之死这件事本身还查不清楚——他好好地睡在招待所被窝里，怎么会被自己抽剩的香烟头点着了自身而活活烧死？——只说我们这些刚刚得到'解放'消息、还没有'安排'的文艺界朋友，听到了无不惊讶，痛心。应该追悼他呀！可是这时候，既没有作家协会，也没有任何文艺团体（除了那些样板团）出面来召集追悼会,奔走来奔走去都不成。后来听说办成了,凭通知到八宝山入场。我收到这么一张油印的小条,问我们社其他与他熟悉的人,都说不知道。开会头一天,我接到冯牧一个电话,说:'人家通知的范围非常小,只好这样,咱们分别口头通知大家,你也通知一些人吧。'我说好。于是见人便讲,动员了一车。赶到八宝山一看,满满地站着一院子人。不管是作家还是名人,全都站在院子里,我忙挤进里边休息室去看,才知原来只开了一间第六休息室(按八宝山的规矩,一般要开六、七、八,三间,给吊客休息,规格再高点的,增开一、二、三,三间)。今天如此,吊客只好都站在院子里,在悲哀之上又加了气愤。""我听见站着的吊客们窃窃私议,今天的规格不知怎么样,据说特别高,由中央主持……什么中央人物,当非文艺界所能够得上。等了一会儿,叫我们排队进去,站好之后,奏哀乐,然后上去了主持并致悼词的人。我眯眼看了半天,既看不出是哪位作家,更认不出是哪位首长。是一位三十几岁的妇女,手拿悼词,结结巴巴在那里念。""谁呀!""直到会散了,人们往出走了,我这才打听清楚,原来这位主持会的人,是中共中央组织部副部长,原长辛店铁路工厂的一位女工。想必是造反成就极大,才能占据这样的高位。但是她和郭小川有什么关系?和诗又有什么关系呢?'四人帮'垮台了,她还在做她的官(不过,后来她下台了),她又着实与文艺及政治方面都联不上,所以至今我也说不清这位为死去的小川做结论的女部长的名字。""如此对待文艺界对一位著名诗人的追悼,这就是'四人帮'刚垮台时对待我们的姿态。这自然已经比开口就骂黑帮强了很多。但是,不能不使人感到,我们依然比别人矮一截。"(《思痛录·露沙的路》,文化艺术出版社 2003年1月出版)

14 日 《人民日报》刊出郭小川《辉县好地方》、解放军广州部队某部向明《小岛大寨》等诗。

15 日 《河北文艺》1976 年第 12 期刊出田间《永记毛主席教导》、旭宇《欢呼吧,祖国!》、郁葱《塞上喜讯》等诗。

20 日 《贵州文艺》1976 年第 5—6 期以《颂歌献给华主席》为总题刊出胡锐《矿工欢呼华主席》、李发模《庆祝会场》、弋良俊《举国批斗"四人帮"等诗；以《抓纲举旗夺胜利》为总题刊出陈学书《车队正飞驰向前》、黄邦君《山姑娘》等诗。

20 日 《人民文学》1976年第9期刊出陈广斌《舵手颂》、晓波《华主席向我们挥手》等诗。

21 日 《人民日报》刊出西安冶金机械厂工人金谷的诗《重返延河抒豪情》。

24 日 《西藏日报》消息：最近，由自治区文化局、自治区出版局、西藏广播事业局联合举办的，有拉萨六个文艺团体参加的热烈欢呼华国锋同志任中共中央主席、中央军委主席和热烈庆祝粉碎"四人帮"篡党夺权阴谋的伟大胜利诗歌朗诵演唱会，在广大工农兵观众中引起强烈的反响。他们都为广大文艺战士以各种文艺形式为华主席高唱赞歌，愤怒批判祸国殃民的"四人帮"，连声赞好，拍手称快。

25 日 《文汇报》刊出《千歌万曲赞颂华主席——南汇县泥城公社、上海县马桥公社热烈欢呼第二次全国农业学大寨会议召开赛诗演唱会作品选刊》。

25 日 《黑龙江文艺》1976年第11—12期刊出许辛《各族人民心向华主席》、王毅《胜利的欢笑》、尧山壁《西柏坡颂》等诗。

26 日 《解放日报》刊出诗辑《毛主席功绩万代颂》。

12 月 西宁举办工农兵诗歌演唱会。《青海文艺》1976年第6期消息："十二月初旬，青海省总工会、共青团青海省委、青海省妇联和本刊编辑部，联合举办西宁地区工农兵诗歌演唱会，纵情高歌华国锋主席为我党英明领袖，热烈欢呼在以华国锋主席为首的党中央领导下一举粉碎'四人帮'篡党夺权阴谋所取得的伟大的历史性胜利。""在这次诗歌演唱会上，西宁地区工农兵代表，满怀胜利的喜悦，表演了自己编写的诗歌、曲艺、舞蹈和活报剧，热情歌颂华主席，揭露批判'四人帮'，决心把毛主席开创的无产阶级革命事业进行到底。"

12 月 穆旦作诗《冬》。初刊《诗刊》1980年2月号，收《穆旦诗选》，人民文学出版社1986年1月出版。

12 月 《安徽文艺》1976年12月号以《喜歌·颂歌·战歌·凯歌》为总题刊出江锡铨《红色的风暴》、工人周志友《煤海的欢呼》、陈所巨《喜讯》等诗。

12月 《广东文艺》1976年第12期以《迎伟大的胜利年代 写火红的战斗诗篇》刊出瞿琮等《千歌万曲颂太阳》、张天民等《红心齐向华主席》、颜烈等《南粤高唱大寨歌》、蔡宗周等《大庆红旗更鲜艳》、洪三泰等《广阔天地 山花烂漫》等诗辑,还刊有曾淑的文章《战鼓动地来——歌颂华主席、声讨"四人帮"诗歌一瞥》。

12月 《河南文艺》1976年第6期以《华主席登上天安门》为总题刊出关劲潮《华主席登上天安门》、贾国忠《华主席和咱心连心》等诗。

12月 《吉林文艺》1976年11—12月号刊出姚业涌《祝捷歌》、朝鲜族南永前《红心永向华主席》、张满隆《永远高唱〈东方红〉》、吴辛《学大寨战鼓又擂响》、延边工人孟繁华《沸腾的边疆》等诗。

12月 《江苏文艺》1976年第12期刊出《赞歌飞向北京城 首首献给华主席》民歌13首和刘鹏春《今天》、谈宝森《革命洪流奔腾急》、解放军某部程步涛《喷火兵之歌》等诗。

12月 《辽宁文艺》1976年第12期刊出晓凡《关于一九七六年》、徐艾《志在农村创大业》等诗。

12月 《青海文艺》1976年第6期刊出《五岭共疾奔惊雷,三河呼啸除"四害"——八四五二六部队赛诗会选辑》和李振《山高水长颂朝阳》、刘宏亮《昆仑春色今胜昔》等诗。

12月 《四川文艺》1976年第12期《巴山蜀水歌如潮 红心永向华主席》栏刊出回乡知识青年李昌国《华主席是我们知心人》、工人张新泉《写封信给华主席》等诗。

12月 《湘江文艺》1976年第6期刊出时永福的长诗《毛泽东颂》和诗辑《热烈拥护华主席 坚决粉碎"四人帮"》、《毛泽东思想是不落的太阳——纪念伟大的领袖和导师毛主席诞辰八十三周年》。

12月 朱吉成、郑德明、王贤良合著的诗集《雄关放歌》由贵州人民出版社出版。

12月 诗集《颂歌献给华主席》由山西人民出版社出版。

12月 诗集《心中的红太阳》由山西人民出版社出版。

12月 纪鹏的诗集《花开五·七路》由山西人民出版社出版。收《踏上新征途》、《雨夜巡逻》、《青葱的五·七林》、《支援的农机到山庄》等诗46首。该书《内容提要》说:"这是一部反映解放军五·七战士生活的短诗集,共四十六首。这些诗描述了五·七干校学员认真学习马列主义、毛泽东思想,积极投身阶级斗争,生产斗争,科学实验三大革命运动等丰富多彩的斗争生活,抒发了五·七战士无限忠于毛主席的革命路线,反修防修,'重新学习','接受贫下中农再教育',认真改造世界观,坚持在无产阶级专政下继续革命的豪情壮志,也显示了军民在五·七大道上携手前进的战斗风貌,热情地歌颂了毛主席的光辉《五·七指示》。这些诗富有革命激情,风格朴实,生活气息浓郁。"

12月 中国科学院文学研究所各民族民间文学组编的《山歌高唱学大寨——各民族农业学大寨歌谣选》由人民教育出版社出版。作品分为《毛主席指引金光路》、《学大寨抓根本》等4辑,收《毛主席指引大寨路》、《路线正确人管天》、《县委书记来咱队》、《引来清泉满田笑》等民歌145首,有编者《后记》。《后记》说:"这个集子里选的作品,主要是去冬今春在农业学大寨的新高潮中产生的一些新歌。作者大都是战斗在三大革命斗争第一线的贫下中农、社队干部以及插队和回乡的知识青年。这许多闪烁着思想和艺术的才华的诗歌,雄辩地证明:经过无产阶级文化大革命和批林批孔,经过学习无产阶级专政理论,广大贫下中农、知识青年不仅是农村两个阶级、两条道路、两条路线搏斗中的闯将和战天斗地的英雄,而且他们也是用无产阶级思想占领农村思想文化阵地的主力军。""这个集子是早在今年二月编定的,由于王洪文、张春桥、江青、姚文元'四人帮'公然抵制和破坏农业学大寨运动,妄图砍掉毛主席亲自树立的农业学大寨这面红旗,他们又控制了宣传大权,甚至使这样一本群众歌谣,也难找到及时出版的机会;现在,'四人帮'篡党夺权的大阴谋终于败露了,在这大快人心的日子里,这个小小的战斗歌谣集也可以和读者见面了。当这个集子出版的时候,我们欢呼以华国锋同志为首的党中央粉碎'四人帮'反党集团的伟大胜利,欢呼毛主席革命路线的伟大胜利。"

冬　牛汉作诗《朋友》。此诗初刊《诗林》1989年第3期;收《牛汉抒情诗选》,青海人民出版社1989年12月出版。

1976年　蔡其矫作诗《祈求》、《十月》、《二十年》、《诗》、《请求》、《迎风》、《端午》、《怀念山城》、《爱情和自由》、《迷信》。《祈求》初刊1979年8月《四五论坛》第11期。前五首收诗集《祈求》,江苏人民出版社1980年11月出版;《迎风》收诗集《生活的歌》,人民文学出版社1982年7月出版;其余收《蔡其矫诗选》,人民文学出版社1997年7月出版。蔡其矫说:"'文化大革命'中,我被流放在永安农村八年。在公社的果林场,大部分是知识青年,我亲眼看见,在封建的包围中,年轻人连最起码的权利:谈情说爱,都受到嘲笑和攻击。我一再想起美国诗人惠特曼的那句话:'无论谁如心无同情地走过咫尺道路/便是穿着尸衣在走向自己的坟墓。'在那个年代,一切都不正常,因此我写:《祈求》"。"夏风、冬雨、花的颜色,都是自然现象,有什么可祈求的?爱情、悲伤、知识、歌声,都是极普通的人事,无须他人干涉,有什么可祈求的?这一切都是'反语',最后一句就把前面所有的'祈求'都推翻!这种方法,我是有心向莱蒙托夫学习的。"(《生活的歌·自序》,人民文学出版社1982年7月出版)。

蔡其矫,1918年12月12日生于福建晋江。1926年随家迁居印度尼西亚,1929年回国。1936年在上海暨南大学附中读书。1938年到延安,入鲁迅艺术文学院学习。1940年到华北联合大学任教,开始新诗创作。1949年任中央人民政府情报总署东南亚科科长。1953到中央文学讲习所任教,出版诗集《回声集》(1956)、《涛声集》(1957)、《回声续集》(1958)。1957年去武汉任长江流域规划办公室宣传部长。1958年到福建作家协会从事专业创作,后曾任该会副主席、名誉主席。又出版诗集《祈求》(1980)、《福建集》(1982)、《迎风》(1984)、《醉石》(1986)、《蔡其矫抒情诗》(1993)、《蔡其矫诗选》(1997)等。

1976年　郭路生(食指)作诗《最后一班车》。此诗收《食指的诗》,人民文学出版社2000年12月出版。

1976年　黄翔作诗《火神》。此诗收诗集《狂饮不醉的兽形》,

1986年7月油印。

1976年 姜世伟(芒克)作诗《风浪》、《日出与劳动》、《茫茫的田野》、《告别——给小平》、《那是一天的早晨——给珊珊》。诗均收诗集《心事》,《今天》编辑部1980年1月油印发行。

1976年 栗世征(多多)作诗《同居》、《教诲》。《同居》收《行礼:诗38首》,漓江出版社1988年3月出版;《教诲》收《里程——多多诗选》,1988年12月油印发行。

1976年 穆旦作诗《沉没》、《停电之后》、《好梦》、《"我"的形成》、《老年的梦呓》、《问》、《神的变形》、《面包》。《好梦》、《"我"的形成》初刊1993年8月25日香港《大公报》;《老年的梦呓》初刊《诗刊》1994年2月号。前二首收入《穆旦诗选》,人民文学出版社1986年1月出版;余均收入《穆旦诗全集》,中国文学出版社1996年9月出版。

1976年 牛汉作诗《反刍》、《忘不掉的习惯》。《反刍》收诗集《温泉》,上海文艺出版社1984年5月出版。《忘不掉的习惯》收诗集《蚯蚓和羽毛》,人民文学出版社1986年4月出版;收《牛汉抒情诗选》(青海人民出版社1989年12月出版)改题《改不掉的习惯》。

1976年 赵振开(北岛)作诗《走吧》。此诗初刊1979年4月1日《今天》第3期,收诗集《陌生的海滩》,《今天》编辑部1980年4月油印发行。

人名索引

A

阿不都吉里力·吐尔逊 7605		安秉全 7405	
阿布里克里木·肉孜 7605		安定一 7508	
阿 垅 670317		安国梁 7601	
阿依木 7502		安靖祯 670610	
艾成玉 760910		安 奎 730715	
艾歌延 7205		安 米 7412	
艾克恩 760720		安书金 730906	
艾 思 730315 740315		岸 冈 7208 7412 7508	
艾学勤 670404		7603 7605	

B

巴·布林贝赫 7401 7412 7604		白清桂 7408
巴 兰 7505		白世钧 760414
巴 亦 750103		白 水 660824
白凤昆 671025		白杨树 7508
白 桦 6708 6710 6801		白有林 660501
白笠筠 670529 670701		白子超 7406

柏建华	7610			边　平	7412		
柏　青	751225			边玺中	7501		
班汉隆	7201	730901		卞雪松	750101		
包尔木	671229			卞永泉	680108	681226	730701
包玉堂	730701	730801	7311	别闽生	7311		
	7407	750515	7605	滨　之	660205	7506	7603
鲍雨冰	7212	740125	750725		7609		
	751025			冰　夫	740220		
北　岛（见赵振开）				冰　心	661125	670509	680623
毕长龙	7408	7602			680922		
毕惠敏	7412			卜照元	7311		
毕及文	7307			布林贝赫（见巴·布林贝赫）			
毕力格太	7409	7503					

C

采　罗	750423				7612		
蔡璧申	7511			曹　东	750510		
蔡国柱	661106			曹谷溪	660401	7205	
蔡　华	7408	7501	7512	曹积三	670523		
蔡克霖	760430			曹　骥	750727		
蔡其矫	66	67	68	曹　凯	7412		
	69	70	73	曹　木	661121		
	74	75	7604	曹　阳	661002	7502	
	76			曹　莹	7409		
蔡润田	761115			曹忠德	660827	660906	
蔡文祥	730901	740501	750325	查　干	7405	7503	751128
	760820	760825			7511	760620	7609
蔡西林	7610				761010	761031	
蔡杏春	661112			查干呼	7506		
蔡意达	7401			柴德森	7211	7306	740510
蔡祖泉	661001				760210		
蔡宗周	7402	7601	7608	柴德新	7312		

长 弓	7403			陈国屏	660205	660209	7307
长 青	7506	7508			730901	7407	751225
长 缨	670216				7605	7606	
常 安	740301	750101	750115	陈 浩	7504		
	750320	760610	7606	陈洪芝	690403		
常 程	7405			陈 辉	7209		
常 江	720701	7510	7510	陈家贵	760821		
	7606			陈建功	730510		
常友宽	680930			陈进化	7301		
常有青	671201	671205		陈景文	7203		
朝 华	670620	751228		陈敬容	680108		
朝 兰	730401			陈 军	760525		
车 凯	750605			陈俊年	7603		
车帅仁	760825			陈良运	7401	750701	7601
陈爱云	7404			陈 龄	7507	761010	
陈安安	7505			陈龙海	730701		
陈北鸥	6808			陈满平	730510	740515	7507
陈 兵	660309			陈茂根	670620		
陈策贤	660301			陈茂欣	740115	740510	7405
陈昌华	7407			陈梦家	660903		
陈传俊	750126			陈 敏	740501		
陈春江	740520			陈敏金	7402		
陈达光	7404			陈明华	7212		
陈登贵	7610			陈其通	761120		
陈敦德	660205			陈 齐	760702		
陈发松	7308	7404		陈清波	660312		
陈 飞	660802			陈庆常	7412		
陈刚久	731019			陈日朋	7506	7602	7608
陈官煊	730422	740101	7403	陈汝海	670209		
	750510	7508	751005	陈瑞康	7203		
	760225			陈 山	660312		
陈广斌	7204	720501	750915	陈绍伟	7306	7604	7605
	761115	761220		陈世义	7407		

陈松叶	761210			陈寓中	7312		
陈所巨	7612			陈朝行	7609		
陈　涛	660824			陈兆尔	680210		
陈铁山	7410	7607		陈肇云	681226		
陈维翰	7512			陈祯伟	660405		
陈文和	660204	660306	750520	陈振奎	750320		
	751120			陈志超	681226		
陈文骐	7402	7412		陈志海	740510		
陈　犀	7402	7512		陈志铭	7308	7405	760320
陈贤德	760520				760720		
陈显荣	660210	7601		陈志泽	7409		
陈小平	7503			陈忠干	660515	660630	660724
陈晓华	681230				660820	660821	660826
陈　雄	6806				661130	7106	721119
陈秀庭	660101	670410	7410		7312	7412	7502
陈学良	7412				7504	760509	
陈学书	7305	760725	761220	陈忠国	740512		
陈学新	680716			陈子如	760410	760610	
陈　迅	7611			陈祖言	740320	740420	750123
陈延宝	7309				750427	750820	760320
陈延林	660505				760516		
陈　晏	660213	671001	680131	晨　音	740701		
	680418	680707	681001	成莫愁	740820	751120	760403
	681012	690409	731001		760817	760820	
	760101			成志伟	760101	7601	
陈永康	7411			程步涛	7309	740601	750101
陈咏慷	7602	761010			7510	7612	
陈有才	7409			程　淬	7406		
陈雨帆	731101			程地超	740805		
陈羽彤	761201			程　刚	7402	740925	7412
陈玉坤	7303	7307	7506		750425	7507	7609
	7511			程光锐	730101		
陈玉林	660320			程　海	7306		

人 名 索 引

程　力	7311	丛中笑	670221
程秋荣	661226	崔常勇	740225
程逸汝	730318	崔登云	7409
程　远	7608	崔笛扬	7505　750720
池再生	660724	崔合美	680425　7205　720601
赤　潮	670221		7310　7311　731201
赤　叶	660105		740301　7404　7412
崇　华	670311		750901　760720
楚　里	7606	崔汝先	7511　760201
锤　红	680701	崔　武	7308
春　生	670501	崔星尧	740610
次　旦	670714	崔永庆	7409
聪　聪	7607	村　人	7401
丛者征	750725		

D

达斯嘎	7303	邓秀雄	751207
戴巴棣	761024	邓耀泽	6602　730503　740605
戴仁毅	740820		760425
戴文翰	750520	邓友铭	681001
戴砚田	760415	邓玉贵	7407
党国栋	7403	狄　畔	760610
党　花	661204	丁　锋	660901
党永庵	660417　730708　7309	丁福合	680810
	740320　760120	丁国成	7207
德　华	680810	丁鸿元	7608
邓存健	7506　7510	丁　华	760120
邓德礼	740805	丁火根	751012
邓　飞	7508　7611	丁　力	6604　671124　680126
邓海南	750601　751101		690131
邓家源	730801	丁立文	7505
邓万鹏	7608	丁　晞	6710　6812

丁学雷	700501			董培伦	740123	760418	760701
丁　洋	660214			董式明	7407		
丁永淮	7509			董铁棒	670826		
丁　羽	7207			董耀章	721001	730401	740201
丁云鹏	731201				7411	751110	760115
丁子红	7401				7604		
东　白	7303			窦树发	7304	7309	
东方澜	661226			杜保平	7509		
东方哨	680531	690312		杜重光	690403		
东方涛	760702			杜鸿宾	7405		
东　虹	6604	7409	7508	杜连义	720701	751226	760220
	7607			杜书瀛	760515		
董存清	760910			杜嗣琨	7401		
董福山	7203			杜显斌	741025		
董国柱	741110			杜振永	740328		
董宏量	7505	7507	7509	杜志民	720601	730115	
	7609				7507	7512	
董宏猷	740505	7505	7601	杜宗荣	7602		
董俊生	7302			杜佐祥	7607		
董　宽	660927			多　多（见栗世征）			

F

凡　路	741013	741124	7607	范　良	670215		
樊发稼	661101	7305	7608	范培瑾	670624		
樊积龄	7604			范　平	751205		
樊晋贵	740524			范新安	750910	7604	
樊杨明	7602			范以群	760525		
樊永生	7611			范震威	750525	7510	7603
反　修	670215	670218		范峥嵘	741220	750501	7608
范国华	7501			梵　杨	7307	7310	7611
范建军	750116			方波涛	761015		
范垦程	751207			方存弟	660405		

方 纪	6801	680322	691021		760614	760720	7607
方 敬	7611				760810	7609	7609
方 强	751109			冯 骏	7606		
方 殷	6808			冯麟煌	7602		
方忠宇	7510			冯新民	7503	7512	7606
房德文	7203	730601		冯雪峰	670806	6808	760131
飞 雪	7307			冯亦同	7504		
废 名	670904			冯永杰	660901	671125	680501
费洪智	680310				7104	7203	
风 行	670302			冯 至	760410		
锋 斌	7411			逢 阳	750415	750715	760715
冯尔光	740427			福 庚	7110		
冯福宽	740720			符加雷	660410		
冯 红	670510			符启文	7408	7503	
冯火顺	6601010			符 晓	730408		
冯景元	680525	7310	7403	傅 仇	7402	7410	7502
	7411	750223	750710		7605		
	750824	7511	760210	傅金城	730701	7410	7606
	760410	7604	760510	傅民印	7511		

G

嘎拉桑敖日布		7506		高纲铭	7506		
甘 晓	7405			高 歌	670215	670511	
甘雨泽	750922			高广成	7305	7306	7307
钢	671001				7510		
钢卫东	740510			高洪波	7205	7308	740805
高爱山	7503				741205	750805	760225
高德伟	7403			高继恒	7210		
高东胜	680510			高 平	680112		
高伐林	7503	7505	7511	高晓天	7607		
	7605			高雪华	6605		
高 帆	6808			高益泉	670710		

高玉石	7505				7508	7511	7604
高占祥	7308	730910			7607	7609	7610
高照斌	7411	7509			7611		
高正润	7305	7508		龚四泉	670205		
戈壁舟	670614			龚文兵	7108	7409	7504
戈 非	7505			龚 翔	760520		
戈 西	670614			龚益明	7605		
戈 新	7512			龚咏燕	681226	691021	750727
戈振缨	660110			古远清	7603		
歌 今	750515			谷亨利	660612	730910	740217
格桑多杰	7307	7610			751123		
葛 祥	7501			谷士林	751214		
葛 玄	730715			谷 溪	740720	760120	
葛 逊	7608			谷晓庆	7406		
葛元兴	760420			谷正义	7308		
根 子	（见岳重）			顾 城	6809	7106	7107
耿守仁	740905				750710		
耿正元	7410			顾 工	660119	730310	730401
耿志勇	760310				7411		
工为农	700204			顾金祥	681224		
公红忠	700321			顾 炯	661226	670101	670114
宫 玺	660110	660316	670925		670208		
	671001	671225	671226	顾联第	7409		
	7307	730801	731015	顾梦红	7508		
	7408	741110	7504	顾绍康	740110	7402	740310
	7508	7508	751020		740510		
	7510	760201	760320	顾顺章	680201		
	7603	760718	760815	顾笑言	7303	7407	7604
	7608			顾亚华	670308		
龚畿道	7502			关本满	6606		
龚 萌	7505			关 键	7409	7606	
龚舒婷	7105	7302	750109	关劲潮	7406	7509	7612
	750110	7502	7506	关振东	7601		

人 名 索 引

管 桦	761110				7003	700410	7102
管强生	750820				7103	71	7212
管用和	660201	7401	7501		737601	7603	76
	7601	7611	7611	郭沫若	660414	760610	761020
管志初	740825	7506		郭其柱	7303		
光 明	6904			郭 锐	670624		
光未然（见张光年）				郭瑞年	7503		
桂汉标	7405	7506		郭淑敏	7604		
桂兴华	7601	7602		郭思仪	7601		
郭宝臣	7210	731115	750615	郭 松	7211		
	751115			郭颂东	6808		
郭才夫	7209			郭颂今	7402		
郭 超	731114	7509	7605	郭天民	760414	760910	
郭成汉	750220			郭维东	7504		
郭德贵	661201	681017		郭蔚球	660310		
郭凤莲	7411	7411	7506	郭小川	670926	671118	680322
郭 廓	660310	7310	740210		681209	681226	690108
	7410	750115	7505		690116	690314	690423
	7601				690424	690605	690612
郭海水	760605				690614	700101	700105
郭 浩	680630	7501	7508		700220	7010	710107
	760104				711226	7112	7209
郭红兵	681005				7212	730717	730817
郭华兴	740701				740320	740630	741211
郭金玉	741110				7509	751004	751006
郭九林	740801				7510	7512	760109
郭 俊	7510				7609	761018	761110
郭李荣	670325				761214	761214	
郭 楼	7208			郭小聪	760310		
郭路生	67	67	680201	郭小林	7210	7212	7301
	6803	6806	6809		7311	7410	
	681220	6812	68	郭 毅	7607		
	6906	6909	6910	郭圆盖	750120		

郭 芸	7409			郭照海	660101		
郭兆甄	7607			郭振清	660802		

H

哈斯戈壁	7506			韩志宽	7309		
海代泉	7403	750515		韩作荣	720501	720701	721201
海 南	7605				730401	730501	7307
海 涛	750829				731120	740225	74110
海 笑	761201				750301	7507	7602
韩北萍	660505				760411	7604	760510
韩北屏	690125	700927		汉 章	760310		
韩东吾	7204	7307		郝北林	670317		
韩福林	660405			郝怀真	7304		
韩贵新	740320			郝有富	7411		
韩静霆	690101	760415		郝玉芳	660301		
韩久有	750803			郝在岗	660201		
韩立森	7508			郝志成	750128		
韩 明	7205	7211		号 兵	671020		
韩明波	681012			浩 华	670409	7104	
韩仁长	7604			浩 然	660304		
韩瑞亭	660801	730301		何炳章	7505		
韩胜勋	760510			何达成	7605		
韩望愈	741120	750113	760320	何 帆	671107		
韩 笑	660801	660813	681106	何国庆	760425	760822	
韩延功	7202			何纪光	660405		
韩益昌	7407			何 津	7211	7302	751115
韩忆萍	7312			何克俭	7401		
韩英珊	7502			何 理	740510	7405	740915
韩跃旗	7511	7601	7608		750615		
韩振学	7209			何念选	671228		
韩志晨	7508			何其芳	670531	6809	761128
韩志军	740920	7509	7608	何奇珍	740310		

人 名 索 引　　　　　　　　　　　　　　471

何启棠	660727			红尖兵	671110		
何晴波	7609			红 浪	670210		
何庆麟	690403			红 芒	670208		
何树岩	660601			红 南	670710		
何万德	7205			红山石	670330		
何维莹	750505			红诗兵	671230		
何香久	760201			红 松	670223		
何小庭	660401			红颂东	680828		
何涌泉	7309			红铁锤	680115		
何有斌	670808			红铁匠	670928		
何友彬	7408			红铁牛	7205		
何玉锁	7104	7304	730710	红艺兵	670205	670207	
	730910	740110	761010	红 鹰	7307		
何志云	7307			红映宇	670411		
和 谷	7411			红 雨	7304	750202	
和执仁	6601			红阵地	7108		
贺宝石	7511			洪 兵	6803		
贺东久	7505	760310	760325	洪 帆	7509		
	760410	760418		洪 进	7505		
贺敬之	671214	7110	7209	洪 军	670423		
	7209	7302	761110	洪三泰	7402	7612	
贺 莉	750315			洪为法	701116		
贺明广	740315			洪 信	751226		
贺 文	7412	7601		洪宣斌	691113		
贺羡泉	660204			洪 洋	740305		
贺振扬(见振扬)				洪 源	740505	7607	
很想动	670217			洪 中	7611		
弘 征	7310	7404	7604	洪中斌	7605		
宏 铮	730915			鸿 耶	670601		
红 兵	661101	670208	670222	侯殿有	7512		
	6801			侯 隽	7609		
红 波	7208			侯书良	6904		
红海城	680810			侯新民	7208		

胡 宾	661101					660901	660906	660914
胡发云	7401	740505	7405			670503	7407	750620
	7411	7501	7503			751109	760425	760611
	7509	7511	7605		胡日莹	750116		
	7605				胡忠军	740601		
胡 工	7605				胡宗永	750510		
胡光曙	7310	7602			花天文	7406		
胡广岭	660601				华 旦	7406		
胡国斌	740325	750925	760925		华 瑞	7112		
胡宏伟	7512				华思理	7403		
胡 笳	730101	7301	7412		黄邦君	7512	761220	
	750101	750105	750427		黄本升	7209		
	7505	7510	7607		黄 斌	7207		
	7610				黄秉荣	660320	7512	
胡 康	760220				黄秉生	730329		
胡 洛	7404				黄粲兮	660405		
胡明海	740407	7406			黄持一	740220		
胡明显	7604				黄春庭	721202		
胡 平	7410	7505			黄德斌	740305		
胡平开	760610				黄东成	7509	7601	760515
胡平英	7404				黄 河	7205	7601	7603
胡 锐	761220				黄河浪	7404	7407	750120
胡上舟	730715				黄河清	7505		
胡少春	7501				黄后楼	760120		
胡世宗	660401	670101	670214		黄焕新	7504		
	670615	6708	671010		黄火兴	7205	7306	
	680425	7203	7205		黄季耕	7601		
	7208	730101	7309		黄家玲	750915		
	751207	7607	761022		黄金恳	7404		
胡书千	670705				黄锦卿	7511		
胡天培	740418				黄君相	750301		
胡希伦	7502				黄立俊	7201		
胡永槐	660121	660630	660816		黄培德	730812		

黄 萍	690301			黄 焰	7404		
黄平生	7609			黄耀晖	7501		
黄其星	730329			黄耀生	7402		
黄 强	751202			黄英晃	7602		
黄 青	660305			黄莺谷	7210	7306	
黄琼柳	750915			黄勇刹	7607		
黄荣基	680225			黄毓仁	7608		
黄声笑	(见黄声孝)			黄志一	760620		
黄声孝	660101	660501	7110	黄治尧	721202		
	7212	7212	730628	黄钟警	7405		
	730701	740105	7408	黄钟平	7205		
	7409	750101	7501	黄子平	7311	7504	7610
	750429	7507	7509	慧 英	680101		
	760101	760120	7603	火 笛	7502		
	7607	7609	761010	火 华	7205	7209	7210
	7611				7304	7403	7501
黄世益	660827	681229	740721		750910	7603	7609
黄寿才	660205	7407		霍 红	661226		
黄同甫	7409	7607		霍林宽	761210		
黄武力	670131			霍满生	660101	7206	7301
黄险峰	730329				7307	7309	7410
黄 翔	68	690815	69		7507		
	720924	760408	76	霍 平	7108		
黄亚洲	7109	730901	7504	霍启和	740419		
	760325	760525		霍清安	760201		

J

嵇亦工	7501	7503	7508	纪 虹	7207	7309	
	751101	760525	760810	纪嘉圣	760225		
	760925			纪 雷	730304		
纪 戈	760320			纪 鹏	660401	660426	670207
纪 红	7608				670425	720801	7209

	7211	730201	730325	江 河	（见于有泽）		
	7305	7307	7310	江 河	7510	7606	7608
	731101	7312	7407	江 岚	7501		
	750401	7504	7505	江 宁	740315		
	7507	7508	760601	江 溶	751213	760401	
	7606	7609	7612	江瑞成	7609		
纪 学	730601	750401		江上春	7605		
	751001	760701		江少川	7605		
	761010			江 声	750925		
纪 宇	6812	7212	7306	江 涛	670420		
	731001	740810	7409	江 天	680701	751009	7601
	7410	750105	7505		7601	7604	
	750615	7507	7509		7605		
	7601	760310	760810	江锡铨	7501	7507	
纪征民	7305				7510	7612	
纪 之	7607			江向东	750515		
季锦修	670328			江 迅	750202	761107	
季渺海	750629	7606		江 源	7608		
季在春	660105			江 中	7607		
季振邦	740609	760606		姜 彬	751105		
季 仲	7401			姜凤臣	6806		
继 槐	7404			姜国华	7511		
继 英	660825	660901		姜华令	7510		
家 铭	680810			姜建国	741010		
贾爱国	7411			姜金城	7009	7307	740801
贾国忠	7612				741001	750320	750406
贾来宽	7112				7511	751201	760905
贾 漫	7308	731114	7604		761125		
贾 勋	7204	7210	7511	姜连明	740418	7506	760104
贾志坚	7510	7512		姜 敏	750515		
剑 华	680818			姜强国	7603	7609	
剑 青	670930			姜庆申	670920		
剑 文	7201			姜荣吉	741006		

姜世伟	7106	73	7406	金树良	670521		
	7409	75	76	金 涛	7501		
姜五四	7309			金同悌	7312		
姜秀珍	7205	7309	7311	金仝悌	750223		
	7502	7503		金晓东	730205		
姜延良	670410	670723		金旭升	6708		
姜义田	7506			金学迅	760810		
姜 英	7602			金 炎	740920		
蒋宝香	660401			金彦华	7401		
蒋国田	681103			金勇勤	740520		
蒋汉光	660901			金玉廷	7310		
蒋 红	750618			金 真	720917		
蒋洪发	7407			津 湘	7310		
蒋士枚	671030			锦 河	7410		
蒋 巍	7301	7305	7309	进军号	671110		
	7311	740125	750425	进 元	740426		
蒋维扬	7504	7601	7605	靳文华	7602		
蒋育德	660314			荆 鸿	7505	7509	7604
蒋兆钟	760217	7610		荆庆军	740825		
焦海臣	661017			井孝全	671226		
焦菊隐	750228			景 文	740524		
杰 夫	7610			敬 置	670825		
金 宝	680818			久 来	7405		
金炳连	740731			居 松	670928		
金苍大	7507			居有松	660101	660105	660108
金德生	690222				660125	660327	660610
金 谷	740720	761221			660701	661001	661001
金宏达	7511				661022	661023	670701
金洪远	760418				680101	680908	681012
金稼仿	730311				740720	740811	750223
金节廉	680930				751005	760525	
金任宏	7412			巨邦佐	7608		
金瑞华	671218	691226		俊 杰	7411		

人名索引　　　　　　　　　475

K

阚士英	661001		
康朗景	6604		
康朗甩	7310		
康朗英	730701		
康　平	7402	750805	760525
康绍东	660201		
康为兵	761210		
康泽礼	760415		
康铮才	740324		
科朗杰	670404		
柯　炽	731201	7601	7607
柯　岩	671214		
柯愈勋	7301	7410	
	7511	7604	
柯　原	7303	740201	7407
	750120	7503	750720
	750720	7508	7510
	760520		
柯仲平	670721	6809	
克　里	6708		
孔繁贵	741110		
孔令洲	670403		
孔祥梁	7605		
寇宗鄂	7304	7507	7508
	760410	760827	761210
匡　满	（见杨匡满）		
昆　华	7607		

L

兰棣之	760910		
蓝　疆	7510		
蓝炯熹	7308		
蓝　曼	7110		
蓝南妮	7603		
蓝阳春	760827		
浪　波	7209	7409	750915
雷　锋	7611		
雷　火	750801		
雷　坚	751123		
雷　厉	670223		
雷抒雁	730201	7304	730601
	7308	731201	740120
	7408	7409	750101
	7506	760101	760215
	760410	7604	760501
	761010		
雷子明	7212	7409	7501
	7511	7605	7607
	7611		
黎德强	671201	671205	
黎　靖	660301		
黎汝清	7309	7504	
黎颂红	66080		
黎　征	680425		
李柏龙	7501		

李炳天	760820				660721	66080	660831
李昌国	7612				6809	681102	
李长江	7502			李广义	7210	7405	7411
李超元	7302				7510	7512	
李朝章	7505			李广泽	7308		
李成安	7610			李桂复	7401		
李春成	740427			李国勋	660610		
李春林	7403	7407		李国章	7406		
李春明	660204			李洪程	7505	7507	
李从宗	750605			李洪仁	6602		
李存葆	720501	7310	741010	李鸿福	660828		
	750901			李华岚	670916		
李代生	660501	7402		李华章	7509		
李道林	7212	740705		李怀堂	660929		
	760817			李怀祥	7202		
李冬娜	7602			李惠琴	681001		
李发模	7207	7505	7507	李 季	670509	671214	680810
	7507	7512	7609		680922	690424	690612
	761220				7209		
李方元	7410			李霁宇	740805	750205	760125
李 菲	7603				760425		
李芬荣	760301			李家荣	7501		
李凤清	7309	740725	750125	李鉴尧	7308	760125	
	7505	750925		李建英	7504		
李凤清	660305			李建忠	681005		
李福谦	7603			李健葆	660212	7312	7507
李 改	7405			李洁新	7409	7410	
李根宝	680918	6809		李今蒲	74110		
	760204			李锦华	7203		
李根生	660610			李锦修	670114		
李耕文	731120			李 晋	680830		
李广军	7403			李 劲	750501		
李广田	660719	660720		李居鹏	7608		

李　钧	700428	7108	7112	李树生	7501		
	7204	720701	7209	李思法	680528		
	7310	7505	7506	李松波	7310	741205	
	750815			李松涛	7211	760101	760610
李可刚	7411				760627		
李克白	7312	7403	7505	李苏卿	7506		
	7508	7601	7611	李天全	7505		
李　昆	760520			李天祥	751205		
李连泰	740217			李通昌	7309		
李连玉	680827			李同都	7407		
李　亮	661223			李维承	680731		
李绵善	740420			李维禄	7602		
李莫森	7606			李文成	681226		
李鹏辉	670622			李文汉	661201		
李鹏青	760510			李文杰	741110		
李强华	660201	671112	7106	李武兵	7306	740501	740601
李清联	7501	7511			7507	7603	760510
李晴林	660401			李希文	660601		
李秋荣	7409			李　湘	750115		
李荣贞	7305	7607		李小雨	720901	7306	740501
李如伦	7504				740701	750601	750710
李善余	7202	7304			751019	751120	760520
李慎明	740510				760710	760802	760810
李生业	7510				760910		
李声高	7503	7509		李晓华	7406		
李圣强	7409	7511		李晓伟	7409	7510	
李士非	7309	7605		李　欣	730920		
李世龙	740225			李心如	7310		
李守义	661001			李兴昌	760410		
李寿生	7604			李兴仁	7404		
李曙白	760820			李秀忠	7605		
李树坚	7306			李学鳌	660304	7110	7112
李树森	7608				7205	7205	7306

	730910	7310	7312	李元洛	760101		
	7403	7409	750316	李 耘	660201		
	750710	7508	751110	李云良	740331		
	751226	7601	760310	李云鹏	750115		
	7603	7603	7605	李云祥	6603		
	760612	760810	761010	李再俭	670205		
李学忠	660710			李增宪	7305		
李 严	7503			李占学	7204	7209	7304
李言有	7505				7402	7411	7504
李偃清	761001				7601		
李耀扬	7501			李遮鲁	750205		
李 义	7407			李 振	7610	7612	
李 毅	7305			李振国	660701		
李益德	7312			李 净	7403		
李 瑛	660203	660223	660312	李 志	7405		
	660325	660801	661120	李志强	7605		
	671010	7204	720601	李志清	730720		
	721101	7301	7310	李志石	740420		
	731101	740801	7409	李中申	7603		
	741025	741115	750110	李中贤	660501		
	750420	7506	7507	李追深	7601		
	751120	760110	760120	里 沙	7307	7504	7608
	760201	7602	7604		7610		
	7607	761010		力提甫·托乎提	7509		
李永鸿	720522	7211	7212	立 文	660210		
李幼容	730211	730301	7303	栗世征	720619	72	73
	731007	740601	750119		74	75	76
	750225	7506	7507	梁秉祥	750801	7509	
	751020	761010		梁臣祥	7402		
李 瑜	6604	721001	7605	梁德智	7409		
李玉林	7606			梁 冬	730901		
李玉铭	7405			梁海暄	660701		
李玉先	7406			梁金宇	7409		

姓名				姓名			
梁开旭	7512			林有霖	751120		
梁拉成	751128			林 玉	7508	7605	
梁上泉	730601	7312	7404	凌 菁	7401		
	7505	7509	760117	凌 玲	740426		
	760410	7605		凌 旗	750123		
梁谢成	7410			凌行正	7404	7408	750801
梁 雄	7310	760925			7509		
梁延学	7511			刘爱萍	760425		
梁志宏	7208	760315		刘宝增	741110		
梁 祖	751109			刘宝治	7411		
廖代谦	661008	661226	670619	刘 滨	7402	7403	7503
	671004	720701	730920		7604	7611	
	731001	750804	7510	刘炳汶	7501		
廖维洲	7205			刘不朽	740105	741105	7601
廖玉桦	7508				7603	7607	7611
廖玉兰	7509			刘长海	740210		
林柏松	740525			刘畅园	660305		
林德冠	730805			刘超伦	7610		
林鼎安	750320			刘彻东	7607		
林谷良	7207			刘成东	7606		
林 红	680419			刘成章	7405		
林 火	660301			刘德耀	670325		
林 莽	（见张建中）			刘登翰	730812	750110	750320
林茂春	7409				7506	750920	751120
林 祁	7308	7404	750920		760120	7611	
林 起	660105			刘芳春	75		
林 染	7312	7510		刘丰军	7311		
林山作	7303			刘福林	660401	7408	750901
林万春	7203				7510	7608	
林贤治	7405			刘福智	7407	7607	
林小玎	7305			刘光禄	740210		
林 啸	7310	7406		刘国辉	7512		
林耀辉	7406			刘国良	7211	730501	750515

	7506		刘泗川	660601		
刘国屏	730408	760201	刘同毓	730101		
刘国伟	7601		刘 薇	7607		
刘国喜	760614		刘维钧	7512		
刘汉民	7411		刘文海	7403		
刘宏亮	7612		刘文楷	670501		
刘辉考	760210		刘文玉	7301	7303	
刘火子	761101	760201		7501	7607	
刘吉昌	7205		刘希涛	671212	680101	
刘家林	760306	7603		680103	680312	
刘建华	7307			680531	680918	
刘锦庭	741006			6809	740512	
刘景瑛	761110			740520	741229	
刘居上	7603			750420	750525	
刘来云	7607			7509	760229	
刘兰松	751215			760425	761101	
刘岚山	6808		刘喜廷	660101		
刘 力	7506		刘小放	660114	7209	730715
刘立波	7602			740801	750815	7512
刘立春	7609			760715	761115	
刘孟沐	7511		刘晓滨	750601		
刘 明	751226		刘晓东	750315		
刘明恒	7605		刘新华	690605		
刘鹏春	740915	751001 760620	刘秀山	7506		
	7612		刘益善	7503		
刘秋群	7208	750901 7604	刘英林	7506		
	7606		刘永乐	760120		
刘日亮	7203		刘 勇	7602		
刘瑞光	750120	751120	刘羽升	730920		
刘时叶	670130		刘元章	750615		
刘世友	7208		刘 云	7403		
刘世玉	7211		刘耘之	7401		
刘世远	7611		刘泽林	7501		

刘占云	740418			卢嘉林	7405		
刘湛秋	660101			卢云生	7312		
刘　章	660311	660312	660405	卢志恒	7203		
	660509	7110	7209	芦　甸	730321		
	730315	730408	7305	芦　芒	751123	761107	
	7308	7401	740915	鲁　丁	7505		
	750215	750915	751110	鲁　非	7601		
	751207	760210	760215	鲁　枫	740522		
	760215	760915	761107	鲁　戈	740225	750325	
	761110			鲁　海	680818		
刘　镇	660201			鲁水泊	670101		
刘　震	7606			鲁天贞	7206		
刘振声	7409			鲁　野	7602		
刘振芝	7511			鲁　沂	7505		
刘志芳	760610			陆北威	7505		
刘志清	7312	7504	750515	陆　典	7512		
	7608			陆凤林	740420		
刘志云	751226			陆贵山	760710		
刘忠贵	740108			陆建华	730408	760222	7604
刘忠义	660201				7610		
刘祖慈	7205	7605	7611	陆　萍	7205	731230	740217
流沙河	6605	660823	6609		740320	740505	740920
	7209	72	7409		741222	7501	750622
	750408	75			750824	7606	
柳　朗	760206			陆　荣	7404	7407	
龙彼德	7305	7309	740225	陆　伟	7606		
	741220	7502	750725	陆伟然	7301	7401	750325
	7507	750925	7601		751025		
	760325	760720	7607	陆耀东	7609		
	7607	7607	7608	陆振声	661030	661129	670427
龙冬花	7309			路　戈	7401		
龙燕怡	7504			路　鸿	740210	740920	750406
卢惠龙	750518				7506	7506	750720

路 桦	7604			吕云松	6601010	7601
路佳宜	760601			绿 原	6808	
路 坷	7610			栾纪曾	660410	680101 680225
路丕业	690428				680510	7601
路 遥	740720			罗成林	7406	
路 野	750105			罗继长	7411	761115
吕长河	740113			罗铭恩	680731	740427 7410
吕光生	750315	750710			7507	
吕 进	760910			罗顺富	731111	
吕 雷	7509			罗维扬	7611	
吕 凉	6710	6812		罗先明	7312	
吕良才	7410			罗云飞	7606	
吕亮耕	740930			罗子英	720520	
吕乃国	7511			螺丝钉	670209	
吕世豪	7510			骆 文	660301	
吕 宇	7501	7607		骆晓戈	7610	

M

麻俊华	660212			马开元	681226	760220
马安信	7502	7503	7512	马 丽	7609	
马坝青	7312			马连华	670101	
马长林	671229	680808		马联玉	750113	
马 达	7304			马林帆	760701	
马德泰	7506			马庆传	660501	
马国超	700113			马荣惠	671029	
马国征	760418			马榕勤	670620	
马合省	7412	760525		马生海	7503	
马恒祥	6904			马胜泉	670209	
马怀金	731002	750101		马盛乾	6605	
马金荣	760314			马士林	7302	7409 761201
马晋乾	7208	7410	750910	马思泰	750201	
	760115	760410		马卫平	750302	

马无缰	660930			苗　春	7205		
马绪英	670725	6708	730101	苗得雨	760201		
	730401	7503	7508	苗红文	7201		
	7602	760725		苗务寅	750414		
马英俊	7406			苗　欣	7301		
麦　地	670506	671001		苗绪法	7407		
麦贤得	660901	6611		苗延秀	7203		
满　锐	660102	660205	7203	苗振亚	7506		
	7208	740225	760120	名　涛	7607		
	760125			明大胜	670410		
芒　克	（见姜世伟）			明　朋	670214		
毛炳甫	661013	740811	750110	明　竹	670328		
	760520			鸣　节	670624		
毛诗龙	7209			铭　鉴	740915		
毛世英	680923			铭　心	671110		
毛裕俭	760418			莫邦富	741225		
毛泽东	750919	760101	7601	莫少云	7207	7303	730601
	7601				7401	740201	7403
毛震郁	661015	7409			7408	7504	750601
茅　山	680425				7512	760101	
梅绍静	7405	7508		莫西芬	660310		
孟　超	670806	6808	760506	莫　瑛	7410		
孟繁华	7512	7612		木　林	7507		
孟庆菲	740115			牧　丁	760828		
孟秋芝	7412			牧　犁	7306		
孟　仁	7304			穆　旦	7505	750906	750909
孟伟哉	760801	761212			7603	7604	7605
孟宪贵	7511				7606	7607	7609
孟宪钧	760325				7611	7612	76
米　彦	740515			穆木天	7110		
苗爱雨	74110						

人 名 索 引　　　　　　　　　485

N

那　沙	6602			740520	7406	741120
纳·赛音朝克图		6809		741201	750220	750423
纳日苏	7401			750520	750925	751022
南　哨	7405			751120	760425	760601
南永前	7509	7612		牛广进 7205	720701	7511
倪金奎	760725			牛　汉 6808	690930	7006
倪梅林	670116			70	7106	7206
倪　鹰	740523			7207	72	7306
倪志良	660904			7309	7312	73
念　东	670124			7403	7406	7409
念　选	680818			7412	74	7512
聂绀弩	6808			75	7601	7606
聂鑫森	7310	7404	7408	7612	76	
	7504	7610		牛　力 7403		
聂震宁	750715			牛明通 731110	7601	760710
聂紫霞	750116			牛　汀 （见牛汉）		
宁海留	760525			牛团全 660601		
宁　宇	660504	670423	6803	钮宇大 760315		
	690629	7009	7106	农冠品 7601	7609	
	7308	731224	740210	努克塔尔汗 7510		
	740407	740414	740419			

O

讴　阳　761201　　　　　　　欧阳翎 7　611
欧阳国斌　6603

P

潘　笛　660401　　　　　　　潘　枫　760110

潘复林	750620			彭 波	660201		
潘国钧	7310			彭景宏	7401	7607	
潘俊龄	690419			彭霖山	7407		
潘礼和	7407			彭 龄	740120	7409	741120
潘 任	680630				7507	760301	7603
潘行受	660410			彭斯远	7205	7411	7602
潘卓夫	750414			彭辛卯	7304	760115	
盘美英	7508			彭仲道	740105	7505	
庞连玉	7207			澎 湃	7209		
庞 然	740517			蓬 子	690217		
庞向荣	7307			平 凹	7411		
庞壮国	750225			萍 之	731111		
炮 台	670207			普福才	6601		
培 贵	760420			浦雨田	7305		
裴雁伶	751215						

Q

戚积广	7106	7110	7203	齐明昌	700628		
	7301	730401	7305	齐 杉	760315		
	7311	7409	7502	齐顺东	681226		
	7507	7606	7610	齐颂东	681029		
戚久芳	750608			齐 武	760315		
戚泉木	760822			齐星明	660105		
戚万忠	741110			齐振业	660101		
戚英发	7305			祁念东	670101	690101	7508
戚永芳	661001	690402		启 发	741205		
漆春生	7305	7506		千 柳	740515		
齐·哈斯劳		7506		前 进	750527		
齐凤林	660501			钱 刚	741020		
齐国兴	7308			钱 钢	751020	760620	
齐红深	7311			钱光培	750608	760710	761210
齐林戟	721217			钱国梁	671225	681226	690906

		691207	721217	730107	秋　元	721205		
		730422	730715	730903	秋　原	7212		
		740714	740915	740920	邱滨玲	750520	7611	
		741117	7506	750820	邱宏祁	660401		
钱　璞	7304	7502	7507		邱模堂	730201		
钱启贤	760905				仇学宝	661103	690906	691207
钱　巍	760801					7008	741006	750520
钱永林	750126					751022	760104	7604
乔嘉瑞	740605					7605	761101	
乔　林	7110				裘跃显	7211		
乔　屹	7606				瞿军安	7512		
峭　石	660201	660401	670608		瞿远云	661015		
峭　岩	681017	681128	721201		瞿　琮	660305	7210	7307
		730510	7412	750415		730801	7311	7404
		750601	7604	760710		7404	7412	7505
		7607				7507	7510	7512
秦川牛	660301					7602	760701	7607
秦　红	681012					7607	760801	7608
秦介龙	660405					7612		
秦克温	730225				曲孟祥	7202		
秦林通	7406				曲延顺	660828		
秦孟君	7508				曲有源	7203	721001	7302
秦瑞康	7308					7309	7402	740301
秦　易	660601					750625	760101	7603
秦裕权	7504					760925	7609	
覃柏林	7406				权德毅	7609		
覃建真	7611				泉　声	7210	730101	7304
覃绍宽	731201					730501	7502	7506
覃义文	7203					7508		
覃中华	731209				阙维杭	760725		
勤颂东	680927							

R

冉晓光	760825	任红举	660305
冉　庄	7504	任启江	7305
饶惠君	7501	任　愫	7305
饶孟侃	670402	任秀斌	740725
仁钦道尔吉	7509　7607	任彦芳	660220　740115　7401
任宝常	690409		7405　7506　7604
任玢声	750803	任耀庭	7205　7401　7403
任春远	660710		7412　7505　750901
任代清	6603		7512　7608
任　犊	740417　740419　7601	任兆胜	760425
任光椿	7410	任正平	7506　7509
任桂珍	690215	韧　兵	670804
任海鹰	660408　660509　731101	榕　树	741231
	7401　740301　7407	瑞　甫	740420
	7409　7503　7508		

S

赛福鼎	7409　7508　7609	尚　土	751115
桑恒昌	7312　7410　741210	尚　宇	7412　7603
桑　原	760516　760701	少　华	7607
沙　白	740120　7508　7610	邵学文	690419
沙　陵	7212	邵洵美	680505
莎　红	660105　7408　750715	申　身	7209　760215　760715
	7508　751130　7611		760920
山　婴	7211	申　卫	760420
单润民	7601	申文钟	730115　750331
单士航	750116	申　重	7605
单志杰	750201	沈炳龙	660823　660911
商子秦	740120	沈国凡	7406

人名索引

沈鸿鑫	730527			石金录	7606		
沈吉明	680707			石　侃	761110		
沈金生	661001			石　犁	721203		
沈其昌	661010			石　木	7401		
沈　奇	7212	7308	7311	石顺义	760601		
	740101	740520	741120	石太瑞	660427	720520	7307
沈巧耕	750801	7509			7311	760206	760419
沈仁康	7309	7412	7507		7604		
	7511	7610		石　湾	671030	7312	741001
沈　岩	7201				7412	750501	751009
沈尹默	710601				751207	760110	760820
沈　重	7606			石　武	7510		
沈主英	751015			石　祥	（见王石祥）		
沈祖培	740925			石秀英	760315		
胜　杰	760821			石　杨	7401		
盛广前	7407			石一歌	7212		
盛海源	7206			时红军	670607		
盛茂柏	7411			时　辉	680531		
盛沛林	7608			时家翎	7302	730506	7505
师东升	660701				751012		
师日新	660301	7312	750115	时　阳	670317		
	750701			时永福	6708	671225	720501
师宗平	731019				7305	730906	7311
施达宗	760101				7403	7408	741201
施德华	670314				7504	750701	750910
施国祖	7401				750915	7511	760501
施　路	7406				760510	7605	760630
施　平	7507	7607			760710	760805	760910
施　彤	7205	7403			760910	761125	7612
石　川	751005			时元风	660610		
石　丹	7403			食　指	（见郭路生）		
石佃坤	661123			史良昌	751102		
石格竹	760610	760810		史新宇	7211		

史玉新	660306	730624	7501	宋协周	660310	7309	
	751207			宋　新	741024	760320	
史　钟	760122			宋逊风	7511		
世　新	670128	670204		宋余三	7607		
世　宇	670610			苏长仙	751115		
书　亭	661204			苏敦华	7412		
抒　雁	740401			苏方学	7401		
舒浩晴	760320			苏逢湘	661205		
舒　衡	670314			苏赫巴鲁	7210	7307	7308
舒　婷	（见龚舒婷）				7406	7411	7610
述　文	750115			苏虎棠	7405	760610	
束景南	7509			苏启发	7305		
司徒华枫	760101			苏如光	7104		
思　义	740426			苏位东	760501		
松如布	7209			苏文河	680210	741210	
松　焰	7405			苏　跃	7411		
宋福森	730522	7307	7308	苏兆强	7409		
	7501			素　友	661201		
宋　歌	7212	740325	740701	孙爱忠	7405		
	740725	741225	750525	孙白桦	7610		
	751125	760125	760925	孙宝山	670101		
	760925			孙炳根	660610		
宋立人	760125			孙昌瑞	7311		
宋　烈	7505			孙　栋	671025		
宋履进	750510			孙凤鸣	670202		
宋绍明	720501	7306	730710	孙官生	750620		
	7312	740520	7506	孙桂珍	750315	760115	
宋士军	680830			孙国栋	7511		
宋世新	7506			孙国章	7309		
宋顺亭	7306			孙海浪	7509		
宋文杰	7106	7205	7311	孙海生	760115		
宋协龙	7204	7208	7307	孙家祥	660116		
	740520	750901	7511	孙家云	661103	670215

孙建华	660612	660921	661001		7611		
	680501	680925		孙　祥	670329		
孙结绿	7503			孙旭辉	7309		
孙景瑞	660501			孙　扬	7204		
孙　侃	7307			孙一广	6809		
孙　里	7411			孙永良	661101		
孙　龙	7609			孙友田	660501	7110	7211
孙明义	731007	740331			740714	7501	761001
孙如容	7412	7505			7611		
孙瑞卿	680729	681007		孙　愚	751226		
孙绍振	730812	750110		孙玉枝	731110		
	750320	7506		孙祯祥	741103		
	750920	751120		孙中明	7510	7605	760725
	760120	760320					

T

台宝奎	760510	760710		唐世敬	6606		
谈宝淼	7612			唐兴义	750720		
谭日超	7307	7507	7601	唐远钰	6808		
	7609			唐运程	760101		
谭朝阳	7412	7610		唐振新	741103		
谭宗辉	7608			桃　林	6606		
汤炳生	740210			陶保玺	7205	7507	
汤和伟	660201			陶海粟	7302		
汤景山	750707			陶嘉善	671110	680814	680909
汤世杰	7402	751005	760525		730310	7304	730910
汤世泽	7209				740110	751015	
汤　炀	7603			陶　然	660125		
唐大同	7301	7307	7409	陶世绵	660426		
	7511			陶文鹏	7609		
唐大贤	680225			陶　正	7205		
唐绍忠	7409	760510	7607	陶遵显	7412		

特·赛音巴雅尔	750119				740804	750831
滕英	7307				760301	760718
田丰	7512			田永元	97303	7401	7501
田浩	740520				7507	7509	7604
田禾	7403	7511		田章夫	6611	720520	7205
田间	9660126	670614	670906	田真	750215		
	6801	6809	751123	田宗友	700528	700721	7607
	760104	760321	760415	铁林	7411		
	760510	760515	760920	铁山	7411		
	761015	761210	761210	庭葵	670523		
	761215			佟有为	761015		
田涧菁	7301			童本清	731115	7506	
田牧	750415			童丹	7609		
田抒	7509			童嘉通	9680130	750608	7509
田先瑶	6604				7602	7608	
田永昌	9660802	660822		童汝劳	751015		
	670510	670723		童闻	721207		
	6708	680918		童晓	670209		
	7310	740217		涂树贵	660510		

W

瓦力斯江	7508		汪静之	680108
宛世照	740210		汪秀秀	7304
万斌生	7507		王宝兴	7401
万捷	7605		王本善	670101
万里浪	680110	7605	王波	760520
万良顺	660825	660914	661010	王不天	7601
	670117	670701	690402	王长富	7403	7404	7407
万文艺	7504			7410	7611
万洲	700821		王长俊	7602
汪承栋	660305	660401	王成俊	660108
汪泾洋	7307		王存玉	7510

人 名 索 引

王大成	7409			王国旺	7205		
王德福	680125			王海珍	660928		
王德恒	7602			王和合	7209	7403	
王德祥	7402	740510	741201	王　红	6808		
	7507	7508	7512	王宏文	7402		
	761020			王洪涛	7310	741115	750910
王东满	760915				7509	751215	751225
王　杜	7604	760520			7607		
王敦贤	7510			王　鸿	7305		
王鹅羽	661220			王鸿生	7610		
王恩宇	660815	670321		王怀让	730710	7409	7409
	680827	730121			7409	7409	7411
	730429	740110			7603	7605	
	740710	7408		王慧琪	7511	760701	
	740920	7409		王惠云	660401		
	741111	750625		王继荣	660829		
	750710	7507		王家金	7410		
	750910	760430		王家林	761101		
王发昌	7510			王　剑	7407		
王发秀	7502			王建国	660916	680418	740801
王方武	660601	7106	7110	王　洁	7508		
	7205	7301	7307	王金才	660610		
	7402	7405		王金海	660928	7211	
王峰山	7503			王金秋	740920		
王凤胜	750309			王金图	7604		
王复兴	7607			王进喜	660121		
王福全	7310	7411		王荆岩	660501	7302	730501
王光林	660504				740106	750225	750525
王　贵	760125				7508	7512	7602
王贵彬	660204				760501		
王贵章	750925			王凯林	7412		
王桂荣	7311			王克智	661009		
王桂霞	7510			王老黑	7212	7401	

王老九	690214			王慎行	740320	7504	
王 雷	731115			王石祥	660725	720501	7208
王 磊	7305	7306	7307		730301	731001	740715
	7607	7608	7611		7411	750701	751015
王立稷	7405				751019	751110	7512
王笠耘	7207	741201			760406	760701	7607
王满夷	750401				7608		
王枚成	660210			王守勋	7309		
王 民	740901	7506		王守政	7511		
王明德	7306			王绥青	660105	7505	7507
王明贵	7607			王书怀	660205	660305	660325
王鸣久	7604	760810	7611		7203	7211	
王佩山	660505			王淑珍	7403		
王佩云	730805			王树滨	760418		
王平凡	7106			王树国	7606		
王巧花	660708			王树青	740703	7407	
王庆斌	750125			王树田	760710		
王庆余	7601			王天奇	7605		
王庆运	7501	7605		王天瑞	7203		
王群生	7304	7604		王廷光	740901		
王榕树	721231	740510	7405*	王霆钧	7406		
	7505	760210	760510	王维章	7204	721001	7305
	760810				7402	7509	7512
王瑞萍	670418			王维洲	7206	7405	7507
王瑞尧	680125			王文福	751101		
王 森	660505	660612	671001	王文绪	7310	760115	
	681029	690222	690416	王文学	7502		
	690426	691001	7106	王喜锦	660101	660115	
	740120	740616	750123	王贤良	750405	7612	
	751005	751107		王湘晨	740625		
王善同	690426			王翔蔚	670506		
王绍德	760925			王向阳	7410		
王绍瑛	660404			王小妮	7608		

王晓廉	761114			王勇军	751220		
王晓平	7603			王又安	680814		
王新弟	750315			王玉华	750101		
王新民	740703	7407	7412	王玉民	761115		
	750212	7505		王育芳	7604		
王新涛	671029			王月梅	660921		
王信银	6904			王泽群	7602		
王性初	750120			王　昭	7407		
王　雄	660830			王者诚	671125	7409	
王　栩	7412	750212		王振海	7401	7511	
王选庆	7311			王振堂	690419		
王学海	750125			王振亚	670424		
王亚法	7506			王　智	7203		
王炎欣	671225			王致远	7308		
王彦芳	7501	7511		王中朝	7302	7308	7401
王艳琴	7401			王中忱	750707		
王燕生	7309	7310	7312	王忠范	740525	740925	760725
	7402	7404	7502	王忠杰	7312		
	760510	7610		王忠瑜	740325		
王耀东	660110	660410	741010	王主玉	7611		
	7501	7509		王祖德	6605		
王　也	660212	7512		王作山	740703	7412	750101
王　野	721217	760225	760425		7505	760310	760310
	761210				7604	7604	760510
王一桃	7209	7301	7302		760910		
	731101	7404	751115	韦国华	7607		
王　毅	761225			韦平选	7201		
王寅明	7305			韦其麟	7301		
王英志	660822	670221	761125	韦　丘	660227	7303	730801
王　颖	740610				7312	7403	7412
王永葆	7604				7505	7605	7610
王永富	7307				7611		
王咏梅	661015			韦荣久	661226		

韦　森	761115			文　苑	7409	7511	
韦尚田	660105			文哲安	660305		
韦书生	681226			闻　兵	660826		
韦信龙	7209			闻　捷	710113		
韦　野	740515	760215	760915	闻　频	7205	7301	
韦兆瑞	7603				730720	740120	
韦　之	7611			闻　哨	750331	760301	760310
伟　敏	751012				7604	760510	
卫　东	670104			闻　欣	7605		
卫东兵	670207			闻　震	730116	730730	
未　央	7309	7311	7312	乌吉斯古冷	7401	7409	7412
魏接天	660101				7505		
魏久环	7302			乌兰齐日格	7610		
魏启平	7512			巫建林	751005		
魏土贵	740427			巫　猛	7410	7501	
魏　巍	761020	761210		吴保林	7511		
魏文中	7407	750101	7506	吴碧文	7608		
	760310	7604	7604	吴伯雄	760410		
	761001			吴昌基	7203		
魏亦玛	751116			吴长生	760715		
魏则玉	690102			吴辰旭	750629		
魏志良	7206			吴　珹	7611		
温承训	660104	660504		吴　笛	721018		
温德友	730305	730506		吴功正	730710		
文步彪	（见文武斌）			吴国生	680907		
文　革	670319			吴国有	7411		
文　捷	7604			吴　红	7509		
文　铿	7307			吴厚炎	750518		
文　松	760725			吴淮生	7304	7408	
文武斌	670501	670523	7308	吴欢章	740701	740824	751207
	730917	7411	761020		760321		
	7611			吴继宗	751202		
文　星	7203			吴建国	740701		

吴金杰	7106			吴有华	7310		
吴克强	6710	6812		吴云进	7411		
吴礼祯	7607			吴增炎	741120		
吴琪拉达	7504	7610		吴振标	670124		
吴　然	750520			吴振芳	750417		
吴荣福	740225			吴正格	7510		
吴士余	760315			吴正国	760620		
吴仕兰	660130	660626		吴治国	661121		
吴仕龙	7312			吴仲华	750210	7506	
吴树民	7202	7205		吴作望	7511		
吴涛声	681103			伍　禾	681222		
吴万里	7304	7411		伍家文	7505		
吴　晓	7211			伍立宪	6801	6811	6907
吴晓平	7508				7009	7303	7311
吴晓燕	7604				7512	7607	
吴　辛	7207	7409	7510	伍亦文	7206		
	7602	760501	7605	伍振戈	7508		
	7612			伍祖平	750415		
吴兴华	660803			武　昌	7210	7406	
吴修文	660212			武培真	7602		
吴　野	7507			武　澎	7607		
吴一勇	660401			武文驹	7205		
吴永金	7207			武　原	730204		
吴永进	730101	750706		武兆强	751110	751125	751215
吴永祚	750920	760420					

X

西　彤	730701	7307	7405	习久兰	660101	7504	7509
	7408	7409	7610		7509		
	761101	7611		夏春华	6806		
希明·红青	671110			夏冠洲	7510		
曦　虹	7405			夏　里	671107		

夏连荣	661114			肖振荣	7308	740715	750201
夏祥镇	760811				750515	760615	761015
夏 羊	750115	750315	7603	小兵呐喊	670420		
夏志彬	760420			小 蕾	731120	740920	760120
险 峰	670629			晓 波	750601	751001	761220
湘天宏	670411			晓 晨	751201		
翔 宇	7406			晓 笛	670413		
向 东	670101	670221	670501	晓 凡	660101	7504	7603
向 明	730801	731201	7406		7609	7612	
	740701	7409	741124	晓 琉	7403		
	750625	750901	7601	晓 雪	730830	7312	7406
	7605	761214			741005	751130	760125
向日葵	671226	6812			760225	7611	
向天红	670328	680102		谢春池	760720		
向 阳	670106	670523	760915	谢德明	7506		
向阳红	670616			谢国顺	681229		
向远宁	730906			谢克强	7204	720901	7212
肖 冰	751125				7308	740801	740905
肖 波	750925				740920	7507	7601
肖 采	740522				7603	7611	
肖重声	7201	7203		谢鲁渤	760325		
肖 川	7304	7408		谢 冕	730801	751101	760225
肖蒂岩	730415				760623		
肖复兴	7311			谢 能	660210		
肖 岗	660105			谢其规	660406	7009	740113
肖 孔	671218				740220	740407	740720
肖 玲	660405	7308			7409	750123	750420
肖 木	660216				760425	760516	761107
肖平安	660301			谢世法	670529	670701	
肖万件	660510	660610		谢文利	7203	7212	750225
肖文普	750315				750625	750725	751025
肖业文	7305				760225		
肖贞福	660310			谢颖峰	7406		

谢永进	7303			岫 峰	6808		
谢永清	750515			胥忠国	7207		
谢作柱	7207			徐 艾	7612		
心 民	7411			徐宝成	7608		
欣 秋	7407			徐长林	680927		
辛 红	680818			徐 迟	6809	761010	
辛洪启	7511			徐东达	740512		
辛继才	740801			徐 芳	7309		
辛 农	7403			徐 刚	7205	7210	7212
辛汝忠	7511				7212	730205	730513
辛述威	731212				730722	730901	7310
辛耀午	660301				731104	731201	740108
新愚公	670703				7403	740721	741020
信 侦	760614				750316	750925	751005
兴 仁	741205				760101	760406	760416
星 琦	7403				7606	760720	760925
邢海珍	760725				761022		
邢开山	660320	7604		徐光荣	7409		
邢世健	741025			徐国新	6606		
邢书第	660210	660212	660525	徐国志	7205	7401	7601
	660710	660801	670108	徐 贺	7407		
	731201	7401	7407	徐洪斌	741124		
	7509			徐怀堂	690925	730501	740714
邢秀玲	7606				740720		
邢燕子	7411			徐 慧	7505	7509	
邢 映	751125			徐缉熙	751214		
胸怀忠	680525			徐剑铭	660101	740320	7411
熊凤鸣	661030			徐剑鸣	760605		
熊光炯	7403	7503		徐金海	740505		
熊远柱	7402	7406	7408	徐景东	721203	740721	
熊召政	7403	7409	7603	徐 康	7401	7407	7412
	7607	7611			7507	7609	
袖 春	(见郭小川)			徐荣街	7505	7602	7610

徐如麒	750518	760320	7606	许国泰	761114		
	7606	760720	7609	许力行	670108		
徐若琦	760315			许辛	761225		
徐声凯	731001			旭峰	680818		
徐锁	730720	730920	7405	旭宇	7205	7209	7210
	750120				7304	7405	740915
徐万明	660410	7403			761015	761215	
徐效忠	661220			薛达清	7512		
徐延山	740610			薛尔康	7501		
徐照瑞	730205			薛家柱	730527		
徐真柏	7605			薛鲁青	740509		
徐振辉	7212			薛平	7308		
徐志华	7606			薛锡祥	670325		
徐治义	660301			薛治本	660501		
徐子芳	660205			学工农	681008		
徐淙泉	7505			雪梅	7301		
许传之	7609			雪杉	750415	750615	
许东想	660401			汛河	7510	760220	
许峰	7405			迅雷	670810		
许光懋	7509						

Y

哑默	（见伍立宪）				751020		
鄢家发	7601	7602			760501		
延歌	670520			严玉	7511		
延青	741212			严阵	7110	7501	760320
严辰	660325				7605	760717	7611
严成志	7507				761210		
严良华	740217			严忠喜	750920		
严农	7310			言鸣	7502		
严慰冰	6801			言志	681018		
严祥炫	740701	741001	750101	言子清	6812		

人 名 索 引

岩　峰	760225				7510	7604	760720
岩三满	6604				76080		
闫纯德	（见阎纯德）			杨东明	660930	7509	
阎纯德	660901	680907		杨冬蕲	750515		
阎　阁	740610			杨　渡	680908		
阎墨林	7309			杨恩华	760515		
阎世伟	7608			杨　帆	661009		
阎　武	7603			杨　帆	671107		
阎一强	730201	7312	7404	杨　丰	6605		
阎豫昌	7409	7607		杨国安	721116		
阎志民	7507	7602	7602	杨海满	670101		
	7604	7608		杨鹤楼	7211	7305	750915
颜家文	7205	7608			7603	7605	
颜　烈	7612			杨洪立	690409		
颜士良	7511			杨　桦	7601		
颜廷奎	7312	7407	7408	杨　槐	760420	7605	
	750315	760510		杨金书	670425		
颜运祯	7412			杨景亮	760401		
彦　之	750713	751214		杨　军	7303	7607	
晏　晨	740420			杨俊青	681106	7112	731110
晏克和	681226				740418	740510	7408
雁　翎	7311				750110	750202	760727
雁　翼	6601	660201	660301	杨俊逸	681226		
	7110	7205		杨　克	7412		
燕　枫	761110			杨匡汉	7305	7509	
燕　峰	671107			杨匡满	7207	730501	740115
杨本红	7312	7312			7407	7407	7508
杨　畅	7310				760710		
杨成杰	7406			杨里昂	7305	7312	
杨代藩	7607			杨　炼	760710		
杨德祥	660801	690217	720501	杨林勃	750215		
	740804	7501	7504	杨　眉	750301		
	7507	750803	750831	杨　明	740324	7501	

杨明湘	7106			杨志安	660612	660821	660822
杨　牧	731201	7504	7507		660827	660827	
	7508	760704	76080	杨志和	670927	680501	680907
	7609			杨子忱	7302	7407	7511
杨农恩	751226			杨作云	7412		
杨群山	7312			仰　泽	671226		
杨儒鹏	670502			尧山壁	660501	730115	7308
杨善书	660214				731101	7403	7407
杨生潜	7307				741115	751115	751201
杨胜春	7403				7512	7607	760915
杨世海	7506				761225		
杨　树	7609			姚炳南	670128		
杨树茂	740426			姚成友	660127	661123	6611
杨松杰	760420				6702	670910	680310
杨松涛	740625				680510	730401	7307
杨庭顺	760210				7401	740501	7504
杨小峰	660301				7508	7611	
杨晓光	7509			姚德进	7504		
杨　啸	7302			姚凤鸣	7506		
杨星火	720801	730801	7309	姚海红	7009		
	750401	750801	7509	姚鸿恩	730501	750505	
	7609	7610		姚焕吉	741210	750515	7601
杨旭辉	751009			姚克莲	7506		
杨学贵	7401	7601		姚克明	670114		
杨学义	680418			姚学礼	750515		
杨有方	7301			姚业涌	7410	7612	
杨玉波	7607			姚振起	7411		
杨元生	7411			药　汀	760410		
杨赞东	760310			耀　先	750527		
杨泽明	680310	7404	7603	野　曼	7312		
	7611			叶　笛	7512		
杨振江	7604			叶凌良	751026	7601	
杨植霖	660105			叶　伦	740419		

人 名 索 引

叶 茂	751220			易 征	7312		
叶明山	671010			易中天	7502		
叶庆瑞	7504	76080		毅 然	671107		
叶圣华	740705	7509	7611	音 亢	660101		
叶文彬	7402			殷 波	660304		
叶文福	6702	720501	7205	殷光兰	670101	670525	680501
	721001	730401	7307		690403	7205	740101
	7310	7312	740301		7503	751108	7605
	750301	7604			7610		
叶文艺	660901	7211		殷 勤	7311	7602	
叶晓山	670101	7210	730310	殷庭佳	660310	660610	
	740520	7409	7412	殷银珠	660626		
	750120	7502	7508	殷之光	740515	751122	
	7511	7601	760512	尹桂珍	7511		
	761010	7610		尹和云	660911		
叶秀英	7404			尹景荣	740418		
叶延滨	750301	750701	7511	尹 军	7507	7607	
	7603	760601		尹抗美	751001		
叶永生	6803			尹 旭	7409		
叶兆雄	7109			尹业新	670210		
叶知秋	7605	760802		尹在勤	7308	740505	740520
叶子青	7203				7407	750227	7503
一 兵	670205	7208			750801	751227	760410
一 卒	670205				760501	760520	760620
伊丹才让	7312				760821		
依不拉音斯拉木		7303		英 戈	760801		
贻 模	750320	760120	760520	永 言	731212		
弋良俊	761220			永 毅	740426		
忆明珠	7510			咏 戈	740401		
易和元	680306			咏 燕	751012		
易洪斌	7307			游成章	7303		
易仁寰	7512			于 芳	750308	760307	
易天宝	761001			于凤伦	660405		

姓名				姓名			
于厚清	681012				750920	7611	
于　力	730701			虞伟民	730620		
于　鹏	7609			虞文琴	760401		
于　平	750120			虞　宣	7412		
于　沙	7402	7604	760720	雨　石	6806		
于书恒	661203			郁　葱	750815	751215	760515
于　水	750803				761115	761215	
于希敏	660305			喻大翔	7603		
于雪梅	75			喻　晓	660815	670221	680602
于有泽	74				720601	720701	721201
于元盛	660201				730601	7307	740601
于宗信	660801	6611	670125		750601	751019	7604
	670218	6702	670510		7606	761101	
	670614	6708	670910	喻祖福	7205		
	7203	7205	7207	元　辉	7303	730601	740201
	740515	7406	741020		750401	760720	7608
	750425	750515	7505	原　军	7205		
	7506			袁　勃	670606		
余次安	7506			袁伯霖	7510		
余光烈	660830	670114	670123	袁　航	7503		
	680210			袁金康	7506	751001	
余　广	7507			袁　军	681226	730923	740520
余弘达	660405				741013	741120	750503
余　华	661004				7506	751020	760416
余惕君	7503			袁　峻	7606		
余新庆	7503			袁水拍	6809	7601	7601
余　扬	751115			袁文燕	731224		
余志安	670128			袁忠岳	660110		
俞平伯	670905			远　征	670725		
俞树红	660210			乐　岩	7409		
俞文达	7604			岳立功	7604		
俞兆平	7304	7308	7404	岳凌云	7309		
	7405	7411	750520	岳文治	760325		

人 名 索 引

岳效良	680818			云照光	7611	
岳 重	7201	72		耘 达	7405	750120
云水怒	670502	670614		允 璜	710509	
云文兵	660831					

Z

再 耕	7607			翟玉堂	660828	
昝 澍	760822			占道本	740427	
臧克家	660915	670211	670310	战 号	670225	
	670311	670323	670509	张宝明	7408	
	680426	680504	680922	张宝申	9681106	7210	730624
	6809	690125	690131		7402	740418	750731
	691130	700130	700220		7601	760627
	700304	700627	720302	张秉珏	730903	
	720530	720630	720914	张 波	660301	660701	750115
	720915	751226	760104	张伯印	660701	
	7601	760510	760512	张不代	760515	
	760710			张才钦	680125	680808
曾凡华	97205	7305	7404	张 策	761010	
	7504	750501	760801	张 长	7310	7402
曾广瑞	7505			张长和	660828	
曾继能	7405			张呈富	660707	
曾士让	740523			张承信	760315	
曾 淑	7612			张澄寰	720801	
曾宪瑞	730701			张崇谦	7206	
曾宜富	7511			张传富	660101	
曾 卓	70			张春海	740915	
扎 布	670325			张春溪	760101	
查代文	7601			张从海	750115	760815
翟葆艺	7606			张丛中	730722	740505	751109
翟辰恩	7304			张德芳	680212	
翟承恩	7408			张德强	7211	

张德振	7504			张剑华	671228		
张殿生	7106			张建民	7406		
张东方	761024			张建中	96911	7001	7002
张东辉	750320				7007	7009	7011
张方钦	671229				7012	7105	7201
张凤和	660401				7304	7310	7312
张福庆	7401				74	7501	7507
张根扣	7304				7610		
张光年	670110	670509	670520	张斤夫	670329		
	671118	671213	680309	张金海	760306		
	690125	690515	691104	张金康	750201		
	691127	700329	700501	张劲草	760411		
	700619	700622	700910	张景琢	660916		
	710412	711115	711211	张俊彪	7311		
	720728	750621	751203	张 克	7512	7609	
	761107			张昆华	7312		
张贵祥	7505			张 廓	9730301	750701	751201
张国宏	660401				7601	7602	760725
张含保	7610			张理勤	740512		
张河石	671014			张力生	9720501	731101	760201
张亨利	751226				761101		
张衡若	740512			张立军	7602		
张红军	7506			张连发	7505		
张红雨	7212			张良火	9721202	740305	
张鸿喜	9670827	671212	680131		7505	7507	
	680418	680716	690311	张 烈	670902	680521	
	690416	691207	731209	张满飙	7406		
张 华	7410	7506		张满隆	7203	7209	7303
张 化	680427				7405	7412	7502
张化声	7303	7609			7504	7602	7612
张 惠	760822			张梅华	760314		
张继尧	750117	750305	7604	张名河	7211		
张家銮	660102			张蓬云	740101		

张朴夫	751201	张　新	7601
张　旗	741105	张新泉	7411　7507　7601
张　乾	7502		7609　7612
张庆功	670725	张兴礼	660205
张庆明	7410	张修富	75
张秋华	760610	张旭东	7310
张全明	760501	张宣强	7207　760120
张如意	660901	张学林	750301　7508
张瑞生	660707	张学义	760710
张绍宽	760605	张雪杉	760501
张生民	660906	张雅歌	7203　730301　7407
张寿山	760810		7411　7507
张树宽	7411	张亚南	670610
张树桐	750116　7604	张燕辉	740517
张树伟	7406	张养科	7409
张随丑	7407	张永枚	660227　7209　730325
张天定	760515		731201　7312　740310
张天民	7305　7610　7612		740315　740316　740317
张铁崖	7510		7403　740401　7404
张万晨	7410　7509		7404　7404　7404
张万山	7506		7404　740515　7405
张万舒	7311		7405　7407　740805
张　炜	731001		740824　740930　741124
张卫东	730715　7406		7412　750202　750510
张文祥	750315		7508　750922　7511
张五海	7209		75　7601　760425
张喜山	7602	张永权	7308　7404　741005
张显华	7207　7305　7510		750605　751207　760125
张献隆	660828	张永生	7502
张相林	7203	张永柱	7505
张祥康	760520　7608	张玉彩	7511
张小鸽	750128	张玉林	660313
张小敏	7603	张玉平	7602

姓名				姓名			
张 郁	7205	7411	760120	赵凤成	660404		
张元才	661121			赵伏生	691221		
张运福	7503			赵贵忠	7212		
张赞廷	7405	741201	7412	赵国华	681226		
	750101	7503	7512	赵国泰	7505	7601	
张占兴	7304			赵红雁	740517		
张之涛	7303	7310	7509	赵焕亭	660312		
张志标	760606			赵建立	7410		
张志诚	760204			赵金福	660904		
张志良	7304	740520		赵俊德	7304		
张志民	680508	761020	761110	赵丽宏	750525	750720	7606
张志民	750501	7506			760715		
张志仁	7312			赵 燎	740825		
张志胜	660901			赵 铭	740510	7406	
张志玉	7509			赵 强	7505		
张中源	7608			赵勤谋	7412		
张子春	7305			赵日升	660104	7205	730310
章宝璋	750310				740310	7508	
章晨溪	750323			赵润志	670403		
章德益	7409	7502	7605	赵石保	681022		
	760710	7607		赵天山	7508		
章 明	660312	7303	7310	赵同伦	7608		
	7504	7607		赵 熙	7212		
章 清	760517			赵向东	661226		
章亚昕	740810			赵新禄	7211	7511	
赵宝竹	750315			赵翼如	7604		
赵 兵	730915			赵友国	661017		
赵长鸣	7604			赵元瑜	7505	7610	
赵长天	7408			赵展舒	760715		
赵 成	730710			赵振汉	7109		
赵春华	7509			赵振开	72	73	74
赵得身	7211				7604	76	
赵东方	7510			赵振中	7404		

赵　政	670219				7410	7603	
赵政民	7410	761101		郑荣知	681007		
赵正达	670225	680928		郑士达	681226		
赵钟铃	690101			郑世流	740427	7410	7506
赵宗宪	660401			郑小林	7311		
肇　隆	7607			郑秀荣	750315		
枕　木	760220			郑彦平	670128		
振　江	660901			郑之楚	7207		
振　扬	720520	7307	7309	郑志和	670224		
	7410	7607		志　国	751228		
震　学	760120			志　毅	660901		
正　策	750527			智　奇	760822		
郑宝富	7406	7408		智　青	700204		
郑宝生	760515			中　流	730826		
郑成义	660501	660503	660727	钟长鸣	7501	7601	
	660823	660823	660907	钟　敏	760515		
	660911	660918	661002	钟　平	730921		
	681004	690427	740505	钟其伟	680427		
	7406	750420	750622	钟起福	7506		
	750701	751020	751208	钟　青	7201		
	760614	7606	760827	钟尚坤	670328		
郑德铭	680923			钟陶岳	7405		
郑德明	7506	7612		钟　心	7405		
郑定友	740305	7603		钟永华	680531		
郑风雷	670215			钟　志	760520		
郑国强	751214			周长钟	7510		
郑　欢	7411			周传普	7601		
郑江涛	740605			周福楼	750216		
郑军华	670422			周福祥	7604		
郑克级	7608			周广秀	7512		
郑明东	670701	7601		周　鹤	740310	740501	750501
郑　南	7205	7210	730501		750818	7508	7602
	7309	7408	7409	周鸿飞	731225		

周厚斌	7608					760701	
周吉士	7506			朱和平	7501		
周家骏	760731			朱弘强	760613		
周嘉俊	76080			朱吉成	7612		
周介龙	7501			朱健强	7511		
周克周	7412	750101	750308	朱 捷	760715		
	760307			朱金晨	7212	730107	740120
周灵芝	7511				740123	7410	741220
周美华	670620	6809	690427		750525	750720	7511
	691021				760430	7605	760613
周启光	7403				7606		
周仁民	740427			朱经通	760101		
周 森	660901			朱 雷	7301	7411	
周申明	751015			朱 鹭	660205		
周 实	7408			朱清江	660401		
周所同	760515			朱珊珊	680925		
周 涛	7603	760820	761115	朱寿鹏	661205		
周土根	741120			朱述新	731115	7507	
周晓芳	7410			朱烁渊	760731		
周晓英	7411			朱体泉	7409		
周信礼	661203			朱万春	740601		
周银宝	660701	750220		朱文长	7310		
周永森	700428	7308	7407	朱文虎	660816		
周玉林	7302			朱文玫	6603		
周志怀	7512			朱贤明	660831	681113	
周志俊	751020			朱向前	760720		
周志友	7612			朱 晓	7407		
周作人	670506	6808		朱雪冬	730113		
朱 兵	670210			朱雪仁	681226		
朱秉龙	7205			朱 岩	7512		
朱昌勤	6601010	7601	7605	朱永清	7602		
朱大可	7608			朱兆雪	660201		
朱谷忠	7304	750720	7603	朱志刚	670129	671204	

竹　人	7405		邹　克	740905
祝润功	7202		邹善崇	7502
庄志霞	7609		邹文华	750323
庄　重	7212		邹雨林	730701
追穷寇	670622		邹雨善	730805
子弟兵	670530		邹　镇	7603
子　干	760610　761210		钻　宣	7512
宗传惠	660610		左家发	680707
宗　鲁	760515		左　军	670207　670319
邹春明	700213		左　人	750219
邹德盛	7311		左一兵	7510　7605
邹国平	7604　7607		左宗华	7506

后　　记

　　近些年我比较关注20世纪50年代到70年代的新诗,特别是"文革"期间的新诗,认为这在中国文学史,甚至在世界文学史上都是特殊的现象,有必要做一番梳理研究。1999年,我曾以《"文革"十年诗集叙录》为题在《小说家》连续发表了三期文字,可到了第四期写好的稿子却被退了回来。在此前后还与岩佐昌暲先生合编了一本《红卫兵诗选》,该书2001年在日本出版,但印数很少,见到者不是很多。这之后,我更加努力收集、阅读有关资料,打算可能的话编写一部编年史。

　　今年5月,刘景荣女士来访并代表袁喜生先生约稿,我的想法得到了他们的支持,并很快约定书稿完成后可以由河南大学出版社出版。于是紧张地奋斗了整整一个夏天,终于在十月金秋有了还算满意的收获。我一向做事很慢,总想求全,说得好听是"十年磨一剑",而这一优点或缺点常常使得研究项目一拖再拖,有的二十多年了还没有完成。这部书稿真能这样快地交出,自己都感觉有些意外。

　　书稿总算是画上了句号,但作为研究工作还只是开始。我去年出版了一本《新诗纪事》,今年又完成了这本《编年史》,我只希望我的这些梳理工作能有助于新诗研究,特别是这本《编年史》能对"文革"新诗研究有所推动。在这本《编年史》里,我所努力的是想尽量还原那段历史的复杂,可这难度实在是太大了。我很担心,对于隐藏在这些看似过于简单的文本下面的潜文本后来者能否深入进去,时间越来越远许多作品可能会被误读,所以真希望研究界能对这一段研究有多一些的投入。

感谢河南大学出版社,这本书能完成又能很快出版,没有他们的帮助是不行的。感谢我的夫人徐丽松,感谢她多年来对我的理解、支持和为本书所做的很多录入工作。

刘福春
2005年12月8日